KU-101-117

أدعية
الإمام علي بن أبي طالب
عليــه الســلام

(الصحيفة العلوية المباركة)

الشيخ عبد الله بن صالح السماهيجي

دار المرتضى
بيروت ـ لبنان

دار المرتضى

طباعة ,نشر ,توزيع
لبنان –بيروت , ص.ب :٢٥/١٥٥ الغبيري
هاتف فاكس : ٠٠٩٦١١٨٤٠٣٩٢
E-mail: mortada14@hotmail.com

DAR AL-MORTADA

Printing –Publishing –Distributing
Lebanon –Beirut
P O Box: 155/25 Ghobiery
Tel –Fax: 009611840392
E –mail: mortada14@hotmail.com

Printed In Lebanon

جميع حقوق الطبع والاقتباس محفوظة
ولا يحق لأي شخص أو مؤسسة طباعة
أو ترجمة الكتاب أو جزء منه إلا بإذن
خطي من المؤلف والناشر

الطبعة الأولى
١٤٢٣ هجرية
2002 ميلادية

بسم الله الرحمن الرحيم

بين يدي الكتاب

الدعاء هو التوسُّل بالله والطلب منه وهو من مختصَّات أهل البيت عليهم السلام ، «إذ لم يكن أحد أقدر على هذه الصناعة ـ صناعة الدعاء ـ من أهل البيت»[1] ، فهم الَّذين علّموا الناس على اللهجة التي يكلّم العبد بها سيده ومولاه، أضف إلى ما في هذا التراث النفيس الذي تركه أهل البيت عليهم السلام من الأخلاق والآداب والتعاليم الإسلامية .

إنَّ المكتبة الإسلامية ازدانت بمئات الكتب التي جمعها علماؤنا رضوان الله عليهم من أدعية الأئمة عليهم السلام . وأنت إذا علمت أنّ السّيد النقيب رضي الدين علي بن

(١) انظر (جعفر بن محمد) لعبد العزيز سيد الأهل، ص٨٤ .

موسى بن جعفر (ابن طاووس)[١] له ما يناهز الثلاثين كتاباً في الأدعية علمت ما نملك من هذه الثروة، وفي طليعة هذه الكتب (الصحيفة السجادية) أدعية الإمام زين العابدين عليه السلام، وهذا الكتاب الذي بين يديك وهو ما جمعه العالم الربّاني الشيخ عبد الله بن صالح السماهيجي[٢] من أدعية الإمام أمير المؤمنين عليه السلام، علماً أنّ في كتب التاريخ والسير والتراجم الكثير من أدعيته عليه السلام، وأنَّ الشريف الرضي رضوان الله عليه ذكر بعضها في «نهج البلاغة».

أَما الدعاء فهو سلاح المؤمن، يُنجي من الأعداء، ويدفع البلاء، ويدرّ الخيرات والأَرزاق، وللدعاء آداب ومستحبّات وسنن رواها العلماء في كتبهم.

إلى ذلك ان هناك حالات وأياماً خاصَّة، يكون فيها الدعاء أسرع للاستجابة، وأقرب إلى المولى جلَّ جلاله، فعلى الداعي أن يغتنمها زاداً لآخرته.

وأمير المؤمنين علي بن أبي طالب عليه السلام هو سيِّد

(١) من علماء القرن السابع الهجري.

(٢) من أعلام القرن الثاني عشر.

البُلغـاء والمتكلميـن، وسيّـد الـدَّاعيـن. وهـذه أدعيتـه المباركة، منها ما كان يدعو بها في لياليه ومناجاته، ومنها أدعيته في الحرب والدَّين والمرض وغير ذلك وقد وصلتنا هذه الأدعية عبر الرواة الثقاة والعلماء الصَّالحين.

لنعش مع الله سبحانه وتعالى في أجواء الدعاء ولنجعل نصب أعيننا قوله تعالى: ﴿وإِذَا سَأَلَكَ عِبَادي عنّي فإنّي قَريبٌ، أُجيبُ دَعْوَةَ الدَّاعِ إذا دَعَانِ، فَلْيَسْتَجِيبُوا لي وَلْيؤمِنُوا بي لعلَّهُم يرشُدُونَ﴾[1]

وأملنا بالقرّاء الأعزّاء أن ينشدّوا لهذا التراث النفيس ليسعدوا دنياً وآخرة، وما دام العبد في مسار الحق كان الله في عونه، وآخر دعوانا أن الحمد لله ربّ العالمين.

علي محمد علي دخيل

ذو القعدة ١٤١٧هـ

(١) سورة البقرة، الآية: ١٨٦.

بسم الله الرحمن الرحيم

المقدمة

أَلحَمْدُ لله الّذي جعلَ الدعاءَ مِفتاحَ الفلاحِ، وَمِصْباحَ النَّجاحِ، وَجُنَّةً واقِيَةً[1]، وَجَنَّةً باقِيَةً، وَعُدَّةَ الإقْبالِ، وَذَخيرَةَ الأعْمالِ، وَمُهجَ الخَيْراتِ، وَمَنْهَجَ الْكَرامَاتِ[2]، وَسِلاحاً عَلىٰ الأعْداءِ، وَصَلاحاً لِلْمَعادِ والمَبْدَأ، وَزَاداً لِلْمُسافِرينَ، وَكَنْزاً لِلْحاضِرينَ، وأماناً مِنَ الأخْطَار، وَتَهْذيباً لأَهْلِ الاسْتِبْصارِ، وكافِياً في الوَسَائِلِ، وَوَافياً في المسَائِلِ، وَسَبَباً في الْهِدَايَةِ، وَسُلَّماً لِلنِّهايَةِ. وَالصَّلاةُ عَلىٰ نَبيِّهِ مُحَمَّدٍ ٱلَّذي مَهَّدَ[3]

(١) واقية: حافظة، حامية.
(٢) المهج: القلوب، والمنهج: الطريق.
(٣) مهد: سوّى واصلح.

قَواعِدَهُ، وَوَهَّدَ[1] مَصاعِدَهُ، وَعَلىٰ وَصِيِّه الّذي سَلَكَ شَرائِعَهُ، وَذَلَّكَ مَشارِعَهُ، وَعلىٰ أَبْنائِهِ الّذينَ أَوْضَحُوا مَعالِمَهُ، صَلاةً لا يُغْنيها زَمانٌ، ولا يَحْويهَا مَكانٌ.

وبعد:

يقول المفتقر إلى رحمة ربه المنجِي (عبد الله بن صالح السماهيجي)، أصلح الله تعالى أحوالهما، وبلغهما من الخيرات آمالهما، وختم بالصالحات أعمالهما، بحق محمد وعلي وآلهما:

«إني ذاكر في هذه الصحيفة، ما صحت عندي روايته، وثبتت لديَّ إجازته من الأدعية الواردة عن سيد الوصيين، علي بن أبي طالب أمير المؤمنين، صلوات الله عليه وعلى أبنائه المعصومين، بحذف الاسناد خوفاً من الاكثار، واعتماداً على الاشتهار، حيث انها منقولة من الكتب المعتمدة المشهورة، والاصول المسندة التي هي بين أيدي علمائنا موفورة، وسميتها بالصحيفة العلوية

(1) وهّد: اورده المكان الآمن.

والتحفة المرتضوية، اتحفت بها اخواني في الدين من المتعبدين والمتهجدين .

وأنا أسـأل الله الكـريـم أن يجعلها فـي صحيفـة الحسنات مكتوبة، وفي ذخيرة النجاة محسوبة، وأن يشركني في ثواب كل من انتفع بها أو اقتناها، أو كتبها، أو استكتبها .

والله تعالى المسؤول أن يعين على ما قصدت ، وأن يوفق بالاتمام ما شرعت ، وهو حسبي ونعم الوكيل ، نعم المولى ونعم النصير ، ولا حول ولا قوة إلا بالله العلي العظيم ، وصلى الله على محمد وآله الطاهرين .

دعاء الصباح

بِسْمِ ٱللَّهِ ٱلرَّحْمٰنِ ٱلرَّحِيمِ

يَا مَنْ دَلَعَ لِسَانَ ٱلصَّبَاحِ بِنُطْقِ تَبَلُّجِهِ، وَسَرَّحَ قِطَعَ ٱللَّيْلِ ٱلْمُظْلِمِ بِغَيَاهِبِ تَلَجْلُجِهِ، وَأَتْقَنَ صُنْعَ ٱلْفَلَكِ ٱلدَّوَّارِ فِي مَقَادِيرِ تَبَرُّجِهِ، وَشَعْشَعَ ضِيَاءَ ٱلشَّمْسِ بِنُورِ تَأَجُّجِهِ، يَا مَنْ دَلَّ عَلَىٰ ذَاتِهِ بِذَاتِهِ وَتَنَزَّهَ عَنْ مُجَانَسَةِ مَخْلُوقَاتِهِ، وَجَلَّ عَنْ مُلَآءَمَةِ كَيْفِيَّاتِهِ، يَا مَنْ قَرُبَ مِنْ خَوَاطِرِ ٱلظُّنُونِ وَبَعُدَ عَنْ مُلَاحَظَةِ ٱلْعُيُونِ، وَعَلِمَ بِمَا كَانَ قَبْلَ أَنْ يَكُونَ، يَا مَنْ أَرْقَدَنِي فِي مِهَادِ أَمْنِهِ وَأَمَانِهِ، وَأَيْقَظَنِي إِلَىٰ مَا مَنَحَنِي بِهِ مِنْ مِنَنِهِ وَإِحْسَانِهِ، وَكَفَّ أَكُفَّ ٱلسُّوءِ عَنِّي بِيَدِهِ وَسُلْطَانِهِ، صَلِّ ٱللَّهُمَّ عَلَىٰ ٱلدَّلِيلِ إِلَيْكَ فِي ٱللَّيْلِ ٱلْأَلْيَلِ، وَٱلْمُتَمَسِّكِ

مِنْ أَسْبَابِكَ بِحَبْلِ ٱلشَّرَفِ ٱلْأَطْوَلِ، وَٱلنَّاصِعِ ٱلْحَسَبِ فِي ذِرْوَةِ ٱلْكَاهِلِ ٱلْأَعْبَلِ، وَٱلثَّابِتِ ٱلْقَدَمِ عَلَىٰ زَحَالِيْفِهَا فِي الزَّمَنِ ٱلْأَوَّلِ، وَعَلَىٰ آلِهِ ٱلْأَخْيَارِ ٱلْمُصْطَفَيْنَ ٱلْأَبْرَارِ، وَٱفْتَحِ ٱللَّهُمَّ لَنَا مَصَارِيعَ ٱلصَّبَاحِ بِمَفَاتِيحِ ٱلرَّحْمَةِ وَٱلْفَلَاحِ، وَٱلْبِسْنِي ٱللَّهُمَّ مِنْ أَفْضَلِ خِلَعِ ٱلْهِدَايَةِ وَٱلصَّلَاحِ، وَٱغْرِسِ ٱللَّهُمَّ لِعَظَمَتِكَ فِي شِرْبِ جَنَانِي يَنَابِيعَ ٱلْخُشُوعِ، وَأَجْرِ ٱللَّهُمَّ لِهَيْبَتِكَ مِنْ آمَاقِي زَفَرَاتِ ٱلدُّمُوعِ، وَأَدِّبِ ٱللَّهُمَّ نَزَقَ ٱلْخُرْقِ مِنِّي بِأَزِمَّةِ ٱلْقُنُوعِ، إِلَٰهِي إِنْ لَمْ تَبْتَدِئْنِي ٱلرَّحْمَةُ مِنْكَ بِحُسْنِ ٱلتَّوْفِيْقِ، فَمَنِ ٱلسَّالِكُ بِي إِلَيْكَ فِي وَاضِحِ ٱلطَّرِيقِ، وَإِنْ أَسْلَمَتْنِي أَنَاتُكَ لِقَائِدِ ٱلْأَمَلِ وَٱلْمُنَىٰ، فَمَنِ ٱلْمُقِيلُ عَثَرَاتِي مِنْ كَبْوَةِ ٱلْهَوَىٰ، وَإِنْ خَذَلَنِي نَصْرُكَ عِنْدَ مُحَارَبَةِ ٱلنَّفْسِ وَٱلشَّيْطَانِ، فَقَدْ وَكَلَنِي خِذْلَانُكَ إِلَىٰ حَيْثُ ٱلنَّصَبِ وَٱلْحِرْمَانِ، إِلَٰهِي أَتَرَانِي مَا أَتَيْتُكَ إِلَّا مِنْ حَيْثُ ٱلْآمَالِ أَمْ عَلِقْتُ بِأَطْرَافِ حِبَالِكَ إِلَّا حِيْنَ

بَاعَدَتْنِي ذُنُوبِي عَنْ دَارِ ٱلْوِصَالِ، فَبِئْسَ ٱلْمَطِيَّةُ ٱلَّتِي ٱمْتَطَأَتْ نَفْسِي مِنْ هَوَاهَا، فَوَاهاً لَهَا لِمَا سَوَّلَتْ لَهَا ظُنُونُهَا وَمُنَاهَا، وَتَبّاً لَهَا لِجُرْأَتِهَا عَلَىٰ سَيِّدِهَا وَمَوْلاَهَا، إِلٰهِي قَرَعْتُ بَابَ رَحْمَتِكَ بِيَدِ رَجَائِي وَهَرَبْتُ إِلَيْكَ لاَجِئاً مِنْ فَرْطِ أَهْوَائِي، وَعَلَّقْتُ بِأَطْرَافِ حِبَالِكَ أَنَامِلَ وَلاَئِي، فَٱصْفَحِ ٱللَّهُمَّ عَمَّا كَانَ أَجْرَمْتُهُ مِنْ زَلَلِي وَخَطَئِي، وَأَقِلْنِي ٱللَّهُمَّ مِنْ صَرْعَةِ رِدَائِي وَعُسْرَةِ بَلاَئِي، فَإِنَّكَ سَيِّدِي وَمَوْلاَيَ وَمُعْتَمَدِي وَرَجَائِي، وَغَايَةُ مُنَايَ فِي مُنْقَلَبِي وَمَثْوَايَ، إِلٰهِي كَيْفَ تَطْرُدُ مِسْكِيناً ٱلْتَجَأَ إِلَيْكَ مِنَ ٱلذُّنُوبِ هَارِباً، أَمْ كَيْفَ تُخَيِّبُ مُسْتَرْشِداً قَصَدَ إِلَىٰ جَنَابِكَ سَاعِياً، أَمْ كَيْفَ تَطْرُدُ ظَمْآناً وَرَدَ إِلَىٰ حِيَاضِكَ شَارِباً، كَلاَّ وَحِيَاضُكَ مُتْرَعَةٌ فِي ضَنْكِ ٱلْمُحُولِ، وَبَابُكَ مَفْتُوحٌ لِلطَّلَبِ وَٱلْوُغُولِ، وَأَنْتَ غَايَةُ ٱلْمَسْؤُولِ وَنِهَايَةُ ٱلْمَأْمُولِ.

إِلٰهِي هٰذِهِ أَزِمَّةُ نَفْسِي عَقَلْتُهَا بِعِقَالِ مَشِيئَتِكَ، وَهٰذِهِ

أَعْبَاءُ ذُنُوبِي دَرَأْتُهَا بِرَحْمَتِكَ، وَهٰذِهِ أَهْوَآئِي ٱلْمُضِلَّةُ وَكَّلْتُهَا إِلَىٰ جَنَابِ لُطْفِكَ وَرَأْفَتِكَ، فَٱجْعَلِ ٱللَّهُمَّ صَبَاحِي هٰذَا نَازِلاً عَلَيَّ بِضِيَآءِ ٱلْهُدَىٰ وَٱلسَّلاَمَةَ فِي ٱلدِّينِ وَٱلدُّنْيَا، وَمَسَآئِي جُنَّةً مِنْ كَيْدِ ٱلْعِدَىٰ وَوِقَايَةً مِنْ مُرْدِيَاتِ ٱلْهَوَىٰ، إِنَّكَ قَادِرٌ عَلَىٰ مَا تَشَآءُ ﴿تُؤْتِي ٱلْمُلْكَ مَنْ تَشَآءُ وَتَنْزِعُ ٱلْمُلْكَ مِمَّنْ تَشَآءُ وَتُعِزُّ مَنْ تَشَآءُ وَتُذِلُّ مَنْ تَشَآءُ بِيَدِكَ ٱلْخَيْرُ إِنَّكَ عَلَىٰ كُلِّ شَيْءٍ قَدِيرٌ* تُولِجُ ٱللَّيْلَ فِي ٱلنَّهَارِ وَتُولِجُ ٱلنَّهَارَ فِي ٱللَّيْلِ، وَتُخْرِجُ ٱلْحَيَّ مِنَ ٱلْمَيِّتِ وَتُخْرِجُ ٱلْمَيِّتَ مِنَ ٱلْحَيِّ، وَتَرْزُقُ مَنْ تَشَآءُ بِغَيْرِ حِسَابٍ﴾. لاَ إِلَـهَ إِلاَّ أَنْتَ سُبْحَانَكَ ٱللَّهُمَّ وَبِحَمْدِكَ، مَنْ ذَا يَعْرِفُ قُدْرَتَكَ فَلاَ يَخَافُكَ، وَمَنْ ذَا يَعْلَمُ مَا أَنْتَ فَلاَ يَهَابُكَ، أَلَّفْتَ بِقُدْرَتِكَ ٱلْفِرَقَ وَفَلَقْتَ بِرَحْمَتِكَ ٱلْفَلَقَ، وَأَنَرْتَ بِكَرَمِكَ دَيَاجِيَ ٱلْغَسَقِ، وَأَنْهَرْتَ ٱلْمِيَاهَ مِنَ ٱلصُّمِّ ٱلصَّيَاخِيدِ عَذْباً وَأُجَاجاً، وَأَنْزَلْتَ مِنَ ٱلْمُعْصِرَاتِ مَاءً ثَجَّاجاً، وَجَعَلْتَ ٱلشَّمْسَ

وَٱلْقمرَ لِلْبَرِيَّةِ سِرَاجاً وَهَّاجاً مِنْ غَيْرِ أَنْ تُمَارِسَ فِيْمَا ٱبْتَدَأْتَ بِهِ لُغُوباً وَلاَ عِلاَجاً، فَيَا مَنْ تَوَحَّدَ بِٱلْعِزِّ وَٱلْبَقَآءِ، وَقَهرَ عِبَادَهُ بِٱلْمَوْتِ وَٱلْفَنَآءِ صَلِّ عَلَىٰ مُحَمَّدٍ وَآلِهِ ٱلأَتْقِيَآءِ، وَٱسْتَمِعْ نِدَآئِي، وَٱسْتَجِبْ دُعَآئِي وَحَقِّقْ بِفَضْلِكَ أَمَلِي وَرَجَائِي، يَا خَيْرَ مَنْ دُعِيَ لِكَشْفِ ٱلضُّرِّ وَٱلْمَأْمُولِ لِكُلِّ عُسْرٍ وَيُسْرٍ، بِكَ أَنْزَلْتُ حَاجَتِي فَلاَ تَرُدَّنِي يَا سَيِّدِي مِنْ سَنِّي مَوَاهِبِكَ خَائِباً يَا كَرِيْمُ يَا كَرِيْمُ بِرَحْمَتِكَ يَا أَرْحَمَ ٱلرَّاحِمِينَ، وَصَلَّىٰ ٱللَّهُ عَلَىٰ سَيِّدِنَا مُحَمَّدٍ وَآلِهِ ٱلطَّاهِرِينَ أَجْمَعِيْنَ. وقل يَا كَرِيْمُ، وقل سبع مرات: بِكَرَمِكَ، وقل: يَا لَطِيفُ، وقل سبع مرات: بِلُطْفِكَ، وقل: يَا عَزِيزُ، وقل سبع مرات: بِعِزَّتِكَ، وقل: رَبِّ ٱشْرَحْ لِي صَدْرِي وَيَسِّرْ لِي أَمْرِي وَٱحْلُلْ عُقْدَةً مِنْ لِسَانِي يَفْقَهُوا قَوْلِي وَٱرْجِعْنِي إِلَى أَحْسَنِ ٱلأَحْوَالِ وَٱصْرِفْ عَنِّي كُلَّ آفَةٍ وَعَاهَةٍ وَكُلَّ بَلِيَّةٍ بِمُحَمَّدٍ وَآلِهِ. وتسجد وتقول: إِلَهِي

قَلْبِي مَحْجُوبٌ، وَعَقْلِي مَغْلُوبٌ، وَنَفْسِي مَعْيُوبٌ، وَهَوَآئِي غَالِبٌ وَطَاعَتِي قَلِيْلَةٌ، وَمَعْصِيَتِي كَثِيْرَةٌ، وَلِسَانِي مُقِرٌّ بِٱلذُّنُوبِ وَمُعْتَرِفٌ بِالْعُيُوبِ، فَمَا حِيْلَتِي يَا عَلاَّمَ ٱلْغُيُوبِ، يَا سَتَّارَ ٱلْعُيُوبِ، يَا غَفَّارَ ٱلذُّنُوبِ، ٱغْفِرْ لِي ذُنُوبِي كُلَّهَا يَا غَفَّارُ، وَٱسْتُرْ عَلَيَّ يَا سَتَّارُ، بِمُحَمَّدٍ وَآلِهِ الأَطْهَارِ، بِرَحْمَتِكَ يَا أَرْحَمَ الرَّاحِمِينَ.

***

في الثناء على الله تعالى

بِسْمِ ٱللَّهِ ٱلرَّحْمٰنِ ٱلرَّحِيمِ، أَلْحَمْدُ للهِ الَّذِي لا إِلٰهَ إِلاَّ هُوَ الْحَيُّ الْقَيّومُ الدائِمُ، المَلِكُ الحقُّ المبينُ، المدَبِّرُ بِلا وَزِيرٍ، وَلاَ خَلْقٍ مِنْ عِبادِهِ يَسْتَشِيرُ، ٱلأَوَّلُ غَيْرُ مَوْصُوفٍ، ألباقي بَعْدَ فَناءِ الْخَلْقِ، الْعَظِيمُ الرُّبوبِيَّةِ، نُورُ السَّماوَاتِ وَالأَرضِينَ وَفاطِرُهُما، وَمُبْتَدِعُهُما، خَلَقَهُما بِغَيْرِ عَمَدٍ تَرَوْنَها، وَفَتَقَهُما فَتْقاً،

فقامَتِ السَّماواتُ طائعاتٍ بأَمْرِهِ، وَٱسْتَقَرَّتِ الأَرْضُ بِأَوْتادِها فَوْقَ الماءِ، ثُمَّ عَلا رَبُّنا في السماواتِ العُلى، الرَّحْمٰنُ عَلىٰ العَرْشِ اسْتَوىٰ، لَهُ ما في السماواتِ وَما في الأَرْضِ وَما بَيْنَهُما وَما تَحْتَ الثَّرىٰ. فَأنا أَشْهَدُ بِأَنَّكَ أَنْتَ اللهُ، لا رَافِعَ لما وَضَعْتَ، ولا وَاضِعَ لمَا رَفَعْتَ، ولا مُعِزَّ لمنْ أَذْلَلْتَ، ولا مُذلَّ لِمَنْ أَعْزَزْتَ، ولا مَانعَ لما أَعْطَيْتَ، ولا مُعطي لما مَنَعْتَ، وَأَنْتَ اللهُ لا إِلٰهَ إلا أَنْتَ، كُنْتَ إِذْ لَمْ تكُنْ سَماءٌ مَبْنِيَّةٌ، ولا أَرْضٌ مَدْحِيَّةٌ[١]، وَلاَ شَمْسٌ مُضِيئَةٌ، ولا لَيْلٌ مُظْلِمٌ، ولا نَهارٌ مُضِيءٌ، ولا بَحْرٌ لُجِّيٌّ[٢] وَلاَ جَبَلٌ راسٍ، وَلا نَجْمٌ سَارٍ، وَلا قَمَرٌ مُنيرٌ، ولا ريحٌ تَهُبُّ ولا سَحابٌ يَسْكُبُ، ولا بَرْقٌ يَلْمَعُ، ولا رَعْدٌ يُسَبِّحُ، ولا رُوحٌ تَتَنَفَّسُ، ولا طائرٌ يطيرُ، ولا نَارٌ تَتَوَقَّدُ، ولا ماءٌ يَطَّرِدُ[٣]. كُنْتَ قَبْلَ

---

(١) مدحية: مبسوطة.

(٢) بحر لجي: بحر واسع.

(٣) يَطَّرد: يزداد.

كُلِّ شَيْءٍ، كَوَّنْتَ كُلَّ شَيْءٍ وَقَدَّرْتُ كُلَّ شَيْءٍ، وابتدعتَ كُلَّ شَيْءٍ، وَأَفْقَرْتَ وأَغْنَيْتَ، وَأَمَتَّ وَأَحْيَيْتَ، وَأَضْحَكْتَ وَأَبْكَيْتَ، وَعَلى العرشِ اسْتَوَيْتَ، فَتَبَارَكْتَ يا الله وَتعالَيْتَ.

أَنْتَ اللهُ الَّذي لا إِلٰهَ إلا أَنْتَ الْخَلاَّقُ الْعَلِيمُ، أَمْرُكَ غَالِبٌ، وَعِلْمُكَ نافِذٌ، وكيدك قريبٌ، ووعدك صادقٌ، وقولك حقٌ، وَحُكْمُكَ عَدْلٌ، وَكَلامُكَ هُدَىً، وَوَحْيُكَ نُورٌ، وَرَحْمَتُكَ وَاسِعَةٌ، وَعَفْوُكَ عَظيمٌ، وَفَضْلُكَ كَبيرٌ، وَعَطاؤُكَ جَزيلٌ، وَحَبْلُكَ مَتينٌ، وَإِمْكانُكَ عَتيدٌ(١)، وَجارُكَ عَزيزٌ، وَبَأْسُكَ شَديدٌ، وَمَكْرُكَ مَكيدٌ. أَنْتَ يا رَبِّ مَوْضِعُ كُلِّ شَكْوىٰ، شاهِدُ كُلِّ نَجْوىٰ(٢)، حَاضِرُ كُلِّ مَلأٍ مُنْتَهى كُلِّ حَاجَةٍ، فَرَجُ كلِّ حَزينٍ، غِنىٰ كُلِّ فَقيرٍ مِسْكينٍ،

(١) عتيد: حاضر.
(٢) نجوى: حوار خفي.

حِصْنُ كلِّ هارِبٍ، أَمانُ كُلِّ خائِفٍ، حِرْزُ الضّعفاءِ، كَنْزُ الفُقراءِ، مُفَرِّجُ الغَمّاءِ[1] مُعينُ الصّالِحينَ. ذٰلِكَ اللهُ رَبُّ العالمينَ، رَبَّنا لا إِلٰهَ إلا أَنْتَ، تَكْفِي المُحْتاجَ مِنْ عِبادِكَ، وَناصِرُ مَنْ تَوَكَّلَ عَلَيْكَ، وأَنْتَ جارُ مَنْ لاذَ بِكَ، وَتَضَرَّعَ إِليكَ، عِصْمَةُ مَنِ ٱعْتَصَمَ بِكَ مِنْ عِبادِكَ، ناصِرُ مَنِ انْتَصَرَ بِكَ، تَغْفِرُ الذّنوبَ لِمَن اسْتَغْفَرَكَ، جَبّارُ الجبابِرَةِ، عَظِيمُ العُظَماءِ، كَبيرُ الكُبَراءِ، سَيِّدُ السّاداتِ، مَوْلىٰ المَوالي، صَريخُ المُسْتَصْرِخينَ، مُنَفِّسٌ عَن المكْروبينَ، مُجيبُ دَعْوَةِ المضْطَرّينَ، أَسْمَعُ السّامِعينَ، أَبْصَرُ النّاظِرينَ، أَحْكَمُ الحاكِمينَ، أَسْرَعُ الحاسِبينَ، أَرْحَمُ الرّاحِمينَ، خَيْرُ الغافِرينَ؛ قاضي حَوائِجِ المؤمنينَ، مُغيثُ الصّالحينَ. أَنْتَ اللهُ لا إِلٰهَ إلا أَنْتَ رَبُّ العالمينَ، أَنْتَ الخالِقُ وأنا المخْلوقُ، وأنتَ المَالِكُ وأنا المملوكُ،

(١) الغمّاء: الحزن، والكرب.

وَأنْتَ الرَّبُّ وَأنا الْعَبْدُ، وَأنْتَ الرّازِقُ وَأنا الْمَرزوقُ، وَأنتَ الْمُعْطي وَأنا السّائِلُ، وَأنتَ الْجَوادُ وَأنـا الْبَخيلُ، وَأنتَ الْقَويُّ وَأنا الضَّعيفُ، وَأنْتَ العزيزُ وَأنا الـذَّليلُ وَأنْتَ الْغَنيُّ وَأنا الفقيرُ، وَأنتَ السَّيِّدُ وَأنا الْعَبْدُ، وَأنتَ الْغافِرُ وَأنا الْمُسيءُ، وَأنتَ العالِمُ وَأنا الْجاهِلُ، وَأنتَ الْحَليمُ وَأنا الْعَجولُ، وَأنْتَ الرّاحِمُ وَأنا الْمَرحومُ، وَأنتَ الْمُعافي وَأنا الْمُبْتَلى، وَأنتَ الْمُجيبُ وَأنا الْمُضطَرُّ. وَأنا أشْهَدُ بِأنَّكَ أنتَ اللهُ لا إلهَ إلّا أنتَ الواحِدُ الفَرْدُ وَإليكَ المصيرُ، وَصَلّى اللهُ على مُحَمَّدٍ وَأهْلِ بَيْتِهِ الطَّيِّبينَ الطّاهِرينَ، واغْفِرْ لي ذُنوبي، واسْتُرْ عَلَيَّ عُيوبي، وافْتَحْ لي مِنْ لَدُنْكَ رَحْمَةً وَرِزْقاً واسِعاً يا أرْحَمَ الرّاحِمينَ، والحَمْدُ للهِ رَبِّ الْعالمينَ، حَسْبُنا اللهُ وَنِعْمَ الْوَكيلُ، وَلا حَوْلَ وَلا قُوَّةَ إلّا بِاللهِ الْعَليِّ الْعَظيمِ.

* * *

في نعت الله وتعظيمه

أَلْحَمْدُ لِلَّهِ أَوَّلَ مَحْمودٍ، وَآخِرِ مَعْبودٍ، وَأَقْرَبِ مَـوْجـودٍ، أَلْبـدِيءُ بِـلا مَعْلـوم لأَزَلِيَّـهِ[١]، وَلا آخِـرَ لأَوَّلِيَّتِهِ، والكائِنُ قَبْلَ الْكَوْنِ بِلا كِيانٍ، والمَوْجودُ في كلِّ مَكانٍ بلا عَيانٍ، والْقَريبُ مِنْ كُلِّ نَجْوىٰ بِغَيْرِ تَدانٍ[٢]، عَلَنَتْ عِنْدَهُ الْغُيوبُ، وَضَلَّتْ في عَظَمَتِهِ الْقُلوبُ، فلا الأَبْصارُ تُدْرِكُ عَظَمَتَهُ، ولا الْقُلوبُ علىٰ احْتِجابِهِ تُنْكِرُ مَعْرِفَتَهُ، يُمَثَّلُ في القلوبِ بغيرِ مِثالٍ تَحُدُّهُ الأَوْهامُ أو تُدْرِكُهُ الأَحْلامُ، ثمَّ جَعَلَ مِنْ نَفْسِهِ دَليلاً علىٰ تَكَبُّرِهِ عَلىٰ الضِّدِّ والنِّدِّ، والشَّكْلِ وَالمِثْلِ، فَالْوَحْدانِيَّةُ آيَةُ الرُّبوبِيَّةِ، والْمَوْتُ الآتي عَلىٰ خَلْقِهِ مُخْبِرٌ عَنْ خَلْقِهِ وَقُدْرَتِهِ، ثُمَّ خَلَقَهُمْ من نُطْفَةٍ ولم يَكونُوا شَيْئاً، دَليلٌ عَلىٰ إعادَتِهِمْ خَلْقاً جَديداً بَعْدَ

(١) الازلي: القديم.
(٢) تدان: من دنا أي إقترب.

فَنائِهِمْ، كما خَلَقَهُمْ أَوَّلَ مَرَّةٍ، والْحَمْدُ لِلَّهِ رَبِّ العالمينَ الَّذِي لَمْ يَضُرُّهُ بالمَعْصِيَةِ المُتَكَبِّرونَ، وَلَمْ يَنْفَعْهُ بالطَّاعَةِ المتَعَبِّدونَ، الْحَليمِ عنِ الجَبابِرَةِ المُدَّعينَ، والمُمْهِلِ الزّاعِمينَ لَهُ شُرَكاءَ في مَلَكُوتِهِ، الدّائِمِ في سُلْطانِهِ بِغَيْرِ أَمَدٍ، والْباقي في مُلْكِهِ بَعْدَ انْقِضاءِ الأَبَدِ، والفَرْدِ الواحِدِ الصَمَدِ، المُتَكَبِّرِ عَنِ الصَّاحِبَةِ والْوَلَدِ، رَافِعِ السَّماءِ بِغَيْرِ عَمَدٍ، وَمُجْري السَّحابَ بِغَيْرِ صَفَدٍ[(١)]، قاهِرِ الْخَلْقِ بِغَيْرِ عَدَدٍ، لكِن هُو اللهُ الواحِدُ الْفَرْدُ الأَحَدُ الَّذي لَمْ يَلِدْ وَلَمْ يُولَدْ، وَلَمْ يَكُنْ لَهُ كُفُواً أَحَدٌ. والْحَمْدُ للهِ الَّذي لَمْ يَخْلُ مِنْ فَضْلِهِ المُقيمونَ عَلىٰ مَعْصِيَتِهِ، وَلَمْ يُجازِهِ لِأَصْغَرِ نِعَمِهِ المجْتَهِدونَ في طاعَتِهِ، الْغَنِيِّ الَّذي لا يُضَيِّقُ برِزْقِهِ على جاحِدِهِ[(٢)]، وَلاَ يُنْقِصُ عَطَاياهُ أَرْزاقَ خَلْقِهِ، خالِقِ الْخَلْقِ وَمُغْنيهِ، وَمُعِيْدِهِ وَمُبْديهِ وَمُعاقِبِهِ، عالِمِ ما

---

(١) صَفَد: ما يوثق به الاسير من قيد وغلّ.

(٢) جاحده: منكره.

أَكَنَّتْهُ السَّرائِرُ، وَأَخْبَتْهُ الضَّمائِرُ، واخْتَلَفَتْ بِهِ الأَلْسُنُ، وَأَنْسَتْهُ الأَرْضُ. أَلْحيُّ الَّذي لا يَموتُ، والْقَيّوم الَّذي لا يَنامُ، والدَّائِمِ الَّذي لا يَزوُلُ، والْعَدْلِ الَّذي لا يَجورُ، الصَّافِحِ عَنِ الْكَبائِرِ بِفَضْلِهِ، والمُعَذِّبِ مَنْ عَذَّبَ بِعَدْلِهِ. لَم يَخفِ المَوتَ فَحَلِمَ، وعَلِمَ الفَقْرَ إليه فَرَحِمَ، وقال في مُحْكَم كتابِه: ولو يُؤَاخِذُ اللهُ النَّاسَ بما كَسَبُوا ما تَرَكَ على ظَهْرِهَا من دابَّة. أَحْمَدُهُ حَمْداً أَسْتَزِيدُهُ في نِعْمَتِهِ، وَأَسْتَجيرُ بِهِ مِنْ نِقْمَتِهِ، وَأَتَقَرَّبُ إِلَيْهِ بالتَّصْديقِ لِنَبيِّهِ المصْطَفىٰ لِوَحْيِهِ، المتَخَيَّرِ لِرِسالَتِهِ، المخْتَصِّ بِشَفاعَتِهِ، القائِمِ بِحَقِّهِ، محمَّد صَلَّىٰ اللهُ عليهِ وَآلِهِ وأَصْحابِهِ، وَعَلىٰ النَّبيّينَ والمرْسَلينَ والملائِكَةِ أَجْمَعينَ وَسَلَّمَ تَسْليماً. إلٰهي دَرَسَتِ الآمالُ، وَتَغيَّرَتِ الأَحْوالُ، وَكَذَبَتِ الأَلْسُنُ، وَأُخْلِفَتِ العِدَاةُ إلا عِدَتُكَ، فَإِنَّكَ وَعَدْتَ مَغْفِرَةً وَفَضْلاً. أَللَّهُمَّ صَلِّ علىٰ مُحَمَّدٍ وَآلِ مُحَمَّدٍ، وَأَعْطِني

مِنْ فَضْلِكَ، وَأَعِذْنِيْ مِنْ الشَّيْطانِ الرَّجيم. سُبْحَانَكَ وَبِحَمْدِكَ، مَا أَعْظَمَكَ وَأَحْلَمَكَ وَأَكْرَمَكَ، وَسِعَ حِلْمُكَ تَمَرُّدَ المسْتَكْبِرينَ، وَاسْتَغْرَقَتْ نِعْمَتُكَ شُكْرَ الشّاكِرينَ، وَعَظُمَ حِلْمُكَ عَنْ إِحْصَاءِ المُحْصِينَ، وَجَلَّ طَوْلُكَ[(١)] عَنْ وَصْفِ الْواصِفينَ، كَيْفَ لَوْلا فَضْلُكَ حَلُمْتَ عَمَّنْ خَلَقْتَهُ مِنْ نُطْفَةٍ وَلَمْ يَكُ شَيْئاً، فَرَبَّيْتَهُ بِطيبِ رِزْقِكَ، وَأَنْشَأْتَهُ في تَواتُرِ نِعَمِكَ، وَمَكَّنْتَ له في مِهادِ أَرْضِكَ، ودَعَوْتَهُ إِلى طاعَتِكَ، فَاسْتَنْجَدَ علىٰ عِصْيانِكَ بِإِحْسانِكَ، وَجَحَدَكَ وَعَبَدَ غَيْرَكَ في سُلْطانِكَ، كَيْفَ لَوْلا حِلْمُكَ أَمْهَلْتَني، وَقَدْ شَمَلْتَني بِسِتْرِكَ، وَأَكْرَمْتَني بِمَعْرِفَتِكَ، وَأَطْلَقْتَ لِساني لِشُكْرِكَ، وَهَدَيْتَنيَ السَّبيلَ إِلى طاعَتِكَ، وَسَهَّلْتَنيَ المسْلَكَ إِلى كَرامَتِكَ، وأَحْضَرْتَني سَبيلَ قُرْبَتِكَ، فَكانَ جَزاؤُكَ مني أَنْ كافأْتُكَ عَنِ الاحْسانِ بالإساءَةِ،

(١) طَوْلك: عطاؤك.

حَريصاً علىٰ ما أسْخَطَكَ، مُسْتَقِلاً فيما أسْتَحِقُّ به المزيدَ من نِعْمَتِكَ، سَريعاً إلى ما أَبْعَدَ عَن رِضاكَ، مُغْتَبطاً[١] بِعِزَّةِ الأَمَلِ، مُعْرِضاً عَنْ زَواجِرِ الأَجَلِ[٢]، لَمْ يُقْنِعْني حِلْمُكَ عَنِّي وَقَدْ أتاني تَوَعُّدُكَ بأخذِ القوةِ مني، حَتّىٰ دَعَوْتُكَ علىٰ عظيمِ الخَطيئةِ، أَسْتَزيدُكَ في نِعَمِكَ، غَيْرَ مُتأَهِّبٍ إليَّ، لِما قَدْ أشْرَفْتُ عليه مِنْ نِقْمَتِكَ، مُسْتَبْطِئاً لِمزيدِكَ، وَمُتَسَخِّطاً لِمَيْسُورِ رِزْقِكَ، مُقْتَضِياً جوائِزَكَ بِعَمَلِ الفُجّارِ، كالْمُراصِدِ رَحْمَتَكَ بِعَمَلِ الأبْرارِ. مُجْتَهِداً أَتَمنّىٰ عليكَ العَظائِمَ، كالْمُدِلِّ الآمِنِ[٣] من قِصاصِ الْجَرائِمِ، فَإنّا لِلَّهِ وَإِنّا إليه راجِعونَ، مُصيبَةٌ عَظُمَ رِزْؤُها، وَجَلَّ عِقابُها[٤]. بَلْ كَيفَ لَوْلا أَمَلي وَوَعْدُكَ الصَّفْحَ عَنْ زَلَلي، أَرْجو

(١) مغتبطاً: مسروراً.

(٢) زواجر: ما ينذر بقرب الأجل.

(٣) المُدلّ: الواثق بنفسه وجرأته.

(٤) جَلَّ: عَظُمَ. الرزء: المصاب العظيم.

إِقَالَتَكَ(١)، وَقَدْ جَاهَرْتُكَ بِالكَبَائِرِ، مُسْتَخْفِياً عن أَصَاغِرِ خَلْقِكَ، فَلَا أَنَا رَاقَبْتُكَ وَأَنْتَ مَعِي، وَلا رَاعَيْتُ حُرْمَةَ سِتْرِكَ عَلَيَّ. بِأَيِّ وَجهٍ أَلْقَاكَ، وَبِأَيِّ لِسَانٍ أُنَاجِيكَ، وَقَدْ نَقَضْتُ العُهودَ وَالأَيْمَانَ بَعْدَ توكيدِها، وَجَعَلْتُكَ عَلَيَّ كَفِيلاً، ثم دَعَوْتُكَ مُتَقَحِّماً في الخطيئةِ فَأَجَبْتَني، وَدَعَوْتَني وَإِلَيكَ فَقْرِي فلم أُجِبْ، فَوَاسَوْأَتَاهُ وَقبيحَ صَنِيعاهُ أَيَّةَ جُرْأَةٍ تَجَرَّأْتُ! وَأَيَّ تَغْرِيرٍ غَرَرْتُ نَفْسِي(٢)! سُبْحَانَكَ، فَبِكَ أَتَقَرَّبُ إِلَيْكَ، وَبِحَقِّكَ أُقْسِمُ عَلَيْكَ وَمِنكَ أَهْرُبُ إِلَيكَ. بِنَفْسِي اسْتَخْفَفْتُ عِنْدَ مَعْصِيَتي، لا بِنَفْسِكَ، وَبِجَهْلِي اغْتَرَرْتُ، لا بِحِلْمِكَ، وَحَقَّي أَضَعْتُ، لا عَظِيمَ حَقَّكَ، وَنَفْسِي ظَلَمْتُ وَلِرَحْمَتِكَ الآنَ رَجَوْتُ، وَبِكَ آمَنْتُ، وعليكَ تَوَكَّلْتُ، وَإِلَيكَ أَنَبْتُ وَتَضَرَّعْتُ فَارْحَمْ إِلَيكَ فَقْرِي وَفاقَتي(٣)،

_____

(١) إقالتك : من اقاله أي سامحه .

(٢) غررت نفسي : عظمت نفسي .

(٣) فاقتي : فقري .

وَكَبْوَتي [1] لِحَرِّ وَجْهي، وَحَيْرَتي في سَوْأَةِ ذُنوبي، إِنَّكَ أَرْحَمُ الرّاحِمينَ. يا أَسْمَعَ مَدْعُوٍّ، وَخَيْرَ مَرْجُوٍّ، وَأَحْلَمَ مُغْضٍ [2]، وَأَقْرَبَ مُسْتَغاثٍ، أَدْعوكَ مُسْتَغيثاً بكَ اسْتِغاثَةَ المتَحَيِّرِ المسْتَيْئِسِ من إِغاثَةِ خَلْقِكَ، فَعُدْ بِلُطْفِكَ علىٰ ضَعْفي، واغْفِرْ لي بِسِعَةِ رَحْمَتِكَ كبائِرَ ذُنوبي، وَهَبْ لي عاجِلَ صُنْعِكَ، إِنَّكَ أَوْسَعُ الواهِبينَ. لا إِلٰهَ إلا أَنْتَ سُبْحانَكَ إني كُنْتُ مِنَ الظّالِمينَ، يا اللهُ يا أَحَدُ، يا اللهُ يا صَمَدُ، يا مَنْ لَمْ يَلِدْ ولَمْ يُولَدْ ولَمْ يَكُنْ لَهُ كُفُواً أَحَدٌ. أَللَّهُمَّ أَعْيَتْني المَطالِبُ، وَضاقَتْ عَلَيَّ المذاهِبُ [3]، وأَقْصاني الأَباعِدُ، وَمَلَّني الأَقارِبُ، وأَنْتَ الرَّجاءُ إذا انْقَطَعَ الرَّجاءُ، والمسْتَغاثُ إذا عَظُمَ البَلاءُ، والملْجَأ في الشِّدَّةِ والرَّخاءِ، فَنَفِّسْ كُرْبَةَ نَفْسٍ إذا ذَكَّرَها

---

(١) الكبوة: العثرة والسقوط.
(٢) مغض: يتغاضى عن الذنوب: يتجاوز عنها.
(٣) المذاهب: السبل.

القُنوطُ[١] مَساويها أَيسَتْ، فَلاَ تُؤْيِسَنِيْ مِنْ رَحْمَتِكَ يا أرْحَمَ الرّاحِمينَ.

* * *

في نعت الله ولكل مهم

أَللّهُمَّ إِنَّكَ حَيٌّ لا تَموتُ، وصَادِقٌ لا تَكْذِبُ، وَقاهِرٌ لا تُقْهَرُ، وخالِقٌ لا تُعانُ، وَأَبَدِيٌّ لا تَنفَدُ، وقريبٌ لا تَبْعُدُ، وقادِرٌ لا تُضَادُّ، وغافِرٌ لا تَظْلِمُ، وَصَمَدٌ لا تُطْعَمُ[٢]، وَقَيّومٌ لا تَنامُ، وَمُجيبٌ لا تَسْأَمُ، وَبَصيرٌ لا تَرْتابُ، وَجَبّارٌ لا تُعانُ، وعَظيمٌ لا تُرامُ، وعَليمٌ لا تُعَلَّمُ، وَقَوِيٌّ لا تَضْعُفُ وَحَليمٌ لا تَجْهَلُ، وَعَظيمٌ لا تُوصَفُ، وَوَفِيٌّ لا تُخْلِفُ، وعادِلٌ لا تَحيفُ[٣]، وغَالِبٌ لا تُغْلَبُ، وَغَنِيٌّ لا تَفْتَقِرُ، وكبيرٌ لا تَصْغُرُ، وَحَكَمٌ لا تَجورُ، وَوَكيلٌ لا تُحْقَرُ، وَمَنيعٌ

(١) القنوط: اليأس.
(٢) الصمد: الرفيع، العالي.
(٣) لا تحيف: لا تجور ولا تظلم.

لا تُقْهَرُ، وَمَعْروفٌ لا تُنْكَرُ، وَوِترٌ لا تَسْتَأْنِسُ، وَفَرْدٌ لا تَسْتَشيرُ، وَوَهّابٌ لا تَمَلُّ، وَسَميعٌ لا تَذْهَلُ، وَجَوادٌ لا تَبْخَلُ، وَعزيزٌ لا تَذِلُّ، وحافِظٌ لا تَغْفِلُ، وَقَائِمٌ لاَ تَسْهُو وَقَيُّومٌ لا تَنَامُ وَسَمِيعٌ لا تَشِكُّ، وَرَفيقٌ لا تَعْنُفُ(١)، وَحَليمٌ لا تَعْجَلُ، وشاهِدٌ لا تَغيبُ، ومُحْتَجِبٌ لا تُرىٰ، ودَائِمٌ لا تَفنىٰ، وباقٍ لا تَبْلىٰ، وَوَاحِدٌ لا تُشَبَّهُ، وَمُقْتَدِرٌ لا تُنازَعُ. يا كَريمُ، يا جَوادُ، يا مُتكَرِّمُ، يا قَرِيْبُ، يا مُجيبُ، يا مُتَعالِ، يا جَليلُ، يا سَلامُ، يا مُؤْمِنُ، يا مُهَيْمِنُ، يا عَزيزُ، يا مُتعَزِّزُ، يا جَبّارُ، يا مُتَجَبِّرُ، يا كَبيرُ، يا مُتَكَبِّرُ، يا طاهِرُ يا مُتَطَهِّرُ، يا قادِرُ يا مُقْتَدِرُ، يا مَنْ يُنادَىٰ مِنْ كُلِّ فَجٍّ عَميقٍ بِأَلْسِنَةٍ شَتّىٰ، وَلُغاتٍ مُختَلِفَةٍ، وَحوائجَ مُتَتابِعَةٍ، لا يَشْغَلُكَ شيْءٌ عَن شَيْءٍ. أنتَ الَّذي لا تَبيدُ ولا تَفْنيكَ الدُّهورُ، ولا تُغَيِّرُكَ الأَزْمِنَةُ، ولا تُحيطُ بِكَ الأمْكِنَةُ، ولا يَأْخُذُكَ نَوْمٌ

(١) لا تعنف: لا تقسو.

وَلا سِنَةٌ[(١)] ، ولا يُشْبِهُكَ شَيْءٌ . وكيفَ لا تكونُ كَذٰلكَ ، وأنتَ خالِقُ كلِّ شَيْءٍ ، لا إِلٰهَ إلاّ أنتَ ، كلُّ شَيْءٍ هالِكٌ إلاّ وَجْهَهُ أَكْرَمَ الوُجوهِ . سُبّوحٌ ذِكْرُكَ ، قُدُوسٌ أَمْرُكَ ، واجِبٌ حَقُّكَ ، نافِذٌ قَضاؤُكَ ، لازِمٌ طاعَتُكَ . صَلِّ علىٰ مُحَمَّدٍ وآلِ مُحَمَّدٍ ، وَيَسِّرْ لي مِنْ أَمْري مَا أخافُ عُسْرَهُ ، وَفَرِّجْ عَنّي وَعَنْ كُلِّ مُؤْمِنٍ وَمُؤْمِنَةٍ ما نَخافُ كَرْبَهُ ، وَسَهِّلْ لي ما أخافُ حُزُونَتَهُ ، وَخَلِّصْني مِمّا أخافُ هَلَكَتَهُ . يا أَرْحَمَ الرّاحِمينَ ، يا ذا الْجَلالِ والإِكْرام ، لا إِلٰهَ إلاّ أَنْتَ سُبْحانَكَ إني كُنْتُ مِنَ الظّالمينَ ، وَصَلّىٰ اللهُ علىٰ مُحَمَّدٍ وَآلِهِ الطَّيِّبينَ الطّاهِرينَ .

***

في الثناء على الله مما علمه أويسا

يا سَلامُ ، المُؤْمِنُ ، المُهَيْمِنُ ، الْعَزيزُ ، الْجَبّارُ ، المُتَكَبِّرُ ، الطّاهِرُ ، المُطَهِّرُ ، القادِرُ ، القاهِرُ ، المقتَدِرُ ، يا

---

(١) سِنَة : نُعاس .

مَنْ يُنادىٰ مِنْ كُلِّ فَجٍّ عَمِيْقٍ[(١)] بِأَلْسِنَةٍ شَتّىٰ، وَلُغاتٍ مُخْتَلِفَةٍ، وَحَوائِجَ أُخْرىٰ. يا مَنْ لا يُشْغِلُهُ شَأْنٌ عَنْ شَأْنٍ، أنتَ الّذي لا تُغَيِّرُكَ الأَزْمِنَةُ، ولا تُحِيطُ بِكَ الأَمْكِنَةُ، ولا يَأْخُذُكَ نَوْمٌ ولا سِنَةٌ. يَسِّرْ لي مِنْ أَمْري ما أَخافُ عُسْرَهُ، وَفَرِّجْ لي مِنْ أَمْري ما أَخافُ كَرْبَهُ، وَسَهِّلْ لي مِنْ أَمْري ما أَخافُ حُزُوْنَتَه، سُبْحانَكَ لا إلٰهَ إلاّ أنتَ إني كنتُ مِنَ الظّالِمينَ، عَمِلْتُ سُوءاً وَظَلَمْتُ نَفْسي، فاغْفِرْ لي، إِنَّهُ لا يَغْفِرُ الذّنوبَ إلاّ أَنْتَ. والْحَمْدُ لِلَّهِ رَبِّ العَالَمِينَ، ولا حَوْلَ ولا قُوَّةَ إلاّ بِاللهِ الْعَلِيِّ الْعَظيمِ، وَصَلّىٰ اللهُ علىٰ نَبيِّهِ مُحَمَّدٍ وَآلِهِ وَسَلَّمَ تَسْلِيماً.

* * *

في الثناء على الله مما علمه أويسا

بِسْمِ ٱللَّهِ ٱلرَّحْمٰنِ ٱلرَّحِيمِ أَللَّهُمَّ أَنّي أَسْأَلُكَ ولا أَسْأَلُ غَيْرَكَ، وَأَرْغَبُ إليكَ ولا أَرْغَبُ إلىٰ غَيْرِكَ.

---

(١) فج عميق: مكان بعيد.

أسْأَلُكَ يا أَمانَ الخائِفينَ، وَجارَ المسْتَجيرينَ، أنْتَ الفَتّاحُ ذو الْخَيْراتِ، مُقيلُ الْعَثَراتِ[1]، وَماحِي السَّيِّئاتِ، وكاتِبُ الْحَسَناتِ، وَرافِعُ الدَّرَجاتِ، أسْأَلُكَ بِأَفْضَلِ المسائِلِ كُلِّها وَأَنْجَحِها الَّتي لا يَنْبَغي لِلْعِبادِ أَنْ يَسْأَلُوا إلاّ بِها وَبِكَ يا أَللّهُ يا رَحْمٰنُ. وَبِأَسْمائِكَ الْحُسْنىٰ، وَأَمْثالِكَ العُلْيا، وَنِعَمِكَ الّتِي لاَ تُحْصَى، وبِأَكْرَمِ أسمائِكَ عَلَيْكَ، وَأَحَبِّها إِلَيكَ، وَأَشْرَفِها عِنْدَكَ مَنْزِلَةً، وَأَقْرَبِها مِنْكَ وَسيلَةً، وأَجْزَلِها مَبْلَغاً[2]، وَأَسْرَعِها مِنْكَ إجابَةً، وَبِإسْمِكَ الْمَخْزونِ الْجَليلِ الأَجَلِّ، الأَعْظَمِ، الْعَظيمِ، الّذي تُحِبُّهُ وَتَرْضاهُ وَتَرْضىٰ عَمَّنْ دَعاكَ بِهِ، وَتَسْتَجيبُ دُعاءَهُ، وَحَقٌّ عليْكَ أنْ لا تَحْرِمَ بِهِ سائِلَكَ، وَبِكُلِّ إِسْمٍ هُوَ لَكَ في التَّوْراةِ والانْجيلِ والزَّبُورِ والْفُرْقانِ، وَبِكُلِّ إِسْمٍ هُوَ لكَ عَلَّمْتَهُ أَحَداً مِنْ خَلْقِكَ، أوْ لَمْ تُعَلِّمْهُ أَحداً، وَبِكُلِّ إِسْمٍ

(١) مقيل العثرات: منهض من السقطات.
(٢) أجزلها مبلغاً: اكثرها قيمة.

دَعَاكَ بِهِ حَمَلَةُ عَرْشِكَ وَملائِكَتُكَ، وأَصْفِياؤُكَ مِنْ خَلْقِكَ، وَبِحَقِّ السّائِلينَ لَكَ، والرّاغبينَ إلَيْكَ، والمتَعَوِّذينَ بِكَ، والمتضرِّعينَ لَدَيْكَ، وَبِحَقِّ كُلِّ عَبْدٍ مُتعَبِّدٍ لَكَ في بَرٍّ أَوْ بَحْرٍ أو سَهْلٍ أو جَبَلٍ. أَدْعُوكَ دُعاءَ مَنْ قَدِ ٱشْتَدَّتْ فاقَتُهُ، وَعَظُمَ جُرْمُهُ، وَأَشْرَفَ على الْهَلَكَةِ، وَضَعُفَتْ قُوَّتُهُ، وَمَنْ لا يَثِقُ بِشيْءٍ مِنْ عَمَلِهِ، وَلا يَجِدُ لِذَنْبِهِ غافِراً غَيْرَكَ، ولا لِسَعْيِهِ سِواكَ، هَرَبْتُ إليكَ غَيْرَ مُسْتَنكِفٍ(١)، ولا مُسْتَكْبِرٍ عَنْ عِبادَتِكَ. يا أُنْسَ كُلِّ فَقيرٍ مُسْتَجيرٍ، أَسْأَلُكَ بأَنَّكَ أنتَ اللهُ لا إِلٰهَ إلاّ أنتَ الحَنّانُ، المنّانُ، بَديعُ السَّماواتِ والأَرْضِ، ذو الْجَلالِ والإكْرام، عالِمُ الْغَيْبِ والشَّهادَةِ، الرَّحْمٰنُ الرَّحيمُ. أنتَ الرَّبُّ وأنا العَبْدُ، وأنتَ المالِكُ وأنا المَمْلوكُ، وأنتَ العزيزُ وأنا الذَّليلُ، وأنتَ الغَنِيُّ وأنا الفَقيرُ، وأنتَ الحَيُّ وأنا الميّتُ، وأنتَ الْبَاقي وأنا الْفاني، وأنتَ المُحْسِنُ وأنا

(١) مستنكف: مستكبر.

المُسِيءُ، وأنتَ الغَفُوْرُ وأنا المذنِبُ، وأنتَ الرَّحِيمُ وأنا الخاطِىءُ، وأنتَ الخالِقُ وأنا المخْلوقُ، وأنتَ القَوِيُّ وأنا الضَّعيفُ؛ وأنتَ المُعْطي وأنا السّائِلُ، وأنتَ الآمِنُ وأنا الخائِفُ، وأنتَ الرّازِقُ وأنا المرْزوقُ، وأنتَ أَحَقُّ من شَكَوْتُ إلَيْهِ وٱسْتَغَثْتُ بِهِ وَرَجَوْتُهُ، لأَنَّكَ كَمْ مِنْ مُذْنِبٍ قَدْ غَفَرْتَ لَهُ، وكَمْ مِنْ مُسِيءٍ قَدْ تَجاوَزْتَ عَنْهُ. فٱغْفِرْ لي، وَتَجاوَزْ عَنّي، وارْحَمْني، وعافِني مِمّا نَزَلَ بي، وَلا تَفْضَحْني بِما جَنَيْتُهُ علىٰ نَفْسي، وَخُذْ بِيَدي وَبِيَدِ وَالديَّ، وَوِلْدِي، وارْحَمْنا بِرَحْمَتِكَ يا أَرْحَمَ الرَّاحِمينَ، يا ذا الْجَلالِ والإِكْرامِ.

***

في ذكر أسماء الله الحسنى

بِسْمِ ٱللَّهِ ٱلرَّحمٰنِ ٱلرَّحِيمِ أَللَّهُمَّ أَنْتَ اللهُ، وأنتَ الرَّحْمٰنُ، وأنتَ الرَّحيمُ، الْمَلِكُ، القُدّوسُ، السَّلامُ، المُـؤْمِـنُ، المُهَيْمِـنُ، العَـزيـزُ، الجَبّـارُ، المُتَكَبِّـرُ،

الأَوَّلُ، الآخِرُ، الظَّاهِرُ، الباطِنُ، الحَميدُ، المَجيدُ، المُبْدِىءُ، المُعيدُ، الوَدودُ، الشَّهيدُ، القَديمُ، العَلِيُّ، الصّادِقُ، الرَّؤوفُ، الرَّحيمُ، الشَّكورُ، الغَفورُ، العَزيزُ، الحَكيمُ، ذو القُوَّةِ المَتينُ، الرَّقيبُ، الحَفيظُ، ذو الْجَلالِ والإِكْرامِ، العَظيمُ، العَليمُ، الغَنِيُّ، الوَلِيُّ، الفَتّاحُ، المُرْتاحُ، القابِضُ، الباسِطُ، العَدْلُ، الوَفِيُّ، الحَقُّ، المُبينُ، الخَلاّقُ، الرَّزّاقُ، الْوَهّابُ، التَوّابُ، الرَّبُّ، الوَكيلُ، اللَّطيفُ، الْخَبيرُ، السَّميعُ، البَصيرُ، الدَيّانُ، المُتَعالُ، القَريبُ، المجيبُ، الباعِثُ، الوارِثُ، الواسِعُ، الباقي، الْحَيُّ، الدّائِمُ الّذي لا يَموتُ، القَيّومُ، النّورُ، الغَفّارُ، الواحِدُ، القَهّارُ، الأَحَدُ، الصَّمَدُ، الّذي لَمْ يَلِدْ ولَمْ يُولَدْ ولَمْ يَكُنْ لَهُ كُفُواً أَحَدٌ، ذُو الطَّوْلِ المُقْتَدِرُ، عَلاّمُ الْغُيوبِ، الْبَدِيءُ، الْبَديعُ، الدّاعي، الطّاهِرُ، المُقيتُ، المُغيثُ، الدّافِعُ، الرّافِعُ، الضارُّ، النّافِعُ، المُعِزُّ، المُذِلّ، المُطْعِمُ،

المُنْعِـمُ، المُهَيْمِـنُ، المُكْـرِمُ، المُحْسِـنُ، المُجْمِـلُ، الحَنّانُ، المُفْضِلُ، المُحْيي، الْمُميتُ، الفَعّالُ لِمَا يُريدُ، مالِكُ الْمُلْكِ تُؤْتي الْمُلْكَ مَنْ تَشاءُ وَتَنْزِعُ المُلْكَ مِمَّنْ تَشَاءُ، وَتُعِزُّ مَنْ تَشاءُ، وَتُذِلُّ مَنْ تَشاءُ، بِيَدِكَ الْخَيْرُ إِنَّكَ عَلىٰ كُلِّ شَيْءٍ قَدِيرٌ، تُولِجُ اللَّيْلَ في النَّهارِ، وَتُولِجُ النَّهارَ في اللَّيْلِ، وَتُخْرِجُ الْحَيَّ مِنَ الْمَيِّتِ، وتُخْرِجُ الْمَيِّتَ مِنَ الْحَيِّ، وَتَرْزُقُ مَنْ تشاءُ بِغَيْرِ حِسابٍ. فالِقُ الإِصْباحِ وفالِقُ الْحَبِّ والنَّوىٰ، يُسَبِّحُ لَـهُ مـا فـي السَّمـاواتِ والأَرْضِ وَهُـوَ الْعَـزيـزُ الحَكيـمُ. أَللَّهُـمَّ مـا قُلْـتُ مِـنْ قَـوْلٍ، أو حَلَفْـتُ مِـنْ حلْفٍ، أو نَذَرْتُ مِنْ نَذْرٍ، في يَوْمي هٰذا أو لَيْلَتي هٰذِهِ، فَمَشيئَتُكَ بَيْنَ يَدَيْ ذٰلِكَ كُلِّهِ، ما شِئْتَ مِنْهُ كان، وما لَمْ تَشَأْ مِنْهُ لم يَكُنْ، فادْفَعْ عَنّي بِحَوْلِكَ وَقُوَّتِكَ، فَإِنَّهُ لا حَوْلَ ولا قُوَّةَ إلاَّ بِاللهِ الْعَلِيِّ العَظيمِ. أَللَّهُمَّ بِحَقِّ هٰذِهِ الأَسْماءِ عِنْدَكَ، صَلِّ علىٰ مُحَمَّدٍ وآلِ مُحَمَّدٍ،

وَاغْفِرْ لي وارْحَمْني، وَتُبْ عَلَيَّ، وَتَقَبَّلْ مِنّي، وَأَصْلِحْ لي شَأْنِي، وَيَسِّرْ لي أُموري، وَوَسِّعْ عَلَيَّ في رِزْقي، وَأَغْنِني بِكَرَمِ وَجْهِكَ عَنْ جَميعِ خَلْقِكَ، وَصُنْ وَجْهي وَيَدي وَلِساني عَنْ مَسْأَلَةِ غَيْرِكَ، واجْعَلْ لي مِنْ أَمْري فَرَجاً وَمَخْرَجاً، فإِنَّكَ تَعْلَمُ ولا أَعْلَمُ، وَتَقْدِرُ ولا أَقْدِرُ، وأَنتَ علىٰ كُلِّ شَيْءٍ قَديرٌ، بِرَحْمَتِكَ يا أَرْحَمَ الرَّاحِمينَ، وَصَلّىٰ اللهُ علىٰ سَيِّدِ المُرْسَلينَ سَيِّدِنا مُحَمَّدٍ النَّبِيِّ وَآلِهِ الطّاهِرينَ.

* * *

في ذكر أسماء الله الحسنى
وهو دعاء المشلول

بِسْمِ ٱللَّهِ ٱلرَّحْمٰنِ ٱلرَّحِيمِ أَللَّهُمَّ إِنِّي أَسْأَلُكَ بِٱسْمِكَ بِسْمِ ٱللَّهِ ٱلرَّحْمٰنِ ٱلرَّحِيْمِ، يٰا ذٰا ٱلْجَلاٰلِ وَٱلْإِكْرٰامِ، يٰا حَيُّ، يٰا قَيُّومُ، لاٰ إِلٰهَ إِلاّٰ أَنْتَ، يٰا هُوَ، يٰا مَنْ لاٰ يَعْلَمُ مٰا هُوَ، وَلاٰ كَيْفَ هُوَ، وَلاٰ أَيْنَ هُوَ، وَلاٰ

حَيْثُ هُوَ إِلاَّ هُوَ، يٰا ذَا الْمُلْكِ وَالمَلَكُوتِ، يٰا ذَا ٱلْعِزَّةِ وَٱلْجَبَرُوتِ، يٰا مَلِكُ، يٰا قُدُّوسُ، يٰا سَلاٰمُ، يٰا مُؤْمِنُ، يٰا مُهَيْمِنُ، يٰا عَزِيزُ، يٰا جَبّٰارُ، يٰا مُتَكَبِّرُ، يٰا خٰالِقُ، يٰا بٰارِىءُ، يٰا مُصَوِّرُ، يٰا مُقَدِّرُ، يٰا مُفِيدُ، يٰا مُدَبِّرُ، يٰا شَدِيدُ، يٰا مُبْدِىءُ، يٰا مُعِيدُ، يٰا مُبِيدُ، يٰا وَدُودُ، يٰا مَحْمُودُ، يٰا مَعْبُودُ، يٰا بَعِيدُ، يٰا قَرِيبُ، يٰا مُجِيبُ، يٰا رَقِيبُ، يٰا حَسِيبُ، يٰا بَدِيعُ، يٰا رَفِيعُ، يٰا مَنِيعُ، يٰا سَمِيعُ، يٰا عَلِيمُ، يٰا حَكِيْمُ، يٰا حَلِيْمُ، يٰا كَرِيْمُ، يٰا قَدِيمُ، يٰا عَلِيُّ، يٰا عَظِيمُ، يٰا حَنّٰانُ، يٰا مَنّٰانُ، يٰا دَيّٰانُ، يٰا مُسْتَعٰانُ، يٰا جَلِيلُ، يٰا جَمِيْلُ، يٰا وَكِيلُ، يٰا كَفِيلُ، يٰا مُقِيلُ، يٰا مُنِيلُ، يٰا نَبِيلُ، يٰا دَلِيلُ، يٰا هٰادِي، يٰا بٰادِي، يٰا أَوَّلُ، يٰا آخِرُ، يٰا ظٰاهِرُ، يٰا بٰاطِنُ، يٰا قٰائِمُ، يٰا دٰائِمُ، يٰا عٰالِمُ، يٰا حٰاكِمُ، يٰا قٰاضِي، يٰا عٰادِلُ، يٰا فٰاضِلُ، يٰا فٰاصِلُ، يٰا وٰاصِلُ، يٰا طٰاهِرُ، يٰا مُطَهِّرُ، يٰا قٰادِرُ، يٰا مُقْتَدِرُ، يٰا كَبِيرُ، يٰا مُتَكَبِّرُ، يٰا وٰاحِدُ، يٰا

أَحَدُ، يٰا صَمَدُ، يٰا مَنْ لَمْ يَلِدْ وَلَمْ يُولَدْ وَلَمْ يَكُنْ لَهُ كُفُواً أَحَدٌ، وَلَمْ تَكُنْ لَهُ صٰاحِبَةٌ وَلاٰ كٰانَ مَعَهُ وَزِيرٌ، وَلاٰ ٱتَّخَذَ مَعَهُ مُشِيراً، وَلاٰ ٱحْتٰاجَ إِلَىٰ ظَهِيرٍ[1]، وَلاٰ كٰانَ مَعَهُ مِنْ إِلَهٍ غَيْرُهُ. لاٰ إِلَهَ إِلاَّ أَنْتَ، فَتَعٰالَيْتَ عَمَّا يَقُولُ ٱلظَّالِمُونَ عُلُوّاً كَبِيراً. يٰا عَلِيُّ، يٰا شٰامِخُ، يٰا بٰاذِخُ، يٰا فَتَّاحُ، يٰا نَفَّاحُ[2]، يٰا مُرْتَاحُ، يٰا مُفَرِّجُ، يٰا نٰاصِرُ، يٰا مُنْتَصِرُ، يٰا مُدْرِكُ، يٰا مُهْلِكُ، يٰا مُنْتَقِمُ، يٰا بٰاعِثُ، يٰا وَارِثُ، يٰا طٰالِبُ، يٰا غٰالِبُ، يٰا مَنْ لاٰ يَفُوتُهُ هٰارِبٌ. يٰا تَوَّابُ، يٰا أَوَّابُ، يٰا وَهَّابُ، يٰا مُسَبِّبَ ٱلْأَسْبٰابِ، يٰا مُفَتِّحَ ٱلْأَبْوٰابِ، يٰا مَنْ حَيْثُمٰا دُعِيَ أَجٰابَ، يٰا طَهُورُ يٰا شَكُورُ يٰا عَفُوُّ يٰا غَفُورُ، يٰا نُورَ ٱلنُّورِ، يٰا مُدَبِّرَ ٱلْأُمُورِ، يٰا لَطِيفُ، يٰا خَبِيرُ، يٰا مُجِيرُ، يٰا مُنِيرُ، يٰا بَصِيرُ، يٰا ظَهِيرُ، يٰا كَبِيرُ، يٰا وِتْرُ[3]، يٰا

---

(١) ظهير: معين.

(٢) النفاح: المعطي.

(٣) وتر: فرد واحد.

أَبَدُ، يٰا صَمَدُ، يٰا سَنَدُ، يٰا كٰافِي، يٰا شٰافِي، يٰا وٰافِي، يٰا مُعَافِي، يٰا مُحْسِنُ، يٰا مُجْمِلُ، يٰا مُنْعِمُ، يٰا مُفْضِلُ، يٰا مُتَكَرِّمُ، يٰا مُتَفَرِّدُ، يٰا مَنْ عَلاٰ فَقَهَرَ، يٰا مَنْ مَلَكَ فَقَدَرَ، يٰا مَنْ بَطَنَ فَخَبَرَ، يٰا مَنْ عُبِدَ فَشَكَرَ، يٰا مَنْ عُصِيَ فَغَفَرَ، يٰا مَنْ لاٰ تَحْوِيهِ ٱلْفِكَرُ، وَلاَ تُدْرِكُهُ الأَبْصَارُ وَلاٰ يَخْفَىٰ عَلَيْهِ أَثَرٌ. يٰا رٰازِقَ ٱلْبَشَرِ، يٰا مُقَدِّرَ كُلِّ قَدَرٍ، يٰا عٰالِيَ ٱلْمَكٰانِ، يٰا شَدِيدَ ٱلْأَرْكٰانِ، يٰا مُبَدِّلَ ٱلزَّمٰانِ، يٰا قٰابِلَ ٱلْقُرْبٰانِ، يٰا ذَا ٱلْمَنِّ وَٱلْإِحْسٰانِ، يٰا ذَا ٱلْعِزِّ وَٱلسُّلْطٰانِ، يٰا رَحِيمُ، يٰا رَحْمٰنُ، يٰا عَظِيمُ يٰا مَنْ هُوَ كُلَّ يَوْمٍ فِي شَأْنٍ، يٰا مَنْ لاٰ يَشْغَلُهُ شَأْنٌ عَنْ شَأْنٍ، يٰا عَظِيمَ ٱلشَّأْنِ، يٰا مَنْ هُوَ بِكُلِّ مَكٰانٍ، يٰا سٰامِعَ ٱلْأَصْوٰاتِ، يٰا مُجِيبَ ٱلدَّعَوٰاتِ، يٰا مُنْجِحَ ٱلطَّلِبٰاتِ، يٰا قَاضِيَ ٱلْحٰاجٰاتِ، يٰا مُنْزِلَ ٱلْبَرَكٰاتِ، يٰا رٰاحِمَ ٱلْعَبَرٰاتِ، يٰا مُقِيلَ ٱلْعَثَرٰاتِ، يٰا كَاشِفَ ٱلْكُرُبٰاتِ، يٰا وَلِيَّ ٱلْحَسَنٰاتِ، يٰا رٰافِعَ ٱلدَّرَجٰاتِ يٰا مُؤْتِيَ السُّؤُلاَتِ،

يٰا مُحيِيَ ٱلْأَمْوٰاتِ، يٰا جٰامِعَ ٱلشَّتٰاتِ[١]، يٰا مُطَّلِعاً عَلَىٰ ٱلنِّيٰاتِ، يٰا رٰادَّ مٰا قَدْ فٰاتَ، يٰا مَنْ لاٰ تَشْتَبِهُ عَلَيْهِ ٱلْأَصْوٰاتُ، يٰا مَنْ لاٰ تُضْجِرُهُ ٱلْمَسٰأَلاٰتُ، وَلاٰ تَغْشٰاهُ ٱلظُّلُمٰاتُ، يٰا نُورَ ٱلْأَرْضِ وَٱلسَّمٰاوٰاتِ، يٰا سٰابِغَ ٱلنِّعَمِ، يٰا دٰافِعَ ٱلنِّقَمِ، يٰا بٰارِىءَ ٱلنَّسَمِ، يٰا جٰامِعَ ٱلْأُمَمِ، يٰا شٰافِيَ ٱلسَّقَمِ، يٰا خٰالِقَ ٱلنُّورِ وَٱلظُّلَمِ، يٰا ذَا ٱلْجُودِ وَٱلْكَرَمِ، يٰا مَنْ لاٰ يَطَأُ عَرْشَهُ قَدَمٌ، يٰا أَجْوَدَ ٱلْأَجْوَدِينَ، يٰا أَكْرَمَ ٱلْأَكْرَمِينَ، يٰا أَسْمَعَ ٱلسَّامِعِينَ، يٰا أَبْصَرَ ٱلنَّاظِرِينَ، يٰا جٰارَ ٱلْمُسْتَجِيرِينَ، يٰا أَمٰانَ ٱلْخٰائِفِينَ، يٰا ظَهِيرَ ٱللاَّجِينَ[٢]، يٰا وَلِيَّ ٱلْمُؤْمِنِينَ، يٰا غِيٰاثَ ٱلْمُسْتَغِيثِينَ، يٰا غٰايَةَ ٱلطَّالِبِينَ، يٰا صٰاحِبَ كُلِّ غَرِيبٍ، يٰا مُؤْنِسَ كُلِّ وَحِيدٍ، يٰا مَلْجَأَ كُلِّ طَرِيدٍ، يٰا مَأْوَىٰ كُلِّ شَرِيدٍ، يٰا حٰافِظَ كُلِّ ضٰالَّةٍ، يٰا رٰاحِمَ ٱلشَّيْخِ ٱلْكَبِيرِ، يٰا رٰازِقَ ٱلطِّفْلِ ٱلصَّغِيرِ، يٰا جٰابِرَ ٱلْعَظْمِ ٱلْكَسِيرِ، يٰا فٰاكَّ كُلِّ أَسِيرٍ، يٰا

---

(١) جامع الشتات: جامع المتفرقين.

(٢) ظهير: مساعد ناصر.

مُغْنِيَ ٱلْبٰائِسِ ٱلْفَقِيرِ، يٰا عِصْمَةَ ٱلْخٰائِفِ ٱلْمُسْتَجِيرِ، يٰا مَنْ لَهُ ٱلتَّدْبِيرُ وَٱلتَّقْدِيرُ، يٰا مَنِ ٱلْعَسِيرُ عَلَيْهِ يَسِيرٌ، يٰا مَنْ لٰا يَحْتٰاجُ إِلَىٰ تَفْسِيرٍ، يٰا مَنْ هُوَ عَلَىٰ كُلِّ شَيْءٍ قَدِيرٌ، يٰا مَنْ هُوَ بِكُلِّ شَيْءٍ خَبِيرٌ، يٰا مَنْ هُوَ بِكُلِّ شَيْءٍ بَصِيرٌ، يٰا مُرْسِلَ ٱلرِّيٰاحِ، يٰا فٰالِقَ ٱلْإِصْبٰاحِ، يٰا بٰاعِثَ ٱلْأَرْوٰاحِ، يٰا ذَا ٱلْجُودِ وَٱلسَّمٰاحِ، يٰا مَنْ بِيَدِهِ كُلُّ مِفْتٰاحٍ، يٰا سٰامِعَ كُلِّ صَوْتٍ، يٰا سَابِقَ كُلِّ فَوْتٍ، يٰا مُحْيِيَ كُلِّ نَفْسٍ بَعْدَ ٱلْمَوْتِ، يٰا عُدَّتِي فِي شِدَّتِي، يٰا حٰافِظِي فِي غُرْبَتِي، يٰا مُؤْنِسِي فِي وَحْدَتِي، يٰا وَلِيِّي فِي نِعْمَتِي، يٰا كَهْفِي حِينَ تُعْيِينِي ٱلْمَذٰاهِبُ، وَتُسَلِّمُنِي ٱلْأَقٰارِبُ، وَيَخْذُلُنِي كُلُّ صٰاحِبٍ، يٰا عِمٰادَ مَنْ لٰا عِمٰادَ لَهُ، يٰا سَنَدَ مَنْ لٰا سَنَدَ لَهُ، يٰا ذُخْرَ مَنْ لٰا ذُخْرَ لَهُ، يٰا حِرْزَ مَنْ لٰا حِرْزَ لَهُ، يٰا كَهْفَ مَنْ لٰا كَهْفَ لَهُ، يٰا كَنْزَ مَنْ لٰا كَنْزَ لَهُ، يٰا رُكْنَ مَنْ لٰا رُكْنَ لَهُ، يٰا غِيٰاثَ مَنْ لٰا غِيٰاثَ لَهُ(١)، يٰا جٰارَ مَنْ لٰا

(١) غياث: مغيث، معين.

جٰارَ لَهُ، يٰا جٰارِيَ ٱللَّصِيقَ[١]، يٰا رُكْنِيَ ٱلْوَثِيقَ، يٰا إِلٰهِي بِٱلتَّحْقِيقِ، يٰا رَبَّ ٱلْبَيْتِ ٱلْعَتِيقِ، يٰا شَفِيقُ، يٰا رَفِيقُ، فُكَّنِي مِنْ حلَقِ ٱلْمَضِيقِ، وَٱصْرِفْ عَنِّي كُلَّ هَمٍّ وَغَمٍّ وَضِيْقٍ، وَٱكْفِنِي شَرَّ مٰا لاٰ أُطِيقُ، وَأَعِنِّي عَلَىٰ مٰا أُطِيقُ، يٰا رٰادَّ يُوسُفَ عَلَىٰ يَعْقُوبَ، يٰا كٰاشِفَ ضُرِّ أَيُّوبَ، يٰا غٰافِرَ ذَنْبِ دٰاوُدَ، يٰا رٰافِعَ عِيسَىٰ بْنِ مَرْيَمَ وَمُنْجِيَهُ مِنْ أَيْدِي ٱلْيَهُودِ، يٰا مُجِيبَ نِدٰاءِ يُونُسَ فِي ٱلظُّلُمٰاتِ، يٰا مُصْطَفِيَ مُوسَىٰ بِٱلْكَلِمٰاتِ، يٰا مَنْ غَفَرَ لِآدَمَ خَطِيئَتَهُ، وَرَفَعَ إِدْرِيسَ مَكٰاناً عَلِيّاً بِرَحْمَتِهِ، يٰا مَنْ نَجَّىٰ نُوحاً مِنَ ٱلْغَرَقِ، يٰا مَنْ أَهْلَكَ عٰاداً ٱلأُولَىٰ وَثَمُودَ فَمٰا أَبْقَىٰ، وَقَوْمَ نُوحٍ مِنْ قَبْلُ، إِنَّهُمْ كٰانُوا هُمْ أَظْلَمَ وَأَطْغَىٰ والمُؤْتَفِكَةَ أَهْوَى، يٰا مَنْ دَمَّرَ عَلَىٰ قَوْمِ لُوطٍ، وَدَمْدَمَ عَلَىٰ قَوْمِ شُعَيْبٍ، يٰا مَنِ ٱتَّخَذَ إِبْرٰاهِيمَ خَلِيلاً، يٰا مَنِ ٱتَّخَذَ مُوسَىٰ كَلِيماً، وَٱتَّخَذَ مُحَمَّداً صَلَّىٰ ٱللَّهُ

---

(١) اللصيق: القريب.

عَلَيْهِ وَآلِهِ وَعَلَيْهِمْ أَجْمَعِينَ حَبِيباً، يَا مُؤْتِيَ لُقْمَانَ ٱلْحِكْمَةَ، وَٱلْوَاهِبَ لِسُلَيْمَانَ مُلْكاً لاَ يَنْبَغِي لأَحَدٍ مِنْ بَعْدِهِ، يَا مَنْ نَصَرَ ذَا ٱلْقَرْنَيْنِ عَلَىٰ ٱلْمُلُوكِ ٱلْجَبَابِرَةِ، يَا مَنْ أَعْطَىٰ ٱلْخِضْرَ ٱلْحَيَاةَ، وَرَدَّ لِيُوشَعَ بْنِ نُونٍ ٱلشَّمْسَ بَعْدَ غُرُوبِهَا، يَا مَنْ رَبَطَ عَلَىٰ قَلْبِ أُمِّ مُوسَىٰ، وَأَحْصَنَ فَرْجَ مَرْيَمَ ٱبْنَةِ عِمْرَانَ، يَا مَنْ حَصَّنَ يَحْيَىٰ بْنَ زَكَرِيَّا مِنَ ٱلذَّنْبِ، وَسَكَّنَ عَنْ مُوسَىٰ ٱلْغَضَبَ، يَا مَنْ بَشَّرَ زَكَرِيَّا بِيَحْيَىٰ، يَا مَنْ فَدَىٰ إِسْمَاعِيلَ مِنَ ٱلذَّبْحِ بِذِبْحٍ عَظِيمٍ، يَا مَنْ قَبِلَ قُرْبَانَ هَابِيلَ، وَجَعَلَ ٱللَّعْنَةَ عَلَىٰ قَابِيلَ، يَا هَازِمَ ٱلأَحْزَابِ لِمُحَمَّدٍ صَلَّىٰ ٱللَّهُ عَلَيْهِ وَآلِهِ، صَلِّ عَلَىٰ مُحَمَّدٍ وَآلِ مُحَمَّدٍ وَعَلَىٰ جَمِيعِ ٱلْمُرْسَلِينَ، وَمَلاَئِكَتِكَ ٱلْمُقَرَّبِينَ، وَأَهْلِ طَاعَتِكَ أَجْمَعِينَ، وَأَسْأَلُكَ بِكُلِّ مَسْأَلَةٍ سَأَلَكَ بِهَا أَحَدٌ مِمَّنْ رَضِيتَ عَنْهُ، فَحَتَمْتَ لَهُ عَلَىٰ ٱلإِجَابَةِ. يَا ٱللَّهُ يَا ٱللَّهُ يَا ٱللَّهُ، يَا رَحْمٰنُ يَا رَحْمٰنُ يَا رَحْمٰنُ، يَا رَحِيمُ يَا رَحِيمُ يَا رَحِيمُ، يَا ذَا ٱلْجَلاَلِ

وَٱلْإِكْـرامِ، يٰـا ذَا ٱلْجَـلاٰلِ وَٱلْإِكْـرامِ، يٰـا ذٰا ٱلْجَـلاٰلِ وَٱلْإِكْرَامِ، بِهِ بِهِ بِهِ بِهِ بِهِ بِهِ بِهِ أَسْأَلُكَ، بِكُلِّ إِسْمٍ سَمَّيْتَ بِهِ نَفْسَكَ، أَوْ أَنْزَلْتَهُ فِي شَيْءٍ مِنْ كُتُبِكَ، أَوِ ٱسْتَأْثَرْتَ بِهِ فِي عِلْمِ ٱلْغَيْبِ عِنْدَكَ، وَبِمَعٰاقِدِ ٱلْعِزِّ مِنْ عَرْشِكَ، وَبِمُنْتَهَىٰ ٱلرَّحْمَةِ مِنْ كِتٰابِكَ، وَبِمٰا لَوْ أَنَّ مٰا فِي ٱلْأَرْضِ مِنْ شَجَرَةٍ أَقْلاٰمٌ، وَٱلْبَحْرُ يَمُدُّهُ مِنْ بَعْدِهِ سَبْعَةُ أَبْحُرٍ مٰا نَفِدَتْ كَلِمٰاتُ ٱللَّهِ، إِنَّ ٱللَّهَ عَزِيزٌ حَكِيمٌ. وَأَسْأَلُكَ بِأَسْمٰائِكَ ٱلْحُسْنَىٰ ٱلَّتِي نَعَتَّهٰا فِي كِتٰابِكَ فَقُلْتَ: وَلِلَّهِ ٱلْأَسْمٰاءُ ٱلْحُسْنَىٰ فَٱدْعُوهُ بِهٰا، وَقُلْتَ: ٱدْعُونِي أَسْتَجِبْ لَكُمْ، وَقُلْتَ: وَإِذٰا سَأَلَكَ عِبٰادِي عَنِّي فَإِنِّي قَرِيبٌ أُجِيبُ دَعْوَةَ ٱلدَّاعِ إِذٰا دَعٰانِ، فَلْيَسْتَجِيبُوا لِي، وَلْيُؤْمِنُوا بِي لَعَلَّهُمْ يَرْشُدونَ. وَقُلْتَ: يٰا عِبٰادِيَ ٱلَّذِينَ أَسْرَفُوا عَلَىٰ أَنْفُسِهِمْ لاٰ تَقْنَطُوا مِنْ رَحْمَةِ ٱللَّهِ، إِنَّ ٱللَّهَ يَغْفِرُ ٱلذُّنُوبَ جَمِيعاً، إِنَّهُ هُوَ ٱلْغَفُورُ ٱلرَّحِيمُ[1]. وَأَنَا أَسْأَلُكَ يٰا إِلٰهِي،

(١) أسرفوا: تجاوزوا الحدود. لا تقنطوا: لا تيأسوا.

وَأَدْعُوكَ يا رَبِّ، وَأَرْجُوكَ يا سَيِّدِي، وَأَطْمَعُ فِي إِجابَتِي كَما وَعَدْتَنِي، وَقَدْ دَعَوْتُكَ كَما أَمَرْتَنِي، فَٱفْعَلْ بِي ما أَنْتَ أَهْلُهُ يا كَرِيمُ. وَٱلْحَمْدُ لِلَّهِ رَبِّ ٱلْعالَمِينَ، وَصَلَّىٰ ٱللَّهُ عَلَىٰ مُحَمَّدٍ وَآلِهِ أَجْمَعِينَ.

***

في ذكر اسم الله الاعظم

بِسْمِ ٱللَّهِ ٱلرَّحْمٰنِ ٱلرَّحِيمِ ٱللَّهُمَّ إِنّي أَسْأَلُكَ بِاسْمِكَ المَخْزونِ، المكْنونِ، الْعَظيمِ، الأَعْظَمِ، الأَجَلِّ، الأَكْرَمِ، الأَكْبَرِ، البُرْهانِ، الْحَقِّ، المُهَيْمِنِ، القُدُّوسِ، الّذي هُوَ نُورٌ مِنْ نورٍ، ونورٌ مَعَ نورٍ، ونورٌ علىٰ نورٍ، ونورٌ فوقَ نورٍ، ونورٌ في نورٍ، ونورٌ أضاءَ بِهِ كُلُّ ظُلْمَةٍ، وكُسِرَ به كُلَّ جَبّارٍ رَجيمٍ، ولا تَقوُمُ بِهِ سَماءٌ، ولا تَقَرُّ بِهِ أَرْضٌ(١). يا مَنْ يُأَمَنُ بِهِ خَوْفُ كُلِّ خائِفٍ، ويَبْطُلُ بِهِ سِحْرُ كُلِّ ساحِرٍ، وكَيْدُ كُلِّ كائِدٍ،

(١) لا تقر: لا تثبت.

وَحَسَدُ كُلِّ حاسِدٍ، وَبَغْيُ كلِّ باغٍ، وَتَتَصَدَّعُ لِعَظَمَتِهِ الجِبالُ والْبَرُّ والْبَحْرُ، وَتَحْفَظُهُ الملائِكَةُ حتّىٰ تَتكَلَّمَ بِهِ، وتَجْري به الفُلْكُ فلا يكونُ للمَوْجِ عليه سَبيلٌ، وتَذِلُّ به كلَّ جَبّارٍ عَنيدٍ وَشَيْطانٍ مَريدٍ[1]، وَهُوَ إِسْمُكَ الأَكبرُ الّذي سَمَّيْتَ بِهِ نَفْسَكَ، واستَوَيْتَ به علىٰ عَرْشِكَ، واستَقْرَرْتَ به علىٰ كُرْسِيِّكَ. يا اللهُ العظيمُ الأعظَمُ، يا اللهُ النورُ الأكرمُ، يا بديعَ السَّماواتِ والأَرْضِ، يا ذا الْجَلالِ والاكْرامِ، أَسْأَلُكَ بِعِزَّتِكَ وَجَلالِكَ وَقُدْرَتِكَ وَبَرَكاتِكَ، وَبِحُرْمَةِ مُحَمَّدٍ وآلِهِ الطّاهِرينَ عَلَيْهِمُ السَّلامُ. أَسْأَلُكَ بِكَ وَبِهِمْ أَنْ تُصَلِّيَ علىٰ مُحَمَّدٍ وآلِ مُحَمَّدٍ وَأَنْ تُعْتِقَنِيْ وَوالِدَيَّ والمؤمنينَ والمؤمناتِ من النّارِ، وَصَلِّ علىٰ مُحَمَّدٍ وآلِ مُحَمَّدٍ إِنَّكَ حَميدٌ مَجيدٌ.

***

(١) مريد: خبيث، شرير.

في المدحة لله قبل المسألة

يا مَنْ هُوَ أَقْرَبُ إليَّ مِنْ حَبْلِ الْوَرِيدِ(١)، يا فَعَّالاً لِمَا يُرِيدُ يا مَنْ يَحولُ بَيْنَ المَرْءِ وَقَلْبِهِ، يا مَنْ هُوَ بِالمنْظَرِ الأعْلىٰ، يٰا مَنْ لَيْسَ كَمِثْلِهِ شَيْءٌ.

***

في التهليل والاعتراف بالعقائد

لا إِلٰهَ إِلاّ الله في عِلْمِهِ مُنْتَهىٰ رِضاهُ، لا إِلٰهَ إِلاّ الله بَعْدَ عِلْمِهِ مُنْتَهىٰ رِضاهُ، لا إِلٰهَ إِلاّ الله مَعَ عِلْمِهِ مُنْتَهىٰ رِضاهُ، اللهُ أكبرُ في عِلْمِهِ مُنْتَهىٰ رِضاهُ، اللهُ أكبرُ بَعْدَ عِلْمِهِ مُنْتَهىٰ رِضاهُ، الله أكبرُ مَعَ عِلْمِهِ مُنْتَهىٰ رِضاهُ، أَلْحَمْدُ للهِ في عِلْمِهِ مُنْتَهىٰ رِضاهُ، أَلْحَمْدُ للهِ بَعْدَ عِلْمِهِ مُنْتَهىٰ رِضاهُ، أَلْحَمْدُ للهِ مَعَ عِلْمِهِ مُنْتَهىٰ رِضاهُ، سُبْحانَ اللهِ في عِلْمِهِ مُنْتَهىٰ رِضاهُ، سُبْحانَ اللهِ بَعْدَ

(١) حبل الوريد: شريان في العنق.

عِلْمِهِ مُنْتَهَىٰ رِضَاهُ، سُبْحَانَ اللهِ مَعَ عِلْمِهِ مُنْتَهَىٰ رِضَاهُ، وَالْحَمْدُ لِلّٰهِ بِجَمِيعِ مَحَامِدِهِ عَلَىٰ جَمِيعِ نِعَمِهِ، وَسُبْحَانَ اللهِ وَبِحَمْدِهِ مُنْتَهَىٰ رِضَاهُ فِي عِلْمِهِ، وَاللهُ اكبرُ وَحَقَّ لَهُ ذٰلِكَ. لا إِلٰهَ إِلا اللهُ ٱلْحَلِيمُ ٱلْكَرِيمُ، لا إِلٰهَ إِلا اللهُ ٱلْعَلِيُّ ٱلْعَظِيمُ، لا إِلٰهَ إِلا اللهُ نُورُ السَّمَاوَاتِ السَّبْعِ، وَنُورُ الأَرْضِينَ السَّبْعِ وَنُورُ الْعَرْشِ العظيم. لا إِلٰهَ إِلا الله تَهْلِيلاً لا يُحْصِيهِ غَيْرُهُ قَبْلَ كُلِّ أَحَدٍ، وَمَعَ كُلِّ أَحَدٍ وبعد كُلِّ أحدٍ. وَالْحَمْدُ لله تَحْمِيداً لا يُحْصِيهِ غَيْرُهُ قَبْلَ كُلِّ أحدٍ، ومعَ كلِّ أحدٍ، وبعدَ كلِّ أحدٍ. وسبحانَ الله تَسبِيحاً لا يُحْصِيهِ غَيْرُهُ قَبلَ كلِّ أحدٍ، ومعَ كلِّ أحدٍ، وبعدَ كلِّ أَحَدٍ. اللّٰهُمَّ إِنِّي أُشْهِدُكَ، وكفىٰ بِكَ شهيداً، فاشهَدْ لِي أَنَّ قولَكَ حقٌّ، وفِعلَكَ حقٌّ، وأَنَّ قضاءَكَ حَقٌّ، وأن قَدَرَكَ حقٌّ، وأَنَّ رُسلَكَ حقٌّ، وأَنَّ أوصِياءَكَ حقٌّ، وأَنَّ رَحمَتَكَ حقٌّ، وأَنَّ جنَّتَكَ حقٌّ، وأَنَّ نارَكَ حقٌّ، وأَنَّ قِيامَتَكَ حقٌّ، وأَنَّكَ مُمِيتُ الأَحياءِ، وأَنَّكَ

مُحيِي الموتىٰ، وأَنَّكَ باعثُ مَنْ في القُبور، وأَنَّك جامِعُ الناسِ لِيَوْمٍ لا رَيْبَ فيهِ، وأَنَّكَ لا تُخْلِفُ الميعادَ. أَللَّهُمَّ إِنّي أُشْهِدُكَ، وكَفىٰ بِكَ شَهيداً، فاشْهَدْ لي أَنَّك رَبّي، وأَنَّ مُحَمَّداً صَلّىٰ اللهُ عليهِ وآلِهِ رَسولَكَ نَبيـيّ، والأَصْفِيَاءَ مِنْ بَعْدِهِ أَئِمَّتي، وَأَنَّ الدّينَ الذي شَرَعْتَ ديني، وأَنَّ الكتابَ الَّذي أَنْزَلْتَ علىٰ مُحَمَّدٍ رسولِكَ صَلىٰ اللهُ عليهِ وآلِهِ وَسَلَّمَ نُورِي. أَللَّهُمَّ إِنّي أُشْهِدُكَ، وَكَفىٰ بِكَ شهيداً، فاشْهَدْ لي أَنَّكَ أَنتَ المُنْعِمُ عليَّ لا غيْرُكَ، لَكَ الحَمْدُ، وَبِنِعْمَتِكَ تَتِمُّ الصالِحاتُ. لا إِلٰهَ إِلاّ اللهُ عدَدَ ما أَحصىٰ عِلْمُهُ، وَمِثْلَ ما أَحْصىٰ عِلْمُهُ، وَمِلْءَ ما أَحْصىٰ عِلْمُهُ، وأَضْعافَ ما أَحْصىٰ عِلْمُهُ. واللهُ أَكْبَرُ عَدَدَ مَا أَحْصَى عِلْمُه ومِثْل ما أَحْصَى عِلْمِه ومِلْءَ ما أَحْصَى علْمُه، وَأَضْعَافَ مَا أَحْصَى علمُه. والحَمْدُ للهِ عددَ ما أَحْصىٰ عِلْمُهُ، ومِثْلَ ما أَحصىٰ عِلْمُهُ، وَمِلْءَ ما أَحْصىٰ عِلْمُهُ، وأَضْعافَ ما أَحْصىٰ عِلْمُهُ وَسُبْحانَ اللهِ

عَدَدَ مَا أَحْصَى عِلْمُه وَمِثْلَ مَا أَحْصَى عِلْمُه وَمِلْءَ مَا أَحْصَى عِلْمُه وَأَضْعَافَ مَا أَحْصَى عِلْمُهُ. لا إِلٰهَ إِلاَّ الله، واللهُ أكبرُ، وسبحانَ اللهِ، والْحَمْدُ لِلَّهِ وبِحَمْدِهِ، وتَبارَكَ اللهُ وتعالىٰ، ولا حَوْلَ ولا قُوَّةَ إِلاَّ بالله، ولا مَلْجَأَ ولا مَنْجىٰ مِنَ اللهِ إلا إِلَيْهِ، عَدَدَ الشَّفْعِ والوِتْرِ، وعَدَدَ كَلِماتِ رَبّي الطَّيِّباتِ التّامَاتِ المباركاتِ، صَدَقَ اللهُ العَظِيمُ وَصَدَقَ المُرْسَلُوْنَ.

***

الدعاء المعروف بدعاء المذخور

بِسْمِ ٱللَّهِ ٱلرَّحْمٰنِ ٱلرَّحِيمِ لا إِلٰهَ إِلاّ اللهُ، ثُمَّ لا إِلٰهَ إِلاّ اللهُ، ثم لا إِلٰهَ إِلاّ اللهُ، وَلاَ إِلٰه إِلاَّ اللهُ بِمَا هَلَّلَ اللهُ بِهِ نَفْسَهُ، ولا إِلٰهَ إِلاّ اللهُ بِما هَلَّلَهُ خَلْقُهُ، واللهُ أَكبرُ بما كَبَّرَهُ بِهِ خَلْقُهُ، وسُبْحانَ اللهِ بِما سَبَّحَهُ بِهِ خَلْقُهُ، والحَمْدُ للهِ بِمَا حَمِدَهُ به عَرْشُهُ ومَنْ تَحْتَهُ، ولا إِلٰهَ إِلاّ اللهُ بِما هَلَّلَهُ بِهِ عَرْشُهُ ومَنْ تَحْتَهُ، واللهُ أكبرُ بما كَبَّرَهُ بِهِ

عَرشُهُ وَمَنْ تَحْتَهُ، والحَمْدُ لله بما حَمِدَهُ بِهِ سماواتُهُ وأرضُهُ ومَنْ فيهنَّ، ولا إلٰهَ إلاّ اللهُ بما هَلَّلَهُ بِهِ سماواتُهُ وأرضُهُ ومَنْ فيهنَّ، ولا إلٰهَ إلاّ اللهُ بما هَلَّلَهُ بِهِ ملائِكَتُهُ، وسبحانَ اللهِ بما سَبَّحَهُ بِهِ ملائِكَتُهُ، واللهُ أكبرُ بما كَبَّرَهُ بِهِ ملائِكَتُهُ، والحَمْدُ للهِ بما حَمِدَهُ بِهِ عَرْشُهُ، واللهُ أكْبَرُ بما كَبَّرَهُ بِهِ كُرْسِيُّهُ وكُلُّ شيءٍ أحاطَ بِهِ عِلْمُهُ، والحَمْدُ لِلّهِ بما حَمِدَتْهُ به بِحارُهُ وما فيها، ولا إلٰهَ إلاّ اللهُ بما هَلَّلَتْهُ بِهِ بحارُهُ وما فيها، واللهُ أكبَرُ بما كَبَّرَتْهُ بِهِ بحارُهُ وما فيها، والحَمْدُ للهِ بِمَا حَمِدَهُ به الآخِرَةُ والدُّنْيا وما فيهما، ولا إلٰهَ إلاّ اللهُ بما هَلَّلَهُ بِهِ الآخِرَةُ والدُّنْيا وما فيهما، واللهُ أكبَرُ بِمَا كَبَّرَهُ بِهِ الآخِرَةُ والدُّنْيا وما فيهما، وسُبْحانَ اللهَ بما سَبَّحَهُ بِهِ الآخِرَةُ والدُّنيا وما فيهما، والْحَمْدُ لِلّهِ مَبْلَغَ رِضَاهُ، وَزِنَةَ عَرْشِهِ، وَمُنْتَهىٰ رِضاهُ وَمَا لاَ يَعْدِلُهُ، واللهُ أكْبَرُ مَبْلَغَ رِضَاهُ، وَزِنَةَ عَرْشِهِ، وَمُنْتَهىٰ رِضاهُ وَمَا لاَ يَعْدِلُهُ، وَسُبْحَانَ اللهِ مَبْلَغَ رِضَاهُ، وَزِنَةَ عَرْشِهِ، وَمُنْتَهىٰ

رِضَاهُ وَمَا لَا يَعْدِلُهُ، وَالْحَمْدُ لِلَّهِ قَبْلَ كُلِّ شَيْءٍ، وَمَعَ

كُلِّ شَيْءٍ، وَعَدَدَ كُلِّ شَيْءٍ، وَسُبْحَانَ الله قَبْلَ كُلِّ

شَيْءٍ، وَمَعَ كُلِّ شَيْءٍ، وَعَدَدَ كُلِّ شَيْءٍ، وَالْحَمْدُ لِلَّهِ

عَدَدَ آيَاتِهِ وَأَسْمَائِهِ، وَمِلْءَ جَنَّتِهِ ونارِهِ، واللهُ أَكْبَرُ عَدَدَ

آيَاتِهِ وَأَسْمَائِهِ، وَمِلْءَ جَنَّتِهِ ونارِهِ، ولا إلٰهَ إلَّا اللهُ عَدَدَ

آيَاتِهِ وَأَسْمَائِهِ، وَمِلْءَ جَنَّتِهِ ونارِهِ، وَالْحَمْدُ لِلَّهِ حَمْداً لا

يُحْصىٰ بِعَدَدٍ، ولا بِقُوَّةٍ ولا بِحِسابٍ، وَسُبْحانَ الله

تَسْبِيحاً لا يُحْصىٰ بِعَدَدٍ، ولا بِقُوَّةٍ ولا بِحِسابٍ، واللهُ

أَكْبَرُ تَكْبِيراً لا يُحْصىٰ بِعَدَدٍ، ولا بِقُوَّةٍ ولا بِحِسابٍ،

وَالْحَمْدُ للهِ عَدَدَ النجومِ والمياهِ والأشجارِ وَالشَّعَرِ، ولا

إلٰهَ إلّا اللهُ عَدَدَ النجومِ والمياهِ والأشجارِ وَالشَّعَرِ،

وَالْحَمْدُ للهِ عَدَدَ الحَصىٰ والنَّوىٰ والتُّرابِ والجِنّ

والإنْسِ، واللهُ أَكْبَرُ عَدَدَ الحَصىٰ والنَّوىٰ والتُّرابِ

والجِنّ والإِنْسِ، وَسُبْحانَ اللهِ عَدَدَ الحَصىٰ والنَّوىٰ

والتُّرابِ والجِنّ والإِنْسِ، وَالحَمْدُ للهِ حَمْداً لا يَكُونُ

بَعْدَهُ في عِلْمِهِ حَمْدٌ، ولا إِلٰهَ إِلاَّ اللهُ تَهليلاً لا يَكُونُ بَعْدَهُ في عِلْمِهِ تَهْليل، واللهُ أكبرُ تكبيراً لا يكونُ بَعْدَهُ في عِلْمِهِ تَكْبير، وسُبْحَانَ اللهِ تَسْبيحاً لا يَكونُ بَعْدَهُ في عِلْمِهِ تَسْبيحٌ، والحَمْدُ لله أَبَدَ الأَبَدِ، وَقَبْلَ الأَبَدِ، وَبَعْدَ الأَبَدِ[1]، وسبحانَ اللهِ أَبَدَ الأَبَدِ، وقبلَ الأبدِ، وبعدَ الأبدِ، واللهُ أكبرُ أبَدَ الأَبَدِ، وقبلَ الأبدِ، وبعدَ الأبَدِ، والحَمْدُ للهِ عَدَدَ هذا كُلِّهِ، وأضعافَهُ وَأَمْثَالَهُ وذلكَ لله قَليلٌ، واللهُ أكبرُ عَدَدَ هَذَا كُلِّهِ، وأضعافَهُ وَأَمْثَالَه، وذلكَ للهِ قَليلٌ، ولا حَوْلَ ولا قُوَّةَ إلا باللهِ عَدَدَ هَذا كُلِّهِ، وأضعافَهُ وَأَمْثَالَهُ، وذلك لله قَليلٌ، وصَلَّىٰ اللهُ على مُحَمَّدٍ وآله عَدَدَ هذا كُلِّهِ، وأَسْتَغْفِرُ اللهَ الَّذي لا إِلٰهَ إلا هُوَ الْحَيُّ الْقَيُّومُ، عَدَدَ هذا كُلِّهِ، وأتوبُ إليهِ مِنْ كُلِّ خَطيئَةٍ ارْتَكَبْتُها، وَمِنْ كُلِّ ذَنْبٍ عَمِلْتُهُ، وَلِكُلِّ فاحِشَةٍ سَبَقَتْ مِنّي عَدَدَ هذا كُلِّهِ وَمُنْتَهى عِلْمِهِ وَرِضَاهُ، يا اللهُ

(١) الأبد: آخر الدهر.

المؤْمِنُ الخَالِقُ العَظيمُ العَزيزُ الجَبَّارُ المُتَكَبِّرُ، سُبْحانَ اللهِ عَمّا يُشْرِكون، يا اللهُ الجليلُ الجميلُ، يا اللهُ الربُ الكريمُ، يا اللهُ المبدِىءُ المعيدُ، يااللهُ الواسعُ العليمُ، يا اللهُ الحَنَّانُ المنَّانُ، يا اللهُ العليمُ القائمُ، يا اللهُ العظيمُ الكريمُ، يا الله اللطيفُ الخبيرُ، يا اللهُ العَظيمُ الجليلُ، يا اللهُ القَوِيُّ المتينُ، يا اللهُ الغَنِيُّ الحميدُ، يا اللهُ القريبُ المجيبُ، يا اللهُ العزيزُ الحكيمُ، يا اللهُ الحَليمُ الكَريمُ، يـا اللهُ الـرَّؤوفُ الـرَّحِيـمُ، يـا اللهُ الغَفُـورُ الشَّكُـورُ يـا اللهُ الرَّاضِي باليَسِيرِ، يا اللهُ السَّاتِرُ لِلْقَبِيحِ، يا اللهُ المُعْطي الجَزِيلَ، يا اللهُ الغافرُ لِلذَّنْبِ العظيمِ، يا اللهُ الفَعَّالُ لما يُريدُ، يا اللهُ الجَبَّارُ المُتَجَبِّرُ، يا اللهُ الكبيرُ المتكبِّرُ، يا اللهُ العظيمُ المتعظمُ، يا اللهُ العَلِيُّ المتعالي. يا اللهُ الرَّفيعُ القُدُّوسُ، يا اللهُ العظيمُ الأعظَمُ. يا اللهُ القائِمُ الدائِمُ، يا اللهُ القادِرُ المقتَدِرُ. يا اللهُ القاهِرُ، يا اللهُ المُعَافِي. يا اللهُ الوَاحِدُ الأَحَدُ، يا اللهُ الفَرْدُ الصَّمَدُ. يا اللهُ القابِضُ

الباسِطُ. يا اللهُ الخَالِقُ الرَّازِقُ، يا اللهُ الباعِثُ الوَارِثُ، يا اللهُ المُنعِمُ المتفضِّلُ، يا اللهُ المُحْسِنُ المُجْمِلُ، يا اللهُ الطَّالِبُ المُدْرِكُ، يا اللهُ منْتَهى الرَّاغِبينَ، يا اللهُ جَارَ المُسْتَجِيرينَ، يا اللهُ أقرَبُ المحسِنِينَ، يا اللهُ أرْحَمُ الرّاحِمينَ، يا اللهُ غيَاثُ المُسْتَغيثِين. يا اللهُ مُعْطي السّائِلينَ، يَا اللهُ المُنَفِّس عن المَهْمُومينَ يا اللهُ المفرِّجُ عَنِ المَكْروبينَ. يا اللهُ المُفَرِّجُ الكرْبَ العظيمَ. يَاْ اللهُ النُّورُ مِنْكَ النُّورُ، يَاْ اللهُ الخَيْرُ مِنْ عِنْدِكَ الخَيْرُ. يا رَحْمٰنُ أسألُكَ بأسمائِكَ البالِغَةِ المبلّغَة. يا اللهُ يا رَحْمٰنُ، أسألُكَ بأَسمائِكَ العزيزَةِ الحكيمةِ. يا اللهُ يا رَحْمٰنُ، أسألُكَ بأسمائِكَ الرَّضِيَّةِ، الرَّفيعَةِ الشَّريفَةِ. يا اللهُ يا رَحْمٰنُ، أسألُكَ بأسمائِكَ المخْزونَةِ المكْنُونَةِ التّامَّةِ الجَزيلَةِ. يا اللهُ يا رَحْمٰنُ، أسألُكَ بأَسمائِكَ بِمَا هُوَ رِضىً لَكَ. يا اللهُ يا رَحْمٰنُ، أسألُكَ أنْ تُصَلِّيَ علىٰ مُحمدٍ وآلِ مُحمدٍ قَبْلَ كُلِّ شَيءٍ وَمَعَ كُلِّ شَيْءٍ وَعَدَدَ

كُلِّ شَيءٍ صَلاةً لا يَقْوىٰ عَلىٰ إِحْصائِها إلاّ أنْتَ . عَدَدَ كُلِّ شَيءٍ وَبِعَدَدِ ما أَحْصاهُ كِتابُكَ وأَحاطَ بِه عِلمُكَ وَأَنْ تَفعَلَ بيْ مَا أَنْتَ أَهْلُهُ لاَ مَا أَنَا أَهْلُهُ، أسأَلُكَ حَوائِجي لِلدُّنيا والآخِرَةِ إن شاء الله، . وَصَلَّىٰ اللهُ عَلىٰ خَيْرِ خَلْقِهِ وخِيَرَتِهِ مُحمَّدٍ سَيِّدِ المرْسَلينَ، وآلِهِ وَسَلَّمَ .

***

في ذكر النبي صلى الله عليه وآله وسلم

أَلْحَمْدُ للهِ رَبِّ العالَمينَ، وَصَلّىٰ اللهُ عَلىٰ طَيِّبِ المُرْسَلينَ مُحَمَّدِ بْنِ عَبْدِ اللهِ بْنِ عَبْدِ المطَّلِبِ . المُنْتَجَبِ الفَاتِقِ الرَّاتِقِ أَللَّهُمَّ فَخُصَّ مُحَمَّداً صلى الله عليه وآله وسلم بِالذِّكْرِ المحْمودِ، والمَنْهَلِ المَشْهودِ، والحَوْضِ المَوْرودِ. أَللَّهُمَّ فَآتِ مُحَمَّداً صَلَّىٰ اللهُ عَلَيْهِ وآلِهِ الوَسيلَةَ والرِّفْعَةَ والفَضيلَةَ، وَفِي المُصْطَفَين مَحَبَّتَهُ، وفي العِلّيينَ دَرَجَتَهُ، وفي المقرَّبينَ كرامَتَهُ. أَللَّهُمَّ أَعْطِ مُحَمَّداً صَلَواتُكَ عَلَيْهِ وآلِهِ، مِنْ كُلِّ كرامَةٍ أَفْضَلَ

تِلْكَ الكَرامَةِ، ومِنْ كلِّ نعيم أوسَعَ ذٰلِكَ النَّعيمِ، وَمِنْ كلِّ عَطاءٍ أجْزَلَ ذٰلِكَ الْعَطاءِ(١)، وَمِنْ كلِّ يُسْرٍ، أنْضَرَ ذٰلِكَ اليُسْرِ، وَمِنْ كُلِّ قِسْمٍ، أوْفَرَ ذٰلِكَ الْقِسْمِ(٢)، حَتّى لا يَكُونُ أحَدٌ مِنْ خَلْقِكَ أقْرَبَ مِنْهُ مَجْلِساً، وَلا أرْفَعَ مِنْهُ عِنْدَكَ ذِكْراً وَمَنْزِلَةً، ولا أعْظَمَ عَلَيْكَ حَقّاً، وَلا أقْرَبَ وَسيلةً مِنْ مُحَمَّدٍ صلواتُكَ عَلَيْهِ وآلِهِ إمام الخير وقائِدِهِ وَالداعي إلَيْهِ وَالبَرَكَةِ عَلى جَميعِ العِبادِ وَالبِلادِ وَرَحْمَةٍ لِلعالَمينَ اللَّهُمَّ اجْمَعْ بَيْنَنا وَبَيْنَ مُحمَّدٍ وَآلِ مُحَمَّدٍ صَلَواتُكَ عَلَيهِ وَآلِهِ في بَردِ العَيْشِ وَبَردِ الرَّوحِ وَقَرارِ النِّعْمَةِ وَشَهْوَةِ الأنْفُسِ وَمُنَى الشَهَواتِ وَنعيمِ اللَّذاتِ وَرَخاءِ الفَضيلَةِ وشُهُودِ الطُمأنينَةِ وَسُؤدَدِ الكَرامَةِ وَقُوَّةِ العَينِ وَنَضْرَةِ النَّعيمِ وَتَمامِ النِّعمَةِ وَبَهجَةٍ لا تُشْبِهُ بَهجَاتِ الدُّنيا، نَشْهَدُ أنهُ قَدْ بَلَّغَ الرِّسالَةَ، وأدّىٰ الأمانَةَ والنَّصيحَةَ، واجْتَهَدَ للأمَّةِ، وأُوْذِيَ في جَنْبِكَ، وجاهَدَ

(١) أجزل: أكثر، أعظم.
(٢) أوفر: أعظم، اكبر.

فِي سَبيلِكَ، وَعَبَدَكَ حَتّىٰ أَتاهُ اليَقينُ[١]، فَصَلّىٰ اللهُ عَلَيْهِ وآلِهِ الطيبينَ، أَللَّهُمَّ رَبَّ البَلَدِ الحَرام وَرَبَّ الرُّكنِ والمَقام وَرَبَّ المَشْعَرِ الحَرام وَرَبَّ الحِلِّ وَالحَرام بَلِّغ رُوحَ مُحمَّدٍ صَلَّى اللهُ عَلَيهِ وَآلِهِ عَنّا السَّلامَ اللَّهُمَّ صَلِّ عَلى مَلائِكَتِكَ الْمُقَرَّبينَ وَعَلى أَنبيائِكَ وَرُسُلِكَ أَجمَعينَ وَصَلِّ عَلَى الحَفَظَةِ الكِرامِ الكاتِبينَ وَعَلى أَهلِ طاعَتِكَ مِن أَهْلِ السَّمٰواتِ السَّبعِ وَأَهلِ الأَرضين السَّبْعِ مِنَ المؤمِنينَ اجمَعين.

***

في الصلاة على النبي صلى الله عليه وآله وسلم

أَللَّهُمَّ داحِي المدْحُوّاتِ[٢]، ودَاعِمَ المسْموكاتِ[٣] وَجابِلَ القلوبَ على فِطْرَتِها، شَقِيِّها وَسَعيدِها، إجْعَلْ

(١) اليقين: الموت.
(٢) دحا: باسط، والمدحوات: الأشياء المبسوطة كالأرض مثلا.
(٣) المسموكات: السماوات، أي: يا باسط الأرض ورافع السماء.

شَرائِفَ صَلَواتِكَ، وَنَوامِيَ بَرَكاتِكَ، عَلىٰ مُحَمَّدٍ عَبْدِكَ وَرسولِكَ، الخاتِمِ لِما سَبَقَ، والفاتِحِ لما انْغَلَقَ، والمُعْلِنِ الحَقَّ بالْحَقِّ، والدّافِعِ خبيثات الأَباطيلِ، والدّامِغِ صَوْلاتِ الأضاليلِ، كَما حُمِّلَ فاضْطَلَعَ[١]، قائماً بأَمْرِكَ، مُسْتَوْفِزاً في مَرْضاتِكَ، غَيْرَ ناكِلٍ عن قُدُمٍ[٢]، ولا واهٍ في عَزْمٍ[٣]، واعياً لِوَحْيِكَ، حافظاً لِعَهْدِكَ، ماضِياً عَلىٰ نَفاذِ أَمْرِك، حَتّى أَوْرىٰ قَبَسَ القابِسِ[٤]، وأضاءَ الطَّريقَ لِلْخابِطِ[٥]، وَهُدِيَتْ بِهِ القُلوبَ بَعْدَ خَوْضاتِ الفِتَنِ والآثام[٦]، وأقامَ بموضِحاتِ الأَعْلام، وَنَيِّراتِ الأَحْكام، فَهُوَ أمينُكَ المأمونُ، وخازِنُ عِلْمِكَ المخْزونِ، وشَهيدُكَ يَوْمَ

---

(١) اضطلع به: حمله.

(٢) ناكل: خائف، قدم: إلى الأمام إلى الحرب.

(٣) واه: ضعيف، عزم: قوَّة.

(٤) أورى: أضاء. أورى قبس القابس: منح الهداية لطلاَّبها.

(٥) الخابط: السائر ليلاً.

(٦) خوضات الفتن: دخولها، واقتحامها.

الدّين، وبَعيثُكَ بالْحَقِّ، وَرَسُولُكَ إِلىٰ الخَلْقِ. أَللَّهُمَّ أَفْسِحْ لَهُ مَفْسَحاً في ظِلّكَ، واجْزِهِ مضاعَفاتِ الخَيْرِ مِنْ فَضْلِكَ[١]. أَللَّهُمَّ أَعْلِ على بِناءِ البَانينَ بِناءَه أَكْرِمْ لَدَيْكَ مَنْزِلَهُ، وأَتْمِمْ لَهُ نورَهُ، وَاْجْعَلْهُ من ابْتعاثِكَ لَهُ مَقْبولَ الشَّهادَةِ، ومَرْضِيّ المقالَةِ[٢]، ذا مَنْطِقٍ عَدْلٍ، وَخطْبَةٍ فَصْلٍ[٣]. أَللَّهُمَّ اجمَعْ بَيْنَنا وَبَيْنَهُ، في بَرْدِ الْعَيْشِ[٤]، وَقَرارِ النِّعْمَةِ، وَمُنَىٰ الشَّهَواتِ وأَهْوَاءِ اللّذّاتِ وَرَخاءَ الدَّعةِ وَمُنْتَهىٰ الطمأنينةِ وَتُحَفِ الكَرامَةِ.

* * *

في التضرع إلى الله تعالى

أَللَّهُمَّ إِني أَسْأَلُكَ مَسْأَلَةَ المسكينِ المُسْتكينِ[٥] وأَبْتَغي إليكَ ابْتغاءَ البائِسِ الفَقيرِ، وأَتَضَرَّعُ

(١) أجزه: كافئه، مضاعفات: أضعاف.
(٢) المقالة: القول.
(٣) فصل: أي تفصل بين الحق والباطل.
(٤) برد: هناء.
(٥) المستكين: الذليل.

إليكَ[(١)] تَضَرُّعَ الضَّعيفِ الضَّريرِ، وأَبْتَهِلُ إليكَ ٱبْتِهالَ المُذْنِبِ الذَّليلِ[(٢)]. وأَسْأَلُكَ مَسْأَلَةَ مَنْ خَشَعَتْ لَكَ نَفْسُهُ وعَفَّرَ لَكَ وَجْهَهُ، وخضَعَتْ لَكَ ناصِيَتُهُ[(٣)]، وانهَمَلَتْ إليكَ دُموعُهُ، وفاضَتْ إليكَ عَبْرَتُهُ[(٤)]، واعْتَرَفَ إليكَ بِخطيئَتِهِ، وَضَلَّتْ عنهُ حيلَتُهُ، وانْقَطَعَتْ عنهُ حُجَّتُهُ، بِحَقِّ مُحَمَّدٍ وآلِ مُحَمَّدٍ عَليكَ، وَبِحَقِّكَ العظيمِ عَلَيْهِمْ أنْ تُصَلِّيَ عَلَيْهِم كما أنْتَ أَهْلُهُ، وَأَنْ تُصَلِّيَ علىٰ نَبِيِّكَ وآلِ نَبِيِّكَ، وأَنْ تُعْطِيَني أفضَلَ ما أَعْطَيْتَ السائلينَ مِنْ عِبادِكَ الماضينَ من المؤْمنين[(٥)] وأَفْضَلَ ما تُعطي الباقينَ مِنَ المؤْمِنينَ، وأَفْضَلَ ما تُعطي مَا تَخْلُفُهُ مِنْ أَوْلياءَكَ إلىٰ يوم الدِّينِ، مِمَّنْ جَعَلْتَ لَهُ خَيْرَ الدُّنيا والآخِرةِ. يا كريمُ يا كريمُ يا

---

(١) أتضرع: أتوسل.

(٢) يبتهل: يدعو.

(٣) خضعت ناصيته: أي ذل وخضع.

(٤) انهملت: سالت، العبرة: الدموع.

(٥) الماضين: السابقين.

كريمُ. وَأَعْطِني في مَجْلِسي هٰذا مَغْفِرَةَ ما مَضىٰ مِنْ ذُنوبي، وَأَنْ تَعْصِمَني [١] فيما بَقِيَ مِنْ عُمُري، وأنْ تَرْزُقَني الحَجَّ والعُمْرَةَ في عامي هٰذا مُتَقَبَّلاً مَبْروراً [٢]، خالِصاً لِوَجْهِكَ الكريمِ وأن تَرْزُقَنيه أَبَداً ما أَبْقَيْتَني، يا كريمُ يا كريمُ يا كريمُ. اكفِني مَؤُونَةَ نَفْسي، واكْفِني مَؤونَةَ عِيالي، واكْفِنِيْ مَؤُوْنَةَ خَلْقِكَ وَاكْفِنِيْ شرَّ فَسَقَةِ العَرَبِ والعَجَمِ واكْفِني شَرَّ فَسَقَةِ الجنِّ والإِنْسِ، واكْفِني شَرَّ كُلِّ دابَّةٍ رَبّي آخِذٌ بِناصِيَتِها، إِنَّ رَبّي عَلىٰ صِراطٍ مُسْتَقيمٍ.

* * *

في الاستعانة وطلب المغفرة

أَللّٰهُمَّ إِنّي أسْأَلُكَ قَليلاً مِنْ كَثيرٍ، مَعَ أَنَّ حاجَتِي إِليكَ عَظيمَةٌ، وغِناكَ عَنْهُ قَديمٌ وهو عِندِي كثيرٌ وَهو عَليكَ سَهْلٌ يسيرٌ. أَللّٰهُمَّ إِنَّ عَفْوَكَ عَنْ ذَنْبي،

(١) تعصمني: تحفظني.
(٢) مبروراً: مقبولاً.

وَتَجاوُزَكَ عَنْ خَطِيئَتي، وَصَفْحُكَ عَن عَظيم جُرْمي، فِيمَا كَانَ مِنْ خَطَأي وَعَمْدِيْ أَطْمَعَني في أنْ أسْألَكَ ما لا أَسْتَوْجِبُهُ مِنْكَ الَّذيْ رَزَقْتَني مِنْ قُدْرَتِكَ وَرَحْمَتِكَ وَأَرَيْتَنِي مِنْ قُدْرَتِكَ وَعَرَّفْتَنِي مِنْ أَجَابَتِكَ، فَصِرْتُ أَدْعوكَ آمِناً، وأسْأَلُكَ مُسْتَأْنِساً لا خائِفاً ولا وَجِلاً[1]، مُدِلاً عَلَيْكَ[2]، فيما قَصَدْتُ إليكَ، فَإنْ أبْطأَ عَنّي عَتِبْتُ بِجَهْلي عَلَيْكَ، وَلَعَلَّ الَّذي أبْطأَ عَنّي هُوَ خَيْرٌ لي، لِعِلْمِكَ بِعَاقِبَةِ ٱلأُمُوْرِ، فَلَمْ أَرَ مَوْلىً[3] كريماً أَصْبَرَ علىٰ عَبْدٍ جَاحِدٍ مِنْكَ عَليَّ. يا رَبِّ إنَّكَ تَدْعوني، فَأُوَلّي عَنْكَ[4]، وَتَتَحَبَّبُ إليَّ فَأَتَبَغَّضُ إليكَ، وتَتَوَدَّدُ إليَّ، فلا أَقْبَلُ مِنْكَ كَأَنَّ لِيَ التَّطَوُّلَ عليكَ، فلَمْ يَمْنَعْكَ ذٰلِكَ مِنَ التَّعَطُّفِ عَلَيَّ، والرَّحْمَةِ بي، والإحْسانِ إليَّ، فارْحَمْ

(١) وجل: خائف.
(٢) مدلا عليك: متجرئاً عليك.
(٣) مولى: سيد
(٤) اولي: أبتعد.

عَبْدَكَ الخاطىء (فُلان بن فُلان)، وَجُدْ عليَّ بفضْلِكَ إنَّكَ جوادٌ كَرِيْمٌ.

***

في الانقطاع إلى الله تعالى

أَللَّهُمَّ إنَّكَ آنَسُ الآنِسينَ لأَوْليائِكَ، وأَحْضَرَهُمْ بالكِفَايَةِ لِلْمُتَوَكِّلينَ عَلَيْكَ، تُشاهِدُهُمْ في سَرائِرِهِمْ، وَتَطَّلِعُ عليهِمْ في ضَمائِرِهِمْ وتَعْلَمُ مَبْلَغَ بَصائِرِهِمْ، فأسرارُهُمْ لَكَ مَكْشُوفَةٌ، وقلوبُهُمْ إليْكَ مَلْهوفَة. إنْ أَوْحَشَتْهُمُ الغُرْبَةُ، آنَسَهُمْ ذِكْرُكَ. وإنْ صُبَّتْ عَلَيْهِمُ المصائِبُ لَجَأوا إلىٰ الاسْتِجارَةِ بكَ، عِلْماً بأنَّ أَزِمَّةَ الأُمورِ بيَدِكَ. وَمصادِرَها عن قَضائِكَ. أَللَّهُمَّ فَإنْ فَهِهْتُ عَنْ مَسْأَلَتي، أَوْ عُميتُ عَنْ طِلْبَتي، فَدُلَّنِي علىٰ مَصالِحي، وَخُذْ بِقَلْبي إلىٰ مَراشِدي، فَلَيْسَ ذٰلِكَ بنُكْرٍ مِنْ هِدايَتِكَ، ولا ببِدعٍ مِنْ كفاياتِكَ. أَللَّهُمَّ احْمِلْني علىٰ عَفْوِكَ، ولا تَحْمِلْني علىٰ عَدْلِكَ. أَللَّهُمَّ إنَّكَ

قُلتَ في مُحكَمِ كِتابكَ المُنْزَلِ علىٰ نبيِّكَ المُرسَلِ صَلَّى اللهُ عَلَيْهِ وآلِهِ، وَقَوْلُكَ الحَقُّ: ﴿كانُوا قَليلاً مِنْ اللّيلِ ما يَهْجَعونَ[1] وَبالأَسْحارِ[2]، هُمْ يَسْتَغْفِرونَ﴾. وَأنا أستَغْفِرُكَ وأتوبُ إليكَ. ـ وَقُلْتَ تباركتَ وتعاليتَ: ﴿ثُمَّ أفيضُوا مِنْ حَيْثُ أَفاضَ النّاسُ، واسْتَغْفِرُوا اللهَ، إنَّ اللهَ غَفورٌ رَحيمٌ﴾. وَأَنا أَسْتَغفِرُكَ وأتوبُ إليكَ. ـ وَقُلْتَ تَباركتَ وتعَاليتَ: ﴿الصَّابِرينَ والصّادِقينَ والقانِتينَ، والمنْفِقينَ والمسْتَغْفِرينَ بالأَسْحارِ﴾. وَأَنا أَسْتَغْفِرُكَ وأتوبُ إليكَ. ـ وقُلْتَ تَبارَكْتَ وتعَالَيْتَ: ﴿والّذينَ إذا فَعَلُوا فاحِشَةً أوْ ظَلَمُوا أَنْفُسَهُمْ، ذَكَرُوا اللهَ فاسْتَغْفَروا لِذُنُوبِهِمْ، وَمَنْ يَغْفِرُ الذُّنوبَ إلاّ الله، وَلَمْ يُصِرّوا علىٰ ما فَعَلوا، وَهُمْ يَعْلَمُونَ﴾. وأنا أَستَغْفِرُكَ وأَتوبُ إليكَ. ـ وَقُلْتَ تباركتَ وتعاليتَ: ﴿فَاعْفُ عَنْهُمْ، واسْتَغْفِرْ لَهُمْ، وَشاوِرْهُمْ في الأمْرِ، فَإذَا عَزَمْتَ فتَوَكَّلْ على

(١) يهجعون: ينامون.
(٢) الأسحار: قبل الفجر.

اللهِ، إنَّ اللهَ يُحِبُّ المتوَكِّلينَ﴾ . وَقُلْتَ تَبارَكْتَ وَتَعالَيْتَ : ﴿وَلَو أَنَّهم إذْ ظَلَمُوا أَنْفُسَهمْ جاؤُوكَ فاسْتَغْفَروا اللهَ وَاستَغْفَرَ لَهُمُ الرَّسولُ لَوَجَدُوا اللهَ تَوَّاباً رَحِيماً﴾ وأَنا أَسْتَغْفِرُكَ وأتوبُ إليكَ . ـ وَقُلْتَ تباركتَ وتعاليتَ : ﴿وَمَنْ يَعْمَلْ سُوءاً أَوْ يَظْلِمْ نَفْسَهُ، ثُمَّ يَسْتَغْفِرِ اللهَ، يَجِدِ اللهَ غَفوراً رَحيماً﴾ . وَأَنا أَسْتَغْفِرُكَ وأتوبُ إليكَ . ـ وقُلْتَ تباركتَ وتعاليتَ : ﴿أَفَلا يَتوبونَ إِلىٰ اللهِ وَيَسْتَغْفِرونَهُ، واللهُ غَفورٌ رَحيمٌ﴾ . وَأَنا أَسْتَغْفِرُكَ وأتوبُ إليكَ . ـ وقُلْتَ تباركْتَ وتعالَيْتَ : ﴿وما كانَ اللهُ لِيُعَذِّبَهُمْ وأَنْتَ فيهِمْ، وما كانَ اللهُ مُعَذِّبَهُم وَهُمْ يَسْتَغْفِرونَ﴾ وَأَنا أَسْتَغْفِرُكَ وأتوبُ إليكَ . ـ وقُلْتَ تباركتَ وتعاليتَ : ﴿اسْتَغْفِرْ لَهُمْ أَوْ لا تَسْتَغْفِرْ لَهُمْ، إنْ تَسْتَغْفِرْ لَهُمْ سَبْعينَ مَرَّةً، فَلَنْ يَغْفِرَ اللهُ لَهُمْ﴾ . وَأَنا أَسْتَغْفِرُكَ وأَتوبُ إليكَ . ـ وقُلْتَ تباركتَ وتعاليتَ : ﴿ما كانَ لِلنَّبِيِّ والَّذينَ آمَنوا مَعَهُ أَنْ يَسْتَغْفِرُوا لِلْمُشْرِكينَ، وَلَوْ كانُوا أُولِي قُرْبىٰ، مِنْ بَعْدِ ما تَبَيَّنَ

لَهُمْ أَنَّهُمْ أصحابُ الجحيمِ﴾ . وَأَنَا أَسْتَغْفِرُكَ وأتوبُ إليكَ . ـ وَقُلْتَ تباركتَ وتعاليتَ : ﴿وَمَا كانَ اسْتغْفارُ ابراهيمَ لأَبيهِ إلا عَنْ مَوعِدَةٍ وَعَدَها إيّاهُ﴾ . وَأَنَا أَسْتَغْفِرُكَ وأتوبُ إليكَ . ـ وقُلْتَ تباركتَ وتعاليتَ : ﴿وأَنِ اسْتَغْفِرُوا رَبَّكُمْ، ثُمَّ تُوبُوا إِلَيْهِ، يُمَتِّعْكُمْ مَتاعاً حَسَناً إِلىٰ أَجَلٍ مُسَمّىً، وَيُؤْتِ كُلَّ ذي فَضْلٍ فَضْلَهُ﴾ . وَأَنَا أَسْتَغْفِرُكَ وأتوبُ إليكَ . ـ وَقُلْتَ تباركتَ وتعاليتَ : ﴿وَأَنِ اسْتَغْفِرُوا رَبَّكُمْ ثُمَّ تُوبوا إِلَيْهِ، يُرْسِلِ السَّماءَ عَلَيْكُمْ مِدْراراً، وَيَزِدْكُمْ قُوَّةً إِلىٰ قُوَّتِكُمْ، ولا تَتَوَلَّوْا مُجْرِمينَ﴾ . وَأَنَا أَسْتَغْفِرُكَ وأتوبُ إليكَ . ـ وَقُلْتَ تباركتَ وتعاليتَ : ﴿هُوَ أَنْشَأَكُمْ مِنَ الأَرْضِ، واسْتَعْمَرَكُمْ فيها، فاسْتَغْفِرُوهُ ثُمَّ تُوبوا إِلَيْهِ، إِنَّ رَبي قَريبٌ مُجيبٌ﴾ وَأَنَا أَسْتَغْفِرُكَ وأتوبُ إليكَ . ـ وَقُلْتَ تباركتَ وتعاليتَ : ﴿واسْتَغْفِرُوا رَبَّكُمْ، ثُمَّ تُوبوا إِلَيْهِ، إِنَّ رَبّي رَحيمٌ وَدودٌ﴾ وَأَنَا أَسْتَغْفِرُكَ وأتوبُ إليكَ . ـ وَقُلْتَ تباركتَ وتعاليتَ :

﴿واسْتَغْفِري لِذَنْبِكِ إنَّكِ كُنْتِ مِنَ الخاطئينَ﴾ . وَأَنَا أَسْتَغْفِرُكَ وأتوبُ إليكَ . ـ وَقُلْتَ تباركتَ وتعاليتَ : ﴿يا أبانا اسْتَغْفِرْ لنا ذُنوبَنا ، إنَّا كُنّا خاطِئينَ﴾ . وَأَنَا أَسْتَغْفِرُكَ وأتوبُ إليكَ . ـ وَقُلْتَ تباركتَ وتعاليتَ : ﴿سَوْفَ أَسْتَغْفِرُ لَكُمْ رَبّي إنَّهُ هُوَ الغفورُ الرَّحيمُ﴾ . وَأَنَا أَسْتَغْفِرُكَ وأتوبُ إليكَ . ـ وَقُلْتَ تباركتَ وتعاليتَ : ﴿وَمَا مَنَعَ النّاسَ أنْ يُؤْمِنوا إذْ جاءَهُمُ الْهُدىٰ ، وَيَسْتَغْفِروا رَبَّهُمْ﴾ . وَأَنَا أَسْتَغْفِرُكَ وأتوبُ إليكَ . ـ وَقُلْتَ تبارَكْتَ وتعالَيْتَ : ﴿سلامٌ عَلَيْكَ ، سَأَسْتَغْفِرُ لَكَ رَبّي ، إنَّهُ كانَ بي حَفِيّاً﴾ . وَأَنَا أَسْتَغْفِرُكَ وأتوبُ إليكَ . ـ وَقُلْتَ تبارَكْتَ وتعالَيْتَ : ﴿فَأْذَنْ لِمَنْ شِئْتَ مِنهُمْ ، واسْتَغْفِرْ لَهُمْ ، إنَّ اللهَ غَفورٌ رحيمٌ﴾ . وَأَنَا أَسْتَغْفِرُكَ وأتوبُ إليكَ . ـ وَقُلْتَ تبارَكْتَ وتعالَيْتَ : ﴿يا قَوْمِ لِمَ تَسْتَعْجِلونَ بالسَّيِّئَةِ قَبْلَ الحَسَنَةِ ، لَوْلا تَسْتَغْفِرونَ اللهَ لَعَلَّكُمْ تُرْحَمونَ﴾ . وَأَنَا أَسْتَغْفِرُكَ وأتوبُ إليكَ . ـ وَقُلْتَ تبارَكْتَ وتعالَيْتَ : ﴿وَظَنَّ

داوودُ أنَّما فتنّاهُ، فاسْتَغْفَرَ رَبَّهُ، وَخرَّ راكِعاً وَأنابَ﴾. وَأنا أَسْتَغْفِرُكَ وأتوبُ إليكَ. ـ وَقُلْتَ تباركْتَ وتعالَيْتَ: ﴿ألّذينَ يَحْمِلونَ العَرْشَ وَمَنْ حَوْلَهُ يُسَبِّحُونَ بِحَمْدِ رَبِّهِمْ وَيُؤْمِنونَ بِهِ، وَيَسْتَغْفِرونَ لِلَّذينَ آمَنُوا﴾. وَأَنا أَسْتَغْفِرُكَ وأتوبُ إليكَ. ـ وَقُلْتَ تباركْتَ وتعالَيْتَ: ﴿فَاصْبِرْ إنَّ وَعْدَ اللهِ حَقٌّ، واسْتَغْفِرْ لِذَنْبِكَ، وَسَبِّحْ بِحَمْدِ رَبِّكَ بِالعَشِيِّ والإِبْكارِ﴾. وَأَنا أَسْتَغْفِرُكَ وأتوبُ إليكَ. ـ وَقُلْتَ تباركْتَ وتعالَيْتَ: ﴿فاسْتَقيمْوا إِلَيْهِ واسْتَغْفروهُ﴾. وَأَنا أَسْتَغْفِرُكَ وأتوبُ إليكَ. ـ وَقُلْتَ تباركْتَ وتعالَيْتَ: ﴿يُسَبِّحونَ بِحَمْدِ رَبِّهِمْ، وَيَسْتَغْفِرونَ لِمَنْ فِي الأَرْضِ، أَلا إِنَّ اللهَ هُوَ الغَفورُ الرَّحيمُ﴾. وَأَنا أَسْتَغْفِرُكَ وأتوبُ إليكَ. ـ وَقُلْتَ تباركْتَ وتعالَيْتَ: ﴿فاعْلَمْ أنَّهُ لا إِلَهَ إِلاّ اللهُ، واسْتَغْفِرْ لِذَنْبِكَ ولِلْمُؤْمنينَ والمؤْمِناتِ، واللهُ يَعْلَمُ مُتَقَلَّبَكُمْ وَمَثْواكُمْ﴾. وَأَنا أَسْتَغْفِرُكَ وأتوبُ إليكَ. ـ وَقُلْتَ تباركْتَ وتعالَيْتَ:

﴿سَيقُولُ لكَ المُخَلَّفُونَ مِنَ الأَعْرابِ، شَغلَتْنا أَموالُنا وأهْلونا، فاسْتَغْفِرْ لَنا﴾. وَأَنَا أَسْتَغْفِرُكَ وأتوبُ إليكَ. ـ وَقُلْتَ تباركْتَ وتعاليْتَ: ﴿حَتَّىٰ تُؤمِنُوا باللهِ وَحْدَهُ، إلاّ قَوْلَ إبراهيمَ لأَبيهِ، لأَسْتَغْفِرَنَّ لَكَ، وما أَمْلِكُ لكَ مِنَ اللهِ مِنْ شَيْءٍ، رَبَّنا عَلَيْكَ تَوَكَّلْنا، وَإِلَيْكَ أَنبْنا، وإِلَيْكَ المصيرُ﴾. وَأَنَا أَسْتَغْفِرُكَ وأتوبُ إليكَ. ـ وَقُلْتَ تباركْتَ وتعاليْتَ: ﴿ولا يَعْصِينَكَ في مَعْروفٍ، فَبايِعْهُنَّ، واسْتَغْفِرْ لَهُنَّ اللهَ، إنَّ اللهَ غفورٌ رحيمٌ﴾. وَأَنَا أَسْتَغْفِرُكَ وأتوبُ إليكَ. ـ وَقُلْتَ تباركْتَ وتعاليْتَ: ﴿وَإِذا قِيلَ لَهُمْ تَعالَوْا يَسْتَغْفِرْ لَكُمْ رَسولُ اللهِ، لَوَّوْا رُؤوسَهُمْ، وَرَأَيْتَهُمْ يَصُدُّونَ وَهُمْ مُسْتَكْبِرُونَ﴾. وَأَنا أَسْتَغْفِرُكَ وأتوبُ إليكَ. ـ وَقُلْتَ تباركْتَ وتعاليْتَ: ﴿سواءٌ عَلَيْهِمْ أَسْتَغْفَرْتَ لَهُمْ، أَمْ لَمْ تَسْتَغْفِرْ لَهُمْ لَنْ يَغْفِرَ اللهُ لَهُمْ﴾. وَأَنَا أَسْتَغْفِرُكَ وأتوبُ إليكَ. ـ وَقُلْتَ تباركْتَ وتعاليْتَ: ﴿واسْتَغْفِرُوا رَبَّكُمْ إِنَّهُ كانَ

غَفَّاراً﴾. وَأَنا أَسْتَغْفِرُكَ وأتوبُ إليكَ. ـ وَقُلْتَ تبارَكْتَ وتعالَيْتَ: ﴿هُوَ خَيْرٌ وَأَعْظَمُ أَجْراً، واسْتَغْفِرُوا اللهَ إِنَّ اللهَ غفورٌ رحيمٌ﴾. وَأَنا أَسْتَغْفِرُكَ وأتوبُ إليكَ. ـ وَقُلْتَ تبارَكْتَ وتعالَيْتَ: ﴿فَسَبِّحْ بِحَمْدِ رَبِّكَ واسْتَغْفِرْهُ، إِنَّهُ كانَ تَوّاباً﴾. وَأَنا أَسْتَغْفِرُكَ وأتوبُ إليكَ.

***

في الاستغفار سحر كل ليلة عقيب ركعتي الفجر

أَللَّهُمَّ إِنَّ ذُنوبي وَإِنْ كانَتْ فَظيعَةً، فَإِنِّي ما أَرَدْتُ بها قَطيعَةً، ولا أقولُ لَكَ العُتْبىٰ، لا أعوذُ بِما أَعْلَمُهُ مِنْ حِيْلَتِيْ، وَلا أَسْتَتِمُّ التَّوْبَةَ لِمَا أَعْلَمُهُ مِنْ ضَعْفي. وَقَدْ جِئْتُ أَطْلُبُ عَفْوَكَ، وَوسيلَتي إِلَيْكَ كَرَمُكَ. فَصَلِّ علىٰ مُحَمَّدٍ وآلِ مُحَمَّدٍ، وَأَكْرِمْنِي بِمَغْفِرَتِكَ، يا أَرْحَمَ الرَّاحِمِينَ؛ ثمَّ تقول ثلثمائة مرَّة: الْعَفْو.

***

في الاستغفار

أَللَّهُمَّ إِنّي أَسْتَغْفِرُكَ لِكُلِّ ذَنْبٍ جرىٰ بِهِ عِلْمُكَ فِيَّ وَعَلَيَّ إِلىٰ آخِرِ عُمُري بِجَميعِ ذُنوبي، لأَوَّلِها وَآخِرِها، عَمْدِها وَخَطَئِها، قليلِها وَكَثيرِها، دَقيقِها وَجَليلِها(١)، قَديمِها وَحَديثِها، سِرِّهَا وَعَلانِيَتِها، وَجميع ما أنا مُذْنِبُهُ، وأتوبُ إِليكَ، وأسأَلُكَ أنْ تُصَلِّيَ عَلىٰ مُحَمَّدٍ وَآلِ مُحَمَّدٍ، وأنْ تَغْفِرَ لي جَميعَ ما أَحْصَيْتَ مِنْ مَظالِمِ العِبادِ قِبَلي(٢) فَإِنَّ لِعِبادِكَ عَلَيَّ حُقوقاً، وأنا مُرْتَهنٌ بِها، تَغْفِرُها لي كَيْفَ شِئْتَ، وَأنّىٰ شِئْتَ، يا أَرْحَمَ الرّاحِمينَ.

* * *

في الاستغفار أيضا

أَللَّهُمَّ إِنّي أَسْتَغْفِرُكَ، مِمّا تُبْتُ إِليكَ مِنْهُ، ثُمَّ عُدْتُ فيه. وأَسْتَغْفِرُكَ لِما أَرَدْتُ بِهِ وَجْهَكَ، فَخالَطَني

---

(١) الجليل: العظيم.

(٢) قبلي: عندي.

فِيهِ ما لَيْسَ لَكَ . وأَسْتَغْفِرُكَ لِلنِّعَمِ الّتي مَنَنْتَ بِها عَلَيَّ، فَتَقَوَّيْتُ بها عَلىٰ مَعاصِيكَ . أَسْتَغْفِرُ اللهَ الّذي لا إِلٰهَ إلاّ هُوَ الْحَيُّ القَيّومُ، عالِمُ الغَيْبِ والشَّهادَةِ الرَّحْمٰنُ الرَّحِيمُ، لِكُلِّ ذَنْبٍ أَذْنَبْتُهُ، وَلِكُلِّ مَعْصِيَةٍ ارْتَكَبْتُها . أَللَّهُمَّ ارْزُقْني عَقْلاً كاملاً، وَعَزْماً ثاقِباً[1] وَلُبّاً راجِحاً[2]، وَقَلْباً زَكِيّاً، وَعِلْماً كثيراً وَأَدَباً بارِعاً، واجْعَلْ ذٰلِكَ كُلَّهُ لي، وَلا تَجْعَلْهُ عَلَيَّ بِرَحْمَتِكَ يا أَرْحَمَ الرّاحِمينَ .

ثمَّ تقول خمس مرّات : أَسْتَغْفِرُ اللهَ الذي لاَ آلٰه إلاَّ هُوَ الحيُّ القيومُ وأَتُوبُ إِلَيْه .

***

في طلب المغفرة

أَللَّهُمَّ اغْفِرْ لي ما أَنْتَ أَعْلَمُ بِهِ مِنّي، فانْ عُدْتُ فَعُدْ لي بالمَغْفِرَةِ . أَللَّهُمَّ اغْفِرْ لِي مَا وَاتَيْتُ مِنْ نَفْسِي

(١) ثاقباً : قوياً .
(٢) اللب : العقل .

وَلَمْ تَجِدْ لَهُ وَفَاءً عِنْدِي أَللَّهُمَّ اغْفِرْ لي ما تَقَرَّبْتُ بِهِ إِلَيْكَ، ثُمَّ خالَفَهُ قَلْبي. أَللَّهُمَّ اغْفِرْ لي رَمزاتِ الأَلْحاظِ [1]، وَسَقَطاتِ الأَلْفاظِ [2]، وَسَهَواتِ الْجِنَانِ [3]، وَهَفَواتِ اللِّسَانِ [4].

***

في طلب المغفرة أيضا

أَللَّهُمَّ إِنّي أَسْأَلُكَ بأَنَّ لَكَ الْحَمْدُ، لا إِلٰهَ إِلاّ أَنتَ المنّانُ، بَديعُ السَّماواتِ ذو الجلالِ والإكرام. إِنّي سائِلٌ فقيرٌ، وخائِفٌ مُسْتَجيرٌ، وتائِبٌ مُسْتَغْفِرٌ. أَللَّهُمَّ صَلِّ علىٰ مُحَمَّدٍ وَآلِ مُحَمَّدٍ، واغْفِرْ لي ذُنوبي كُلَّها، قَديمَها وَحَديثَها، وَكُلَّ ذَنْبٍ أَذْنَبْتُهُ. أَللَّهُمَّ لا تُجْهِدْ بَلائي [5]، وَلا تُشْمِتْ بِيَ أَعْدائي، فَإِنَّهُ لا دافِعَ ولا مانِعَ إِلاّ أَنْتَ.

---

(١) الالحاظ: اشارات العيون.
(٢) سقطات الالفاظ: زلات.
(٣) الجنان: القلب.
(٤) هفوات: سقطات.
(٥) تجهد: تتعب.

في طلب العفو

يا مَنْ عَفا عَنّي، وَعَنْ مَا خَلَوْتُ مِنَ السَّوْءاتِ في بَيْتي، وَغَيْرِ بَيْتي. يا مَنْ لَمْ يُؤاخِذْني بارْتِكابِ الْمعَاصِي. عَفْوُكَ عَفْوُكَ يا كريمُ عَفْوُكَ.

***

في الثناء والمناجاة

إلٰهي صَلِّ علىٰ مُحمَّدٍ وَآلِ مُحمَّدٍ، وَارْحَمْني إذا انْقَطَعَ مِنَ الدُّنْيا أَثَري، وامْتَحىٰ مِنَ المَخْلوقينَ ذِكْري[١]، وَصِرْتُ في المنْسِيِّينَ كَمَنْ قَدْ نُسِيَ. إلٰهي كَبُرَ سِنّي، وَرَقَّ جِلْدي، وَدَقَّ[٢] عَظْمي، وَنالَ الدَّهْرُ مِنّي[٣]، واقْتَرَبَ أَجَلي، وَنَفَدَتْ أَيّامي، وَذَهَبَتْ شَهَواتي، وَبَقِيَتْ تَبِعاتي[٤]. إلٰهي ارْحَمْني إذا تَغَيَّرَتْ

---

(١) امتحى: زال.

(٢) دق: ضعف.

(٣) نال الدهر مني: اتعبني.

(٤) تبعاتي: ذنوبي.

صُورَتي، وَٱمْتَحَتْ مَحاسِني، وَبَلِيَ جِسْمي، وَتَقطَّعَتْ أوْصالي، وتَفرَّقَتْ أَعْضائي. إلٰهي أَفْحَمَتْني ذُنُوبي وَقَطعتْ مَقالَتي، فَلا حُجَّةَ لي وَلا عُذْرَ، فأنا ٱلْمُقِرُّ بجُرْمي، المعْتَرِفُ بإساءَتي، الأسيرُ بِذَنْبي، المُرْتَهِنُ بعَمَلي، المُتَهوِّرُ في بُحورِ خَطيئَتي، المتَحيِّرُ عَنْ قَصْدي[1] المُنْقَطِعُ بِي، فَصَلِّ عَلىٰ مُحَمَّدٍ وَآلِ مُحَمَّدٍ، وارْحَمْني بِرَحْمَتِكَ، وَتَجاوَزْ عَنّي يا كريمُ بِفَضْلِكَ. إلٰهي إنْ كانَ صَغُرَ في جَنْبِ طاعَتِكَ عَمَلي، فَقَدْ كَبُرَ في جَنْبِ رَجائِكَ أملي. إلٰهي كَيْفَ أنقلِبُ بالخَيْبَةِ من عِنْدِكَ مَحروماً، وكانَ ظَنّي بِكَ وَبِجودِكَ، أن تَقْلِبَني بالنَّجاةِ مَرْحوماً. إلٰهيْ لَمْ أُسَلِّطْ عَلى حسن ظَنّي قنوط الآيِسِيْنَ فلا تُبْطِل صِدْقَ رَجائِي لَكَ بين الآمِنينَ، إلَهْي عَظُمَ جُرْمِيْ إذْ كُنْتَ المبارزَ بِهِ وَكَبُرَ ذَنْبِيْ إذْ كُنتَ المطالِبَ بِهِ إلاّ أنِّي إذا ذَكَرْتُ كبيرَ جُرْمي، وَعَظيمَ غُفرانِكَ، وَجَدْتُ

(١) قصدي: طريقي.

الحاصِلَ مِنْ بَيْنِهما عَفْوُ رِضْوَانِكَ . إِلٰهي إِنْ دَعاني إِلىٰ النّارِ بِذَنْبي مَخْشِيُّ عِقابِكَ[١] ، فَقَدْ ناداني إِلىٰ الجَنَّةِ بالرَّجاءِ حُسْنُ ثَوابِكَ . إِلٰهي إِنْ أَوْحَشَتْني الخَطايا عَنْ مَحاسِنِ لُطْفِكَ ، فَقَدْ أَنَسَتْني باليقينِ مكارِمُ عَطْفِكَ . إِلٰهي إِنْ أَنامَتْني الغَفْلَةُ عَنِ الإِسْتِعْدادِ لِلِقائِكَ ، فَقَدْ نَبَّهَتْني المعْرِفَةُ يَا سَيِّدي بِكَرَمِ آلائِكَ[٢] . إِلٰهي أَنْ غَرُبَ لُبّي عَنْ تَقْويمِ ما يُصْلِحُني فَما عَزُبَ إِيْقاني بِنَظَرِكَ لي فيما ينفعني ، إلهي إن انقرضتْ بغير ما أحببتَ مِنَ السَّعيِ أَيَامِي ، فبالايمان أمضَتْها الماضياتُ مِنْ أعْوَامِيْ . إلهي جئتُكَ ملهوفاً قد أُلْبِسْتُ عُدْمَ فاقتي وأقامَني مَقَامَ الأذلاّءِ بينَ يديْكَ ضُرُّ حاجَتي ، إِلٰهي كَرُمْتَ فاكرِمني إذ كُنْتُ مِن سُوالِكَ ، وَجُدتَ بالمَعْرُوفِ فاخلُطني بأَهلِ نَوالِكَ ، الٰهي مَسْكَنَتي لا تَجبُرُها إلاَّ عَطَاؤُكَ وَامْنِيَّتي لا يُغنِيها إلاَّ حَباؤُكَ ، إِلٰهي أَصْبَحتُ عَلى بابٍ من أبوابِ مِنَحِكَ

---

(١) مخشي عقابك : عقابك الذي يخشى منه .

(٢) آلائك : نعمائك .

سائِلاً وَعَنِ التَّعَرضُ لِسِواكَ بِالمسأَلَةِ عادِلاً، وَلَيسَ مِن جَميلِ امتِنانِكَ رَدُّ سائِلٍ مَلهُوفٍ وَمُضطَرٍ لإنتظارِ خَيْرِكَ المَأْلُوفِ، إلٰهي أَقَمتُ علىٰ قَنْطَرَةٍ مِنْ قَناطِرِ الأَخْطَارِ مَبلُوّاً بالأَعْمالِ والاعْتِبارِ فَانَا الهٰالِكُ إن لَمْ تُعِن عَلَيها بِتَخفيفِ الأَثقالِ، إلهي أَمِنَ أَهلِ الشَّقاءِ خَلَقْتَني فَأطيل بُكائي، أمْ مِنْ أَهْلِ السَّعادَةِ خلَقتَني فَأُبَشِّرَ رَجائي، إلٰهي إن حَرَمتَني رُؤيَةَ مُحمَّدٍ صَلَّى اللهُ عَلَيْهِ وَآلِهِ في دٰارِ السَّلامِ، وَأَعدَمْتَني تَطوافَ الوُصَفاءِ مِنَ الخُدّامِ، وَصَرَفْتُ وَجهَ تَأميلي بالخَيْبَةِ في دارِ المَقامِ، فَحَرَمْتَني سُؤلي بَينَ الأنٰامِ، فَغَيْرُ ذٰلِكَ مِتَّني نَفْسي مِنْكَ، يا ذَا الفَضلِ وَالإنعٰامِ، إلٰهي وَعِزَّتِكَ وَجَلالِكَ، لَوْ قَرَنْتَني في الأَصْفادِ[1] طُولَ الأَيّامِ، وَمَنَعْتَني سَيْبَكَ[2]، مِنْ بَيْنِ الأنامِ، وَحُلْتَ بَيْني وَبَيْنَ الكِرامِ[3]، ما قَطَعْتُ رَجائي

(١) الأصفاد: القيود.
(٢) السيب: العطاء.
(٣) حلت: منعت.

مِنْكَ، ولا صَرَفْتُ وَجْهَ انْتِظاري لِلْعَفْو عَنْكَ. إلٰهي لَوْ لَمْ تَهْدِني إلىٰ الإِسْلامِ ما اهْتَدَيْتُ، وَلَوْ لَمْ تَرْزُقْنِي الإِيمَانَ بِكَ ما آمَنْتُ، وَلَوْ لَمْ تُطْلِقْ لِساني بِدُعٰائِكَ ما دَعَوْتُ، وَلَوْ لَمْ تُعَرِّفْنِيْ حَلاَوَةَ مَعْرِفَتِكَ مَا عَرَفْتُ وَلَوْ لَمْ تُبَيِّنْ لي شَديدَ عِقابِكَ ما اسْتَجَرْتُ. إلٰهي أَطَعْتُكَ في أَحَبِّ الإِشْياءِ إِلَيْكَ وَهوَ التَّوْحيدُ، وَلَمْ أَعْصِكَ في أَبْغَضِ الأَشْياءِ إِلَيْكَ وَهوَ الكُفْرُ، فاغْفِرْ لي ما بَيْنَهُما. إلٰهي أُحِبُّ طاعَتَكَ وإِنْ قَصَّرْتُ عَنْها، وَأَكْرَهُ مَعْصِيَتَكَ وَإِنْ رَكِبْتُها، فَتَفَضَّلْ عَلَيَّ بِالْجَنَّةِ وإِنْ لَمْ أَكُنْ مِنْ أَهْلِها، وَخَلِّصْني مِنْ النّارِ وَإِن اسْتَوْجَبْتُها. إلٰهي إِنْ أَقْعَدَنِيْ التَّخَلُّفُ عَن السَّبْقِ مَعَ الأَبْرارِ فَقَدْ أَقَامَتْنِي الثِّقَةُ بِكَ عَلَى مَدارِجِ الأَخْيارِ. إلٰهي قَلْبٌ حَشَوْتَهُ من مَحَبَّتِكَ في دارِ الدُّنْيا، كَيْفَ تَطَّلِعُ عليهِ نارٌ مُحْرِقَةٌ في لَظَى. إلٰهي نَفْسٌ أَعْزَزْتَها بتأييدِ ايمانِكَ، كَيْفَ تُذِلُّها بَيْنَ أَطْبَاقِ نيرانِكَ. إلٰهي لِسَانٌ كَسَوتَهُ مِنْ تماجيدِكَ أَبيَنَ أَثْوابِها، كَيْفَ تَهوي إليهِ مِنَ النّارِ

مشتعلاتِ إلتِهابِهَا. إلهي كُلُّ مكروبٍ إِلَيْكَ يَلْتَجيءُ، وَكُلُّ محزونٍ إيّاكَ يَرتجيءُ. إلٰهي سَمِعَ العَابِدُونَ بِجَزيلِ ثَوابِكَ فَخَشَعُوا، وَسَمِعَ الزَّاهِدونَ بِسِعَةِ رَحْمَتِكَ فَقَنِعُوا، وَسَمِعَ المُوَلّونَ عَنِ القَصْدِ بِجودِكَ فَرَجَعوا، وَسَمِعَ المُجْرِمونَ بِسِعَةِ غُفْرانِكَ فَطَمِعُوا، وَسَمِعَ المؤمِنونَ بِكَرَمِ عَفْوِكَ، وَفضْلِ عَوارِفِكَ فَرَغِبوا، حَتَّىٰ ازْدَحَمَتْ مَوْلايَ، بِبابِكَ عَصائِبُ العُصاةِ مِنْ عِبادِكَ، وَعَجَّتْ إِلَيْكَ مِنْهُمْ عَجيجَ الضَّجيجِ بالدُّعاءِ في بِلاَدِكَ، وَلِكُلٍ أَمَلٌ قَدْ ساقَ صاحِبَهُ إِلَيْكَ مُحْتاجاً، وَلِكُلٍ قَلْبٌ تَرَكَهُ وَجيبُ خَوْفِ المَنْعِ مِنْكَ مُهْتاجاً، وَأَنْتَ المسؤولُ الّذي لا تَسْوَدُّ لَدَيْهِ وجوهُ المطالِبِ. ولم تَرْزَأ بنزيلِهِ قَطِيْعَاتُ المَعَاطِبِ، إلٰهي إنْ أَخطَأتُ طَريقَ النَّظَرِ لِنَفْسي بِمَا فِيهِ كَرامَتُها، فَقَدْ أَصَبْتُ طَريقَ الفَزَعِ إِلَيْكَ بما فِيهِ سَلامَتُها.

إلٰهي إِنْ كَانَتْ نَفْسِيْ إِسْتَسْعَدَتْنيْ مُتَمَرِّدَةً على مَا يُرْدِيها، فَقَدْ اَسْتَسْعَدْتُها الآنَ بِدُعَائِكَ على مَا يُنْجيْهَا. إلٰهي إِنْ

عَداني الاجْتِهادُ[١] في ابْتِغاءِ مَنْفَعَتي ، فَلَمْ يَعدني برُّكَ فيما فِيهِ مَصْلَحَتي . إلٰهي إنْ قَصَدْتُها فِي الحُكْمِ عَلَى نَفْسِي بِمَا فِيهِ حسرَتُها ، فَقَدْ أَقْصَدْتُ الآنَ بِتَعْرِيفيْ إيَّاهَا مِنْ رَحْمَتِكَ إشْفَاقَ رَأْفَتِها . إلٰهي إنْ أَجْحَفَ بي[٢] قِلَّةُ الزّادِ في المسيرِ إلَيْكَ ، فَقَدْ وَصَلْتُهُ الآنَ بِذَخائِرِ ما أَعَدَدْتُهُ مِنْ فَضْلِ تَعْويلي عَلَيْكَ[٣] . إلٰهي إذا ذَكَرْتُ رَحْمَتَكَ ، ضَحِكَتْ إليها وُجوهُ وَسائِلي[٤] ، وإذا ذَكَرْتُ سَخْطَتَكَ ، بَكَتْ لها عُيونُ مَسائلي . إلٰهي فَاقْضِ بِسِجِلٍّ مِنْ سِجَالِكَ عَلى عَبْدٍ بَائِسٍ فَقَدْ أَتْلَفَه الظَّمأُ ، وأَحاطَ بِخَيْطِ جِيْدِهِ كِلاَلُ الوَنَى . إلٰهي أَدْعوكَ دُعاءَ مَنْ لَمْ يَرْجُ غَيْرَكَ بِدُعائِهِ ، وَأَرْجُوكَ رَجاءَ مَنْ لَمْ يَقْصُدْ غَيْرَكَ بِرَجَائِهِ . إلٰهي كَيْفَ أَرُدُّ عَارِضَ تَطَلُّعي إلى نَوالِكَ وَإِنَّمَا أنا لاِسْترزاقي لِهذا البَدَنِ أَحَدُ

---

(١) عداني الاجتهاد : تجاوزني .
(٢) أجحف : أضرَّ .
(٣) تعويلي : اعتمادي .
(٤) وسائلي : الطرق التي اتبعتها .

عِيالِكَ، إلٰهي كَيْفَ أُسْكِتُ بالإِفْحَامِ لِسانَ ضَراعَتي[1]، وَقَدْ أَقْلَقَني ما أُبْهِمَ عَلَيَّ مِنْ مَصيرِ عاقِبَتي[2]. إلٰهي قَدْ عَلِمْتَ حَاجَةَ نَفْسي إلى مٰا تَكَفَّلْتَ لَها بِهِ مِنَ الرِّزْقِ في حَياتِي، وَعَرَفْتَ قِلَّةَ استِغْنٰائي عَنْه مِنَ الجَنَّةِ بَعْدَ وَفاتي، فَيا مَنْ سَمَحَ لي بِهِ مُتَفَضِلاً في العَاجِلِ لا تَمْنَعَنيهِ يَوْمَ فاقَتي إلَيْهِ في الأَجَلِ، فَمِنْ شَواهِدِ نَعْماءِ الكَريمِ اسْتِتْمامُ نَعمائِهِ، وَمِن مَحاسِنِ آلاءِ الجَوادِ استكمالُ آلائِهِ. إلٰهي لَوْلا ما جَهِلْتُ مِنْ أَمْري، ما شَكَوْتُ عَثَراتي، وَلَوْلا ما ذَكَرْتُ مِن التَّفْريطِ[3]، ما سَفَحْتُ عَبَراتي[4]. إلٰهي صَلِّ عَلى مُحَمَّدٍ وآلِ مُحَمَّدٍ وَاْمحُ مثبَتاتِ عَثَراتي بِمُرسَلاتِ العَبَراتِ، وَهَبْ لي كَثيْرَ السَّيئاتِ لقليل الحَسَنَاتِ. إلٰهي إنْ كُنتَ لا تَرْحَمُ إلاّ المُجِدّينَ في طاعَتِكَ، فإلىٰ مَن

(١) ضراعتي: تذللي.
(٢) أبهم: غمض.
(٣) التفريط: التقصير.
(٤) سفحت عبراتي: نزلت دموعي.

يَفْـزَعِ المُقَصِّـرونَ[١]، وَإِنْ كُنْـتَ لا تَقْبَـلُ إلاّ مِـنَ المجْتَهِدينَ، فإلىٰ مَنْ يَلْجَأُ المُفْرِّطونَ[٢]، وَإِنْ كُنْتَ لا تُكَرِّمُ إلاَّ أَهْلَ الإِحْسانِ، فَكَيْفَ يَصْنَعُ المُسيئونَ، وإنْ كـانَ لا يَفـوزُ يَـوْمَ الحَشْـرِ إلاَّ المتَّقـونَ، فَبِمَـنْ يَسْتَغِيـثُ المجْـرِمُـونَ. إِلٰهـي إنْ كـانَ لا يَجـوزُ عَلىٰ الصِّراطِ إلاَّ مَنْ أَجازَتْهُ بَراءَةُ عَمَلِهِ، فَأَنّىٰ بالجَوازِ لِمَنْ لَمْ يَتُبْ إِلَيْكَ قَبْلَ انْقِضاءِ أَجَلِهِ. إِلَهِيْ إِنْ لَمْ تَجُدْ إلاَّ عَلَى مَنْ قَـدْ عَمَـرَ بـالـزُّهْـدِ مَكْنُونَ سَـرِيْـرَتِـهِ، فَمَـنْ لِلمُضْطَرِّ الَّذي لَمْ يُرْضِهِ بَيْنَ العَالَمِيْنَ سَعْيُ نَقِيْبَتِه؛ أَلهي إِنْ حَجَبْتَ عَن موحِّديكَ نَظرَ تَغَمُّدِكَ لِجِنٰايٰاتِهِمْ أَوْقَعَهُمْ غَضبُكَ بين المشرِكين في كربَاتِهِمْ؛ إلهي إنْ لَمْ تَنَلْنا يَدُ إِحْسانِكَ يومَ الوُرودِ ٱخْتَلَطْنا في الجزاءِ بذوي الجُحودِ، إِلٰهي فأوجِبْ لنا بالاسْلام مَذْخُورَ هِبـاتِـكَ، وٱستصِـفْ مَـا أَكْـدَرَتْـهُ الجَـرائِـرُ مِنَّـا بِصَفْـوِ

---

(١) يفزع: يهرب، يلجأ.
(٢) المفرطون: المقصرون.

صِلاَتِكَ. إلٰهي ارْحَمْنا غُرَباءَ إذا تَضَمَّنَتْنا بُطُونُ لُحودِنا، وَغُمِّيَتْ بِاللَّبِنِ سُقوفُ بُيوتِنا، وأُضْجِعْنا مَساكينَ عَلىٰ الايمانِ في قُبورِنا، وَخُلِّفْنا فُرادىٰ في أَضْيَقِ المضاجِعِ[١]، وَصَرَعَتْنا المنايا في أَعْجَبِ المصارِعِ، وَصِرْنا في دِيارِ قَوْمٍ كَأَنَّها مَأْهولَةٌ[٢]، وَهِيَ مِنْهُمْ بَلاقِعُ[٣]. إلٰهي ارْحَمْنا إذا جِئْناكَ عُراةً حُفاةً مُغْبَرَّةً مِنْ ثَرىٰ الأَجْداثِ رُؤوسُنا[٤]، وشاحِبَةً مِنْ تُرابِ المَلاَحِيْدِ وُجُوهُنا، وخاشِعَةً مِنْ أَفْزَاعِ القيامَةِ أَبْصارُنا، وذابِلَةً مِنْ شِدَّةِ العَطَشِ شِفاهُنا، وجائِعَةً لِطولِ المُقامِ بُطونُنا، وبادِيَةً هناكَ لِلْعُيونِ سَوءاتُنا ومُوقَرَةً مِنْ ثِقَلِ الأَوْزارِ ظُهورُنا، ومَشْغولينَ بما قَدْ دَهانا عَنْ أَهالِينا وأَوْلادِنا، فَلا تُضَعِّفِ المصاعِبَ عَلَيْنا، بِإعْراضِ وَجْهِكَ الكريمِ

---

(١) فرادى: وحيدين. المضاجع: أماكن النوم.
(٢) مأهولة: مسكونة.
(٣) بلاقع: خالية.
(٤) الأجداث: القبور.

عنّا[1] . وَسلْبِ عائِدَةِ مَا مَثَّلَهُ الرَّجاءُ مِنّا . إلٰهي مٰا حَنَّتْ هٰذِهِ العُيُونُ إلى بُكائِها ، وَلا جٰادَت مُتَشَرِّبَةً بِمائِها ، وَلاَ أَسْهَدهٰا بنَحيبِ الثاكِلاتِ فَقْدُ عَزائِها ، إلاَّ لِما اسلفَتْهُ مِنْ عَمْدِها وَخَطائها ، وَمٰا دَعٰاها إلَيْهِ عَواقِبُ بَلائِها ، وَأَنْتَ القٰادِرُ يٰا عَزيزُ عَلىٰ كَشْفِ غَمّائها . إلٰهي إنْ كُنّا مُجْرِمينَ ، فَإنّا نَبْكي عَلىٰ إضاعَتِنا مِنْ حُرْمَتِكَ ما نَسْتَوْجِبُهُ ، وَإنْ كُنّا مَحْرومينَ ، فإنَّا نَبْكي إذْ فاتَنا مِنْ جُودِكَ ما نَطْلُبُهُ . إلٰهيْ شِبْ حَلاَوَةَ مَا سَيَّعذِبُهِ لِسَانِيْ مِنَ النُّطْقِ فِي بَلاَغَتِهِ بزَهَادَةِ مَـا يَعْـرِفُـهُ قَلْبـيْ مِـنَ النُّصْـحِ فِـيْ دَلاَلَتِـهِ ، إلَهـيْ أَمَـرْتَ بالمَعْرُوفِ وَأَنْتَ أَوْلَى بِهِ مِنَ المأمُورِيْنَ ؛ وَأَمَرْتَ بِصِلَةِ السُّؤالِ وَأَنْتَ خَيْرُ المَسؤولِيْنَ ؛ إلٰهيْ كَيْفَ يَنْقُلُ بِنَا اليَأْسُ إلى الإمْسَاكِ عَمَّا لَهِجْنَا بِطَلابِهِ وَقَدْ أَدَّرَعْنَا مِنْ تَأْمِيلِنَا إيَّاكَ أَسْبَغَ أَثْوَابِهِ ، إلهي إذَا هَزَّتِ الرَّهبةُ أَفْنَانَ مَخافَتِنا انْقَلَعَتْ مِنَ الأُصوْلِ أشجارُهَا ، وإذَا تَنَسَّمَتْ أَرْوَاحُ الرَّغْبَةِ مِنَّا

(١) إعراض : اعرض عنه ، تركه .

أَغصانَ رجائِنَا أَيْنَعَتْ بِمُنَاتِيجِ البِشَارَةِ أَثْمارُهَا، إِلٰهي إِذا تَلَوْنا[١] مِنْ صِفاتِكَ (شَديدَ العِقابِ) غَضِبْنا، وإِذا تَلَوْنا مِنْها (الغَفورَ الرَّحيمَ) فَرِحْنا، فَنَحْنُ بين أَمْرَيْنِ، فلا سَخَطُكَ يُؤمِنُنا، وَلا رَحْمَتُكَ تُؤْيِسُنا. إِلٰهي إِنْ قَصَّرَتْ مَساعينا عن اسْتِحْقاقِ نَظْرَتِكَ، فَما قَصَّرَتْ بِنا عَنْ دِفاعِ نِقْمَتِكَ. أَلٰهي إِنَّكَ لَمْ تَزَلْ عَلَينا بِحُظوظِ صَنائِعِكَ مُنْعِماً وَلَنا مِنْ بَينِ الأَقاليمِ مُكرِماً وَتِلكَ عادَتُكَ اللَّطيفَةُ في اهْلِ الحَنيفَةِ في سالِفاتِ الدُّهُورِ وَغابِراتِها، وَخالِياتِ اللَّيالي وَباقِياتِها. إِلٰهي اجْعَلْ ما حَبَوْتَنا بِهِ[٢] مِنْ نُورِ هِدايَتِكَ، دَرَجاتٍ نَرْقىٰ بِها إِلىٰ ما عَرَّفْتَنا مِنْ رَحْمَتِكَ. إِلٰهي كَيْفَ تَفْرَحُ بِصُحْبَةِ الدُّنْيَا صُدُورُنا، وَكَيْفَ تَلْتَئِمُ في غَمَراتِها أُمُورُنا، وَكَيفَ يَخْلُصُ لَنَا فِيها سُرُورُنا، وَكَيْفَ يَمْلِكُنا بِاللَّهوِ وَاللَّعِبِ غُرُورُنا، وقد دَعَتْنا بِاقْتِرابِ الآجالِ قُبُورُنا، إِلٰهي كَيفَ نَبْتَهِجُ في دارٍ حُفِرَتْ لَنا فِيها حَفائِرُ

---

(١) تلونا: قرأنا.
(٢) حبوتنا به: انعمت به علينا.

صَرَعتنا، وَفُتِلَت بايدِي المَنايا حَبائِلُ غَدرتها، وَجرَّعتَنا مُكرَهينَ جُرَعَ مَرارَتِها، وَدَلَّتنا النَّفسُ عَلَى انْقِطَاعِ عَيْشِها لَولا ما اصغَتْ إلَيهِ هٰذهِ النُّفُوسُ مِنْ رَفائِعِ لَذَّتِها، وَافتِنانِها بالفانياتِ مِن فَواحِشِ زِينَتِها. إلٰهي فَالَيْكَ نَلتَجىءُ مِنْ مَكائِدِ خُدعَتِها، وَبِكَ نَستَعينُ عَلى عُبُورِ قَنطَرَتِها، وَبِكَ نستَفْطَمُ الجَوارِحَ عَن اخلافِ شَهوَتِها، وَبِكَ نَستَكْشِفُ جَلابيبَ حَيرَتِهَا، وَبِكَ نُقَوِّمُ مِنَ القُلُوبِ استصعاب جَهالَتِها. إلهي كَيفَ لِلدُّورِ بَانْ تَمْنَعَ مَنْ فيها مِنْ طَوارِقِ الرزايا، وَقَدْ أُصيبَ في كُلِّ دارٍ سَهمٌ مِنْ أَسْهُمِ المَنايا إلهي ما تَتَفَجَّعُ أَنْفُسُنا مِن النُقلَةِ عَنِ الدِّيارِ انْ لَم تُوحِشنا هُنالِكَ مِنْ مُرافقَةِ الأبرارِ، إلٰهي ما تُضيرُنا فُرقَةُ الاخوانِ وَالقَراباتِ إن قَرَّبْتَنا مِنْكَ يا ذا العَطِيّاتِ. إلهي ما تَجُفّ مِن مـاءِ الـرّجـاءِ مَجـارِيَ لَهـواتِنـا إن لَـمْ تَحُـم طَيْـرُ الأَشـائِـم بِحِياضِ رَغَباتِنا. إلٰهي إنْ عَذَّبْتَني، فَعَبْدٌ خَلَقْتَهُ لما أَرَدْتَهُ فَعَذَّبْتَهُ، وإِنْ رَحِمْتَني، فَعَبْدٌ وَجَدْتَهُ مُسيئاً فَأَنْجَيْتَهُ.

إلهِي لا سَبِيلَ إلى الإحْترِاسِ مِنَ الذَّنْبِ إلّا بِعِصْمَتِكَ ، وَلا

وُصُولَ إلى عَمَلِ الخَيْراتِ إلّا بِمَشِيئَتِكَ ، وَكَيْفَ لِي بِإفادَةِ

ما أَسْلَفْتَنِي فِيهِ مَشِيئَتُكَ ، وَكَيْفَ لِي بِالإحْترِاسِ مِنَ الذَّنْبِ

ما لَمْ تُدْرِكْنِي فِيهِ عِصْمَتُكَ . إلهِي أَنْتَ دَلَلْتَنِي عَلى سُؤالِ

الجَنَّةِ قَبْلَ مَعْرِفَتِها ، فَاقْبَلَتِ النَّفْسُ بَعْدَ العِرْفانِ عَلى

مَسْأَلَتِها ، أَفَتَدُلُّ عَلى خَيْرِكَ السُؤالَ ثُمَّ تَمْنَعُهُمُ النَّوالَ ،

وَأَنْتَ الكَرِيمُ المَحْمُودُ فِي كُلِّ ما تَصْنَعُهُ يا ذَا الجَلالِ

وَالإكْرامِ ، إلهِي إنْ كُنْتُ غَيْرَ مُسْتَوْجِبٍ لِما أَرْجُو مِنْ

رَحْمَتِكَ ، فَأَنْتَ أَهْلُ التَّفَضُّلِ عَلَيَّ بِكَرَمِكَ ، فَالْكَرِيمُ لَيْسَ

يَصْنَعُ كُلَّ مَعْرُوفٍ عِنْدَ مَنْ يَسْتَوْجِبُهُ . إلهِي إنْ كُنْتُ غَيْرَ

مُسْتَأْهِلٍ لِما أَرْجُو مِنْ رَحْمَتِكَ ، فَأَنْتَ أَهْلٌ أَنْ تَجُودَ عَلى

المُذْنِبِينَ بِسِعَةِ رَحْمَتِكَ . إلهِي إنْ كانَ ذَنْبِي قَدْ أَخافَنِي فَإنَّ

حُسْنَ ظَنِّي بِكَ قَدْ أَجارَنِي ، إلهِي لَيْسَ تُشْبِهُ مَسْأَلَتِي مَسْأَلَةَ

السائِلِينَ لأَنَّ السائِلَ إذا مُنِعَ امْتَنَعَ عَنِ السؤالِ ، وَأَنا لا

غِناءَ بِي عَمّا سَأَلْتُكَ عَلى كُلِّ حالٍ ، إلهِي إرْضَ عَنّي

فَانْ لَمْ تَرْضَ عَنّي فاعْفُ عَنّي ، فَقَد يَعْفُو السَّيدُ عَن عَبْدِهِ وَهُوَ عَنْهُ غَيرُ راضٍ ، إلٰهي كَيفَ أَدعُوكَ وَأَنَا أَنا ، امْ كَيْفَ ايئَسُ مِنْكَ وَأَنْتَ أَنْتَ إلٰهي إنَّ نَفْسي قائمةٌ بَينَ يَدَيْكَ وَقَدْ أَظَلَّهـا حُسْـنُ تَـوَكُّلـي عَلَيْـكَ فَصَنَعْـتَ بِهـا مٰا يُشبِهُـكَ وَتَغَمَّدَتْنِي بِعَفوكَ إلهي إنْ كَانَ قَدْ دَنا أَجَلي وَلَمْ يُقَرِّبْني مِنْكَ عَمَلي ، فَقَدْ جَعَلْتُ الإعتراف بالذَنْبِ إلَيْكَ وَسائِلَ عَلَلي ، الٰهي فَإن عَفَوْتَ فَمَن أَوْلىٰ مِنْكَ بِذٰلِكَ ، وَإنْ عَذَّبْتَ فَمَن أَعْدَلُ مِنْكَ في الحُكمِ هُنالِكَ . إلٰهي ما أَشَدَّ شَوْقي إلىٰ لِقائِكَ ، وَأَعْظَمَ رَجائي لِجَزائِكَ ، وَأَنْتَ الكريمُ الَّذي لا يَخيبُ لَدَيْكَ أَمَلُ الآملينَ ، ولا يَبْطُلُ عِنْدَكَ شَوْقُ المشْتاقِينَ . إلٰهِيْ إنِّيْ جُرْتُ عَلَى نَفْسِي فِيْ النَّظَرِ لَهَا وَبَقِيَ نَظَرُكَ لَهَا فَالوَيْلُ لَهَا إنْ لَمْ تُسَلِّمْ بِهِ . إلٰهي إنَّكَ لَمْ تَزَلْ بي باراً أيّامَ حَياتي ، فَلا تَقْطَعْ بِرَّكَ عَنّي بَعْدَ وَفاتي . أَلٰهِيْ كَيْفَ أيْأَسُ من حُسْنِ نَظَرِكَ لِي بَعْدَ مَماتِي وَأَنْتَ لم تُوَلِّني إلاّ الجَميْلَ في أيّام حَياتِي . إلٰهي إنّ

ذُنوبي قَدْ أَخافَتْني ، وَمَحبَّتي لَكَ قَدْ أَجارَتْني [1] ، فَتوَلَّ مِنْ أَمْري ما أَنْتَ أَهْلُهُ ، وَعُدْ بِفَضْلِكَ علىٰ مَنْ غَمَرَهُ جَهْلُهُ ، يا مَنْ لا تَخْفىٰ عَلَيْهِ خافِيَةٌ . صلِّ عَلى مُحَمَّدٍ وآلِ مُحمَّدٍ واْغْفِر لِيْ ما قَدْ خَفِيَ عَلَى النَّاسِ مِن أَمْري . إِلٰهي سَتَرْتَ عَليَّ في الدُّنْيا ذُنوباً ، وَلَمْ تُظْهِرْهَا لِلعِصابَةِ وأَنا إِلىٰ سِتْرِها يَوْمِ القِيامَةِ أَحْوَجُ ، وَقَد أَحْسَنْتَ بِي إِذْ لَمْ تُظْهِرها لِلعِصابَةِ مِنَ المُسْلِمينَ ، فَلاٰ تَفْضَحني بِها يَوْمَ القِيٰمَةِ عَلى رُؤُوسِ العالَمينَ ، إِلٰهي إِنَّ جُودَكَ بَسطَ أَمَلي وَشُكرَكَ قَبلَ عَمَلي ، فَسُرَّني بِلِقٰائِكَ عِنْدَ اقتِرٰابِ أَجَلي ، إِلٰهي لَيْسَ اعتِذٰاري إِلَيْكَ إِعْتِذٰارَ مَنْ يَسْتَغْني عَن قَبُولِ عُذْرِهِ ، فَاقْبَلْ عُذْري يٰا خَيْرَ مَنْ اْعتَذَرَ إِلَيْهِ المُسيؤُونَ إِلٰهي لا تَرُدَّني في حٰاجَةٍ قَدْ أَفنَيْتُ عُمري في طَلَبِها مِنْكَ وَهِيَ الْمَغْفِرَةُ ، فَلَيسَ لِرَغْبَتي وَأَمَلي مَذْهَبٌ عَنْكَ إِلٰهي وَعِزَّتِكَ لَئِن طٰالَبتَني بِجُرمي لأُطالِبَنَّكَ بِعَفْوِكَ ، وَلَئِن أَخَذْتَني بِجَهْلي لأُطٰالِبَنَّكَ

(١) اجارتي : ساعدتني .

بِحِلمِكَ، وَلَئِّن جٰازَيْتَني بِلَومي لأُطٰالِبَّنَكَ بِكَرَمِكَ وَلَئِن أَدْخَلْتَني إِلىٰ النّٰارِ لأُعَرِفَنَّ أَهْلَهٰا أَنّي كُنْتُ أُوَحِّدُكَ وَأُحِبُّكَ إِلٰهي لَوْ أَرَدْتَ اِهانَتي لَمْ تَهدِنِي، وَلَو أَرَدْتَ فَضْحيَ لَمْ تَسْتُرني فَمَتِّعْني بِما لَهُ قَدْ هَدَيْتَني، وَأدِم لي مٰا بِهِ سَتَرْتَني إِلٰهي مٰا وَصَفْتَ مِنْ بَلاءٍ ٱبْتَلَيْتَنيهِ أَو احْسٰانٍ أَوْلَيْتَنيهِ وَجَمِيْلٍ مَنَحْتَنيهِ فَكُلُّ ذٰلِكَ بِمَنِّكَ فَعَلْتَهُ وَعَفْوكَ تَمٰامُ ذٰلِكَ إِنْ أَتْمَمتَهُ، إِلٰهي لَو ما قَرفتُ مِنَ الذُّنُوبِ مٰا قَرَفْتُ عِقٰابَكَ، وَلَولاٰ ماعَرَفتُ مِنْ كَرَمِكَ مٰا رَجَوْتُ ثَوابَكَ، وَأَنْتَ أَوْلَى الأَكْرَمينَ بِتَحقِيقِ أَمَلِ الآمِلينَ، وَارحَمُ مَنِ استُرحِمَ في تَجاوُزِهِ عَنِ المُذْنِبينَ الهي نَفْسي تُمنيّتي بِأَنّكَ تَغْفِرُ لي، فَاكرِمْ بِهٰا أُمْنِيَّةً بَشّرَتَ بِعَفْوِكَ فَصَدِّق بِكَرَمِكَ مُبَشِّراتٍ تَمْنيها وَهَبْ لي بِجُودِكَ مُدَمِّراتٍ تُجَنيها، إِلهي كَيفَ تُقِرّ نَفْسي بِأَنّكَ تُعَذِّبُني وَقَدْ رَجَوْتُ بِلُطْفِكَ وَعَطفِكَ أَنْ تُقَرِّبَني، إِلٰهي أَلقَتْني الحَسَناتُ بَينَ جُودِكَ وَكَرَمِكَ، وَٱلقَتْني السَّيِّئَاتُ بَينَ عَفْوِكَ وَمَغْفِرَتِكَ، وَقَدْ رَجَوْتُ أَنْ

لا يَضِيعَ بَينَ ذَينِ وَذَينِ مُسِيءٌ وَمُحْسِنٌ، إلهي إذا شَهِدَ لِيَ الإِيمانُ بِتوحيدِكَ، وَانْطَلَقَ لِساني بِتَمجِيدِكَ ودَلَّنِي القُرآنُ عَلى فَواضِلِ جُودِكَ، فَكَيفَ لا يَبتَهِجُ رَجائي بِحُسنِ مَوْعُودِكَ إلٰهي تَتابُعُ احسانِكَ إلَيَّ يَدُلّني على حُسنِ نَظَرِكَ لي فَكَيْفَ يَشقىٰ امْرُؤٌ حَسُنَ لَهُ مِنْكَ النَّظَرُ، الهي إن نَظَرَت إلَيَّ بالهَلَكَةِ عُيُونُ سَخَطَتِكَ، فَمْا نامَت عَن استِنقاذي مِنها عُيُونُ رَحْمَتِكَ، إلٰهي إن عَرَضَني ذَنْبي لِعِقابِكَ فَقَدْ أدناني رجائي مِنْ ثَوابِكَ، إلٰهي إن عَفَوْتَ فَبِفَضْلِكَ وَانْ عَذَّبْتَ فَبِعَدْلِكَ فَيا مَن لا يُرجى إلاّ فَضْلُهُ، وَلاَ يُخافُ إلاّ عَدلُهُ صَلِّ عَلى مُحَمَّدٍ وَآلِ مُحَمَّدٍ، وَامنُن عَلَيْنَا بِفَضلِكَ وَلا تَسْتَقصِ عَلَينا في عَدلِكَ، إلٰهي خَلَقتَ لي جِسماً وَجَعَلْتَ لي فيهِ آلاتٍ أُطيعُكَ بِها، وَأَعصِيكَ وَأُغضِبُكَ بِها وَأُرضِيكَ، وَجَعَلْتَ لي مِن نَفسي داعِيَةً إلىَ الشَّهَواتِ، وَاسْكَنْتَني داراً قَد مُلِئَتْ مِنَ الآفاتِ، ثُمَّ قُلْتَ لي انزجِر فَبِكَ أَنْزَجِرُ وَبِكَ أَعْتَصِمُ وَبِكَ أَسْتَجِيرُ وَبِكَ أَحْتَرِزُ،

وَأَسْتَوفِقُكَ لِمَا يُرضِيكَ ، وَأَسْأَلُكَ يا مَولايَ فَإِنَّ سُؤالِي لا
يُحفِيكَ ، إلهِي أَدعُوكَ دُعاءَ مُلِحٍّ لا يَمِلُّ دُعاءَ مَولاهُ
وَأَتَضَرَّعُ إلَيكَ تَضَرُّعَ مَنْ قَدْ أَقَرَّ عَلى نَفسِهِ بِالحُجَّةِ في
دَعواهُ ، إلهِي لَو عَرَفتُ اعتِذاراً مِنَ الذَّنبِ في التَّنَصُّلِ أَبلَغَ
مِنَ الاعتِرافِ بِهِ لأَتَيتُهُ ، فَهَب لِي ذَنبِي بِالاعتِرافِ وَلا
تَرُدَّني بِالخَيبَةِ عِندَ الإنصِرافِ ، إلهِي سَعَتْ نَفسِي
بِالإعتِرافِ إلَيكَ لِنَفسٍ تَستَوهِبُها وَفَتَحَتْ أَفواهها آمالُها
نحوَ نَظرَةٍ مِنكَ لا تَستَوجِبُها ، فَهَب لَها ما سَأَلتُ وَجُدْ
عَلَيها بِما طَلَبتُ ، فَإِنَّكَ أَكرَمُ الأَكرَمِينَ بِتَحقِيق أَمَلِ
الآمِلِينَ ، إلهِي قَدْ أَصَبتُ مِنَ الذُّنُوبِ ما قَدْ عَرَفتَ
وَأَسرَفتُ عَلى نَفسِي بِما قَدْ عَلِمتَ ، فَاجعَلنِي عَبداً إمّا
طائعاً فَاكرَمتَهُ وَإمّا عاصِياً فَرَحِمتَهُ ، إلهِي كَأَنِّي بِنَفسِي قَدْ
أُضجِعَتْ في حُفرَتِها ، وَانصَرَفَ عَنها المُشَيِّعُونَ مِنْ
جِيرَتِها ، وَبَكى الغَرِيبُ عَلَيها لِغُربَتِها وَجادَ بِالدُّمُوعِ عَلَيها
المُشفِقُونَ مِن عَشِيرتِها ، وَنادَاها مِن شَفِيرِ القَبرِ ذَوُو

مَودَّتِها، وَرَحِمَهَا المُعَادي لَها في الحَياة عِنْدَ صَرْعَتِها، وَلَمْ يَخفَ عَلى النَّاظِرينَ اِلَيْها عِنْدَ ذٰلِكَ ضُرُّ فاقَتِها، وَلاَ عَلى مَنْ رَآها قَد تَوَسَّدَتِ الثرىٰ عَجْزُ حِيلَتِها، فَقُلت مَلاٰئِكَتي فَريدٌ نَأى عَنْهُ الأقْرَبُونَ، وَوَحيدٌ جَفاهُ الاهلُونَ، نَزَلَ بي قَريباً، وَاصْبَحَ في اللَّحدِ غَريباً، وَقَد كانَ لي في دَارِ الدُنيا دٰاعِياً، وَلِنَظَري إلَيْهِ في هٰذَا اليومِ راجِياً، فَتُحْسِنُ عِندَ ذٰلِكَ ضِيافَتي وَتَكُونُ أَرْحَمَ لي مِنْ اهْلي وَقَرابَتي، الهي لَو طَبَقَتْ ذُنُوبي ما بَينَ السَّمَاءِ إلى الأَرْضِ وَخَرَقت النُجُومَ وَبَلَغَت أَسْفَلَ الثرىٰ، مَا رَدَّني اليأسُ عَنْ تَوَقُّعِ غُفرانِكَ، وَلاَ صَرَفَني القُنُوطُ عَن ابتغاءِ رِضْوانِكَ، إلهي دَعوتُكَ بالدُعٰاءِ الّذي عَلمتَنيهِ فَلاَ تَحرِمْني جَزاءَكَ الّذي وَعدتَنيهِ، فَمِنَ النِّعْمَةِ أنْ هَدَيْتَني لِحُسْنِ دُعٰائِكَ وَمِنْ تمامِها أن تُوجِبَ لي مَحْمُودَ جَزائِكَ، إلٰهي وَعِزَّتِكَ وَجَلاَلِكَ لَقَدْ أحْبَبتُكَ مَحَبَّةً اسْتَقَرَّتْ حَلاوَتُها في قَلبي، وَما تَنعَقِدُ ضَمائِرُ مُوَحِّديكَ عَلى أَنَّكَ تُبْغِضُ مُحِبِّيكَ،

إلهي أَنْتَظِرُ عفوكَ كَما يَنْتَظِرُهُ المذنبون، وَلَسْتُ أَيْأَسُ مِنْ رَحْمَتِكَ الَّتي يَتَوَقَّعُها المُحسِنُونَ، إلهي لا تَغْضَبْ عَلَيَّ فَلَسْتُ أَقْوىٰ لِغَضَبِكَ وَلا تَسخَط عَلَيَّ فَلَستُ اقُومُ لِسَخَطِكَ، إلٰهي اللنَّار رَبَّتْني أُمّي فَلَيْتَها لَمْ تُرَبِّني، أَمْ لِلْشَقاوَةِ وَلَدَتني فَلَيْتَها لَمْ تَلِدني، إلهي إنْ هَمَلَتْ عَبَراتي حينَ ذكرتُ عَثَراتي، وَما لَها لاَ تَنْهَمِلُ وَلا أَدْرِي إلى ما يكُونُ مَصِيري، وَعَلى ماذا تهجُمُ عِنْدَ البَلاٰغِ مَسيري، وَأَرىٰ نفسي تُخاتِلُني وَأَيّامي تُخادِعُني، وَقد خَفقَتْ فَوْقَ رَأسي أَجْنِحَةُ المَوتِ، وَرَمَقَتْني مِن قَريبٍ أَعْيُنُ الْفَوتِ، فَما عُذْري وَقَد حَشا مَسامِعي رٰافِعُ الصَّوْتِ، إلهي لَقَدْ رَجَوتُ مِمَّن أَلْبَسَني بَيْنَ الأَحياء ثَوبَ عٰافِيَتِهِ أَن لا يُعَرِيَني مِنْهُ بَيْنَ الأَمْوَاتِ بِجُودِ رٰافَتِهِ، وَقَدْ رَجَوتُ مِمَّن تَوَلاّني في حَياتي بِإِحسٰانِهِ أَنْ يَشْفَعَه لِي عِنْدَ وَفَاتي بِغُفْرٰانِهِ، يٰا أَنِيسَ كُلِّ غَريبٍ آنِس فِي القَبْرِ غُرْبَتي، وَيَا ثَانِي كُلِّ وَحِيدٍ إِرْحَمْ فِي الْقَبْرِ وَحْدَتي، وَيٰا عٰالِمَ السِّرِّ وَالنَّجْوى وَيٰا كَاشِفَ

الْضُرِّ وَالبَلْوىٰ، كَيْفَ نَظَرُكَ لي بَيْنَ سُكَّانِ الثَرىٰ، وَكَيْفَ صَنيعُكَ إلَيَّ في دَارِ الوَحْشَةِ وَالبَلاءِ، فَقَد كُنْتَ بي لَطيفاً أَيّامَ حَياةِ الدُنْيا يٰا أَفْضَلَ المُنْعِمينَ في آلآئِهِ، وَأَنْعَمَ المُفْضِلينَ في نَعمائِهِ، إلٰهي كَثُرَتْ أَيٰاديكَ عِنْدي فَعَجَزْتُ عَن إحصٰائِها، وَضِقْتُ بالأمْرِ ذَرعاً في شُكري لَكَ بِجزٰائِها، فَلَكَ الحَمْدُ على مٰا أَوْلَيْتَ، وَلَكَ الشُكرُ علىٰ مٰا أَبلَيْتَ، وَلَكَ الحَمْدُ علىٰ مٰا أَعْطَيْتَ، إلٰهي أَحَبُّ الأَمُورِ إلى نَفْسي وَأَعوَدُها مَنْفَعَةً عَلَيَّ في رَمْسي مٰا تُرشِدُها بِهِدٰايَتِكَ إلَيْهِ، وَتُدْنها بِرَحْمَتِكَ عَلَيْهِ فَصَلِّ علىٰ مُحَمَّدٍ وَآلِهِ وَاسْتَعْمِلُها بذلِكَ، إذ كُنْتَ أَرْحَمَ بِها مِنّي، إلٰهي إنْ أَشٰارَ بي التَّقصيرُ إلى استيجابِ الحِرمٰانِ، فَقَد أَومَأني الأَعتِرافُ مِن رَحمَتِكَ إلَى الإحْسٰانِ، إلهي هَلْ لِلمُذنبين مِنْ قَبُولٍ لَدَيْكَ إنِ اعْتَرَفُوا وَهَلْ يُغْني الإعْتِرافُ عَنْ الخَطّائِينَ بِمَا أَقْتَرَفُوا، إلهي أُثني عَلَيْكَ أَحْسَنَ الثَنّاءِ لأنَّ بَلاءَكَ عِنْدي أَحْسَنَ البَلاءِ، أَحْسَنْتَ إلَيَّ وَأَسَأتُ

إلىٰ نَفْسي ، أَوْقَرْتَني نِعماً ، وَأَوْقَرْتُ نَفس ذُنُوباً ، كَمْ مِنْ نِعْمَةٍ لَمْ نُؤَدِّ شُكرَها ، وَكَمْ مِنْ خَطيئَةٍ عَلَيَّ أَحْصَيْتَها ، أَسْتَحْيي مِنْ ذِكرِها وَأَخافُ مَعرَّتَها إنْ لَمْ تَعْفُ لِي عَنْها ، إِلٰهي فأَرْحَم نِدائي إذا نادَيْتُكَ ، وَاسْمَعْ مُناجاتي إذٰا نٰاجَيْتُكَ ، فَإنّي أَعْتَرِفُ لَكَ بِخَطِيئَتي وَأَذْكُرُ لَكَ فٰاقَتي وَمَسْكَنَتي ، وَمَيْلَ نَفْسي وَقَسْوَةَ قَلْبي ، وَضَعْفَ عَمَلي ، فَإنَّكَ قُلْتَ فَمَا اسْتَكانوا لِرَبِهِمْ وَما يَتَضَرَّعُونَ ، فَهٰا أَنَا ذا يٰا إِلٰهي بَيْنَ يَدَيكَ تَرٰاني وَتَسْمَعُ كَلاٰمي وَتَعْلَمُ مُنْقَلَبي وَمَثْوايَ ، وَمٰا أُريدُ أَنْ أَبْتَدِىء بِهِ مَقالي جَرَتْ مَقاديرُكَ يٰا سَيّدي بِإِسَاءَتِي وَما يَكُونُ مِنّي مِنْ سَريرَتي وَإعْلاَني ، وَأَنْتَ مُتَمِّمُ مٰا أَخَذْتَ عَلَيْهِ ميثاقي ، بِيَدِكَ لاٰ بِيَدِ غَيْرِكَ مٰا تَشٰاءُ مِن زِيادَتي وَنُقْصَانِي ، فَصَلِّ عَلىٰ مُحَمَّدٍ وَآلِهِ وَافعَلْ بي مٰا أَنْتَ أَهْلُهُ ، وَهَبْ لي مٰا سَأَلْتُهُ وَإنْ لَمْ أَسْتَوْجِبْهُ بِكَرَمِكَ يٰا كَريمُ ، إِلٰهي خَلَقتَني سَويّاً ، وَرَبَيْتَني صَبياً ، وَجَعَلْتَني مَكفِياً غَنِيّاً ، فَلَكَ الحَمْدُ عَلىٰ ذٰلِكَ وَعَلى كُلِّ

حَالٍ فتَمِّم ذاكَ يا إلٰهي بالفوزِ بالجَنَّةِ، وَالنَّجاةِ مِنْ النَّارِ يا كَرِيمُ، إلٰهي إنْ وَاخَذْتَني بِذُنُوبي، وَقايَسْتَني بِعَمَلي، فَلَيْسَ يَمْنَعُكَ ذٰلِكَ مِن أَنْ تكُونَ رَحِيماً بالمَساكينَ، جَواداً لِلسّائلينَ، وَهاباً لِلطالبين، غَفَّاراً لِلمُذنِبين لأنَّكَ أَرْحَمُ الرّاحِمينَ، وَأَنْتَ يا إلٰهي الَّذي لا يَتَعاظَمُكَ ذَنْبٌ تَغْفِرُهُ وَلاَ عَيْبٌ تُصْلِحُهُ فَصَلِّ عَلىٰ مُحمَّدٍ وَآلِهِ وَاغْفِر لي ذُنُوبي، وَأَصْلِحْ لي عُيُوبي، وَهَبْ لي مِنَ العَمَلِ بِطَاعَتِكَ، وَمِنْ واسِعِ رَحْمَتِكَ ما تَجْعَلُني بِهِ مِنْ خالِصَتِكَ وَأَصْفِيائِكَ وَأَهْلِ كَرامَتِكَ، فَإِنِّي قَدْ سَأَلْتُكَ عَظِيماً وَأَنْتَ أَعْظَمُ مِمَّا سَأَلْتُكَ، وَتُبْ عَلَيَّ إِنَّكَ أَنْتَ التَّوّابُ الرَّحِيمُ، يا خَيْرَ مَنْ دَعاهُ داعٍ، وَأَفْضَلَ مَنْ رَجاهُ راجٍ، بِذِمَّةِ الإِسْلامِ أَتوَسَّلُ إِلَيْكَ، وَبِحُرْمَةِ القُرآنِ أَعْتَمِدُ عَلَيْكَ، وَبِحَقِّ مُحَمَّدٍ وَآلِ مُحَمَّدٍ أَتقَرَّبُ إِلَيْكَ، فَصَلِّ عَلى مُحَمَّدٍ وَآلِ مُحَمَّدٍ وَأَعْرِفْ ذِمَّتِي الَّتي رَجَوتُ بِها قَضاءَ حاجَتي، بِرَحْمَتِكَ يا أَرْحَمَ الرّاحمين.

في المناجاة

لكَ ٱلْحَمْدُ يا ذَا ٱلْجُودِ وَٱلْمَجْدِ وَٱلْعُلىٰ ... تَبارَكْتَ تُعْطِي مَنْ تَشاءُ وَتَمْنَعُ

إلٰهي وَخَلاّقِي وَحِرْزِي وَمَوْئِلِي ... إلَيْكَ لَدىٰ ٱلْإعْسارِ وَٱلْيُسْرِ أَفْزَعُ(١)

إلٰهي لَئِنْ جَلَّتْ وَجَمَّتْ خَطِيئَتِي ... فَعَفْوُكَ عَنْ ذَنْبِي أَجَلُّ وَأَوْسَعُ(٢)

إلٰهي لَئِنْ أَعْطَيْتُ نَفْسِيَ سُؤْلَها ... فَها أَنا فِي رَوْضِ ٱلنَّدامَةِ أَرْتَعُ

إلٰهي تَرىٰ حالِي وَفَقْرِي وَفاقَتِي ... وَأَنْتَ مُناجاتِي ٱلْخَفِيَّةَ تَسْمَعُ

إلٰهي فَلا تَقْطَعْ رَجائِي وَلا تُزِغْ ... فُؤادِي فَلِي فِي سَيْبِ جُودِكَ مَطْمَعُ(٣)

إلٰهي لَئِنْ خَيَّبْتَنِي أَوْ طَرَدْتَنِي ... فَمَنْ ذَا الَّذِي أَرْجُو وَمَنْ ذَا أُشَفِّعُ

إلٰهي أَجِرْنِي مِنْ عَذابِكَ إنَّنِي ... أَسِيرٌ ذَلِيلٌ خائِفٌ لَكَ أَخْضَعُ

إلٰهي فَآنِسْنِي بِتَلْقِينِ حُجَّتِي ... إذا كانَ لِي فِي ٱلْقَبْرِ مَثْوىً وَمَضْجَعُ

إلٰهي لَئِنْ عَذَّبْتَنِي أَلْفَ حِجَّةٍ ... فَحَبْلُ رَجائِي مِنْكَ لا يَتَقَطَّعُ

---

(١) الحرز: الموضع الحصين، الموئل: الملجأ، الاعسار: الفقر، واليسر: الغنى، أفزع: أهرب.

(٢) جلت وجمت: عظمت وكثرت.

(٣) لا تزغ فؤادي: لا تجعله يميل عن الحق. سيب جودك: عطاء كرمك.

إِلٰهِي أَذِقْنِي طَعْمَ عَفْوِكَ يَوْمَ لاَ ... بَنُونَ وَلاَ مَالٌ هُنَالِكَ يَنْفَعُ
إِلٰهِي إِذَا لَمْ تَعْفُ عَنْ غَيْرِ مُحْسِنٍ ... فَمَنْ لِمُسِيءٍ بِالْهَوَىٰ يَتَمَتَّعُ
إِلٰهِي إِذَا لَمْ تَرْعَنِي كُنْتُ ضَائِعاً ... وَإِنْ كُنْتَ تَرْعَانِي فَلَسْتُ أُضَيَّعُ
إِلٰهِي لَئِنْ فَرَّطْتُ فِي طَلَبِ التُّقَىٰ ... فَهَا أَنَا إِثْرَ الْعَفْوِ أَقْفُو وَأَتْبَعُ(١)
إِلٰهِي لَئِنْ أَخْطَأْتُ جَهْلاً فَطَالَمَا ... رَجَوْتُكَ حَتَّىٰ قِيلَ هَا هُوَ يَجْزَعُ(٢)
إِلٰهِي ذُنُوبِي بَذَّتِ الطَّوْدَ وَاعْتَلَتْ ... وَصَفْحُكَ عَنْ ذَنْبِي أَجَلُّ وَأَرْفَعُ(٣)
إِلٰهِي يُنَحِّيْ ذِكْرُ طَوْلِكَ لَوْعَتِيْ ... وَذِكْرُ خَطَايَا الْعَيْنِ مِنِّي يُدَمِّعُ
إِلٰهِي أَقِلْنِي عَثْرَتِي وَامْحُ حَوْبَتِي ... فَإِنِّي مُقِرٌّ خَائِفٌ مُتَضَرِّعُ(٤)
إِلٰهِي أَنِلْنِي مِنْكَ رَوْحاً وَرَاحَةً ... فَلَسْتُ سِوَىٰ أَبْوَابِ فَضْلِكَ أَقْرَعُ
إِلٰهِي لَئِنْ أَقْصَيْتَنِي أَوْ أَهَنْتَنِي ... فَمَا حِيلَتِي يَا رَبِّ أَمْ كَيْفَ أَصْنَعُ
إِلٰهِي حَلِيفُ الْحُبِّ فِي اللَّيْلِ سَاهِرٌ ... يُنَاجِي وَيَدْعُو وَالْمُغَفَّلُ يَهْجَعُ
إِلٰهِي وَهٰذَا الْخَلْقُ مَا بَيْنَ نَائِمٍ ... وَمُنْتَبِهٍ فِي لَيْلِهِ يَتَضَرَّعُ

---

(١) أقفو: أسير في أثره، أتبع.
(٢) يجزع: يخاف.
(٣) بذت: زادت، فاقت. صفحك: عفوك.
(٤) متضرع: متذلل، متوسل. الحوبة: الاثم.

وَكُلُّهُمُ يَرْجُو نَوالَكَ رَاجِياً ... لِرَحْمَتِكَ ٱلْعُظْمَىٰ وَفِي ٱلْخُلْدِ يَطْمَعُ
إِلَهِي يُمَنِّينِي رَجَائِي سَلامَةً ... وَقُبْحُ خَطِيئَاتِي عَلَيَّ يُشَنِّعُ
إِلَهِي فَإِنْ تَعْفُ فَعَفْوُكَ مُنْقِذِي ... وَإِلاَّ فَبِالذَّنْبِ ٱلْمُدَمِّرِ أُصْرَعُ
إِلَهِي بِحَقِّ ٱلْهَاشِمِيِّ مُحَمَّدٍ ... وَحُرْمَةِ أَطْهَارٍ هُمُ لَكَ خُضَّعُ
إِلَهِي بِحَقِّ ٱلْمُصْطَفَىٰ وَٱبْنِ عَمِّهِ ... وَحُرْمَةِ أَبْرَارٍ هُمُ لَكَ خُشَّعُ
إِلَهِي فَأَنْشِرْنِي عَلَىٰ دِينِ أَحْمَدٍ ... مُنِيباً تَقِيّاً قَانِتاً لَكَ أَخْضَعُ
وَلاَ تَحْرِمَنِّي يَا إِلَهِي وَسَيِّدِي ... شَفَاعَتَهُ العُظْمَى فَذَاكَ المشَفَّعُ
وَصَلِّ عَلَيْهِمْ مَا دَعَاكَ مُوَحِّدٌ ... وَنَاجَاكَ أَخْيَارٌ بِبَابِكَ رُكَّعُ

***

الثناء في المناجاة

يا سامِعَ الدُّعاءِ، ويا رافِعَ السَّماءِ، ويا دائِمَ البَقاءِ، ويا واسِعَ العَطاءِ لِذي الفاقَةِ العَديمِ(١)، ويا عالِمَ الغيوبِ، ويا ساتِرَ العيوبِ، ويا غافِرَ الذُّنوبِ، ويا كاشِفَ الكُروبِ عَنِ المُرْهَقِ الكَظيمِ(٢)، ويا فائِقَ

---

(١) الفاقة: الفقر، والعديم: الفقير.
(٢) الكظيم: الذي يجترع غيظه.

الصِّفَاتِ، ويا مُخْرِجَ النَّباتِ، ويا جامِعَ الشَّتاتِ، ويا باعِثَ المماتِ مِنَ الأعْظُمِ الرَّميمِ [١]، وَيٰا مُنزِلَ الغِيٰاثِ مِنَ الدُلَجِّ الحِثاثِ عَلَى الحزنِ والدِماث إلىَ الجُوَّعِ الغِراثِ مِنَ الهُزَّمِ الرُّزُوم، وَيٰا خٰالِقَ البُرُوجِ سَمٰاءً بلا فُرُوجٍ مَعَ اللَّيلِ ذِي الولوجِ عَلَى الضوءِ ذِي البُلُوجِ يُغَشّى سَنَا النُّجُومِ. ويا فالِقَ الصَّباحِ، ويا فاتِحَ النَّجاحِ، ويا مُرْسِلَ الرِّياحِ، بُكوراً مَع الرَّواحِ فَيَنْشَأْنَ بالغُيومِ. وَيٰا مُرْسِيَ الرَّوٰاسِخِ أَوتٰادُهَا الشَّوامِخُ في أَرضِها السَّوٰابِخُ أَطوادُهَا البَواذِخُ مِنْ صُنْعِهِ القَديم، ويا هادِيَ الرَّشادِ، ويا مُلْهِمَ السَّدادِ، ويا رَازِقَ العِبادِ، ويا مُحْيِيَ البِلادِ ويا فَارِجَ الهُمومِ. وَيٰا مَنْ بِهِ أَعُوذُ وَيٰا مَنْ بِهِ أَلُوذُ وَمَنْ حُكْمُهُ نُفُوذٌ فَما عَنْهُ لي شُذُوذ تَبارَكتَ مِنْ حَكيمٍ، وَيٰا مُطلِقَ الأَسيرِ وَيٰا جٰابِرَ الكَسيرِ وَيٰا مُغنِيَ الفَقيرِ وَيٰا غٰاذِيَ الصَّغيرِ وَيٰا شٰافِيَ السَّقيمِ، وَيٰا مَنْ بِهِ اعتِزازي وَيٰا مَنْ بِهِ احتِرازي

(١) العظم الرميم: البالي.

مِنَ الذُلِ والمخازي وَالآفاتِ والمَرازي أعِذني مِنَ الهُمُومِ، وَمِن جنَّةٍ وَانْسٍ لِذكرِ المَعادِ مُنْسٍ وَالقَلْبُ عَنْهُ مُقسٍ وَمِنْ شَرِّ غَيِّ نَفْسٍ وَشَيْطانِهَا الرَّجيم، وَيَا مُنْزِلَ المَعَاشِ عَلَى النَّاسِ وَالمَواشي والأفْراخِ فِي العِشاشِ مِنَ الطُعْمِ وَالرِياشِ تَقَدَّسَتْ من حَكِيم، وَيَا مَالِكَ النَّواصي مِن طائِعٍ وَعَاصي فَمَا عَنْكَ مِنْ مَناصٍ لِعَبدٍ وَلا خَلاصٍ لِماضٍ وَلاَ مُقيم، وَيَا خيرَ مُستَعَاضٍ بِمَحْضِ اليَقينِ رَاضٍ بِمَا هُوَ عَلَيْهِ قَاضٍ مِنْ أَحْكامِهِ المُواضي تَحنَّنَتْ مِنْ حَكِيم، وَيَا مَنْ بِنا مُحيطٌ وَعَنَّا الأذىٰ يُميطُ وَمَنْ مُلكُهُ بَسيطٌ وَمَنْ عَدْلُهُ قَسِيطٌ عَلَى البِرِّ وَالأَثيم، وَيَا رَائي اللحُوظ وَيَا سَامِعَ اللَّفُوظِ وَيَا قَاسِمَ الحُظُوظِ بِإحْسَانِهِ الحَفِيظِ بِعَدلٍ مِنَ القَسِيم، ويا مَنْ هو السَّميعُ وَمَنْ عَرْشُهُ الرَّفيعُ، ومَنْ خَلْقُهُ البَديعُ، وَمَنْ جارُهُ المنيعُ عَنِ الظالِمِ الغَشُومِ[1]. وَيَا مَنْ حَبَا فَأَسْبَغَ مَا قَدْ حَبَا وَسَوَّغَ

(١) الغشوم: المتجبر، الظالم.

وَيا مَنْ كَفىٰ وَبَلَّغَ مٰا قَدْ صَفى وَفَرَّغَ مِنْ مَنِّهِ العَظِيم، وَيا مَلْجأَ الضّعيفِ، ويا مَفْزَعَ اللَّهيفِ، تبارَكْتَ مِنْ لَطيفٍ، رَحيم بنا رَؤوف خَبير بنا كريم، وَيٰا مَنْ قَضىٰ بِحَقٍ علىٰ نَفْسٍ كُلِّ خَلقٍ وَفٰاةً بِكُلٍّ، أُفقٍ فَمٰا يَنْفَعُ التَّوقي مِنَ المَوْتِ وَالحُتُومِ، تَراني وَلا أَرٰاكَ وَلاٰ رَبَّ لي سِوٰاكَ فَقُدْني إلى هُداكَ وَلاَ تَغْشَني رَداكَ بِتَوفيقِكَ الْعَصُوم، وَيٰا مَعْدِنَ الجَلاٰلِ وَذَا العِزِّ والجَمالِ وَذَا المَجدِ والفِعَال وَذا الكَيْدِ والمِحالِ تعٰالَيْتَ مِنْ حَليمٍ، أَجِرْني مِنَ الجحيمِ، وَمِنْ هَوْلها العظيمِ، وَمِنْ عَيْشها الذَّميمِ، وَمِنْ حَرِّها المُقيمِ وَمِنْ مائِها الحَميمِ، وَأَصْحِبْنيَ القُرآنَ، وأَسْكِنّي الجِنَانَ، وَزَوِّجْنيَ الحِسَانَ، وَناوِلْنيَ الأمانَ إِلىٰ جَنَّةِ النَّعيم. إلى نِعْمَةٍ وَلَهوٍ بِغَيْرِ استِماعِ لَغْوٍ وَلا بِادِّكٰارِ شَجْوٍ وَلا باعتِذارِ شَكوٍ سَقيمٍ وَلا كَليمٍ، إِلَى المَنْظَرِ النَّزيهِ الَّذي لاٰ لُغُوبَ فِيهِ هَنيئاً لِسٰاكِنِيهِ وَطُوبىٰ لِعامِرِيهِ ذَوي المَدخَلِ

الكَريم، إلى مَنْزِلٍ تَعالىٰ بالحُسنِ قَدْ تَوالى بالنُورِ قد تَلالىٰ نَلقىٰ بِهِ الجَلالَ بالسّيِّدِ الرَّحيم، إلىٰ المَفْرَشِ الوَطِيِّ إلىَ المَلْبَسِ البَهِيِّ إلى المَطعَمِ الشَّهِي إلىٰ المَشْرَبِ الرَّوِيِّ مِنَ السَّلسَلِ الخَتيم، فيا مَنْ هُوَ أَجَلُّ مِمّـا وَصَفـتُ، أَسْأَلُـكَ أَنْ تُصَلّـيَ عَلـىٰ مُحَمَّـدٍ وآلِ مُحَمَّـدٍ، ولا تَحرِمْنا شَيْئاً مِمّا سَألناكَ، وَزِدْنـا مِنْ فَضْلِكَ، إِنَّكَ عَلىٰ كُلِّ شَيْءٍ قَديرٌ، بِرَحْمَتِكَ يا أَرْحَمَ الـرّاحِميـنَ، وَصَلَّـىٰ اللهُ عَلـىٰ سَيِّـدِنـا مُحَمَّـدٍ وآلِـهِ أجْمَعينَ.

لَبَّيْـكَ لَبَّيْـكَ أَنْـتَ مَـوْلاهُ ... فـارْحَـمْ عُبَيْـداً إِلَيْـكَ مَلْجَـأُهُ

يـاذا المَعـالـي عَلَيْـكَ مُعْتَمَـدي ... طُـوبـىٰ لِمَـنْ كُنْـتَ أَنْـتَ مَـوْلاهُ

طُـوبـى لِمَـنْ كَـانَ نـادِمـاً أَرِقـاً ... يَشكُـو الـى ذِي الجَـلالِ بَلـواهُ

وَمـا بِــهِ عِلَّـةٌ وَلا سَقَـمٌ ... أَكْثَـرُ مِـنْ حُبِّـهِ لِمَـولاهُ

إذا خـلا فـي الظَّـلامِ مُبْتَهِـلاً ... أَجـابَـهُ اللهُ ثُـمَّ لَبّـاهُ

***

في يوم النصف من شهر رجب
بعد أربع ركعات

أَللَّهُمَّ يٰا مُذِلَّ كُلِّ جَبَّارٍ عَنِيدٍ، وَيٰا مُعِزَّ ٱلْمُؤْمِنِينَ، أَنْتَ كَهْفِي حِينَ تُعْيِينِي ٱلْمَذٰاهِبُ، وَأَنْتَ يَا رَبِّ خَلَقْتَنِي رَحْمَةً بِي، وَقَدْ كُنْتَ عَنْ خَلْقِي غَنِيّاً، وَلَوْلاٰ رَحْمَتُكَ لَكُنْتُ مِنَ ٱلْهٰالِكِينَ، وَأَنْتَ مُؤَيِّدِي بِٱلنَّصْرِ[1] عَلَىٰ أَعْدٰائِي، لَوْلاٰ نَصْرُكَ إِيَّايَ لَكُنْتُ مِنَ ٱلْمَقْبُوحِينَ. يٰا مُرْسِلَ ٱلرَّحْمَةِ مِنْ مَعٰادِنِهٰا، وَيَا مُنْشِىءَ ٱلْبَرَكَةِ مِنْ مَوَاضِعِهٰا، يٰا مَنْ خَصَّ نَفْسَهُ بِٱلسُّمُوِّ وَٱلرِّفْعَةِ، فَأَوْلِيٰاؤُهُ بِعِزَّتِه يَتَعَزَّزُونَ. يٰا مَنْ خَضَعَتْ لَهُ ٱلْمُلُوكُ بِنِيرِ ٱلْمَذَلَّةِ عَلَىٰ أَعْنٰاقِهِمْ، فَهُمْ مِنْ سَطَوَاتِهِ خٰائِفُونَ. أَسْأَلُكَ بِرُبُوبِيَّتِكَ ٱلَّتِي ٱشْتَقَقْتَهٰا مِنْ كِبْرِيَائِكَ، وَأَسْأَلُكَ بِكِبْرِيَائِكَ التي اشتَقَقْتَها مِنْ عِزَّتِكَ، وَأَسْأَلُكَ بِعِزَّتِكَ ٱلَّتِي ٱسْتَوَيْتَ بِهٰا

---

(١) مؤيد: مساعد.

عَلَىٰ عَرْشِكَ، فَخَلَقْتَ بِهٰا جَمِيعَ خَلْقِكَ، فَهُمْ لَكَ مُذْعِنُونَ[١] أَنْ تُصَلِّيَ عَلَىٰ مُحَمَّدٍ وَأَهْلِ بَيْتِهِ.

***

في المناجاة في شهر شعبان

أَللَّهُمَّ صَلِّ عَلَىٰ مُحَمَّدٍ وَآلِ مُحَمَّدٍ، وَٱسْمَعْ دُعٰائي إِذٰا دَعَوْتُكَ، وَٱسْمَعْ نِدٰائي إِذٰا نٰادَيْتُكَ، فَقَدْ هَرَبْتُ إِلَيْكَ، وَوَقَفْتُ بَيْنَ يَدَيْكَ، مُسْتَكِيْناً لَكَ مُتَضَرِّعاً إِلَيْكَ، راجِياً لِمَا لَدَيْكَ ثَوَابِي، وَتَعْلَمُ مٰا فِي نَفْسِي وَتَخْبَرُ حَاجَتِي وَتَعْـرِفُ ضَمِيْـرِي، وَلاٰ يَخْفَـىٰ عَلَيْـكَ أَمْـرُ مُنْقَلَبِـي[٢] وَمَثْوٰايَ[٣]. وَمَا أُرِيدُ أَنْ أُبدِىءَ بِهِ مِنْ مَنْطِقِي، وَأَتَفَوَّهُ بِهِ مِنْ طَلِبَتِي وَأَرْجُوهُ لِعٰاقِبَتِي، قَدْ جَرَتْ مَقٰادِيرُكَ عَلَيَّ يَا سَيِّدِي فِيمٰا يَكُونُ مِنِّي إِلَىٰ آخِرِ عُمُرِي مِنْ سَرِيرَتِي وَعَلاٰنِيَتِي، وَبِيَدِكَ لاٰ بِيَدِ غَيْرِكَ زِيٰادَتِي وَنَقْصِي، وَنَفْعِي

(١) مذعنون: خاضعون.
(٢) منقلبي: مصيري.
(٣) مثواي: مكاني.

وَضُرِّي. إِلٰهِي إِنْ حَرَمْتَنِي فَمَنْ ذَا ٱلَّذِي يَرْزُقُنِي، وَإِنْ خَذَلْتَنِي فَمَنْ ذَا ٱلَّذِي يَنْصُرُنِي. إِلٰهِي أَعُوذُ بِكَ مِنْ غَضَبِكَ وَحُلُولِ سَخَطِكَ. إِلٰهِي إِنْ كُنْتُ غَيْرَ مُسْتَأْهِلٍ لِرَحْمَتِكَ، فَأَنْتَ أَهْلٌ أَنْ تَجُودَ عَلَيَّ بِفَضْلِ سَعَتِكَ. إِلٰهِي كَأَنِّي بِنَفْسِي وَاقِفَةٌ بَيْنَ يَدَيْكَ، وَقَدْ أَظَلَّهَا حُسْنُ تَوَكُّلِي عَلَيْكَ، فَقُلْتَ مَا أَنْتَ أَهْلُهُ، وَتَغَمَّدْتَنِي بِعَفْوِكَ. إِلٰهِي إِنْ عَفَوْتَ فَمَنْ أَوْلَىٰ مِنْكَ بِذٰلِكَ، وَإِنْ كَانَ قَدْ دَنَا أَجَلِي وَلَمْ يُدْنِنِي مِنْكَ عَمَلِي، فَقَدْ جَعَلْتُ ٱلإِقْرَارَ بِٱلذَّنْبِ إِلَيْكَ وَسِيلَتِي. إِلٰهِي قَدْ جُرْتُ عَلَىٰ نَفْسِي بِالنَّظَرِ لَهَا، فَلَهَا ٱلْوَيْلُ إِنْ لَمْ تَغْفِرْ لَهَا. إِلٰهِي لَمْ يَزَلْ بِرُّكَ عَلَيَّ أَيَّامَ حَيَاتِي، فَلاَ تَقْطَعْ بِرَّكَ عَنِّي فِي مَمَاتِي. أَلٰهِي كَيْفَ آيَسُ مِنْ حُسْنِ نَظَرِكَ لِي بَعْدَ مَمَاتِي وَأَنْتَ لَمْ تُوَلِّنِي إِلاَّ الجَمِيلَ فِي حَيَاتِي، إِلٰهِي تَوَلَّ مِنْ أَمْرِي مَا أَنْتَ أَهْلُهُ، إِلٰهِي وَعُدْ بِفَضْلِكَ عَلَىٰ مُذْنِبٍ قَدْ غَمَرَهُ جَهْلُهُ. إِلٰهِي قَدْ سَتَرْتَ عَلَيَّ ذُنُوباً فِي ٱلدُّنْيَا، وَأَنَا أَحْوَجُ إِلَىٰ سَتْرِهَا عَلَيَّ

مِنكَ فِي ٱلأُخْرَىٰ. إِلٰهي قَدْ أَحْسَنْتَ إِلَيَّ إِذْ لَمْ تُظْهِرها لأَحَدٍ مِنْ عِبادِكَ الصَّالِحينَ فَلاٰ تَفْضَحني يَوْمَ القِيامةِ عَلىٰ رُؤُوسِ الأَشْهادِ، إِلٰهي جُودُكَ بَسَطَ أَمَلِي، وَعَفْوُكَ أَعْظَمُ مِنْ عَمَلِي. إِلٰهي فَسُرَّني بِلِقائِكَ يَوْمَ تَقْضِي فِيهِ بَيْنَ عِبادِكَ. إِلٰهي إِعْتِذارِي إِلَيْكَ ٱعْتِذارَ مَنْ لَمْ يَسْتَغْنِ عَنْ قَبُولِ عُذْرِهِ فَٱقْبَلْ عُذْرِي يٰا كَرِيْمُ، يٰا أَكْرَمَ مَنِ ٱعْتَذَرَ إِلَيْهِ ٱلْمُسِيئُونَ. إِلٰهي لاٰ تَرُدَّ حٰاجَتِي، وَلاَ تُخَيِّبْ طَمَعِي وَلاٰ تَقْطَعْ مِنْكَ رَجٰائِي وَأَمَلِي. إِلٰهي لَوْ أَرَدتَ هَواني لَمْ تَهدِني وَلَوْ أَرَدتَ فَضِيحَتي لَمْ تُعافِنِي، أَلٰهي مٰا أَظُنُّكَ تَرُدُّني في حٰاجَةٍ قَدْ أَفْنَيْتُ عُمُري في طَلَبِها مِنْكَ، إِلٰهي فَلَكَ ٱلْحَمْدُ أَبَداً أَبَداً، دٰائِماً سَرْمَداً[1]، يَزِيدُ وَلاَ يَبِيدُ[2] كَمٰا تُحِبُّ وَتَرْضىٰ. إِلٰهي إِنْ أَخَذْتَني بِجُرْمِي، أَخَذْتُكَ بِعَفْوِكَ، وَإِنْ أَخَذْتَني بِذُنُوبِي، أَخَذْتُكَ بِمَغْفِرَتِكَ، وَإِنْ أَدْخَلْتَنِي ٱلنَّارَ أَعْلَمْتُ أَهْلَهٰا أَنّي أُحِبُّكَ. إِلٰهي إِنْ كٰانَ

(١) سرمد: دائم.

(٢) يبيد: يزول، يهلك.

صَغُرَ فِي جَنْبِ طَاعَتِكَ عَمَلِي، فَقَدْ كَبُرَ فِي جَنْبِ رَجَائِكَ أَمَلِي. إِلَهِي كَيْفَ أَنْقَلِبُ مِنْ عِنْدِكَ بِٱلْخَيْبَةِ مَحْرُوماً، وَقَدْ كَانَ حُسْنُ ظَنِّي بِجُودِكَ أَنْ تَقْلِبَنِي بِٱلنَّجَاةِ مَرْحُوماً. إِلَهِي وَقَدْ أَفْنَيْتُ عُمْرِي فِي شَرَهِ ٱلسَّهْوِ عَنْكَ، وَأَبْلَيْتُ شَبَابِي فِي سَكْرَةِ[1] ٱلتَّبَاعُدِ مِنْكَ. إِلَهِي فلم أَسْتَيْقِظْ أَيَّامَ ٱغْتِرَارِي بِكَ، وَرُكُونِي إِلَى سَبِيلِ سَخَطِكَ، إِلَهِي وَأَنَا عَبْدُكَ وَٱبْنُ عَبْدَيْكَ، قَائِمٌ بَيْنَ يَدَيْكَ، مُتَوَسِّلٌ بِكَرَمِكَ إِلَيْكَ. إِلَهِي أَنَا عَبْدٌ أَتَنَصَّلُ[2] إِلَيْكَ مِمَّا كُنْتُ أُوَاجِهُكَ بِهِ مِنْ قِلَّةِ ٱسْتِحْيَائِي مِنْ نَظَرِكَ، وَأَطْلُبُ ٱلْعَفْوَ مِنْكَ، إِذِ ٱلْعَفْوُ نَعْتٌ لِكَرَمِكَ[3]. إِلَهِي لَمْ يَكُنْ لِي حَوْلٌ فَأَنْتَقِلَ بِهِ عَنْ مَعْصِيَتِكَ إِلاَّ فِي وَقْتٍ أَيْقَظْتَنِي لِمَحَبَّتِكَ، وَكَمَا أَرَدْتَ أَنْ أَكُونَ كُنْتُ، فَشَكَرْتُكَ بِإِدْخَالِي فِي كَرَمِكَ وَلِتَطْهِيرِ قَلبي مِنْ أَوْسَاخِ الغَفْلَةِ عَنْكَ. إِلَهِي

---

(١) سكرة: غفلة.
(٢) أتنصل: أتبرأ.
(٣) نعت: وصف.

أُنْظُرْ إِلَيَّ نَظَرَ مَنْ نادَيْتَهُ فَأَجابَكَ وَٱسْتَعْمَلْتَهُ بِمَعُونَتِكَ فَأَطَاعَكَ، يا قَرِيباً لا يَبْعُدُ عَنِ ٱلْمُغْتَرِّ بِهِ، وَيا جَواداً لا يَبْخَلُ عَنْ مَنْ رَجا ثَوابَهُ. إِلَهِي هَبْ لِي قَلْباً يُدْنِيهِ مِنْكَ شَوْقُهُ، وَلِساناً يَرْفَعُهُ إِلَيْكَ صِدْقُهُ، وَنَظَراً يُقَرِّبُهُ مِنْكَ حَقُّهُ. إِلَهِي إِنَّ مَنْ تَعَرَّفَ بِكَ غَيْرُ مَجْهُولٍ، وَمَنْ لاذَ بِكَ[١] غَيْرُ مَخْذُولٍ، وَمَنْ أَقْبَلْتَ عَلَيْهِ غَيْرُ مَمْلُولٍ. إِلَهِي إِنَّ مَنِ ٱنْتَهَجَ بِكَ لَمُسْتَنِيرٌ[٢] وَإِنَّ مَنِ ٱعْتَصَمَ بِكَ لَمُسْتَجِيرٌ، وَقَدْ لُذْتُ بِكَ يا إِلَهِي، فَلا تُخَيِّبْ ظَنِّي مِنْ رَحْمَتِكَ، وَلا تَحْجِبْنِي عَنْ رَأْفَتِكَ[٣]. إِلَهِي أَقِمْنِي فِي أَهْلِ وِلايَتِكَ مُقامَ مَنْ رَجا ٱلزِّيادَةَ مِنْ مَحَبَّتِكَ. إِلَهِي وَأَلْهِمْنِي وَلَهاً بِذِكْرِكَ[٤] إِلى ذِكْرِكَ وَاجْعَلْ هِمَّتِي إِلى رَوْحِ نَجاحِ أَسمائِكَ وَمَحَلِّ قُدسِكَ إِلهي بِكَ عَلَيْكَ إِلاَّ

---

(١) لاذ: احتمى.

(٢) انتهج: سار، مشى.

(٣) تحجبني رأفتك: تمنعني عطفك.

(٤) ولهاً: حباً شديداً.

الحَقْتَنـي بِمَحَلِّ أَهْلِ طَـاعَتِـكَ وَالمَثْوىَ الصَّالِـحِ مِـنْ مَرْضاتِكَ فَانّي لاٰ أَقْدِرُ لِنَفْسي دَفْعاً وَلاٰ امْلِكُ لَها نَفْعاً. إِلٰهِي أَنا عَبْدُكَ ٱلضَّعِيفُ ٱلْمُذْنِبُ، وَمَمْلُوكُكَ ٱلْمُنِيبُ[1] المُعِيْبُ، فَـلاٰ تَجْعَلْنِـي مِمَّـنْ صَـرَفْـتَ عَنْهُـمْ وَجْهَـكَ وَحَجبَهُ سَهوُه عَنْ عَفْـوِكَ. إِلٰهِي هَبْ لِي كَمٰالَ ٱلاٰنْقِطٰاعِ إِلَيْكَ، وَأَنِر أَبْصارَ قُلُوبِنَا بِضِياءِ نَظَرِها إِلَيْكَ حَتَّى تَخْرِقَ أَبْصارُ القُلُوبِ حُجُبَ النّوُرِ، فَتَصِلَ إِلىٰ مَعْدِنِ العَظَمَةِ، وَتَصِيرُ أَرْواحنا مُعَلَّقَةً بِعِزِّ قُدْسِكَ، إِلٰهِي وَاجْعَلْني مِمَّن ناديتَهُ فَاجٰابَكَ وَلاٰحَظْتَهُ فَصَعِقَ لِجَلالِكَ، فَناجَيْتَهُ سِرّاً وَعَمِلَ لَكَ جَهْراً، إِلهي لَمْ أُسَلِّط عَلىٰ حُسْنِ ظَنّي قُنُوطَ الأَياسِ، وَلاَ انْقَطَعَ رَجٰائي مِنْ جَميلِ كَرَمِكَ. إِلَٰهِي إِنْ كٰانَتِ ٱلْخَطٰايٰا قَدْ أَسْقَطَتْنِي لَدَيْكَ، فَٱصْفَحْ عَنِّي بِحُسْنِ تَـوَكُّلِي عَلَيْكَ. إِلَٰهِي إِنْ حَطَّتْنِي ٱلـذُّنُـوبُ مِـنْ مَكٰـارِمِ لُطْفِكَ، فَقَدْ نَبَّهَنِي ٱلْيَقِينُ إِلَىٰ كَرَمِ عَفْوِكَ. إِلَٰهِي إِنْ

(١) المنيب: المطيع.

أَنامَتْنِي ٱلْغَفْلَةُ عَنِ ٱلاسْتِعْدادِ لِلِقائِكَ ، فَقَدْ نَبَّهَتْنِي ٱلْمَعْرِفَةُ بِكَرَمِ ٱلآئِكَ[1] . إِلٰهِي إِنْ دَعانِي إِلىٰ ٱلنَّارِ عَظِيمُ عِقابِكَ ، فَقَدْ دَعانِي إِلىٰ ٱلْجَنَّةِ جَزِيلُ ثَوابِكَ . إِلٰهِي فَلَكَ أَسْأَلُ ، وَإِلَيْكَ أَبْتَهِلُ وَأَرْغَبُ ، وَأَسْأَلُكَ أَنْ تُصَلِّيَ عَلىٰ مُحَمَّدٍ وَآلِ مُحَمَّدٍ ، وَأَنْ تَجْعَلَنِي مِمَّنْ يُدِيمُ ذِكْرَكَ ، وَلا يَنْقُضُ عَهْدَكَ ، وَلا يَغْفُلُ عَنْ شُكْرِكَ ، وَلا يَسْتَخِفُّ بِأَمْرِكَ ، إِلٰهِي وَأَلْحِقْنِي بِنُورِ عِزِّكَ الأَوْهَجِ ، فأكُونَ لَكَ عارِفاً وَعَنْ سِواكَ مُنْحرِفاً ، ومنك خائِفاً مُراقِباً ، يا ذا ٱلْجَلالِ وَٱلإِكْرامِ . وَصَلَّىٰ ٱللَّهُ عَلَىٰ مُحَمَّدٍ رَسُولِهِ وَآلِهِ ٱلطَّاهِرِينَ وَسَلَّمَ تَسْلِيماً كَثِيراً .

***

في النصف من شعبان ـ ليلة الجمعة
دعاء الخضر ـ دعاء كميل

بِسْمِ ٱللَّهِ ٱلرَّحْمٰنِ ٱلرَّحِيمِ أَللَّهُمَّ إِنِّي أَسْأَلُكَ

(١) آلائك : نعمائك .

بِرَحْمَتِكَ ٱلَّتِي وَسِعَتْ كُلَّ شَيْءٍ، وَبِقُوَّتِكَ ٱلَّتِي قَهَرْتَ بِهٰا كُلَّ شَيْءٍ، وَخَضَعَ لَهٰا كُلُّ شَيْءٍ، وَذَلَّ لَهٰا كُلُّ شَيْءٍ، وَبِجَبَرُوتِكَ[1] ٱلَّتِي غَلَبْتَ بِهٰا كُلَّ شَيْءٍ، وَبِعِزَّتِكَ ٱلَّتِي لاٰ يَقُومُ لَهَا شَيْءٌ، وَبِعَظَمَتِكَ ٱلَّتِي مَلأَتْ كُلَّ شَيْءٍ، وَبِسُلْطَانِكَ ٱلَّذي عَلاٰ كُلَّ شَيْءٍ، وَبِوَجْهِكَ ٱلْبَاقِي بَعْدَ فَنٰاءِ كُلِّ شَيْءٍ، وَبِأَسْمٰائِكَ ٱلَّتِي مَلأَتْ أَرْكٰانَ كُلِّ شَيْءٍ، وَبِعِلْمِكَ ٱلَّذِي أَحٰاطَ بِكُلِّ شَيْءٍ، وَبِنُورِ وَجْهِكَ ٱلَّذِي أَضٰاءَ لَهُ كُلُّ شَيْءٍ. يٰا نُورُ يٰا قُدُّوسُ، يٰا أَوَّلَ ٱلأَوَّلِيْنَ، وَيٰا آخِرَ ٱلآخِرِيْنَ. أَللَّهُمَّ ٱغْفِرْ لِيَ ٱلذُّنُوبَ ٱلَّتِي تَهْتِكُ ٱلعِصَمَ، أَللَّهُمَّ ٱغْفِرْ لِيَ ٱلذُّنُوبَ ٱلَّتِي تُنْزِلُ ٱلنِّقَمَ، ٱللَّهُمَّ ٱغْفِرْ لِيَ ٱلذُّنُوبَ ٱلَّتِي تُغَيِّرُ ٱلنِّعَمَ، ٱللَّهُمَّ ٱغْفِرْ لِيَ ٱلذُّنُوبَ ٱلَّتِي تَحْبِسُ ٱلدُّعٰاءَ. ٱللَّهُمَّ ٱغْفِرْ لِيَ ٱلذُّنُوبَ ٱلَّتِي تُنْزِلُ ٱلْبَلاٰءَ، أَللَّهُمَّ اغْفِرْ لِيَ الذُّنوبَ ٱلَّتِي تَقْطَعُ الرَّجَاءُ، ٱللَّهُمَّ ٱغْفِرْ لِي كُلَّ ذَنْبٍ أَذْنَبْتُهُ، وَكُلَّ خَطِيئَةٍ أَخْطَأْتُهٰا. أَللَّهُمَّ إِنِّي

---

(1) جبروت: قوة.

أَتقَرَّبُ إِلَيْكَ بِذِكْرِكَ، وَأَسْتَشْفِعُ بِكَ إِلَىٰ نَفْسِكَ، وَأَسْأَلُكَ بِجُودِكَ وَكَرَمِكَ أَنْ تُدْنِيَنِي مِنْ قُرْبِكَ، وَأَنْ تُوزِعَنِي شُكْرَكَ[١]، وَأَنْ تُلْهِمَنِي ذِكْرَكَ. أَللَّهُمَّ إِنِّي أَسْأَلُكَ سُؤَالَ خَاضِعٍ مُتَذَلِّلٍ خَاشِعٍ، أَنْ تُسَامِحَنِي وَتَرْحَمَنِي، وَتَجْعَلَنِي بِقَسَمِكَ رَاضِياً، وَفِي جَمِيعِ ٱلْأَحْوَالِ مُتَوَاضِعاً. أَللَّهُمَّ وَأَسْأَلُكَ سُؤَالَ مَنِ ٱشْتَدَّتْ فَاقَتُهُ، وَأَنْزَلَ بِكَ عِنْدَ ٱلشَّدَائِدِ حَاجَتَهُ، وَعَظُمَ فِيمَا عِنْدَكَ رَغْبَتُهُ. أَللَّهُمَّ عَظُمَ سُلْطَانُكَ وَعَلَا مَكَانُكَ، وَخَفِيَ مَكْرُكَ وَظَهَرَ أَمْرُكَ، وَغَلَبَ قَهْرُكَ وَجَرَتْ قُدْرَتُكَ، وَلَا يُمْكِنُ ٱلْفِرَارُ مِنْ حُكُومَتِكَ. أَللَّهُمَّ لَا أَجِدُ لِذُنُوبِي غَافِراً وَلَا لِقَبَائِحِي سَاتِراً، وَلَا لِشَيْءٍ مِنْ عَمَلِي ٱلْقَبِيحِ بِٱلْحَسَنِ مُبَدِّلاً غَيْرَكَ، لَا إِلَٰهَ إِلَّا أَنْتَ سُبْحَانَكَ وَبِحَمْدِكَ ظَلَمْتُ نَفْسِي، وَتَجَرَّأْتُ بِجَهْلِي، وَسَكَنْتُ إِلَىٰ قَدِيمِ ذِكْرِكَ لِي وَمَنِّكَ عَلَيَّ. أَللَّهُمَّ مَوْلَايَ كَمْ مِنْ قَبِيحٍ سَتَرْتَهُ، وَكَمْ مِنْ فَادِحٍ[٢] مِنَ ٱلْبَلَاءِ

(١) توزعني: تلهمني.

(٢) فادح: عظيم.

أَقَلْتَهُ[١]، وَكَمْ مِنْ عِثارٍ[٢] وَقَيْتَهُ[٣]، وَكَمْ مِنْ مَكْرُوهٍ دَفَعْتَهُ، وَكَمْ مِنْ ثَنَاءٍ جَمِيلٍ لَسْتُ أَهْلاً لَهُ نَشَرْتَهُ. أَللَّهُمَّ عَظُمَ بَلاَئِي وَأَفْرَطَ بِي سُوءُ حٰالِي، وَقَصُرَتْ بِي أَعْمٰالِي، وَقَعَدَتْ بِي أَغْلاٰلِي[٤]، وَحَبَسَنِي عَنْ نَفْعِي بُعْدُ آمٰالِي، وَخَدَعَتْنِي ٱلدُّنْيٰا بِغُرُورِها وَنَفْسِيْ بِخِيَانَتِهَا وِمِطَالِي يَا سَيِّدِي. فَأَسْأَلُكَ بِعِزَّتِكَ أَنْ لاٰ يَحْجُبَ عَنْكَ دُعٰائِي سُوءُ عَمَلِي وَفِعٰالِي، وَلاٰ تَفْضَحْنِي بِخَفِيِّ مٰا ٱطَّلَعْتَ عَلَيْهِ مِنْ سِرِّي، وَلاٰ تُعٰاجِلْنِي بِٱلْعُقُوبَةِ عَلَىٰ مٰا عَمِلْتُهُ فِي خَلَوٰاتِي مِنْ سُوءِ فِعْلِي وَإِسٰاءَتِي، وَدَوٰام تَفْرِيطِي[٥]، وَجَهٰالَتِي، وَكَثْرَةِ شَهَوٰاتِي وَغَفْلَتِي. وَكُنِ ٱللَّهُمَّ بِعِزَّتِكَ لِي فِي ٱلْأَحْوٰالِ كُلِّهٰا رَؤُوفاً، وَعَلَيَّ فِي جَمِيعِ ٱلْأُمُورِ عَطُوفاً. إِلٰهِي وَرَبِّي مَنْ لِي غَيْرُكَ أَسْأَلُهُ كَشْفَ ضُرِّي وَٱلنَّظَرَ فِي

(١) أقلته: عفوت عنه.
(٢) عثار: من عثرة أي سقطة.
(٣) وقيته: دفعته.
(٤) أغلالي: قيودي.
(٥) تفريطي: تقصيري في أداء ما وجب عليَّ.

أَمْري. إِلَهِي وَمَوْلايَ أَجْرَيْتَ عَلَيَّ حُكْماً ٱتَّبَعْتُ فِيهِ هَوَىٰ نَفْسِي وَلَمْ أَحْتَرِسْ فِيهِ مِنْ تَزْيِينِ عَدُوِّي، فَغَرَّنِي بِمَا أَهْوَى وَأَسْعَدَهُ عَلَى ذَلِكَ القَضَاءُ، فَتَجَاوَزْتُ بِما جَرَى عَلَيَّ مِنْ ذَلِكَ بَعْضَ حُدُودِكَ، وَخَالَفْتُ بَعْضَ أَوَامِرِكَ، فَلَكَ ٱلْحُجَّةُ عَلَيَّ فِي جَمِيعِ ذٰلِكَ، وَلا حُجَّةَ لِي فِيما جَرَىٰ عَلَيَّ فِيهِ قَضَاؤُكَ، وَأَلْزَمَنِي حُكْمُكَ وَبَلاؤُكَ، وَقَدْ أَتَيْتُكَ يا إِلَهِي بَعْدَ تَقْصِيرِي وَإِسْرافِي عَلَىٰ نَفْسِي، مُعْتَذِراً نادِماً مُنْكَسِراً مُسْتَقِيلاً مُسْتَغْفِراً مُنِيباً مُقِرّاً مُذْعِناً مُعْتَرِفاً، لا أَجِدُ مَفَرّاً مِمَّا كانَ مِنِّي وَلا مَفْزَعاً[1] أَتَوَجَّهُ إِلَيْهِ فِي أَمْرِي، غَيْرَ قَبُولِكَ عُذْرِي وَإِدْخالِكَ إِيَّايَ فِي سَعَةٍ مِنْ رَحْمَتِكَ. أَللَّهُمَّ فَٱقْبَلْ عُذْرِي وَٱرْحَمْ شِدَّةَ ضُرِّي وَفُكَّنِي مِنْ شَدِّ وَثَاقِي، يا رَبِّ ٱرْحَمْ ضَعْفَ بَدَنِي وَرِقَّةَ جِلْدِي وَدِقَّةَ عَظْمِي، يا مَنْ بَدَأَ خَلْقِي وَذِكْرِي وَتَرْبِيَتِي وَبِرِّي وَتَغْذِيَتِي، هَبْنِي

(١) مفزع: ملجأ.

لاِبْتِداءِ كَرَمِكَ وَسالِفِ بِرِّكَ بي، يا إلٰهي وَسَيِّدي وَرَبِّي، أَتُراكَ مُعَذِّبي بِنارِكَ بَعْدَ تَوْحيدِكَ، وَبَعْدَ ما انْطَوىٰ عَلَيْهِ قَلْبي مِنْ مَعْرِفَتِكَ، وَلَهِجَ بِهِ لِساني مِنْ ذِكْرِكَ، وَاعْتَقَدَهُ ضَميري مِنْ حُبِّكَ، وَبَعْدَ صِدْقِ اعْتِرافي وَدُعائي خاضِعاً لِرُبُوبِيَّتِكَ. هيهات أَنْتَ أَكْرَمُ مِنْ أَنْ تُضَيِّعَ مَنْ رَبَّيْتَهُ، أَوْ تُبَعِّدَ مَنْ أَدْنَيْتَهُ، أَوْ تُشَرِّدَ مَنْ آوَيْتَهُ(١)، أَوْ تُسَلِّمَ إِلَىٰ الْبَلاءِ مَنْ كَفَيْتَهُ وَرَحِمْتَهُ. وَلَيْتَ شِعْري(٢) يا سَيِّدي وَإِلٰهي وَمَوْلايَ، أَتُسَلِّطُ النّارَ عَلىٰ وُجُوهٍ خَرَّتْ لِعَظَمَتِكَ ساجِدَةً، وَعَلىٰ أَلْسُنٍ نَطَقَتْ بِتَوْحيدِكَ صادِقَةً، وَبِشُكْرِكَ مادِحَةً، وَعَلىٰ قُلُوبٍ اعْتَرَفَتْ بِإِلٰهِيَّتِكَ مُحَقِّقَةً، وَعَلىٰ ضَمائِرَ حَوَتْ مِنَ الْعِلْمِ بِكَ حَتّىٰ صارَتْ خاشِعَةً، وَعَلىٰ جَوارِحَ سَعَتْ إِلىٰ أَوْطانِ تَعَبُّدِكَ طائِعَةً، وَأَشارَتْ بِاسْتِغْفارِكَ مُذْعِنَةً(٣) ما هٰكَذَا الظَّنُّ بِكَ وَلاَ أُخْبِرْنا

(١) آويته: أسكنته.
(٢) ليت شعري: يا ترى.
(٣) مذعنة: خاضعة لك، مؤتمرة بأمرك.

بِفَضْلِكَ عَنْكَ. يٰا كَرِيمُ، يٰا رَبِّ، وأَنْتَ تَعْلَمُ ضَعْفِي عَنْ قَلِيلٍ مِنْ بَلاٰءِ ٱلدُّنْيٰا وَعُقُوبٰاتِهٰا، وَمٰا يَجْرِي فِيهٰا مِنَ ٱلْمَكٰارِهِ عَلىٰ أَهْلِهٰا، عَلىٰ أَنَّ ذٰلِكَ بَلاٰءٌ وَمَكْرُوهٌ، قَلِيلٌ مَكْثُهُ، يَسِيرٌ بَقَاؤُهُ، قَصِيرٌ مُدَّتُهُ، فَكَيْفَ ٱحْتِمٰالِي لِبَلاٰءِ ٱلآخِرَةِ وَجَلِيْلِ وُقُوعِ المَكَارِهِ فِيْهَا، وَهُوَ بَلآءٌ تَطُولُ مُدَّتُهُ، وَيَدُومُ مُقٰامُهُ، وَلاٰ يُخَفَّفُ عَنْ أَهْلِهِ، لأَنَّهُ لاٰ يَكُونُ إلاَّ عَنْ غَضَبِكَ وَٱنْتِقٰامِكَ وَسَخَطِكَ، وَهَذٰا مٰا لاٰ تَقُومُ لَهُ ٱلسَّمٰاوٰاتُ وَٱلأَرْضُ. يا سَيِّدي فَكَيْفَ بِي وَأَنا عَبْدُكَ ٱلضَّعِيفُ ٱلذَّلِيلُ، ٱلْحَقِيرُ ٱلْمِسْكِيْنُ المُسْتَكِيْنُ[1]. يٰا إِلَهِي وَرَبِّي وَسَيِّدِي وَمَوْلاٰيَ، لأَيِّ ٱلأُمُورِ إِلَيْكَ أَشْكُو، وَلِمَا مِنْهٰا أَضِجُّ وَأَبْكِي، لأَلِيمِ ٱلْعَذٰابِ وَشِدَّتِهِ، أَمْ لِطُولِ ٱلْبَلآءِ وَمُدَّتِهِ، فَلَئِنْ صَيَّرْتَنِي فِي ٱلْعُقُوبَاتِ مَعَ أَعْدٰائِكَ، وَجَمَعْتَ بَيْنِي وَبَيْنَ أَهْلِ بَلآئِكَ، وَفَرَّقْتَ بَيْنِي وَبَيْنَ أَحِبَّائِكَ وَأَوْلِيٰائِكَ، فَهَبْنِي[2] يٰا إِلَهِي وَسَيِّدِي وَمَوْلاٰيَ

(١) المستكين: المسكين الذليل.
(٢) فهبني: أفرض أني.

وَرَبِّي صَبَرْتُ عَلىٰ عَذٰابِكَ، فَكَيْفَ أَصْبِرُ عَلىٰ فِراقِكَ؟! وَهَبْنِي صَبَرْتُ عَلىٰ حَرِّ نارِكَ، فَكَيْفَ أَصْبِرُ عَنِ ٱلنَّظَرِ إِلىٰ كَرامَتِكَ، أَمْ كَيْفَ أَسْكُنُ فِي ٱلنّارِ وَرَجائِي عَفْوُكَ؟ فَبِعِزَّتِكَ يا سَيِّدِي وَمَوْلايَ أُقْسِمُ صادِقاً، لَئِنْ تَرَكْتَنِي ناطِقاً لَأَضِجَّنَّ إِلَيْكَ بَيْنَ أَهْلِها ضَجِيجَ ٱلآمِلِينَ، وَلَأَصْرُخَنَّ إِلَيْكَ صُراخَ ٱلْمُسْتَصْرِخِينَ، وَلَأَبْكِيَنَّ عَلَيْكَ بُكاءَ ٱلْفاقِدِينَ، وَلَأُنادِيَنَّكَ أَيْنَ كُنْتَ يا وَلِيَّ ٱلْمُؤْمِنِينَ، يا غايَةَ آمالِ ٱلْعارِفِينَ، يا غِياثَ ٱلْمُسْتَغِيثِينَ، وَيا حَبِيبَ قُلُوبِ ٱلصّادِقِينَ، وَيا إِلٰهَ ٱلْعالَمِينَ. أَفَتُراكَ سُبْحانَكَ يا إِلٰهِي وَبِحَمْدِكَ تَسْمَعُ فِيها صَوْتَ عَبْدٍ مُسْلِمٍ سُجِنَ فِيها بِمُخالَفَتِهِ، وَذاقَ طَعْمَ عَذابِها بِمَعْصِيَتِهِ، وَحُبِسَ بَيْنَ أَطْباقِها بِجُرْمِهِ وَجَرِيرَتِهِ، وَهُوَ يَضِجُّ إِلَيْكَ ضَجِيجَ مُؤَمِّلٍ لِرَحْمَتِكَ، وَيُنادِيكَ بِلِسانِ أَهْلِ تَوْحِيدِكَ، وَيَتَوَسَّلُ إِلَيْكَ بِرُبُوبِيَّتِكَ. يا مَوْلايَ فَكَيْفَ يَبْقىٰ فِي ٱلْعَذابِ وَهُوَ يَرْجُو ما سَلَفَ مِنْ حِلْمِكَ، وَرَأْفَتِكَ وَرَحْمَتِكَ؟ أَمْ كَيْفَ

تُؤْلِمُهُ ٱلنَّارُ وَهُوَ يَأْمُلُ فَضْلَكَ وَرَحْمَتَكَ؟ أَمْ كَيْفَ يُحْرِقُهُ لَهَبُهٰا وَأَنْتَ تَسْمَعُ صَوْتَهُ وَتَرىٰ مَكٰانَهُ؟ أَمْ كَيْفَ يَشْتَمِلُ عَلَيْهِ[1] زَفِيرُهٰا[2] وَأَنْتَ تَعْلَمُ ضَعْفَهُ؟ أَمْ كَيْفَ يَتَغَلْغَلُ بَيْنَ أَطْبَاقِهَا وَأَنْتَ تَعْلَمُ صِدْقَه أَمْ كَيْفَ تَزْجُرُهُ زَبٰانِيَتُهٰا[3] وَهُوَ يُنٰادِيكَ يٰا رَبِّ؟ أَمْ كَيْفَ يَرْجُو فَضْلَكَ فِي عِتْقِهِ مِنْهٰا فَتَتْرُكُهُ فِيهٰا؟ هَيْهٰاتَ مٰا ذٰلِكَ ٱلظَّنُّ بِكَ وَلاَ ٱلْمَعْرُوفُ مِنْ فَضْلِكَ وَلاٰ مُشْبِهٌ لِمٰا عٰامَلْتَ بِهِ ٱلْمُوَحِّدِينَ مِنْ بِرِّكَ وَإِحْسٰانِكَ.

فَبِـاٰلْيَقِيـنِ أَقْطَـعُ، لَـوْلاٰ مٰـا حَكَمْـتَ بِـهِ مِـنْ تَعْـذِيْـبِ جٰـاحِـدِيـكَ[4]، وَقَضَيْـتَ بِـهِ مِـنْ إِخْـلاٰدِ مُعٰـانِـدِيـكَ[5]، لَجَعَلْتَ ٱلنَّارَ كُلَّهٰا بَرْداً وَسَلاٰماً، وَمٰا كٰانَتْ لأَحَدٍ فِيهٰا مَقَرّاً وَلاٰ مُقاماً. لٰكِنَّكَ تَقَدَّسَتْ أَسْمٰاؤُكَ أَقْسَمْتَ أَنْ تَمْلأَهٰا مِنَ ٱلْكٰافِرِينَ، مِنَ ٱلْجِنَّةِ وَٱلنَّاسِ أَجْمَعِينَ، وَأَنْ

---

(١) يشتمل: يحتوي.
(٢) زفيرها: لهيبها.
(٣) زبانيتها: الملائكة الموكلون بها.
(٤) باليقين أقطع: أنا متيقّن من قولي.
(٥) إخلاد معانديك: تخليد الكافرين.

تُخَلِّدَ فِيها ٱلْمُعانِدِينَ، وَأَنْتَ جَلَّ ثَناؤُكَ قُلْتَ مُبْتَدِئاً، وَتَطَوَّلْتَ بِٱلْإِنْعامِ[1] مُتَكَرِّماً، ﴿أَفَمَنْ كانَ مُؤْمِناً كَمَنْ كانَ فاسِقاً لا يَسْتَوُونَ﴾. إِلٰهِي وَسَيِّدِي، فَأَسْأَلُكَ بِٱلْقُدْرَةِ ٱلَّتِي قَدَّرْتَها وَبِٱلْقَضِيَّةِ ٱلَّتِي حَتَمْتَها وَحَكَمْتَها وَغَلَبْتَ مَنْ عَلَيْهِ أَجْرَيْتَها، أَنْ تَهَبَ لِي فِي هٰذِهِ ٱللَّيْلَةِ وَفِي هٰذِهِ ٱلسَّاعَةِ، كُلَّ جُرْمٍ أَجْرَمْتُهُ وَكُلَّ ذَنْبٍ أَذْنَبْتُهُ، وَكُلَّ قَبِيحٍ أَسْرَرْتُهُ، وَكُلَّ جَهْلٍ عَمِلْتُهُ: كَتَمْتُهُ أَوْ أَعْلَنْتُهُ، أَخْفَيْتُهُ أَوْ أَظْهَرْتُهُ، وَكُلَّ سَيِّئَةٍ أَمَرْتَ بِإِثْباتِها ٱلْكِرامَ ٱلْكاتِبِينَ[2]، ٱلَّذِينَ وَكَّلْتَهُمْ بِحِفْظِ ما يَكُونُ مِنِّي، وَجَعَلْتَهُمْ شُهُوداً عَلَيَّ مَعَ جَوارِحِي، وَكُنْتَ أَنْتَ ٱلرَّقِيبَ عَلَيَّ مِنْ وَرائِهِمْ، وَٱلشَّاهِدَ لِما خَفِيَ عَنْهُمْ وَبِرَحْمَتِكَ أَخْفَيْتَهُ، وَبِفَضْلِكَ سَتَرْتَهُ، وَأَنْ تُوَفِّرَ حَظِّي مِنْ كُلِّ خَيْرٍ تُنْزِلُهُ أَوْ إِحْسانٍ تُفْضِلُهُ أَوْ بِرٍّ تَنْشُرُهُ، أَوْ رِزْقٍ تَبْسُطُهُ، أَوْ ذَنْبٍ تَغْفِرُهُ أَوْ خَطإٍ تَسْتُرُه. يا رَبِّ يا رَبِّ يا رَبِّ إِلٰهِي وَسَيِّدِي وَمَوْلايَ وَمالِكَ رِقِّي، يا مَنْ

---

(١) تطولت بالأنعام: أفضلت علينا بآلائك.

(٢) الكرام الكاتبين: الملائكة الموكلين بإحصاء أفعالنا.

بِيَدِهِ نَاصِيَتِي ، يَا عَلِيْماً بِضُرِّي وَمَسْكَنَتِيْ يَا خَبِيراً بِفَقْرِي وَفَاقَتِي . يَا رَبِّ يَا رَبِّ يَا رَبِّ أَسْأَلُكَ بِحَقِّكَ وَقُدْسِكَ وَأَعْظَمِ صِفَاتِكَ وَأَسْمَائِكَ ، أَنْ تَجْعَلَ أَوْقَاتِي فِي ٱللَّيْلِ وَٱلنَّهَارِ بِذِكْرِكَ مَعْمُورَةً ، وَبِخِدْمَتِكَ مَوْصُولَةً ، وَأَعْمَالِي عِنْدَكَ مَقْبُولَةً ، حَتَّىٰ تَكُونَ أَعْمَالِي وَأَوْرَادِي كُلُّهَا وِرْداً وَاحِداً وَحَالِي فِي خِدْمَتِكَ سَرْمَداً[١] . يَا سَيِّدِي يَا مَنْ عَلَيْهِ مُعَوَّلِي[٢] ، يَا مَنْ إِلَيْهِ شَكَوْتُ أَحْوَالِي . يَا رَبِّ يَا رَبِّ يَا رَبِّ . قَوِّ عَلَىٰ خِدْمَتِكَ جَوَارِحِي ، وَٱشْدُدْ عَلَىٰ ٱلْعَزِيْمَةِ جَوَانِحِي[٣] ، وَهَبْ لِيَ ٱلْجِدَّ فِي خَشْيَتِكَ ، وَٱلدَّوَامَ فِي ٱلْاتِّصَالِ بِخِدْمَتِكَ ، حَتَّىٰ أَسْرَحَ إِلَيْكَ فِي مَيَادِيْنِ ٱلسَّابِقِيْنَ ، وَأُسْرِعَ إِلَيْكَ فِي ٱلْمُبَادِرِينَ وَأَشْتَاقَ إِلَىٰ قُرْبِكَ فِي ٱلْمُشْتَاقِينَ ، وَأَدْنُوَ مِنْكَ دُنُوَّ ٱلْمُخْلِصِينَ ، وَأَخَافَكَ مَخَافَةَ ٱلْمُوْقِنِينَ ،

(١) سرمداً : دائماً .
(٢) معوّلي : اعتمادي .
(٣) جوانحي : أضلاعي .

وَأَجْتَمِعَ فِي جِوارِكَ مَعَ ٱلْمُؤْمِنِينَ. أَللَّهُمَّ وَمَنْ أَرادَنِي بِسُوءٍ فَأَرِدْهُ، وَمَنْ كادَنِي فَكِدْهُ، وَٱجْعَلْنِي مِنْ أَحْسَنِ عَبِيدِكَ نَصِيباً عِنْدَكَ، وَأَقْرَبِهِمْ مَنْزِلَةً مِنكَ، وَأَخَصِّهِمْ زُلْفَةً لَدَيْكَ[(١)]، فَإِنَّهُ لا يُنالُ ذٰلِكَ إِلاَّ بِفَضْلِكَ. وَجُدْ لِي بِجُودِكَ، وَٱعْطِفْ عَلَيَّ بِمَجْدِكَ، وَٱحْفَظْنِي بِرَحْمَتِكَ، وَٱجْعَلْ لِسانِي بِذِكْرِكَ لَهِجاً، وَقَلْبِي بِحُبِّكَ مُتَيَّماً[(٢)]، وَمُنَّ عَلَيَّ بِحُسْنِ إِجابَتِكَ، وَأَقِلْنِي عَثْرَتِي[(٣)] وَٱغْفِرْ لِي زَلَّتِي، فَإِنَّكَ قَضَيْتَ عَلَىٰ عِبادِكَ بِعِبادَتِكَ وَأَمَرْتَهُمْ بِدُعَائِكَ وَضَمِنْتَ لَهُمُ الإِجَابَةَ فَإِلَيْكَ يا رَبِّ نَصَبْتُ وَجْهِي وَإِلَيْكَ يا رَبِّ مَدَدْتُ يَدِي فَبِعِزَّتِكَ ٱسْتَجِبْ لِي دُعائِي وَبَلِّغْنِي مُنايَ، وَلاَ تَقْطَعْ مِنْ فَضْلِكَ رَجائِي، وَٱكْفِنِي شَرَّ ٱلْجِنِّ وَٱلإِنْسِ مِنْ أَعْدائِي. يا سَرِيعَ ٱلرِّضا، إِغْفِرْ لِمَنْ لا يَمْلِكُ إِلاَّ ٱلدُّعاءَ، فَإِنَّكَ فَعَّالٌ لِما تَشاءُ. يا مَنِ ٱسْمُهُ

---

(١) زلفة: تقرّب.
(٢) متيّم: شديد الحب لك.
(٣) أقلني عثرتي: إغفر لي سقطتي.

دَوٰاءٌ، وَذِكْرُهُ شِفٰاءٌ، وَطٰاعَتُهُ غِنىً، إِرْحَمْ مَنْ رَأْسُ مٰالِهِ ٱلرَّجٰاءُ، وَسِلاٰحُهُ ٱلْبُكٰاءُ. يٰا سٰابِغَ ٱلنِّعَمِ، يٰا دٰافِعَ ٱلنِّقَمِ، يٰا نُورَ ٱلْمُسْتَوْحِشِينَ فِي ٱلظُّلَمِ يٰا عٰالِماً لاٰ يُعَلَّمْ، صَلِّ عَلىٰ مُحَمَّدٍ وَآلِ مُحَمَّدٍ، وَٱفْعَلْ بِي مٰا أَنْتَ أَهْلُهُ، وَصَلَّىٰ ٱللّٰهُ عَلىٰ رَسُولِهِ وَٱلْأَئِمَّةِ ٱلْمَيٰامِين (١) مِنْ آلِهِ وَسَلَّمَ تَسْلِيماً كَثِيْراً.

***

إذا نظر إلى الهلال

إذا نظر إلى الهلال فلا يبرح عن مكانه ويقول:

أَللّٰهُمَّ إِنّي أَسْأَلُكَ خَيْرَ هٰذا الشَّهْرِ، ونورَهُ، ونَصْرَهُ، وَبَرَكَتَهُ، وَطُهُوْرَه، وَرِزْقَهُ، وأَسْأَلُكَ خَيْرَ ما فِيهِ، وَخَيْرَ ما بَعْدَهُ، وأَعوذُ بِكَ مِنْ شَرِّ ما فيهِ، وَشَرِّ ما بَعْدَهُ. أَللّٰهُمَّ أَدْخِلْهُ عَلَيْنا بِالامْنِ والإِيمانِ، والسَّلاٰمَةِ

---

(١) الميامين: جمع ميمون، وهو الكثير البركة.

والإِسْلامِ، والبَرَكَةِ والتَّقْوىٰ والتَّوْفيقِ لما تُحِبُّ وَتَرْضىٰ.

***

دعاؤه إذا نظر إلى الهلال

أَيُّهَا الْخَلْقُ الْمُطِيعُ الدَّائِبُ السَّرِيعُ الْمُتَرَدِّدُ في فَلَكِ التَّدْبِيرِ الْمُتَصَرِّفُ في مَنَازِلِ التَّقديرِ، آمَنْتُ بِمَنْ نَوَّرَ بِكَ الظُّلَمَ وَأَوْضَحَ بِكَ الْبُهَمَ وَجَعَلَكَ، آيَةً مِنْ آيَاتِ مُلْكِهِ، وَعَلامَةً مِنْ عَلامَاتِ سُلطانِهِ، وَامْتَحَنَكَ بِـالـزِّيَـادَةِ والنُّقْصَـانِ وَالطُّلُـوعِ وَالأُفُـولِ وَالإِنَـارَةِ وَالكُسُـوفِ فـي كُـلِّ ذٰلِـكَ أَنْـتَ لَـهُ مُطيـعٌ وَإِلـى إِرَادتِـهِ سَرِيعٌ، سُبْحَانَهُ مَا أَحْسَنَ مَا دَبَّرَ وَأَتْقَنَ مَا صَنَعَ في مُلْكِـهِ، وَجَعَلَـكَ اللهُ هِـلالَ شَهْـرٍ حَـادِثٍ لِأمـرٍ حـادِثٍ جَعَلَكَ اللهُ أَمْنٍ وَايمانٍ وَسَلامَةٍ وَإِسْلاَمٍ، هِلالَ أَمَنَةٍ مِنَ العاهَاتِ وَسَلامَةٍ مِنَ السَّيِّئاتِ، أَللَّهُمَّ اجعلنا أَهْدى مَنْ طَلَعَ عَلَيْهِ وَأَزْكىٰ مَنْ نَظَرَ إِلَيْهِ وَصَلَّى اللهُ عَلى مُحَمَّدٍ وَآلِهِ وَافْعَل بِي كَذا وَكَذا يا أَرْحَمَ الرَّاحِمينَ.

دعائه عليه السلام
إذا نظر إلى هلال شهر رمضان

اللَّهُمَّ أَهِلَّهُ عَلَيْنَا بِالأَمْنِ وَالإِيمانِ وَالسَّلامَةِ وَالإِسْلاَمِ وَالعَافِيَةِ المُجلَّلَةِ وَالرِّزقِ الوَاسِعِ وَدَفْعِ الأَسْقَامِ اللَّهُمَّ أُرزُقْنَا صِيامَهُ وَقِيامَهُ وَتِلاوَةِ القُرآنِ فِيهِ اللَّهُمَّ سَلِّمْهُ لَنا وَتَسَلَّمهُ مِنّا وَسَلِّمنا فِيهِ.

* * *

دعائه عليه السلام عند الافطار

اللَّهُمَّ لَكَ صُمْنَا وَعَلى رِزقِكَ أَفْطَرْنا، فَتقَبَّلْهُ مِنا إِنَّكَ أَنْتَ السَّمِيعُ العَليمُ.

* * *

أيضا دعاؤه عند الافطار علمه النبي صلى الله عليه وآله وسلم

اللَّهُمَّ رَبَّ النُورِ العَظِيمِ وَرَبَّ الكُرْسِيِّ الرَّفِيعِ، وَرَبَّ البَحْرِ المَسْجُورِ، وَرَبَّ الشَفْعِ الكَبيرِ، وَالنُورِ

العَـزيـزِ ، وَرَبَّ التَّـوراةِ وَالإِنْجيـلِ والـزَّبُـورِ وَالفُـرقـانِ العَظيمِ ، أَنْتَ إِلٰهُ مَنْ فِي السَّمٰوٰاتِ وَإِلٰهُ مَنْ فِي الأَرْضِ ، لاٰ إِلَهَ فِيهِما غَيْرُكَ وَأَنْتَ جَبّارُ مَنْ فِي السَّماواتِ وَجَبّارُ مَنْ فِي الأَرْضِ ، لاٰ جَبّـارَ فِيهِمـا غَيْـرُكَ وَأَنْـتَ مَلِـكُ مَـنْ فـي السَّماواتِ وَمَلِكُ مَنْ فِي الأَرْضِ ، لاٰ مَلِكَ فِيهِما غَيْرُكَ أَسْأَلُكَ بِاسْمِكَ الكَبيرِ وَنُورِ وَجْهِكَ الكَريمِ وَبِمُلْكِكَ القَدِيمِ ، يا حَيُّ يٰا قَيُّومُ يٰا حَيُّ يٰا قَيُّومُ يٰا حَيُّ يٰا قَيُّومُ ، وَأَسْأَلُكَ باسْمِكَ الَّذي أَشْرَقَ بِهِ كُلّ شَيءٍ وَباسمِكَ الَّذِي أَشْرَقَتْ بِهِ السَّمٰوٰاتِ وَالأَرضُ وَباسْمِكَ الَّذي صَلَحَ بِهِ الأَوَّلُونَ وَبِهِ يَصْلُحُ الآخِرُونَ ، يٰا حَيّاً قَبْلَ كُلِّ حَيٍّ وَيٰا حَيّاً بَعْدَ كُلِّ حَيٍ يٰا حَيُّ لاٰ إِلٰهَ إِلاّ أَنْتَ صَلِّ عَلىٰ مُحَمَّدٍ وَآلِ مُحَمَّدٍ وَاغْفِرْ لي ذُنُوبي ، وَاجْعَلْ لي مِنْ أَمْري يُسْراً وَفَرَجاً قَـريبـاً وَثَبِّتْني عَلـى دِيـنِ مُحَمَّـدٍ وَآلِ مُحَمَّـدٍ وَعَلـى هُـدىٰ مُحَمَّـدٍ وَآلِ مُحَمَّـدٍ وَعَلـى سُنَّـة مُحمَّـدٍ وَآلِ مُحَمَّـدٍ عَلَيْـهِ وَعَلَيْهِمُ السَّلاٰمُ ، وَاجْعَلْ عَمَلي في المَرْفُوعِ المُتَقَبَّلِ

وَهَبْ لي كَما وَهَبْتَ لاِوْليائِكَ وَاهْلِ طاعَتِكَ، فَإِنّي مُؤْمِنٌ بِكَ مُتَوَكِّلٌ عَلَيْكَ مُنِيْبٌ إِلَيْكَ مَعَ مَصيري اَلَيْكَ وَتَجْمَعُ لي وَلِوالِدَيَّ وَلأَهْلي وَلِوَلَدِيَ الخَيْرَ كُلَّهُ وَتَصْرِفُ عَنّي وَعَنْ والِدَيَّ وَعَنْ أَهْلي وَعَنْ وَلَدِيَ الشَّرَّ كُلَّهُ، وَأَنْتَ الحَنّانُ المَنّانُ بَديعُ السَّماواتِ وَالأَرْضِ تُعْطِي الخَيْرَ مَنْ تَشاءُ وَتَصْرِفُهُ عَنْ مَنْ تَشاءُ فامنُنْ عَلَيَّ بِرَحْمَتِكَ يا أَرحَمَ الرّاحِمينَ

***

ومن دعائه عليه السلام بعد السجود

في قوله أتوب إلى الله مائة مرة بعد ركعتين ليلة الفطر في أوليهما بعد الحمد يقرأ ألف مرّة وفي الثانية مرة واحدة.

***

يا ذَا المَنِّ وَالجُودِ يا ذَا المَنِّ والطَوْلِ يا مُصطَفِيَ مُحَمَّداًصَلَّى اللهُ عَلَيْهِ وَآلِهِ

دعاؤه في كل يوم من عشر ذي الحجة عشر مرات

لا أَلٰهَ إِلاَّ اللهُ عَدَدَ اللَيْالي وَالدُهُورِ، لا إِلٰهَ إلاَّ اللهُ عَدَدَ أَمْواجِ البُحُورِ، لا إِلٰهَ إلاَّ اللهُ وَرَحْمَتُهُ خَيْرٌ مِمَّا يَجمَعُونَ، لا إِلٰهَ إلاَّ اللهُ عَدَدَ الشَوكِ وَالشَّجَرِ، لا إِلَهَ إِلاَّ اللهُ عَـدَدَ الشَّعْـرِ وَالـوَبَـرِ، لا إِلٰـهَ إِلاَّ اللهُ عَـدَدَ الحَجَـرِ وَالمَدَرِ، لا إِلٰهَ إلاَّ اللهُ عَدَدَ لَمْحِ العُيُونِ، لا إِلٰهَ إلاَّ اللهُ فِي اللَّيْلِ إذا عَسْعَسَ، وَالّصُبْحِ إِذَا تَنَفَّسَ، لا إِلٰهَ أَلاَّ اللهُ عَدَدَ الرِّياحِ فِي البَراري والصُخُورِ، لا إِلٰهَ إلاَّ اللهُ مِنَ اليَومِ إلى يَوْمِ يُنْفَخُ فِي الصّوُرِ.

* * *

ومن دعائه عليه السلام للشفاء من السقم

إِلٰهي كُلَّما أَنْعَمْتَ عَلَيَّ نِعْمَةً قَلَّ لَكَ عِنْدَها شُكْري، وَكُلَّما أَبْتَلَيْتَني بِبَلِيَّةٍ قَلَّ لَكَ عِنْدَها صَبْري، فَيا مَنْ قَلَّ شُكري عِنْدَ نِعْمَتِهِ فَلَمْ يِحْرِمني، وَيا مَنْ قَلَّ

صَبري عِنْدَ بَلائِهِ فَلَمْ يَخْذُلني ، وَيا مَنْ رَأني عَلى الخَطايا فَلَمْ يَفْضَحْني ، وَيا مَنْ رَأني عَلى المَعاصي فَلَمْ يُعاقِبْني عَلَيها صَلِّ عَلىٰ مُحَمَّدٍ وَآلِ مُحَمَّدٍ وَاغفِر لي ذُنُوبي وَاشفِني مِن مَرَضي هٰذا إنَّكَ عَلى كُلِّ شَيءٍ قَديرٌ .

***

أَللَّهُمَّ اني أَسْأَلُكَ تَعْجِيلَ عٰافِيَتِكَ أَوْ صَبراً عَلى بَلِيَّتِكَ وَخُرُوجاً إِلَى رَحْمَتِكَ .

دعاؤه في العوذة لكل ألم في الجسد

أَعُوذُ بِعِزَّةِ اللهِ وَقُدْرَتِهِ عَلَى الاشياءِ كُلِّها وَأُعِيذُ نَفْسي بِجَبّارِ السَّماواتِ وَالأَرضِ ، وَأُعِيذُ نَفْسي بِمَنْ لا يَضُرُّ مَعَ اسمِهِ شَيءٌ مِنْ كُلِّ داءٍ ، وَأُعِيذُ نَفْسي بالَّذي أَسْمُهُ بَرَكَةٌ وَشِفٰاءٌ .

***

في العوذة لعرق النساء بعد وضع اليد عليه

بِسْمِ اللهِ الرَّحمٰنِ الرَّحيمِ بِسْمِ اللهِ وَباللهِ أَعُوذُ

بِسْمِ اللهِ الْكَبيرِ وَأَعُوذُ بِسْمِ اللهِ العَظيمِ مِنْ شَرِّ كُلِّ عِرْقٍ نَعَّارٍ وَمِنْ شَرِّ حَرِّ النّارِ.

* * *

عوذة للمصروع

عَزَمْتُ عَلَيْكَ يا ريحُ بالعَزيمَةِ الَّتي عَزَمَ بِها عَليُّ بْنُ أبي طالِبٍ عَلَيْهِ السَّلامُ وَرَسُولُ اللهِ صَلَّى اللهُ عَلَيْهِ وَآلِهِ على جِنِّ وادِي الصَّفْراءِ فَاجَابُوا وَأطاعُوا لَمّا أَجَبْتِ وَأطَعْتِ وَخَرَجْتِ عَنْ فُلانِ بن فُلان

* * *

دعاؤه عليه السلام في العوذة لوجع الضرس

بَعْدَ مَسح سجوده ثم تَمسح الضرس الموجوع وتقول: بِسْمِ اللهِ وَالشّافِي اللهُ وَلا حَوْلَ وَلا قُوَّةَ إلاّ باللهِ.

* * *

لوجع البطن يشرب ماء حار ويقول

يا اللهُ يا اللهُ يا رَحْمنُ يا رَحيمُ يا رَبِّ

الأَرْبابِ يا إِلٰهَ الأَلِهَةِ يا مَلِكَ المُلُوكِ يا سَيِّدَ السّادات اشْفِني بِشِفائِكَ مِنْ كُلِّ داءٍ وَسُقْمٍ فَانّي عَبْدُكَ وَابْنَ عَبْدَيْكَ فَانَا أَتَقَلَّبُ في قَبْضَتِكَ .

***

دعاؤه للبواسير

يا جَوادُ يا ماجِدُ يا رَحيمُ يا قَريبُ يا مُجيبُ يا بارِىءُ يا راحِمُ صَلِّ عَلىٰ مُحَمَّدٍ وَآلِ مُحَمَّدٍ وَارْدُدْ عَلَيَّ نِعْمَتَكَ وَاكْفِني أَمْرَ وَجَعي .

***

لعسر الولادة يكتب لها

يا خالِقَ النَّفْسِ مِنَ النَّفْسِ وَمُخْرِجَ النَّفْسِ مِنَ النَّفْسِ وَمُخَلِّصَ النَّفْسِ مِنَ النَّفْسِ خَلِّصْها .

***

دعاؤه عليه السلام للحمى علمه النبي صلى الله عليه وآله وسلم

اللَّهُمَّ ارْحَمْ جِلْدِيَ الرَّقيقَ وَعَظْمِيَ الدَّقيقَ،

وَأَعوذُ بِكَ مِنْ فَورَةِ الحَريقِ، يٰا أُمَّ مِلدَمٍ إنْ كُنْتِ أَمَنْتِ باللهِ فَلاٰ تَأْكُلي اللَّحمَ وَلا تَشْرَبي الدَّمَ وَلاٰ تَفُوري مِنَ الفَمِ، وَانتَقِلي إلى مَنْ يَزْعَمُ أَنَّ مَعَ اللهِ أَلٰهاً اخرَ فَإِنِّي أَشْهَدُ أَنْ لاٰ إِلٰهَ إلاَّ اللهُ وَحْدَهُ لا شَرِيْكَ لَهُ وَأَنَّ مُحَمَّداً عَبْدُهُ وَرَسُولُه.

***

عوذة للخوف من الحرق والغرق

إِنَّ وَلِـيَّ اللهُ الَّـذي نَـزَّلَ الكِتـابَ وَهُـوَ يَتَـوَلَّـى الصَّالِحينَ، وَمٰا قَدَرُوا اللهَ حَقَّ قَدْرِهِ وَالأَرْضُ جَمِيعاً قَبْضَتُـهُ يَـوْمَ القِيَمَـةِ وَالسَّمٰـاواتُ مَطـوِيٰـاتٌ بِيَمِينِـهِ، سُبْحٰانَهُ وَتَعالىٰ عَمَّا يُشْرِكُونَ.

***

للثؤلول

ويقرأ في نقصانِ الشهر سبعة أيام متوالية:

وَمَثَلُ كَلِمَةٍ خَبِيثَةٍ كَشَجَرَةٍ خَبِيثَةٍ أُجتُثَّتْ مِنْ فَوقِ

الأَرْضِ مٰالَها مِنْ قَرارٍ وَبُسَّتِ الجِبٰالُ بَسّاً فَكٰانَتْ هَبٰاءً مُنْبَثّاً .

***

لإبطال السحر يكتب في ورق الظبي

بِسمِ اللهِ الرَّحمٰنِ الرَّحيم بِسْمِ اللهِ وَبِاللهِ بِسْمِ اللهِ مٰا شٰاءَ اللهُ بِسْمِ اللهِ وَلاَ حَوْلَ وَلاٰ قُوَّةَ إلاّ بِاللهِ العَلِيِّ العَظِيمِ، قٰالَ مُوسىٰ مٰا جِئتُم بِهِ السِّحْرُ إنَّ اللهَ سَيُبْطِلُهُ إنَّ اللهَ لا يُصْلِحُ عَمَلَ المُفْسِدينَ وَيُحِقُّ اللهُ الحَقَّ بِكَلِمٰاتِهِ وَلَوْ كَرِهَ المُجْرِمُونَ فَوَقَعَ الحَقُّ وَبَطَلَ مٰا كانُوا يَعْمَلُونَ فَغُلِبُوا هُنالِكَ وَانْقَلَبُوا صٰاغِرينَ .

***

دعاؤه عليه السلام في الحرز

يكتب ويشد على العضد الأيمن :

بِسْمِ اللهِ الرَّحمٰنِ الرَّحيمِ أي كنوش اركنوش اره شش عطبيطسفيخ يا مططرون قريالسيون ماومٰا سوما سوماطيطسالوس حبطوس مسفقييس مسامعوش افرطيعوش لطيفكش لطيفوش هٰذا هٰذا .

وَما كُنْتَ بِجانِبِ الغَرِبي إذ قَضَينا إلى مُوسَى الا
مَرَ وَمَا كُنْتَ مِنَ الشاهِدينَ، أُخرُج بِقُدْرَةِ اللهِ مِنها أيّها
اللَّعينُ بِعِزَّةِ اللهِ رَبِّ العَالَمِين، أُخْرُج مِنها وَإلاَّ كُنْتَ
مِنَ المَسْجُونين، أُخْرُج مِنْها فَما يَكُونُ لَكَ أَنْ تَتَكَبَّرَ
فِيهَا، فَاخرُج إنَّكَ مِنَ الصَّاغِرينَ، أُخْرُج مِنْها مَذْموماً
مَدحُوراً مَلعُوناً كَما لَعَنَّا اصْحابَ السَّبْتِ وَكانَ أَمْرُ اللهِ
مَفْعُولاً، أُخْرُج يا ذَوِي المَخْزُونِ يا طَطْرُونَ طَرْعونَ
مَرْاعُونَ تَبارَكَ اللهُ أَحْسَنُ الخالِقِينَ اِهياً اشَراهياً حَيّاً
قَيّوُماً بِالأسمِ المَكْتُوبِ عَلى جَبْهَةِ اِسرافيلَ أُطرُدوُا عَنْ
صاحِبِ هذَا الكِتابِ كُلَّ جِنّيٍ وَجِنيّةٍ وَشَيطانٍ وَشَيطانَةٍ
وَتابِعٍ وَتابِعَةٍ وَساحِرٍ وَساحِرَةٍ وَغُولٍ وَغُولَةٍ وَكُل
مُتَعَبِّثٍ وَعابِثٍ يَعْبَثْ بِابنِ آدَمَ وَلاَ حَولَ وَلا قُوَّةَ إلاَّ بِاللهِ
العَلِيِ العَظيمِ وَصَلَّى اللهُ عَلى مُحَمَّدٍ وَآلِهِ أَجْمَعينَ
الطَّيِّبينَ الطاهِرينَ المَعْصُومينَ .

* * *

ومن دعائه في الحرز والعوذة

اللَّهُمَّ بِتَأَلُّقِ نُورِ بَهٰاءِ عَرشِكَ مِنْ أَعدائي استَترت، وَبِسَطْوَةِ الجَبَرُوتِ مِنْ كَمالِ عِزِّكَ مِمَّن يَكيدُني احتَجَبتُ، وَبِسُلْطانِكَ العَظِيمِ مِنْ شَرِّ كُلِّ سُلطانٍ عَنيدٍ وَشَيْطانٍ مَريدٍ إِسْتَعَذْتُ، وَمِنْ فَرائِضِ حسن نِعَمِكَ وَجَزيلِ عَطٰائِكَ يٰا مَولايَ طَلَبْتُ، كَيفَ أَخٰافُ وَأَنْتَ أَمَلي وَكَيْفَ أُضَامُ وَعَلَيْكَ مُتَكَلي، أَسْلَمْتُ أَلَيْكَ نَفْسِي وَفَوَّضْتُ اِلَيْكَ أَمْري وَتَوَكَّلْتُ في كُلِّ أَحْوالي عَلَيْكَ صَلِّ عَلى مُحَمَّدٍ وَآلِ مُحَمَّدٍ وَأَشْفِني وَاكْفِني وَاغلِبْني عَلَى مَن غَلَبَني يٰا غٰالِباً غَيْرَ مَغْلُوبٍ زَجَرْتُ كُلَّ رٰاصِدٍ رَصَدَ وَمٰارِدٍ مَرَدَ وَحٰاسِدٍ حَسَدَ وَعٰانِدٍ عَنَدَ بِبِسمِ اللهِ الرَّحْمٰنِ الرَّحيم قُلْ هُوَ اللهُ أَحَدٌ اللهُ الصَّمَدُ لَمْ يَلِدْ وَلَمْ يُولَدْ وَلَمْ يَكُن لَهُ كُفُواً أَحدْ كَذلِكَ اللهُ رَبُنٰا حَسْبُنَا اللهُ وَنِعْمَ الوَكيلُ إِنَّهُ قَوِيٌّ مُعِينٌ.

***

دعاؤه عليه السلام في طلب الرزق لمن قتر عليه

يكتب في ورق ظَبي وَقِطعَةِ اديم ويعلق عليه ويجعل في ثياب يلبسها دائماً:

اللَّهُمَّ لاٰ طاقَةَ لِفُلاٰنِ بنْ فُلانٍ بِالجُهْدِ، ولا صَبْرَ لَهُ عَلَى البَلاء، وَلاَ قُوَّةَ لَهُ عَلَى الفَقرِ والفاقَةِ، اللَّهُمَّ صَلِّ عَلى مُحمَّدٍ وَآلِ مُحمَّدٍ وَلاَ تَحْظرُ عَلى فُلان بنِ فُلان رِزْقَكَ، وَلاَ تُقتِّرْ عَلَيْهِ سَعَةَ مٰا عِنْدَكَ، وَلاَ تَحْرِمْهُ فَضْلَكَ وَلا تَحْسِمُه مِنْ جَزِيلِ قِسَمِكَ، وَلاَ تَكِلهُ إلى خَلْقِكَ وَلاَ إلىٰ نفسِهِ فَيَعجَز عَنْها وَيَضْعُفَ عَنِ القِيامِ فِيما يُصْلِحُهُ وَيُصلِحُ مٰا قَبْلَهُ، بَلْ تَفرَّد بِلَمِّ شَعْثِهِ وَتَولي كِفايَتِهِ وَانْظُر إلَيْهِ في جَميعِ أُمُورِهِ، إنَّكَ اِنْ وَكَلْتَهُ إلى خَلْقِكَ لَمْ يَنْفَعُوهُ وَان الجأتَهُ إلىٰ اقرِبائِهِ حَرَمُوهُ، وَإنْ أَعْطَوْهُ أَعْطَوا قَليلاً نَكِداً وَإنْ مَنَعُوهُ مَنعوا كَثيراً وَاِنْ بَخِلُوا فَهُمْ لِلبُخْلِ أَهْلٌ. اللَّهُمَّ أَعِن فُلانَ بنَ فُلانٍ مِنْ

فَضْلِكَ وَلا تَخْلِهِ مِنهُ فَإِنَّهُ مُضْطَرٌ إِلَيْكَ فَقِيرٌ إلى مَا في يَدَيْكَ، وَأَنْتَ غَنِيٌ عَنْهُ وَأَنْتَ خَبيرٌ بِهِ عَلِيمٌ، وَمَنْ يَتَوكَّلَ عَلَى اللهِ فَهُوَ حَسْبُهُ إِنَّ اللهَ بَالِغُ أَمْرِهِ قَدْ جَعَلَ اللهُ لِكُلِّ شَيءٍ قَدْراً اِنَّ مَعَ العُسْرِ يُسراً أَنَّ مَعَ العُسْرِ يُسراً وَمَنْ يَتَقِ اللهَ يَجْعَلْ لَهُ مَخْرَجاً وَيَرْزُقْهُ مِنْ حَيْثُ لا يَحْتَسِبُ.

***

في الاستخارة بالله

أَللَّهُمَّ أَنْتَ رَبّي وأنا عَبْدُكَ، آمَنْتُ بِكَ، مُخْلِصاً لَكَ، علىٰ عَهْدِكَ وَوَعْدِكَ ما اسْتَطَعْتُ. أَتوبُ إِليكَ مِنْ سُوءِ عَمَلي، وأَسْتَغْفِرُكَ لِذُنوبي الّتي لا يَغْفِرُها غَيْرُكَ. أَصْبَحَ ذُلّي مُسْتَجيراً بِعِزَّتِكَ، وأَصْبَحَ فَقْري مُسْتَجيراً بِغِناكَ، وأَصْبَحَ جَهْلِي مُسْتَجِيْراً بِحِلْمِكَ، وأَصْبَحَتْ قِلَّةُ حِيلَتي مُسْتَجيرَةً بِقُدْرَتِكَ، وأَصْبَحَ خَوْفي مُسْتَجيراً بِأَمانِكَ، وَأَصْبَحَ دٰائي مُسْتَجيراً بِدَوٰائِكَ وَأَصْبَحَ سُقْمي مُسْتَجيراً بِشِفائِكَ وَأَصْبَحَ حَيني مُستَجِيراً بِقَضائِكَ

وأصْبَحَ ضَعْفي مُسْتَجيراً بِقُوَّتِك، وَأصْبَحَ ذَنْبي مُسْتَجيراً بِمَغْفِرَتِكَ. وَأَصْبَحَ وَجْهي الفانيَ البالي مُسْتَجيراً بِوَجْهِكَ الباقِيَ الدائِم الَّذي لا يُبْلى وَلا يَفْنى يا مَنْ لا يُواري مِنْهُ لَيْلٌ داجٍ وَلا سَماءٌ ذاتُ أَبْراجٍ وَلا حُجُبٌ ذاتُ أَرْتِجاجٍ وَلا ماءٌ في قَعرِ بَحْرٍ عَجّاجٍ يا دافِعَ السَّطَواتِ يا كاشِفَ الكُرُباتِ يا مُنْزِّلَ البَرَكاتِ مِنْ فَوْقِ سَبْعِ سَماواتٍ أَسْأَلُكَ يا فَتّاحُ يا نَفّاحُ يا مُرْتاحُ يا مَنْ بِيَدِهِ خَزائِنُ كُلِّ مِفْتاحٍ أَنْ تُصَلِّي عَلى مُحَمَّدٍ وَآلِ مُحَمَّدٍ الطَّيبينَ الطّاهِرينَ وَأَنْ تَفْتَحَ لي مِنْ خَيْرِ الدّنيا وَالآخِرَةِ وَأَنْ تَحْجُبَ عَنّي فِتْنَةَ المُوَكَّلِ بي وَلا تُسَلِّطْهُ عَلَيَّ فَيُهْلِكَني ولا تَكِلْني إلىٰ أَحَدٍ طَرْفَةَ عَينٍ فَيَعْجَزَ عَنِّي، ولا تَحْرِمْني الْجنَّةَ، وارْحَمْني وَتَوَفَّني مُسْلِماً، وَأَلْحِقْني بالصّالِحينَ، واكْفِنِي بالْحَلالِ عَنِ الْحَرام، وَبالطَّيِّبِ عَنِ الْخَبيثِ، يا أرْحَمَ الرّاحِمينَ. أَللَّهُمَّ خَلَقْتَ الْقُلوبَ عَلىٰ إرادَتِكَ، وَفَطَرْتَ الْعُقولَ عَلىٰ مَعْرِفَتِكَ،

فَتَمَلْمَلَتِ الأَفْئِدَةُ مِنْ مَخافَتِكَ، وَصَرَفَتِ القُلُوبُ بِالوَلَهِ إِلَيْكَ وَتَقاصَرَ وُسْعُ قَدْرِ العُقُوْلِ عَنِ الثَّناءِ عَلَيْكَ وانْقَطَعَتِ الأَلْفاظُ عَنْ مِقْدارِ مَحاسِنِكَ، وَكَلَّتِ[(١)] الأَلْسُنُ عَنْ إِحْصاءِ نِعَمِكَ فَإِذا وَلَجَتْ بِطُرُقِ البَحْثِ عَنْ نَعْتِكَ بَهَرَتْها خَيْرَةُ العَجْزِ عَنْ أَدْراكِ وَصْفِكَ فَهِيَ تَتَرَدَّدُ فِي التَّقْصِيرِ عَنْ مُجاوَزَةِ ما حَدَّدْتَ لَها إِذْ لَيْسَ لَها أَنْ تَتَجاوَزَ ما أَمَرْتَها فَهِيَ بِالإِقْتِدارِ عَلى ما مَكَّنْتَها تَحْمُدُكَ بِمَا أَنْهَيْتَ اِلَيْهَا وَالأَلْسُنُ مُنْبَسِطَةٌ بِما تُملى عَلَيْها وَلَكَ عَلى كُلِّ مَنِ اسْتَعْبَدْتَ مِنْ خَلْقِكَ أَنْ لا يَمِلّوا مِنْ حَمْدِكَ وَإِنْ قَصُرَتِ المَحامِدُ عَنْ شُكْرِكَ بِما أَسْدَيْتَ اِلَيْها مِنْ نِعَمِكَ فَحَمَدَكَ بِمَبْلَغِ طاقَةِ جُهْدِهِمُ الحامِدُونَ وَاعْتَصَمَ بِرَجاءِ عَفْوِكَ الْمُقَصِّرُونَ وَأَوْجَسَ بِالرُّبُوبِيَّةِ لَكَ الخائِفُون وَقَصَدَ بِالرَّغْبَةِ إِلَيْكَ الطالِبُونَ وَأَنْتَسَبَ إِلى فَضْلِكَ المُحْسِنُونَ وَكُلٌّ يَتَفَيَّؤُ في ظِلالِ تَأْمِيلِ عَفْوِكَ

(١) كلت: تعبت.

وَيَتَضَائَلُ بِالذُلِّ لِخَوفِكَ وَيَعْتَرِفُ بِالتَقْصِير في شُكرِكَ فَلَم يَمْنَعْكَ صُدُوفُ مَنْ صَدَفَ عَنْ طاعَتِكَ وَلا عُكُوفُ مَنْ عَكَفَ عَلىٰ مَعْصِيَتِكَ أَنْ أَسْبَغْتَ عَلَيْهِمُ النِّعَمَ وَأَجزَلْتَ لَهُمُ الْقِسَمَ وَصَرَفْتَ عَنْهُمُ النِّقَمَ وَخَوَّفْتَهُمْ عَواقِبَ النَّدَمِ وَضاعَفْتَ لِمَنْ أَحْسَنَ وَاوجَبْتَ عَلَى المُحْسِنينَ شُكر تَوفِيقِكَ لِلأَحْسانِ وَعَلَى المُسيءِ شُكرَ تَعَطُّفِكَ بِالإِمْتِنانِ وَوَعَدْتَ مُحْسِنَهُمُ الزِّيادَةَ فِي الإِحْسانِ مِنْكَ فَسُبْحانَكَ تُثيبُ عَلىٰ ما بَدؤُوهُ مِنْكَ وَانْتِسابُهُ أَلَيْكَ وَالْقُوَّةُ عَلَيْهِ بِكَ وَالإِحْسانُ فِيهِ مِنْكَ وَالتَّوكُّلُ فِي التَّوفيقِ لَهُ عَلَيْكَ فَلَكَ الحَمْدُ حَمْدَ مَنْ عَلِمَ أَنَّ الحَمْدَ لَكَ وَأَنَّ بَدْءَهُ مِنْكَ وَمَعادَهُ إِلَيْكَ حَمْداً لا يَقْصُرُ عَنْ بُلُوغِ الرِّضا مِنْكَ في نِعَمِهِ وَلَكَ مُؤَيِّداتٌ مِنْ عَونِكَ وَرَحْمَةٌ تَخُصّ بِها مَنْ أَحْبَبْتَ مِنْ خَلْقِكَ فَصَلِّ عَلىٰ مُحَمَّدٍ وَآلِ مُحَمَّدٍ وَأَخْصُصْنا مِنْ رَحْمَتِكَ وَمُؤَيَّداتِ لُطْفِكَ أَوْجَبَها لِلإِقالاتِ وَاعصمها مِنَ الاضاعاتِ وَأَنْجاها مِنَ الهَلَكاتِ وَأَرْشَدَها إِلى

الهِداياتِ وَأَوقاها مِنَ الآفاتِ وَأَوْفَرَها مِنَ الْحَسَناتِ وَآثَرَها بِالبَرَكاتِ وَازَيْدَها فِي القِسَمِ وَاسْبَغَها لِلْنِعَمِ وَأَسْتَرَها لِلعُيُوبِ وَأَسَرَّها لِلغُيُوبِ وَأَغْفَرَها لِلذُّنُوبِ اِنَّكَ قَريبٌ مُجِيبٌ وَصَلِّ عَلى خَيرَتِكَ مِنْ خَلْقِكَ وَصَفْوَتِكَ مِنْ بَرِيَّتِكَ وَأَمِينِكَ عَلىٰ وَحْيِكَ بِأَفْضَلِ الصَّلَواتِ وَبارِكْ عَلَيْهِ بِأَفْضَلِ البَرَكاتِ بِما بَلَّغَ عَنْكَ مِنْ الرِّسالاتِ وَصَدَعَ بِأَمْرِكَ وَدَعىٰ إِلَيْكَ بِالدلائِلِ عَلَيْكَ بِالحَقِ المُبِينِ حَتَّى أَتاهُ الْيَقِينُ وَصَلَّ اللهُ عَلَيْهِ فِي الأَوَّلِينَ وَصَلَّ اللهُ عَلَيْهِ فِي الآخِرِينَ وَعَلى آلِهِ وَأَهْلِ بَيْتِهِ الطاهِرِينَ وَاخلُفهُ فِيهِم بِأَحْسَنِ ما خَلَفْتَ بِهِ أَحداً مِنَ المُرسَلِينَ بِكَ يا أَرْحَمَ الرَّاحِمِينَ اللَّهُمَّ وَلَكَ اِراداتٌ لا تُعارَضُ دُونَ بُلُوغِها الغاياتِ قَدِ انْقَطَعَ مُعارَضَتُها بِعَجْزِ الأَسْتِطاعاتِ عَنِ الرَّدِّ لَها دُونَ النِّهاياتِ فَأَيَّةَ اِرادَةٍ جَعَلْتَها اِرادَةً لِعَفوِكَ وَسَبَباً لِنَيلِ فَضْلِكَ وَاسْتِنْزالاً لِخَيْرِكَ فَصَلِّ عَلىٰ مُحَمَّدٍ وَأَهْلِ بَيْتِ مُحَمَّدٍ وَصِلْها اللَّهُمَّ بِدَوامٍ وَأَيِّدها بِتَمامٍ اِنَّكَ

وَاسِعُ الحِبٰاءِ كَرِيمُ العَطٰاءِ مُجِيبُ النِّدٰاءِ سَميعُ الدُّعٰاءِ .

***

في الاعتصام والمسألة

إعْتَصَمْتُ بِحَبْلِ اللهِ الَّذي لاٰ إِلٰهَ إلاَّ هو الباعِثُ الوارِثُ الّذي لا إِلٰهَ إلاّ هُوَ، القائِمُ عَلىٰ كُلِّ نَفْسٍ بِما كَسَبَتْ. اِعْتَصَمْتُ باللهِ الَّذي لاٰ إِلٰـهَ إلاَّ هُوَ قَالَ لِلسماواتِ والأرْضِ إِئْتِيٰا طَوْعاً أَوْ كَرْهاً قالَتا أَتَيْنٰا طٰائِعين إِعْتَصَمْتُ بِاللهِ الّذي لا إِلٰهَ إلاّ هُوَ، لا تَأْخُذُهُ سِنَةٌ وَلاَ نَوْمٌ. إِعْتَصَمْتُ باللهِ الّذي لا إِلٰـهَ إلاّ هُوَ، الرَّحْمٰنُ عَلىٰ الْعَرْشِ اسْتَوىٰ. يَعْلَمُ خَائِنَةَ الأَعْيُنِ وَمَا تُخْفِيْ الصُّدُوْرُ. إِعْتَصَمْتُ بِاللهِ الّذي لا إِلٰهَ إلاّ هُوَ، لَهُ مَا في السَّماواتِ وَما في الأَرْضِ، وما بَيْنَهُما وما تَحْتَ الثَّرَىٰ. إِعْتَصَمْتُ باللهِ الَّذي لا إِلَهَ إلاَّ هُوَ يَرىٰ وَلاٰ يُرىٰ وَهُوَ بِالمَنْظَرِ الأعْلىٰ رَبِّ الأَخِرَةِ وَالأُوْلىٰ اعْتَصَمْتُ باللهِ لاٰ إِلَهَ إِلاَّ هُوَ الَّذي ذَلَّ كُلُّ شَيءٍ لِمُلْكِهِ

إعْتَصَمْتُ بالله الَّذي لا إلٰهَ إلاَّ هُوَ الَّذي خَضعَ كُلّ شَيءٍ لِعِزَّتِهِ إعْتَصَمتُ بِاللهِ الَّذي لا إلٰهَ إلاَّ هُوَ في عُلُوِّهِ دانٍ وَفي دُنُوهِ عالٍ وَفي سُلْطانِهِ قَوِّيُ اعْتَصَمْتُ باللهِ الَّذي لا إلٰهَ إلاَّ هُوَ البَديعُ الرَّفيعُ الحَيُّ الدَّائِمُ الباقي الَّذي لا يَزُولُ اعْتَصَمْتُ باللهِ الَّذي لا إلَهَ إلاَّ هُوَ الَّذي لا تَصِفُ الأَلْسِنَهُ قُدْرَتَهُ أَعْتَصَمْتُ باللهِ الَّذي لا إلٰهَ إلاَّ هُوَ الحَيُّ القَيُّوم لا تَاخُذُهُ سِنَةٌ وَلا نَومٌ اعْتَصَمْتُ باللهِ الَّذي لا إلٰهَ إلا هُوَ الحَنّانُ المَنَّانُ ذُو الجَلالِ وَالأَكْرام أعْتَصَمْتُ باللهِ الَّذي لا إلٰهَ إلاَّ هُوَ الأَحَدُ الفَرْدُ الصَّمَدُ الَّذي لَمْ يَلِدْ وَلَمْ يُولَدْ وَلَمْ يَكُنْ لَهُ كُفُواً أَحَدٌ اعْتَصَمْتُ باللهِ الَّذي لا إلٰهَ إلاَّ هُوَ أَكْرَمُ الأَكْرَمينَ الْكَبيرُ الأكبَرُ العَلِيُّ الأَعْلىٰ إعْتَصَمْتُ باللهِ الّذي لا إلٰهَ إلاَّ هُوَ، بِيَدِهِ الْخَيْرُ كُلُّهُ، وَهُوَ عَلىٰ كُلِّ شَيءٍ قَديرٌ. إعْتَصَمْتُ بِاللهِ الّذي لا إلٰهَ إلاَّ هُوَ، يُسَبِّحُ لَهُ مـا فـي السّمـاوَاتِ وَمَـا فـي الأَرْضِ، كُـلٌّ لَـهُ قَـانِتُـوْنَ. إعْتَصَمْتُ بِاللهِ الّذي لا إلٰهَ إلاَّ هُوَ، الْحَيُّ، الْحَكيمُ،

السَّمِيعُ، الْعَلِيمُ، الرَّحِيمُ. إِعْتَصَمْتُ بِاللهِ الَّذي لا إِلٰهَ إِلاَّ هُوَ، عَلَيْهِ تَوَكَّلْتُ وَهُوَ رَبُّ الْعَرْشِ الْعَظِيمِ. بسم الله الرحمٰن الرحيم أَللَّهُمَّ إِنّي أَسْأَلُكَ وَأَنْتَ أَعْلَمُ بِمَسْأَلَتي، وَأَطْلُبُ إِلَيْكَ وَأَنْتَ الْعالِمُ بِحاجَتي، وَأَرْغَبُ إِلَيْكَ، وأَنْتَ مُنْتَهىٰ رَغْبَتي. فَيا عالِمَ الخَفِيّاتِ، وَسامِكَ السّماوَاتِ(١)، وَمُعْطِي السُّؤالاتِ، صَلِّ عَلىٰ مُحَمَّدٍ خَاتِمِ النَّبِيّينَ وَعَلَى آلِهِ الطَّيِّبِينَ الطّاهِرِينَ. اللَّهُمَّ اغْفِرْ لي خَطيئَتي وَإِسْرافي في أَمْري كُلِّهِ، وَمَا أَنْتَ أَعْلَمُ بِهِ مِنّي، اللَّهُمَّ ٱغْفِر لي خَطَايايَ وَعَمْدي وَجَهْلي وَهَزلي وَجِدّي فَكُلّ ذٰلِكَ عِنْدي اللَّهُمَّ اغْفِر لي مٰا قَدَّمْتُ وَمَا أَخَّرْتُ وَما أَسْرَرْتُ وَمٰا أَعْلَنْتُ أَنْتَ المُقدِمُ وَأَنْتَ المُؤَخِرُ وَأَنْت عَلى كُلِّ شَيءٍ قَديرٌ اِن تَغْفِرِ اللَّهُمَّ تَغْفر حَتْماً وَأَيُّ عَبْدٍ لَكَ أَلَمّا.

***

(١) سامك: رافع.

في الشدائد ونوازل الحوادث
(دعاء اليماني)

أَللَّهُمَّ أَنْتَ الْمَلِكُ، يَا غَفُوْر، لا إِلٰهَ إِلاّ أَنْتَ، فَأَنا عَبْدُكَ ظَلَمْتُ نَفْسي، وَاْعْتَرَفْتُ بِذَنْبي، إِنَّهُ لا يَغْفِرُ الذُّنوبَ إِلاّ أَنْتَ، فَاغْفِر لِيَ الذُّنُوبَ وَلاٰ يَغْفِرُ الذَنْبَ إِلاَّ أَنْتَ، لاٰ إِلٰهَ إِلاَّ أَنْتَ يٰا غَفُورُ، أَللَّهُمَّ إِنِّيْ أَحْمِدُكَ وَأَنْتَ لِلْحَمْدِ أَهْلٌ، عَلىٰ مٰا خَصَصْتَني بِهِ مِن مَواهِبِ الرَّغائِبِ وَوَصَلَ إِلَيَّ مِنْ فَضٰائِلِ الصَّنٰائِعِ وَعَلىٰ مٰا أَوْلَيْتَني بِهِ وَتَوَلّيتَني بِهِ مِنْ رِضْوانِكَ، وَأَنَلْتَني مِنْ مَنِّكَ الحَوٰاصِلِ إِلَيَّ وَمِنَ الدِّفٰاعِ عَنّي وَالتَّوفِيقِ لي، وَالإِجٰابَةِ لِدُعٰائي حَتّىٰ أُناجيكَ رَاغباً، وَأَدْعُوْكَ مُصَافِياً وَحَتّى أَرْجُوكَ فأَجِدُكَ فِي الْمواطِنِ كُلِّها لِيَ جابِراً وَفي أُمُورِي ناظِراً، وَعَلىٰ الأَعْداءِ ناصِراً، وَلِذُنوبي غافِراً، وَلِعَوْرَاتِيْ سَاتِراً. لَمْ أُعْدَمْ خَيْرَكَ طَرْفَةَ عَيْنٍ(١)، مُنْذُ أَنْزَلْتَني دارَ

(١) لم أعدم: لم أمنع.

الإِخْتِبارِ، لِتَنْظُرَ ماذا أُقَدِّمُ لِدارِ القَرارِ[١] فَأَنا عَتيقُكَ أَللَّهُمَّ مِنْ جَمِيعِ الْمَصائِبِ وَاللَّوازِبِ وَٱلْغُمُومِ، الَّتِي ساوَرَتْنِي فِيهَا الهُمُومُ بِمَعارِيضِ ٱلْقَضاءِ، وَمَصْرُوفِ جُهْدِ ٱلْبَلاءِ لا أَذْكُرُ مِنْكَ إِلاَّ الجَمِيلَ، وَلاَ أَرى مِنْكَ غَيْرَ التَفْضِيلِ، خَيْرُكَ لِي شامِلٌ وَفَضْلُكَ عَلَيَّ مُتَواتِرٌ وَنِعَمُكَ عِنْدِي مُتَّصِلَةٌ سَوابِغُ، لَمْ تُحَقِّقْ حِذارِي بَلْ صَدَقْتَ رَجائِي، وَصاحَبْتَ أَسْفارِي وَأَكْرَمْتَ أَحْضارِي، وَشَفَيْتَ أَمْراضِي وَعافَيْتَ أَوْصابِي، وَأَحْسَنْتَ مُنْقَلَبِي وَمَثْوايَ، وَلاَ تُشْمِتْ بِي أَعْدائِي، وَرَمَيْتَ مَنْ رَمانِي وَكَفَيْتَنِي شَرَّ مَنْ عاداني. أَللَّهُمَّ كَمْ مِنْ عَدُوٍّ ٱنْتَضىٰ عَلَيَّ سَيْفَ عَداوَتِهِ، وَشَحَذَ لِقَتْلِي ظُبَةَ مُدْيَتِهِ، وَأَرْهَفَ لِي شَبا حَدِّهِ وَداف لِي قَواتِلَ سُمُومِهِ، وَسَدَّدَ لِي صَوائِبَ سِهامِهِ، وَأَضْمَرَ أَنْ يُسَوِّمَنِي ٱلْمَكْرُوهَ وَيُجَرِّعَنِي ذُعافَ مَرارَتِهِ، فَنَظَرْتَ يا إِلهِي إِلى ضَعْفِي عَنْ احْتِمالِ

---

(١) دار القرار: الآخرة.

اَلْفَوادِحِ وَعَجْزِي عَنْ الإِنْتِصارِ مِمَّنْ قَصَدَنِي بِمُحارَبَتِهِ، وَوَحْدَنِي فِي كَثِيرِ مَنْ ناوانِي، وَأَرْصَدَ لِي فِيمَا لَم أُعْمِلْ فِيهِ فِكْرِي فِي الإِنْتِصارِ مِنْ مِثْلِهِ، فَأَيَّدْتَنِي يا رَبِّ بِعَوْنِكَ وَشَدَدْتَ أَيْدِي بِنَصْرِكَ، ثُمَّ فَلَلْتَ لِي حَدَّهُ وَصَيَّرْتَهُ بَعْدَ جَمْعِ عَدِيدِهِ وَحْدَهُ، وَأَعْلَيْتَ كَعْبِي عَلَيْهِ وَرَدَدْتَهُ حَسِيراً، لَمْ يَشْفِ غَلِيلُهُ، وَلَمْ تَبْرُدْ حَرارَاتُ غَيْظِهِ، قَدْ عَضَّ عَلَيَّ شَواهُ، وآبَ مُوَلِّياً قَد أَخْلَقَتَ سَراياهُ وَأَخْلَفْتَ آمالَهُ اللَّهُمَّ وَكَمْ مَنْ باغٍ بَغىٰ عَلَيَّ بِمَكائِدِهِ، وَنَصَبَ لِي شَرَكَ مَصائِدِهِ، وَظَبأَ إِلَيَّ ظَبأَ السَّبُعِ لِطَرِيدَتِهِ، وَانْتَهَزَ فُرْصَتَهُ وَاللِّحاقَ بِفَرِيسَتِهِ وَهُوَ يُظْهِرُ بَشاشَةَ، اَلْمَلَقَ وَيَبْسُطُ إِلَيَّ وَجْهاً طَلِقاً، فَلَمَّا رَأَيْتَ يا إِلٰهِي دَغَلَ سَرِيرَتِهِ، وَقُبْحَ طَوِيَّتِهِ أَنْكَسْتَهُ لأُمِّ رَأْسِهِ فِي زُبْيَتِهِ، وَأَرْكَسْتَهُ فِي مَهْوَىٰ حَفِيرَتِهِ، وَأَنْكَصْتَهُ عَلىٰ عَقِبِهِ وَرَمَيْتَهُ بِحَجَرِهِ، وَنَكَأْتَهُ بِمِشْقَصِهِ وَخَنَقْتَهُ بِوَتَرِهِ وَرَدَدْتَ كَيْدَهُ فِي نَحْرِهِ، وَرَبَقْتَهُ بِنَدامَتِهِ، فَاسْتَخْذَلَ وَتَضاءَلَ بَعْدَ نَخْوَتِهِ، وَبَخَعَ

وَانْقمَعَ بَعْدَ اسْتِطالَتِهِ ذَليلاً مَأْسُوراً فِي حَبائِلِهِ الَّتي كانَ يُحِبُّ أَنْ يَراني فِيها، وَقَدْ كِدْتُ لَوْلا رَحْمَتُكَ أَنْ يَحِلَّ بِي ما حَلَّ بِساحَتِهِ، فَالْحَمْدُ لِرَبٍّ مُقْتَدِرٍ لا يُنازَعُ، وَلِوَلِيٍّ ذِي أَناةٍ لا يَعْجَلُ، وَقَيُّومٍ لا يَغْفَلُ، وَحَلِيمٍ لا يَجْهَلُ، نادَيْتُكَ يا إِلٰهِي مُسْتَجِيراً بِكَ واثِقاً بِسُرْعَةِ إِجابَتِكَ، مُتَوَكِّلاً عَلىٰ ما لَمْ أَزَلْ أَعْرِفُهُ مِنْ حُسْنِ دِفاعِكَ عَنِّي، عالِماً أَنَّهُ لَنْ يُضْطَهَدَ مَنْ آوَى إِلىٰ ظِلِّ كَنَفِكَ، وَلا تَقْرَعُ الْقَوارِعُ مَنْ لَجَأَ إِلَىٰ مَعْقِلِ الإِنْتِصارِ بِكَ، فَخَلَّصْتَنِي يا رَبِّ بِقُدْرَتِكَ وَنَجَّيْتَنِي مِنْ بَأْسِهِ بِتَطَوُّلِكَ وَمَنِّكَ. أَللّٰهُمَّ وَكَمْ مِنْ سَحائِبِ مَكْرُوهٍ، جَلَّيْتَها وَسَماءِ نِعْمَةٍ أَمْطَرْتَها، وَجَداوِلِ كَرامَةٍ أَجْرَيْتَها وَأَعْيُنِ أَحْداثٍ طَمَسْتَها، وَناشِىءِ رَحْمَةٍ نَشَرْتَها، وَغَواشِي كُرَبٍ فَرَّجْتَها، وَغَمَمِ بَلاءٍ كَشَفْتَها وَجُنَّةِ عافِيَةٍ أَلْبَسْتَها، وَأُمُورٍ حادِثَةٍ قَدَّرْتَها، لَمْ تُعْجِزْكَ إِذا طَلَبْتَها، فَلَمْ تَمْتَنِعْ مِنْكَ إِذا أَرَدْتَها، أَللّٰهُمَّ وَكَمْ مِنْ حاسِدِ سُوءٍ تَوَلَّنِي بِحَسَدِهِ

وَسَلَقَنِي بِحَدِّ لِسانِهِ، وَوَخَزَنِي بِقُرْفِ عَيْنِهِ، وَجَعَلَ عِرْضِي غَرَضاً لِمَرامِيهِ، وَقَلَّدَنِي خِلالاً لَمْ تَزَلْ فِيهِ كَفَيْتَنِي أَمْرَهُ. أَللَّهُمَّ وَكَمْ مِنْ ظَنٍّ حَسَنٍ حَقَّقْتَ، وَعَدَمِ إِمْلاقٍ جَبَرْتَ وَأَوْسَعْتَ، وَمِنْ صَرْعَةٍ أَقَمْتَ وَمِنْ كُرْبَةٍ نَفَّسْتَ[1]، وَمِنْ مَسْكَنَةٍ حَوَّلْتَ، وَمِنْ نَعْمَةٍ خَوَّلْتَ، لا تُسأَلُ عَمّا تَفْعَلُ، وَلا بِمَا أَعْطَيْتَ تَبْخَلُ. وَلَقَدْ سُئِلْتَ فَبَذَلْتَ وَلَمْ تُسْأَلْ فَابْتَدَأْتَ وَاسْتُمِيحَ فَضْلُكَ فَما أَكْدَيْتَ، أَبَيْتَ إِلاَّ إِنْعاماً وَامْتِناناً وَتَطَوُّلاً، وَأَبَيْتُ إِلاَّ تَقَحُّماً عَلى مَعاصِيكَ وَانْتِهاكاً لِحُرُماتِكَ، وَتَعَدِّياً لِحُدُودِكَ وَغَفْلَةً عَنْ وَعِيدِكَ، وَطاعَةً لِعَدُوِّي وَعَدُوِّكَ، لَمْ تَمْتَنِعْ عَنْ إِتْمامِ إِحْسانِكَ وَتَتابُعِ إِمْتِنانِكَ، وَلَمْ يَحْجُزْنِي ذٰلِكَ عَنِ ارْتِكابِ مَساخِطِكَ. أَللَّهُمَّ فَهٰذا مَقامُ المُعْتَرِفِ لَكَ بِالتقصير عَنْ أَداءِ حَقِّكَ، الشّاهِدِ عَلىٰ نَفْسِهِ بِسُبُوغِ نِعْمَتِكَ، وَحُسْنِ كِفَايَتِكَ، فَهَبْ لِيَ اللَّهُمَّ يا إِلٰهِي ما أَصِلُ بِهِ إِلىٰ

(١) نفس الكربة: فرّج الهم.

رَحْمَتِكَ، وَأَتَّخِذُهُ سُلَّماً أَعْرُجُ فِيهِ إِلَى مَرْضَاتِكَ وَآمَنُ بِهِ مِنْ عِقابِكَ، فَإِنَّكَ تَفْعَلُ ما تَشاءُ، وتَحْكُمُ ما تُرِيدُ، وأَنْتَ عَلىٰ كُلِّ شَيْءٍ قَديرٌ. أَللَّهُمَّ فَحَمْدي لَكَ مُتَواصِلٌ وَاصِبٌ وَثَنائي عَلَيْكَ دائِمٌ مِنَ الدَّهْرِ إِلَى الدَّهْرِ، بِأَلْوانِ التَّسْبيحِ وَفُنُونِ التَّقْديسِ، خالِصاً لِذِكْرِكَ وَمَرْضِياً لَكَ بِناصِحِ التَّحْميدِ وَمَحْضِ التَّمْجيدِ، وَطُولِ التَّعْديدِ فِي إِكْذابِ أَهْلِ التَّنْديدِ، لَمْ تُعَنْ فِي قُدْرَتِكَ وَلَم تُشارَكْ فِي إِلٰهِيَّتِكَ، وَلَمْ تُعايِنْ إِذْ حَبَسْتَ الأَشْياءَ عَلَى الغَرائِزِ المُخْتَلِفاتِ، وَفَطَرْتَ الخَلائِقَ عَلىٰ صُنُوفِ الهَيْئاتِ، وَلاَ خَرَقَتِ الأَوْهامُ حُجُبَ الغُيُوبِ إِلَيْكَ، فَاعْتَقَدَتْ مِنْكَ مَحْدُوداً فِي عَظَمَتِكَ وَلا كَيْفِيَّةً فِي أَزَلِيَّتِكَ، وَلا مُمْكِناً فِي قِدَمِكَ وَلا يَبْلُغُكَ بُعْدُ الهِمَمِ، وَلا يَنالُكَ غَوْصُ الفِتَنِ، وَلا يَنْتَهِي إِلَيْكَ نَظَرُ النّاظِرِينَ فِي مَجْدِ جَبَرُوتِكَ وَعَظِيمِ قُدْرَتِكَ، إِرْتَفَعَتْ عَنْ صِفَةِ المَخْلُوقِينَ صِفَةُ قُدْرَتِكَ، وَعَلا عَنْ ذٰلِكَ كِبْرِياءُ عَظَمَتِكَ، وَلا

يَنْقُصُ مٰا أَرَدْتَ أَنْ يَزْدٰادَ وَلاٰ يَزْدٰادُ مٰا أَرَدْتَ أَنْ يَنْقُصَ ، وَلاٰ أَحَدٌ شَهِدَكَ حِينَ فَطَرْتَ ٱلْخَلْقَ ، وَلاٰ ضِدٌّ حَضَرَكَ حِينَ بَرَأْتَ النُّفُوسَ ، كَلَّتِ الأَلْسُنُ عَنْ تَفْسِيرِ صِفَتِكَ ، وَٱنْحَسَرَتِ العُقُولُ عَنْ كُنْهِ مَعْرِفَتِكَ ، وَكَيْفَ تُدْرِكُكَ الصِّفٰاتُ أَوْ تَحْوِيكَ ٱلجِهٰاتُ وَأَنْتَ ٱلجَبّٰارُ القُدُّوسُ ، الَّذِي لَمْ تَزَلْ أَزَلِيّاً دٰائِماً فِي الغُيُوبِ وَحْدَكَ ، لَيْسَ فِيهٰا غَيْرُكَ وَلَمْ يَكُنْ لَهٰا سِوٰاكَ ، حٰارَ فِي مَلَكُوتِكَ عَمِيقٰاتُ مَذٰاهِبِ التَّفْكِيرِ ، وَحَسُرَ عَنْ إِدْرٰاكِكَ بَصَرُ ٱلبَصِيرِ ، وَتَوٰاضَعَتِ المُلُوكُ لِهَيْبَتِكَ وَعَنَتِ ٱلوُجُوهُ بِذُلِّ الإِسْتِكٰانَةِ لِعِزَّتِكَ ، وَٱنْقٰادَ كُلُّ شَيْءٍ لِعَظَمَتِكَ ، وَاسْتَسْلَمَ كُلُّ شَيْءٍ لِقُدْرَتِكَ وَخَضَعَتِ الرِّقٰابُ لِسُلْطٰانِكَ ، وَضَلَّ هُنٰالِكَ التَّدْبِيرُ فِي تَصٰارِيفِ الصِّفٰاتِ لَكَ ، فَمَنْ تَفَكَّرَ فِي ذٰلِكَ رَجَعَ طَرْفُهُ إِلَيْهِ حَسِيراً ، وَعَقْلُهُ مَبْهُوتاً مَبْهُوراً وَفِكْرُهُ مُتَحَيِّراً . أَللّٰهُمَّ فَلَكَ ٱلحَمْدُ مُتَوٰاتِراً مُتَوٰالِياً مُتَّسِقاً مُسْتَوْثِقاً ، يَدُومُ وَلاٰ يَبِيدُ غَيْرَ مَفْقُودٍ فِي ٱلمَلَكُوتِ وَلاٰ

مَطْمُوسٍ فِي العٰالَمِ، وَلاٰ مُنْتَقِصٍ فِي العِرْفٰانِ، وَلَكَ الحَمْدُ حَمْداً لاٰ تُحْصَى مَكٰارِمُهُ فِي اللَّيْلِ إِذْ أَدْبَرَ وَفِي الصُّبْحِ إِذٰا أَسْفَرَ، وَفِي ٱلبَرِّ وَٱلبَحْرِ، وَبِالْغُدُوِّ وَالآصٰالِ وَالعَشِيِّ وَالإِبْكٰارِ وَالظَّهِيرَةِ وَالأَسْحٰارِ، أَللَّهُمَّ بِتَوْفِيقِكَ قَدْ أَحْضَرْتَنِي النَّجٰاةَ وَجَعَلْتَنِي مِنْكَ فِي وَلاٰيَةِ الْعِصْمَةِ، وَلَمْ تُكَلِّفْنِي فَوْقَ طٰاقَتِي إِذْ لَمْ تَرْضَ عَنِّي إِلاَّ بِطٰاعَتِي، فَلَيْسَ شُكْرِي وَإِنْ دَأَبْتُ مِنْهُ فِي ٱلمَقٰالِ، وَبٰالَغْتُ مِنْهُ فِي الفِعٰالِ بِبٰالِغٍ أَدٰاءَ حَقِّكَ، وَلاٰ مُكٰافٍ فَضْلَكَ لِأَنَّكَ أَنْتَ اللَّهُ لاٰ إِلٰهَ إِلاَّ أَنْتَ، لَمْ تَغِبْ عَنْكَ غٰائِبَةٌ، وَلاٰ تَخْفَى عَلَيْكَ خٰافِيَةٌ وَلاٰ تَضِلُّ لَكَ فِي ظُلَمِ الخَفِيّٰاتِ ضٰالَّةٌ، إِنَّمٰا أَمْرُكَ إِذٰا أَرَدْتَ شَيْئاً أَنْ تَقُولَ لَهُ كُنْ فَيَكُونُ. أَللَّهُمَّ لَكَ الْحَمْدُ مِثْلَ ما حَمَدْتَ بِهِ نَفْسَكَ، وأَضْعٰافَ مَا حَمَدَكَ بِهِ الحٰامِدونَ، وَسَبَّحَكَ بِهِ المُسَبِّحُونَ، وَمَجَّدَكَ بِهِ ٱلمُمَجِّدُونَ، وَكَبَّرَكَ بِهِ المُكَبِّرونَ، وَعَظَّمَكَ بِهِ المُعَظِّمُونَ حَتَّى يَكُونَ لَكَ مِنِّي وَحْدِي فِي كُلِّ طَرْفَةِ

عَيْنٍ وَأَقَلَّ مِنْ ذٰلِكَ مِثْلُ حَمْدِ جَمِيعِ ٱلْحَامِدِينَ، وَتَوْحِيدِ أَصْنَافِ الْمُخْلِصِينَ، وَتَقْدِيسِ أَحِبَّائِكَ الْعَارِفِينَ، وَثَنَاءِ جَمِيعِ الْمُهَلِّلِينَ، وَمِثْلُ مَا أَنْتَ عَارِفٌ بِهِ وَمَحْمُودٌ بِهِ مِنْ جَمِيعِ خَلْقِكَ، مِنَ الْحَيَوَانِ وَٱلْجَمَادِ وَأَرْغَبُ إِلَيْكَ اللَّهُمَّ فِي شُكْرِ مَا أَنْطَقْتَنِي بِهِ مِنْ حَمْدِكَ، فَمَا أَيْسَرَ مَا كَلَّفْتَنِي بِهِ مِنْ ذٰلِكَ، وَأَعْظَمَ مَا وَعَدْتَنِي عَلَىٰ شُكْرِكَ، ٱبْتَدَأْتَنِي بِالنِّعَمِ فَضْلاً وَطَوْلاً، وَأَمَرْتَنِي بِالشُّكْرِ حَقّاً وَعَدْلاً، وَوَعَدْتَنِي عَلَيْهِ أَضْعَافاً وَمَزِيداً، وَأَعْطَيْتَنِي مِنْ رِزْقِكَ اعْتِبَاراً وَامْتِحَاناً، وَسَأَلْتَنِي مِنْهُ فَرْضاً يَسِيراً صَغِيراً، وَأَعْطَيْتَنِي عَلَيْهِ عَطَاءً كَثِيراً، وَعَافَيْتَنِي مِنْ جُهْدِ الْبَلَاءِ وَلَمْ تُسْلِمْنِي لِلسُّوءِ مِنْ بَلَائِكَ، وَمَنَحْتَنِي الْعَافِيَةَ وَوَلَّيْتَنِي بِالْبَسْطَةِ وَالرَّخَاءِ، وَضَاعَفْتَ لِيَ الْفَضْلَ مَعَ مَا وَعَدْتَنِي بِهِ مِنَ الْمَحَلَّةِ الشَّرِيفَةِ، وَبَشَّرْتَنِي بِهِ مِنَ الدَّرَجَةِ الرَّفِيعَةِ الْمَنِيعَةِ، وَاصْطَفَيْتَنِي بِأَعْظَمِ النَّبِيِّينَ دَعْوَةً وَأَفْضَلِهِمْ شَفَاعَةً، مُحَمَّدٍ صَلَّى اللَّهُ عَلَيْهِ وَآلِهِ، أَللَّهُمَّ ٱغْفِرْ لِي مَا لَا يَسَعُهُ إِلاَّ

مَغْفِرَتُكَ وَلاٰ يَمْحَقُهُ إلاَّ عَفْوُكَ وَهَبْ لِي فِي يَومِي هٰذا وَسٰاعَتِي هٰذِهِ يَقِيناً يُهَوِّنُ عَلَيَّ مُصِيبٰاتِ الدُّنْيٰا وَأَحْزٰانَها، وَيُشَوِّقُ إِلَيْكَ وَيُرَحِّبُ إِلَيْكَ فِيمٰا عِنْدَكَ، وَاكْتُبْ لِيَ المَغْفِرَةَ وَبَلِّغْنِي الكَرٰامَةَ وَارْزُقْنِي شُكْرَ مٰا أَنْعَمْتَ بِهِ عَلَيَّ، فَإِنَّكَ أَنْتَ اللَّهُ الوٰاحِدُ الرَّفِيعُ البَدِيءُ البَدِيعُ السَّمِيعُ العَلِيمُ، الَّذِي لَيْسَ لِأَمْرِكَ مَدْفَعٌ وَلاٰ عَنْ قَضٰائِكَ مُمْتَنِعٌ، وَأَشْهَدُ أَنَّكَ أَنْتَ اللَّهُ رَبِّي وَرَبُّ كُلِّ شَيْءٍ، فاطِرُ السَّمٰاواتِ والأَرْضِ، عٰالِمُ الغَيْبِ والشَّهٰادَةِ. العَلِيُّ الكَبِيرُ المُتَعٰال. أَللَّهُمَّ إِنِّي أَسْأَلُكَ الثَّبٰاتَ في الأَمْرِ، والعَزِيمَةَ في الرُّشْدِ، وَإِلْهٰامَ الشُّكْرِ عَلىٰ نِعْمَتِكَ، وَأَعُوذُ بِكَ مِنْ جَوْرِ كُلِّ جائِرٍ وَبَغْيِ كُلِّ باغٍ، وَحَسَدِ كُلِّ حٰاسِدٍ. أَللَّهُمَّ بِكَ أَصولُ عَلىٰ الأَعْداءِ، وَإِيّٰاكَ أَرْجو ولايَةَ الأَحِبّٰاءِ، مَعَ ما لا أَسْتَطيعُ إِحْصاءَهُ وَلاَ تَعْدِيدَهُ، مِنْ فَوائِدِ فَضْلِكَ، وأَصْنافِ رِفْدِكَ، وَأَنْواعِ رِزْقِكَ. فَإِنَّكَ أَنْتَ اللهُ الَّذي لا إِلٰهَ إِلاّ أَنْتَ الفَاشِي فِي الخَلْقِ حَمْدُكَ

البَاسِطُ بِالجُودِ يَدُكَ، لا تُضادُّ في حُكْمِكَ، ولا تُنازَعُ في مُلْكِكَ، ولا تُراجَعُ في أَمْرِكَ، تَمْلِكُ مِنَ الأَنام ماشِئْتَ، ولا يَمْلِكونَ إلاّ ما تُريدُ. أَنْتَ المُنْعِمُ المُفْضِلُ الخالِقُ البارِىءُ القادِرُ القاهِرُ المُقَدَّسُ فِي نُورِ القُدْسِ، تَرَدَّيْتَ بِالعِزِّ وَالمَجْدِ وَالْعُلىٰ، وَتَعَظَّمْتَ بِالْقُدْرَةِ وَالكِبْرِياءِ، وَغَشَّيْتَ النُّورَ بِالبَهاءِ، وَجَلَّلْتَ البَهاءَ بِالْمَهابَةِ. أَللَّهُمَّ لَكَ الْحَمْدُ الْعَظيمُ وَالمَنُّ القَديمُ وَالسُّلْطانُ الشَّامِخُ، والجُودُ الواسِعُ، والقُدْرَةُ المقْتَدِرَة، وَالحَمْدُ المُتَتابِعُ الَّذي لا يَنْفَدُ بِالشُّكْرِ سَرْمَداً، وَلا يَنْقَضِي أَبَداً إِذْ جَعَلْتَني مِنْ أَفاضِلِ بَنِي آدَمَ، وَجَعَلْتَنِي سَميعاً بَصِيراً صَحِيحاً سَوِيّاً مُعافاً، لَمْ تَشْغَلْني بِنُقْصانٍ فِي بَدَنِي وَلا بِآفَةٍ فِي جَوارِحِي، وَلا عاهَةٍ فِي نَفْسِي وَلا فِي عَقْلِي، وَلَمْ يَمْنَعْكَ كَرامَتُكَ إِيّايَ وَحُسْنُ صَنيعِكَ عِنْدِي وَفَضْلُ نَعْمائِكَ عَلَيَّ، إِذْ وَسَّعْتَ عَلَيَّ فِي الدُّنْيا وَفَضَّلْتَني على كَثيرٍ مِنْ أَهْلِها تَفْضيلاً، وَجَعَلْتَني سَمِيعاً أَعِي ما كَلَّفْتَنِي،

بَصِيراً أَرى قُدْرَتَكَ فِيما ظَهَرَ لِي، وَاسْتَرْعَيْتَنِي وَاسْتَوْدَعْتَنِي قَلْباً يَشْهَدُ بِعَظَمَتِكَ، وَلِساناً ناطِقاً بِتَوْحِيدِكَ، فَإِنِّي لِفَضْلِكَ عَلَيَّ حامِدٌ، وَلِتَوْفِيقِكَ إِيَّايَ بِجَهْدِي شاكِرٌ وَبِحَقِّكَ شاهِدٌ، وَإِلَيْكَ فِي مُلِمِّي وَمُهِمِّي ضارِعٌ، لِأَنَّكَ حَيٌّ قَبْلَ كُلِّ حَيٍّ وَحَيٌّ بَعْدَ كُلِّ مَيِّتٍ وَحَيٌّ تَرِثُ الأَرْضَ وَمَنْ عَلَيْها وَأَنْتَ خَيْرُ الوارِثِينَ. أَللَّهُمَّ لا تَقْطَعْ عَنِّي خَيْرَكَ طَرْفَةَ عَيْنٍ فِي كُلِّ وَقْتٍ وَلَمْ تُنْزِلْ عُقُوبَاتِ النِّقَمِ، وَلَمْ تُغَيِّرْ ما بِي مِنَ النِّعَمِ، وَلا أَخْلَيْتَنِي مِنْ وَثِيقِ العِصَمِ، فَلَوْ لَمْ أَذْكُرْ مِنْ إِحْسانِكَ إِلَيَّ وَإِنْعامِكَ عَلَيَّ إِلاَّ عَفْوَكَ عَنِّي، وَالاسْتِجابَةَ لِدُعائِي حِينَ رَفَعْتُ رَأْسِي بِتَحْمِيدِكَ وَتَمْجِيدِكَ لا فِي تَقْدِيرِكَ جَزِيلَ حَظِّي حِينَ وَفَّرْتَهُ انْتَقَصَ فِي مُلْكِكَ، وَلا فِي قِسْمَةِ الأَرْزاقِ حِينَ قَتَّرْتَ عَلَيَّ تَوَفَّرَ مُلْكِكَ. أَللَّهُمَّ لَكَ الحَمْدُ عَدَدَ ما أَحاطَ بِهِ عِلْمُكَ، وَعَدَدَ ما أَدْرَكَتْهُ قُدْرَتُكَ وَعَدَدَ ما وَسِعَتْهُ رَحْمَتُكَ، وَأَضْعافَ ذٰلِكَ كُلِّهِ حَمْداً واصِلاً

مُتَوٰاتِراً مُوٰازِناً لِآلاٰئِكَ وَأَسْمٰائِكَ . أَللَّهُمَّ فَتَمِّمْ إِحْسٰانَكَ إِلَيَّ فِيمٰا بَقِيَ مِنْ عُمْرِي كَمٰا أَحْسَنْتَ فِيمٰا مِنْهُ مَضَى ، فَإِنِّي أَتَوَسَّلُ إِلَيْكَ بِتَوْحِيدِكَ وَتَهْلِيلِكَ وَتَمْجِيدِكَ وَتَكْبِيرِكَ وَتَعْظِيمِكَ ، وَأَسْأَلُكَ بِإِسْمِكَ الَّذِي خَلَقْتَهُ مِنْ ذٰلِكَ فَلاٰ يَخْرُجُ مِنْكَ إِلاَّ إِلَيْكَ ، وَأَسْأَلُكَ بِاسْمِكَ الرُّوحِ المَكْنُونِ المَخْزُونِ الحَيِّ الحَيِّ الحَيِّ وَبِهِ وَبِهِ وَبِكَ وَبِكَ وَبِكَ أَلاَّ تَحْرِمْنِي رِفْدَكَ وَفَوٰائِدَ كَرٰامٰاتِكَ ، وَلاٰ تُوَلِّنِي غَيْرَكَ بِكَ ، وَلاٰ تُسَلِّمْنِي إِلَى عَدُوِّي ، وَلاٰ تَكِلْنِي إِلَى نَفْسِي ، وَأَحْسِنْ إِلَيَّ أَتَمَّ الإِحْسٰانِ عٰاجِلاً وَآجِلاً ، وَحَسِّنْ فِي العٰاجِلَةِ عَمَلِي ، وَبَلِّغْنِي فِيهٰا أَمَلِي وَفِي العٰاجِلَةِ الخَيْرَ فِي مُنْقَلَبِي ، فَإِنَّهُ لاٰ يُفْقِرُكَ كَثْرَةُ مٰا يَتَدَفَّقُ بِهِ فَضْلُكَ وَسَيْبُ العَطٰايٰا مِنْ مِنَنِكَ ، وَلاٰ يُنْقِصُ جُودَكَ تَقْصِيرِي فِي شُكْرِ نَعْمَتِكَ وَلاٰ يَجُمُّ خَزٰائِنَ نِعْمَتِكَ النِّعَمُ ، وَلاٰ يُنْقِصُ عَظِيمَ مَوٰاهِبِكَ مِنْ سِعَتِكَ الإِعْطٰاءُ ، وَلاٰ يُؤَثِّرُ فِي جُودِكَ العَظِيمِ الفٰاضِلِ الجَلِيلِ مَنْحُكَ الفٰائِقُ الجَمِيلُ لاٰ تَخٰافُ ضَيْمَ

إمْلاقٍ فتُكْدِيَ وَلا يَلْحقُكَ خوْفُ عُدْم فيَنْقُص فيْضُ مُلْكِكَ وَفضْلِكَ. اَللّهُمَّ ارْزُقْنا قَلْباً خاشِعاً، وَيَقيناً صادِقاً بالْحَقِّ صادِعاً، وَلاَ تُؤْمِنِّي مَكْرَكَ وَلاَ تُنْسني ذِكْرَكَ، وَلا تُهْتِكْ عَنّي سِتْرَكَ وَلا تُوَلِّني غَيْرَكَ، وَلاَ تقْنُطْني مِنْ رَحْمَتِكَ بَلْ تَغمَّدْني بِفَوائِدِكَ وَلاَ تمْنَعْني جَميلَ عَوائِدِكَ، وَكُنْ لي في كُلِّ وَحْشَةٍ أنيساً، وفي كُلِّ جَزَعٍ حِصْناً، وَمِنْ كُلِّ هَلَكَةٍ غِياثاً، وَنَجِّني مِنْ كلِّ بَلاءٍ وَخَطإٍ، واعْصِمْني مِنْ كُلِّ زَلَلٍ، وَتَمِّمْ لي فَوائِدَكَ، وَقِني وَعِيدَكَ، واصْرِفْ عَنّي أَليمَ عَذابِكَ، وَتَدْميرَ تَنْكيلِكَ، وَشَرِّفْني بِحفْظِ كِتابِكَ، وَأَصْلِحْني وَأَصْلِحْ دِيني وَدُنْيايَ وَآخِرَتي، وَأَهْلي وَوَلَدي وَوَسِّعْ رِزْقِي وَأَدِرْهُ عَلَيَّ وَأَقْبِلْ عَلَيَّ وَلاَ تُعْرِضْ عَنّي فَإِنَّكَ لا تُخْلِفُ المِيعادَ. اَللّهُمَّ ارْفَعْني وَلا تَضَعْني وَارْحَمْني وَلاَ تُعَذِّبْني وَانْصُرْني وَلا تَخْذُلْني وَآثِرْني وَلا تُؤَثِّرْ عَلَيَّ، وَاجْعَلْ لِي مِنْ أَمْري يُسْراً وَفَرَجاً وَعَجِّلْ إِجابَتِي وَاسْتَنْقِذْني مِمَّا قَدْ نَزَلَ بِي إِنَّكَ عَلَىٰ كُلِّ شَيْءٍ

قَدِيرٌ وَذٰلِكَ عَلَيْكَ يَسِيرٌ وَأَنْتَ الجَوٰادُ الكَرِيمُ ، وَصَلّىٰ اللهُ عَلىٰ مُحَمَّدٍ وآلِهِ الطَّاهِرينَ وَسَلَّمَ تَسْليماً كثيراً .

* * *

في الشدائد أيضا

وَكَـمْ لِلَّـهِ مِـنْ لُطْـفٍ خَفِـيٍّ يُـدُقُّ خَفَـاهُ عَـنْ فَهـمِ الـذَّكِـيِّ[1]

وَكَـمْ يُسْـرٍ أَتـىٰ مِـنْ بَعْـدِ عُسْـرٍ فَفَـرَّجَ كُـرْبَـةَ الْقَلْـبِ الشَّجِـيِّ[2]

وَكَـمْ أَمْـرٍ تُسَـاءُ بِـهِ صَبـاحـاً فَتَـأْتِيـكَ المَسَـرَّةُ بِـالْعَشِـيِّ

إذا ضَـاقَـتْ بِـكَ الأَحْـوالُ يَـوْمـاً فَثِـقْ بِـالْـوَاحِـدِ الْفَـرْدِ الْعَلِـيِّ

تَـوَسَّـلْ بِـالنَّبِـيِّ فَكُـلُّ خَطْـبٍ يَهُـونُ إذا تُـوُسِّـلَ بِـالنَّبِـيِّ[3]

وَلا تَجْـزَعْ إذا مَـا نَـابَ خَطْـبٌ فَكَـمْ لِلَّـهِ مِـنْ لُطْـفٍ خَفِـيٍّ[4]

وَىٰ اللهُ رَبّـي كُـلَّ حِيـنٍ عَلـىٰ اشهٰـادي النَّبِـيِّ الأَبْطَحِـيِّ

* * *

---

(١) يدق : يصغر .
(٢) الشجي : الحزين
(٣) خطب : شائبة .
(٤) خطب : مصيبة .

في الاحتجاب عن العدو

قُلِ اللّٰهُمَّ مالِكَ المُلْكِ تُؤْتي المُلْكَ مَنْ تَشاءُ، وَتَنْزِعُ المُلْكَ مِمَّنْ تَشاءُ، وَتُعِزُّ مَنْ تَشاءُ، وَتُذِلُّ مَنْ تَشاءُ، بِيَدِكَ الخَيْرُ إِنَّكَ عَلىٰ كُلِّ شَيْءٍ قَديرٌ. تُولِجُ اللَّيْلَ في النَّهارِ، وَتُولِجُ النَّهارَ في اللَّيْلِ، وَتُخْرِجُ الْحَيَّ مِنَ المَيِّتِ، وَتُخْرِجُ المَيْتَ مِنَ الْحَيِّ، وَتَرْزُقُ مَنْ تَشاءُ بِغَيْرِ حِسابٍ. أَللّٰهُ أَكْبَرُ أَللّٰهُ أَكْبَرُ أَللّٰهُ أَكْبَرُ خَضَعَتِ البَرِيَّةُ لِعَظَمَةِ جَلالِهِ أَجْمَعُونَ، وَذَلَّ لِعَظَمَةِ عِزِّهِ كُلُّ مُتَعاظِمٍ مِنْهُمْ، وَلا يَجِدُ أَحَدٌ مِنْهُمْ إِليَّ مخْلصاً، بَلْ يَجْعَلُهُمُ اللهُ شارِدينَ مُتَمَزِّقِينَ، في عِزِّ طُغْيانِهِمْ هالِكينَ بِقُلْ أَعُوذُ بِرَبِّ الْفَلَقِ، مِنْ شَرِّ ما خَلَقَ، وِمِنْ شَرِّ غاسِقٍ إِذا وَقَبَ(١)، وَمِنْ شَرِّ النَّفّاثاتِ في الْعُقَدِ(٢)، وَمِنْ شَرِّ حاسِدٍ إِذا حَسَدَ. وَبِقُلْ أَعُوذُ بِرَبِّ النّاسِ، مَلِكِ

(١) غاسق إذا وقب: الليل إذا أظلم.

(٢) النفاثات في العقد: الساحرات اللائي يخدعن بأكاذيبهنّ.

النّاسِ، إِلٰهِ النّاسِ، مِنْ شَرِّ الْوَسْواسِ الْخَنّاسِ(١)، الّذي يُوَسْوِسُ في صُدورِ النّاسِ(٢) مِنَ الْجِنَّةِ والنّاسِ. إِنْغَلَقَ عَنّي بابُ المسْتَأخِرينَ مِنْكُمْ والمسْتَقْدِمينَ، فَهُمْ ضالّونَ، مَطْرُودونَ. بالصّافّاتِ، بالذّارِياتِ، بِالمُرْسَلاتِ، بالنّازِعاتِ أَزْجُرُكُمْ عَنِ الْحَرَكاتِ، كُونوا رَماداً لا تَبْسُطوا إِليَّ، وَلا إِلىٰ مُؤْمِنٍ يَداً، اليَوْم نَخْتِمُ عَلىٰ أَفْواهِهِمْ، وَتُكَلِّمُنا أَيْديهِمْ، وَتَشْهَدُ أَرْجُلُهُمْ بما كانُوا يَكْسِبونَ. هٰذا يَوْمُ لا يَنْطِقونَ، ولا يُؤْذَنُ لَهُمْ فَيَعْتَذِرونَ عَمَتِ الأَعْيُنُ، وَخَرَسَتِ الأَلْسُنُ، وَخَضَعَتِ الأَعْناقُ لِلْمَلِكِ الخَلّاقِ. أَللّهُمَّ بِالمِيم وَالْعَيْنِ وَالْفاءِ وَالحائَيْنِ وَبِنُور الأَشْباحِ وَبِتَلأْلُؤِ ضِياءِ الإِصْباحِ، وَبِتَقْديرِكَ لِي يا قَديرُ فِي الغُدُوِّ وَالرَّواحِ، اكْفِني شَرَّ مَنْ دَبَّ وَمَشىٰ، وَتَجَبَّرَ وَعَتا، اللّهُ الغالِبُ وَلا مَلْجَأَ مِنْهُ لِهارِبٍ، نَصْرٌ مِنَ اللهِ وَفَتْحٌ قَريبٌ. إِنْ يَنْصُرْكُمُ اللهُ فلا غالِبَ لَكُمْ.

---

(١) الوسواس الخناس: شهوات النفس وقيل الشيطان.

(٢) يوسوس: يحدث بعمل الشر وارتكاب الاثم.

كَتَبَ اللهُ لأَغْلِبَنَّ أنا وَرُسُلي ، إِنَّ اللهَ قَوِيٌّ عَزيزٌ . أَمِنَ مَنِ ٱسْتَجارَ بِاللَّهِ وَلا حَوْلَ ولا قُوَّةَ إلاّ باللهِ الْعَليِّ الْعَظيمِ .

* * *

من دعائه عليه السلام في طلب الرزق

أَللَّهُمَّ صُنْ وَجْهي بِالْيَسارِ وَلا تُبَدِّلْ جاهي بِالإِقْتارِ ، فَأَسْتَرْزِقَ طالِبي رِزْقِكَ وَأَسْتَعْطِفَ شِرارَ خَلْقِكَ وَأُبْتَلى بِحَمْدِ مَنْ أَعْطاني وَأَفْتَتِنَ بِذَمِّ مَنْ مَنَعَني وَأَنْتَ مِنْ وَراءِ ذٰلِكَ كُلِّهِ وَلِيُّ الإِعْطاءِ وَٱلْمَنْعِ إِنَّكَ عَلىٰ كُلِّ شَيْءٍ قَديرٌ .

* * *

في كل صباح

أَلْحَمْدُ لِلَّهِ الّذي عَرَّفَني نَفْسَهُ ، وَلَمْ يَتْرُكْني عَمْيانَ الْقَلْبِ . أَلْحَمْدُ لِلَّهِ الّذي جَعَلَني مِنْ أُمَّةِ مُحَمَّدٍ صَلّىٰ اللهُ عَلَيهِ وَآلِهِ وَسَلَّمَ . أَلْحَمْدُ لِلَّهِ الّذي جَعَلَ رِزْقي في يَدِهِ ، وَلَمْ يَجْعَلْهُ في أَيْدي النّاسِ . أَلْحَمْدُ لِلَّهِ

الَّذِي سَتَرَ عُيُوبِي وَلَمْ يَفْضَحْنِي بَيْنَ النَّاسِ.

* * *

في كل صباح

أَلْحَمْدُ لِلَّهِ وَحْدَهُ، سُبْحَانَ المَلِكِ القُدُّوسِ (ثلاثاً). أَللَّهُمَّ إِنِّي أَعُوذُ بِكَ مِنْ زَوالِ نِعْمَتِكَ، وَمِنْ تَحْوِيلِ عَافِيَتِكَ. وَمِنْ فُجْأَةِ نِقْمَتِكَ، وَمِنْ دَرَكِ الشَّقَاءِ وَمِنْ شَرِّ ما سَبَقَ فِي اللَّيْلِ وَالنَّهارِ. أَللَّهُمَّ إِنِّي أَسْأَلُكَ بِعِزَّةِ مُلْكِكَ، وَبِشِدَّةِ قُوَّتِكَ، وَبِعِظَمِ سُلْطانِكَ، وَبِقُدْرَتِكَ عَلىٰ خَلْقِكَ، أَنْ تُصَلِّي عَلَى مُحَمَّدٍ وَآلِ مُحَمَّدٍ وَأَنْ تَفْعَلَ بِي (كذا).

* * *

دعاؤه في الصباح

أَلْحَمْدُ لِلَّهِ الَّذِي لَمْ يُصْبِحْ بِي مَيِّتاً وَلاٰ سَقِيماً وَلاٰ مَضْرُوباً عَلىٰ عُرُوقِي، بِسُوءٍ وَلاٰ مَأْخُوذاً بِأَسْوَءِ عَمَلِي وَلاٰ مَقْطُوعاً دابِرِي، وَلاٰ مُرْتَدّاً عَنْ دِينِي وَلاٰ مُنْكِراً

لِرَبِّي وَلاٰ مُسْتَوْحِشاً مِنْ إيمٰانِي، وَلاٰ مُلْتَبِساً عَقْلِي وَلاٰ مُعَذَّباً بِعَذٰابِ الأُمَمِ مِنْ قَبْلِي، أَصْبَحْتُ عَبْداً مَمْلُوكاً ظٰالِماً لِنَفْسِي لَكَ الحُجَّةُ عَلَيَّ وَلاَ حُجَّةَ لِي، لاٰ أَسْتَطِيعُ أَنْ آخُذَ إِلاَّ مٰا أَعْطَيْتَنِي وَلاٰ أَتَّقِي إِلاَّ مٰا وَقَيْتَنِي. أَللَّهُمَّ إِنِّي أَعُوذُ بِكَ أَنْ أَفْتَقِرَ فِي غِنٰاكَ أَوْ أَذِلَّ فِي عِزَّتِكَ أَوْ أَضِلَّ فِي هُدٰاكَ أَوْ أُضٰامَ فِي سُلْطَانِكَ أَوِ اضْطَهَدَ وَالأَمْرُ لَكَ. أَللَّهُمَّ اجْعَلْ نَفْسِي أَوَّلَ كَرِيمَةٍ تَنْتَزِعُهٰا مِنْ كَرٰائِمِي وَأَوَّلَ وَدِيعَةٍ تَرْتَجِعُهٰا مِنْ وَدٰائِعِ نِعَمِكَ عِنْدِي. أَللَّهُمَّ إِنّٰا نَعُوذُ بِكَ أَنْ نَذْهَبَ عَنْ قَوْلِكَ أَوْ نُفْتَتَنَ عَنْ دِينِكَ أَوْ تَتٰابَعَ بِنٰا أَهْوٰاؤُنَا دُونَ الهُدَى الَّذِي جٰاءَ مِنْ عِنْدِكَ.

***

في الصباح والمساء
وهو دعاء ليلة المبيت على فراش النبي صلى الله عليه وآله وسلم

أَمْسَيْتُ اللَّهُمَّ مُعْتَصِماً بِذِمٰامِكَ المَنِيعِ الَّذِي لاٰ يُحٰاوَلُ وَلاٰ يُطٰاوَلُ مِنْ شَرِّ كُلِّ غٰاشِمٍ وَطٰارِقٍ مِنْ سٰائِرِ

مٰا خَلَقْتَ مِنْ خَلْقِكَ الصّٰامِتِ وَالنّٰاطِقِ فِي جُنَّةٍ مِنْ كُلِّ مَخُوفٍ بِلِبٰاسٍ سٰابِغَةٍ بِولاٰءِ أَهْلِ بَيْتِ نَبِيِّكَ مُحَمَّدٍ صَلَوٰاتُكَ عَلَيْهِ وَعَلَيْهِمْ، مُحْتَجِباً مِنْ كُلِّ قٰاصِدٍ لِي بِأَذِيَّةٍ بِجِدٰارٍ حَصِينِ الإِخْلاٰصِ فِي الإِعْتِرٰافِ بِحَقِّهِمْ وَالتَّمَسُّكِ بِحَبْلِهِمْ، مُوقِناً بِأَنَّ الْحَقَّ لَهُمْ وَمَعَهُمْ وَفِيهِمْ وَبِهِمْ وَمِنْهُمْ وَإِلَيْهِمْ، أُوٰالِي مَنْ وٰالَوْا وَأُعٰادِي مَنْ عٰادَوْا وَأُجٰانِبُ مَنْ جٰانَبُوا، فَصَلِّ عَلىٰ مُحَمَّدٍ وَآلِ مُحَمَّدٍ وَأَعِذْنِي اللَّهُمَّ بِهِمْ مِنْ شَرِّ كُلِّ مَا أَتَّقِيهِ يٰا عَظِيمُ، حَجَزتَ الأَعٰادِي عَنِّي بِبَدِيعِ السَّمٰوٰاتِ وَالأَرْضِ وَجَعَلْنٰا مِنْ بَيْنِ أَيْدِيهِمْ سَدّاً وَمِنْ خَلْفِهِمْ سَدّاً فَأَغْشَيْنٰاهُمْ فَهُمْ لاٰ يُبْصِرُونَ.

***

دعاؤه في أداء الدين

أَللَّهُمَّ يٰا فٰارِجَ الهَمِّ وَمُنَفِّسَ الغَمِّ وَمُذْهِبَ الأَحْزٰانِ وَمُجِيبَ دَعْوَةِ المُضْطَرِّينَ يٰا رَحْمٰنَ الدُّنْيا وَالآخِرَةِ وَرَحِيمَهُمٰا أَنْتَ رَحْمٰانِي وَرَحْمٰنُ كُلِّ شَيْءٍ

فَارْحَمْنِي رَحْمَةً تُغْنِينِي بِهٰا عَنْ رَحْمَةِ مَنْ سِوٰاكَ وَتَقْضِيَ بِهٰا عَنِّي الدَّيْنَ كُلَّهُ.

***

أيضا في أداء الدين

أَللَّهُمَّ أَغْنِنِي بِحَلاٰلِكَ عَنْ حَرٰامِكَ وَبِفَضْلِكَ عَمَّنْ سِوٰاكَ.

***

دعاؤه عليه السلام إذا قصد حاجة

يكتب ويمسك بيده اليمنى:

أَللَّهُمَّ إِنِّي أَسْأَلُكَ يٰا أَللَّهُ يٰا وٰاحِدُ يٰا أَحَدُ يٰا نُورُ يٰا صَمَدُ، يٰا مَنْ مَلأَتْ أَرْكٰانُهُ السَّمٰوٰاتِ وَالأَرْضَ، أَسْأَلُكَ أَنْ تُسَخِّرَ لِي قَلْبَ فُلاٰنِ بْنَ فُلاٰنٍ كَمٰا سَخَّرْتَ الحَيَّةَ لِمُوسَى عَلَيْهِ السَّلاٰمُ، وَأَسْأَلُكَ أَنْ تُسَخِّرَ لِي قَلْبَهُ كَمٰا سَخَّرْتَ لِسُلَيْمٰانَ جُنُودَهُ مِنَ الجِنِّ وَالإِنْسِ وَالطَّيْرِ فَهُمْ يُوزَعُونَ، وَأَسْأَلُكَ أَنْ تُلَيِّنَ لِي قَلْبَهُ كَمٰا لَيَّنْتَ

الحَدِيدَ لِداوُدَ عَلَيْهِ السَّلامُ، وَأَسْأَلُكَ أَنْ تُذَلِّلَ لِي قَلْبَهُ كَما ذَلَّلْتَ نُورَ القَمَرِ لِنُورِ الشَّمْسِ، يا اللّهُ هُوَ عَبْدُكَ وَابْنُ أَمَتِكَ وَأَنا عَبْدُكَ وَابْنُ أَمَتِكَ أَخَذْتَ بِقَدَمَيْهِ وَبِناصِيَتِهِ فَسَخِّرْهُ حَتَّى يَقْضِيَ حاجَتِي هٰذِهِ وَما أُرِيدُ، إِنَّكَ عَلىٰ كُلِّ شَيْءٍ قَدِيرٌ وَهُوَ عَلىٰ ما هُوَ فِيما هُوَ لا إِلٰهَ إِلاَّ هُوَ الحَيُّ القَيُّومُ.

***

في الدعاء على العدو

أَللَّهُمَّ إِنّي أَعُوذُ بِكَ أَنْ أُعادِيَ لَكَ وَلِيّاً، أَوْ أُوالِيَ لَكَ عَدُوّاً، وَأَرْضَى لَكَ سُخْطاً أَبَداً. أَللَّهُمَّ مَنْ صَلَّيْتَ عَلَيْهِ فَصَلواتُنا عَلَيْهِ، وَمَنْ لَعَنْتَهُ فَلَعْنَتُنا عَلَيْهِ. أَللَّهُمَّ مَنْ كانَ في مَوْتِهِ فَرَجٌ لَنا وَلِجَميعِ المؤْمِنينَ، فَأَرِحْنا مِنْهُ وَأَبْدِلْنا بِهِ مَنْ هُوَ خَيْرٌ لَنا مِنْهُ، حَتّىٰ تُرِينا مِنْ عِلْمِ الإِجابَةِ ما نَعْرِفُهُ في أَدْيانِنا وَمَعايِشِنا يا أَرْحَمَ الرّاحِمينَ.

***

دعاؤه عليه السلام على الظالم

بعد الغسل والوضوء وصلاة ركعتين

أَللَّهُمَّ إِنَّ فُلاٰنَ بْنَ فُلاٰنٍ ظَلَمَنِي وَاعْتَدىٰ عَلَيَّ وَنَصَبَ لِي وَأَمَضَّنِي وَأَرْمَضَنِي وَأَذَلَّنِي وَأَخْلَقَنِي. أَللَّهُمَّ فَكِلْهُ إِلىٰ نَفْسِهِ وَهُدَّ رُكْنَهُ وَعَجِّلْ جٰائِحَتَهُ وَاسلُبْهُ نِعْمَتَكَ عِنْدَهُ وَاقْطَعْ رِزْقَهُ وَابْتُرْ عُمْرَهُ وَامْحُ أَثَرَهُ وَسَلِّطْ عَلَيْهِ عَدُوَّهُ وَخُذْهُ فِي مَأْمَنِهِ، كَمٰا ظَلَمَنِي وَاعْتَدىٰ عَلَيَّ وَنَصَبَ لِي وَأَمَضَ وَأَرْمَضَ وَأَذَلَّ وَأَخْلَقَ، أَللَّهُمَّ إِني أَسْتَعِيذُ بِكَ عَلَىٰ فُلاٰنِ بْنِ فُلاٰنٍ فَأَعِذْنِي فَإِنَّكَ أَشَدُّ بَأْساً وَأَشَدُّ تَنْكِيلاً.

* * *

دعاؤه عليه السلام ليلة الهرير

أَللَّهُمَّ إِنّي أَعُوذُ بِكَ مِنْ أَنْ أُضامَ في سُلْطانِكَ[1]. أَللَّهُمَّ إِنّي أَعُوذُ بِكَ مِنْ أَنْ أَضِلَّ في

(١) أضام: أذل، أهان.

هُدَاكَ. أَللَّهُمَّ إِنّي أَعُوذُ بِكَ مِنْ أَنْ أَفْتَقِرَ في غِناكَ. أَللَّهُمَّ إِنّي أَعُوذُ بِكَ مِنْ أَنْ أُغْلَبَ والأَمْرُ لَكَ وَإِلَيْكَ.

***

دعاؤه عليه السلام في كفاية البلاء

اللَّهُمَّ بِكَ أُساوِرُ وَبِكَ أُحاوِلُ، وَبِكَ أَصُولُ وَبِكَ أَنْتَصِرُ، وَبِكَ أَمُوتُ وَبِكَ أَحْيا، أَسلَمْتُ نَفسي أَلَيْكَ، وَفَوَّضْتُ اَمْري إِلَيْكَ، وَلاَ حَوْلَ وَلاَ قُوَّةَ إِلاَّ باللهِ الْعَلِي الْعَظيمِ، اللَّهُمَّ أَنَّكَ خَلَقْتَني وَرَزَقْتَني وَسَرَرتَني وَسَترَتَني، وَبَيَّنَ العِبادِ بِلُطْفِكَ خَوَّلْتَني، إِذا وَهَيْتُ رَدَدْتَني، وَإِذا عَثرتُ اَقَلْتَني، وَاذا مَرِضْتُ شَفَيتَني، وَإِذَا دَعَوْتُكَ أَجَبْتَني، سَيِّدي إِرضَ عَنِّي فَقَد أَرْضَيْتَني، وَصَلّى اللهُ عَلىٰ مُحمَّدَ وَآلِهِ الطَّاهِرينَ.

***

في النصر على العدو

بِسْمِ اللهِ الرَحْمٰنِ الرَّحِيمِ وَلا حَوْلَ وَلا قُوَّةَ إِلاَّ

بِاللهِ الْعَلِيِّ الْعَظِيمِ، أَللّهُمَّ إِيَّاكَ نَعْبُدُ وإِيَّاكَ نَسْتَعِينُ . يَا
اللهُ، يَا رَحْمنُ، يَا رَحِيمُ، يَا صَمَدُ، يَا إِلهَ مُحَمَّدٍ،
إِلَيْكَ نُقِلَتِ الأَقْدَامُ، وَأَفْضَتِ الْقُلُوبُ، وَشَخَصَتِ
الأَبْصَارُ، وَمُدَّتِ الأَعْنَاقُ، وَطُلِبَتِ الْحَوَائِجُ، وَرُفِعَتِ
الأَيْدِي . أَللّهُمَّ افْتَحْ بَيْنَنَا وَبَيْنَ قَوْمِنَا بِالْحَقِّ وَأَنْتَ خَيْرُ
الْفَاتِحِينَ . ثُمَّ قَالَ عليه السلام : لَا إِلهَ إِلَّا اللهُ وَاللهُ أَكْبَرُ
(ثَلَاثَاً) .

* * *

دُعَاؤُهُ عليه السلام فِي الصِّفِّينِ

لَمَّا رَجَفَ النَّاسُ اسْتَقْبَلَ الْقِبْلَةَ وَيَقُولُ: أَللّهُمَّ
رَبَّ هذَا السَّقْفِ الْمَرْفُوعِ الْمَكْفُوفِ الْمَحْفُوظِ الَّذِي
جَعَلْتَهُ مَغِيضَ اللَّيْلِ وَالنَّهَارِ وَجَعَلْتَ فِيهَا مَجَارِي
الشَّمْسِ وَالْقَمَرِ وَمَنَازِلَ الْكَوَاكِبِ وَالنُّجُومِ وَجَعَلْتَ
سَاكِنَهُ سِبْطاً مِنَ الْمَلَائِكَةِ لَا يَسْأَمُونَ الْعِبَادَةَ، وَرَبَّ
هذِهِ الأَرْضِ الَّتِي جَعَلْتَهَا قَرَاراً لِلنَّاسِ وَالأَنْعَامِ وَالْهَوَامِّ

وَما نَعْلَمُ وَما لا نَعْلَمُ مِمَّا يُرى وَمِمَّا لا يُرى مِنْ خَلْقِكَ الْعَظِيمِ، وَرَبَّ الجِبالِ الَّتِي جَعَلْتَها لِلأَرْضِ أَوْتاداً وَلِلْخَلْقِ مَتاعاً وَرَبَّ البَحْرِ المَسْجُورِ المُحِيطِ بِالعالَمِ وَرَبَّ السَّحابِ المُسَخَّرِ بَيْنَ السَّماءِ وَالأَرْضِ وَرَبَّ الفُلْكِ الَّتِي تَجْرِي فِي البَحْرِ بِما يَنْفَعُ النَّاسَ إِنْ أَظْفَرْتَنا عَلى عَدُوِّنا فَجَنِّبْنا الكِبْرَ وَسَدِّدْنا لِلرُّشْدِ وَإِنْ أَظْفَرْتَهُمْ عَلَيْنا فَارْزُقْنَا الشَّهادَةَ وَاعْصِمْ بَقِيَّةَ أَصْحابِي مِنَ الفِتْنَةِ.

***

في ليلة الهرير وهو دعاء الكرب

أَللَّهُمَّ لا تُحَبِّبْ إِليَّ ما أَبْغَضْتَ، وَلاَ تُبَغِّضْ إِليَّ ما أَحْبَبْتَ، اللَّهُمَّ إِنّي أَعُوذُ بِكَ أَنْ أَرْضى سَخَطَكَ، أَوْ أَسخَطَ رِضاكَ، أَوْ أَرُدَّ قَضاءَكَ أَوْ أَعْدو قَوْلَكَ[1]، أو أُناصِحَ أَعْداءَكَ فَأَعْدُو أَمْرَكَ فِيهِمْ. أَللَّهُمَّ ما كانَ مِنْ عَمَلٍ أو قَوْلٍ يُقَرِّبُني مِنْ رِضْوانِكَ، وَيُبْعِدُني مِنْ

(١) أعدو قولك: لا أعمل به.

سَخَطِكَ، فَصَيِّرْني لَهُ، واحْمِلْني عَلَيْهِ يا أرْحَمَ الرَّاحِمينَ. اَللّهُمَّ إنّي أسْأَلُكَ لِساناً ذاكِراً، وقَلْباً شاكِراً، وَيَقيناً صادِقاً، وإيماناً خالِصاً، وَجَسَداً مُتَواضِعاً، وارْزُقْني مِنك حُبّاً، وأَدْخِلْ قَلْبي مِنْكَ رُعْباً.

اللّهُمَّ إنْ تَرْحَمْني فَقَدْ حَسُنَ ظَنّي بِكَ، وَإنْ تُعَذِّبْني فَبِظُلْمي وَجَوْري وإسْرافي عَلىٰ نَفْسي، فَلا عُذْرَ لي أَنْ أَعْتَذِرَ وَلاَ مُكافاةَ أَحْتَسِبُها. أَللّهُمَّ إذا حَضَرَتِ الآجالُ، وَنَفَدَتِ الأَيّامُ، وكانَ لا بُدَّ مِنْ لِقائِكَ، فَأَوْجِبْ لي مِنَ الجَنَّةِ مَنْزِلاً يَغْبِطُني بِهِ الأَوَّلونَ والآخِرونَ، لاٰ حَسْرَةَ بَعْدَهَا وَلاٰ رَفيقَ بَعْدَ رَفيقِها، فِي أَكْرَمِها مَنْزِلاً. اَللّهُمَّ أَلْبِسْني خُشوعَ الإيمانِ بالْعِزِّ، قَبْلَ خُشوعِ الذُّلِّ في النّارِ، أُثْني عَلَيْكَ يا رَبِّ أَحْسَنَ الثَّناءِ لِأَنَّ بَلاٰءَكَ عِنْدي أَحْسَنُ البَلاٰءِ. اَللّهُمَّ فَاذِقْني مِنْ عَوْنِكَ وَتَأْييدِكَ وَتَوْفيقِكَ وَرِفْدِكَ، وارْزُقْني شَوْقاً إلىٰ لِقائِكَ، وَنَصْراً فِي نَصْرِكَ حَتّى أَجِدَ حَلاٰوَةَ ذٰلِكَ فِي قَلْبي وَأَعْزِمْ لِي

عَلىٰ أَرْشَدِ أُمُورِي فَقَدْ تَرىٰ مَوْقِفِي وَمَوْقِفَ أَصْحٰابِي وَلاٰ يَخْفَى عَلَيْكَ شَيْءٌ مِنْ أَمْرِي. اللَّهُمَّ إِنِّي أَسْأَلُكَ النَّصْرَ الَّذي نَصَرْتَ بِهِ رَسُولَكَ، وَفَرَّقْتَ بِهِ بَيْنَ الْحَقِّ والباطِلِ، حَتّىٰ أقمْتَ بِهِ دِينكَ، وَأَفْلَجْتَ بِهِ حُجَّتَكَ، يا مَنْ هُوَ لِيْ في كُلِّ مقام.

* * *

دعاؤه عليه السلام قبل رفع المصاحف

أَللَّهُمَّ إِنّي أَسْأَلُكَ الْعافِيَةَ مِنْ جهْدِ الْبَلاءِ وَمِنْ شَماتَةِ الأَعْداءِ. أَللَّهُمَّ اغْفِرْ لي ذَنْبي، وَزَكِّ عَمَلي، واغْسِلْ خَطايايَ، فَإِنِّي ضَعِيفٌ إلاّ ما قَوَّيْتَ. واقْسِمْ لي حِلْماً تَسُدُّ بِهِ بابَ الجهْدِ، وَعِلْماً تُفَرِّجْ بِهِ الجَهٰالاٰتِ، وَيقيناً تُذْهِبُ بِهِ الشَّكَّ عَنّي، وَفَهْماً تُخْرِجُني بِهِ مِنَ الْفِتَنِ المعْضِلاتِ، وَنُوراً أَمْشي بِهِ في النّاسِ، وَأَهْتدي بِهِ في الظُّلُماتِ. أَللَّهُمَّ أَصْلِحْ لِي سَمْعِي وَبَصَرِي وَشَعْرِي وَبَشَرِي وَقَلْبِي صَلاٰحاً بٰاقِياً

تُصلِحُ بِها ما بَقِيَ مِنْ جَسَدِي. أَسأَلُكَ الرَّاحَةَ عِنْدَ المَوْتِ وَالعَفْوَ عِنْدَ الحِسابِ. أَللَّهُمَّ إِنِّي أَسأَلُكَ أَيَّ عَمَلٍ كانَ أَحَبَّ إِلَيْكَ، وَأَقْرَبَ لَدَيْكَ أَنْ تَسْتَعْمِلَني فيهِ أَبَداً، ثُمَّ لَقِّنِّي أَشْرَفَ الأَعْمالِ عِنْدَكَ، وآتِني فِيهِ قُوَّةً وَصِدْقاً وَجِداً وَعَزْماً مِنْكَ وَنَشاطاً، ثُمَّ اجْعَلْني أَعْمَلُ ابْتِغاءَ وَجْهِكَ، وَمَعاشاً فِيما آتَيْتَ صالِحِي عِبادِكَ، ثُمَّ اجْعَلْنِي لا أَشْتَرِي بِهِ ثَمَناً وَلا أَبْتَغِي بِهِ بَدَلاً وَلا تُغَيِّرُهُ فِي سَرَّاءَ وَلاَ ضَرَّاءَ وَلا كَسِلاً وَلا نِسْياناً وَلا رِياءً وَلا سُمْعَةً حَتَّى تَتَوفَّانِي عَلَيْهِ، وَارْزُقْنِي أَشْرَفَ القَتْلِ فِي سَبِيلِكَ، أَنْصُرُكَ وَأَنْصُرُ رَسُولَكَ، أَشْتَرِي بِهِ الحَياةَ الباقِيَةَ بِالحَياةِ الدُّنْيا وَأَعِنِّي بِمَرْضاةٍ مِنْ عِنْدِكَ. أَللَّهُمَّ إِنِّي أَسأَلُكَ قَلْباً سَليماً ثابِتاً حَفيظاً مُنيباً، يَعْرِفُ المَعْرُوفَ فَيَتَّبِعُهُ، وَيُنْكِرُ المنكَرَ فَيَجْتَنِبُهُ، لا فَاجِراً وَلاَ شَقِيّاً وَلاَ مُرْتاباً. يا باسِطَ الْيَدَيْنِ بالرَّحْمَةِ، يا مَنْ سَبَقَتْ رَحْمَتُهُ غَضَبَهُ، أَسْأَلُكَ أَنْ تَجْعَلَ حَياتي زِيادَةً لي في كُلِّ خَيْرٍ، واجْعَلِ الوَفَاةَ نَجاةً

لي مِنْ كُلِّ شَرٍّ، واخْتِمْ لي عَمَلي بالشَّهادَةِ، يا عُدَّتي في كُرْبَتي، وَيٰا صَاحِبِي فِي حٰاجَتِي وَوَلِيِّي فِي نِعْمَتِي. أَسْأَلُكَ أَنْ تَرْزُقَني شُكْرَ نِعْمَتِكَ، وَصَبْراً علىٰ بَلِيَّتِكَ، وَرِضىً بِقَدَرِكَ، وَتَصْدِيقاً بِوَعْدِكَ، وَحِفْظاً لِوَصِيَّتِكَ، وَوَرَعاً وَتَوَكُّلاً عَلَيْكَ، واعْتِصاماً بِحَبْلِكَ، وَتَمَسُّكاً بِكِتابِكَ، وَمَعْرِفَةً بِحَقِّكَ، وَقُوَّةً في عِبادَتِكَ، وَنَشاطاً لِذِكْرِكَ مَا اسْتَعْمَرْتَنِي فِي أَرْضِكَ فَإِذٰا كٰانَ مٰا لاٰ بُدَّ مِنْهُ المَوْتَ فَاجْعَلْ مَنِيَّتِي قَتْلاً فِي سَبِيلِكَ بِيَدِ شَرِّ خَلْقِكَ، وَاجْعَلْ مَصِيرِي فِي الأَحْيٰاءِ المَرْزُوقِينَ عِنْدَكَ فِي دٰارِ الحَيَوٰانِ. أَللّٰهُمَّ اجْعَلِ النّورَ في بَصَري، والْيَقينَ في قَلْبي، وَخَوْفَكَ في نَفْسي، وَذِكْرَكَ عَلىٰ لِساني. أَللّٰهُمَّ اجْعَلْ رَغْبَتي في مَسْأَلَتي إِيّاكَ، رَغْبَةَ أَوْلِيائِكَ في مَسائِلِهِمْ، واجْعَلْ رَهْبَتي إِيّاكَ في اسْتِجارَتي مِنْ عَذابِكَ، رَهْبَةَ أَوْلِيائِكَ. أَللّٰهُمَّ فَاسْتَعْمِلْنِي فِي مَرْضٰاتِكَ عَمَلاً لاٰ أَتْرُكُ شَيْئاً مِنْ مَرْضٰاتِكَ وَطٰاعَتِكَ مَخٰافَةَ أَحَدٍ مِنْ خَلْقِكَ دُونَكَ. أَللّٰهُمَّ ما آتَيْتَني مِنْ خَيْرٍ

فآتِني مَعَهُ شُكْراً يحْدُثُ لي بِهِ ذكراً، وأحْسِنْ لي به ذُخْراً وَما ذَوَيْتَ عَنِّي مِنْ عَطاءٍ وَآتَيْتَنِي عَنْهُ غِنى، فَاجْعَلْ لِي فِيهِ أَجْراً وَآتِنِي عَلَيْهِ صَبْراً. أَللَّهُمَّ سُدَّ فَقْري في الدُّنْيا، ولا تُلْهِني عَنْ عِبادَتِكَ، ولا تُنْسِني ذِكْرَكَ، ولا تُقصِّرْ رَغْبَتي فيما عِنْدَكَ. أَللَّهُمَّ إنّي أَعُوذُ بِكَ مِنَ الْغَمِّ والْحَزَنِ، والْعَجْزِ والْكَسَلِ، والْجُبْنِ والبُخْلِ، وسُوءِ الْخُلُقِ، وَضَلْعَ الدَّيْنِ، وَغَلَبَةِ الرِّجالِ، وغَلَبَةِ الْعَدُوِّ، وتَوالي الأَيّام وَمِنْ شَرِّ ما يَعْمَلِ الظّالِمونَ فِي الأَرْضِ قَبَلِيّةٍ لا أَسْتَطِيعُ عَلَيْها صَبْراً. وَأَعُوذُ بِكَ مِنْ كُلِّ شَيْءٍ زَحْزَحَ بَيْني وَبَيْنَكَ، أو باعَدَ مِنْكَ، أو صَرَفَ عَنّي وَجْهَكَ، أو نَقَصَ مِنْ حَظّي عِنْدَكَ، وَأَعُوذُ بِكَ أَنْ تَحُولَ خَطاياي، أَوْ ظُلْمِي، أَوْ إسْرافِي عَلَى نَفْسِي، وَاتِّباعَ هَوايَ وَاسْتِعْمالَ شَهْوَتِي دُونَ رَحْمَتِكَ وَبِرِّكَ وَفَضْلِك وَبَرَكاتِكَ وَمَوْعُودِكَ عَلى نَفْسِكَ. أَللَّهُمَّ إنّي أَعُوذُ بِكَ مِنْ صاحِبِ سُوءٍ في المَغيبِ والمَحْضَرِ، فَإنَّ قَلْبَهُ يَراني، وَعَيْناهُ تَنْظُراني،

وأُذُناهُ تَسْمَعَانِي ، وَإِنْ رأى حَسَنَةً أَخْفاها ، وَإِنْ رَأَى سَيِّئَةً أَبْداها . أَعُوذُ بِكَ مِنْ طَمَعٍ يُدْنِي إِلَى طَبَعٍ وَأَعُوذُ بِكَ مِنْ ضَلالَةٍ تُرْدِينِي [١] ، وَمِنْ فِتْنَةٍ تَعْرِضُ لِي ، وَمِنْ خَطِيئَةٍ لا تَوْبَةَ مَعَها ، وَمِنْ مَنْظَرِ سُوءٍ في الأَهْلِ والمَالِ وَالوُلْدِ وَعِنْدَ غَضاضَةِ المَوْتِ . وأَعُوذُ بِكَ مِنَ الْكُفْرِ والشَّكِّ والْبَغْيِ [٢] وَالحَمِيَّةِ والْغَضَبِ ، وأَعُوذُ بِكَ مِنْ غِنىً يُطْغِينِي ، وَمِنْ فَقْرٍ يُنْسِينِي ، وَمِنْ هَوىً يُرْدِينِي ، وَمِنْ صَاحِبٍ يُخْزِينِي وَمِنْ صاحِبٍ يُغوِينِي [٣] . أَللَّهُمَّ إِنِّي أَعُوذُ بِكَ مِنْ شَرِّ يَوْمٍ أَوَّلُهُ فَزَعٌ ، وآخِرُهُ جَزَعٌ ، تَسْوَدُّ فيهِ الوُجوهُ ، وَتَجِفُّ فيه الأكبادُ . وَأَعُوذُ بِكَ مِنْ أَنْ أَعْمَلَ ذَنْباً مُحْبطاً لا تَغْفِرُهُ أَبداً ، وَمِنْ ذَنْبٍ يَمْنَعُ خَيْرَ الآخِرَةِ ، وَمِنْ أَمَلٍ يَمْنَعُ خَيْرَ الْعَمَلِ ، وَمِنْ حياةٍ تَمْنَعُ خَيْرَ المَمَاتِ . وَأَعُوذُ بِكَ مِنَ الْجَهْلِ والْهَزَلِ ، وَمِنْ شَرِّ

(١) ترديني : تهلكني .
(٢) البغي : الاعتداء .
(٣) يغويني : يضلني .

الْقَوْلِ والْفِعْلِ، وَمِنْ سَقَمٍ يُشْغِلُني، وَمِنْ صِحَّةٍ تُلهِينِي.
وَأَعُوذُ بِكَ مِنَ التَّعَبِ والنَّصَبِ والْوَصَبِ(١)، والضِّيقِ والضَّلاَلَةِ، والغائِلَةِ(٢)، والذِّلَّةِ، والمَسْكَنَةِ، والرِّيَاءِ، وَالسُّمْعَةِ، والنَّدَامَةِ والْحُزْنِ، والخُنوعِ(٣)، وَالبَغْيِ.
والخَوْفِ، والفِتَنِ، وَمِنْ جَمِيعِ الآفَاتِ والسَّيِّئَاتِ، وَبَلاءِ الدُّنْيا والآخِرَةِ، وأَعُوذُ بِكَ مِنَ الْفَوَاحِشِ ما ظَهَرَ منها وَما بَطَنَ، وَأَعُوذُ بِكَ مِنْ وَسْوَسَةِ الأَنْفُسِ مِمَّا لا تُحِبُّ مِنَ القَوْلِ وَالفِعْلِ وَالعَمَلِ، أَللَّهُمَّ إِنِّي أَعُوذُ بِكَ مِنَ الجِنِّ وَالإِنْسِ وَالحِسِّ واللَّبْسِ، وَمِنْ شَرِّ طَوارِقِ اللَّيْلِ وَالنَّهارِ وَأَنْفُس الجِنِّ وَأَعْيُنِ الإِنْسِ، اللَّهُمَّ إِنِّي أَعُوذُ بِكَ مِنْ شَرِّ نَفْسِي وَمِنْ شَرِّ لِسانِي وَمِنْ شَرِّ سَمْعِي وَمِنْ شَرِّ بَصَرِي، وَأَعُوذُ بِكَ مِنْ نَفْسٍ لا تَشْبَعُ وَمِنْ قَلْبٍ لا يَخْشَعُ وَمِنْ دُعاءٍ لا يُسْمَعُ وَمِنْ صَلاةٍ لا تُقْبَلُ،

---

(١) الوصب: المرض.
(٢) الغائلة: الحقد.
(٣) الخنوع: الذل.

أَللَّهُمَّ لاٰ تُخلِّنِي فِي شَيْءٍ مِنْ عَذٰابِكَ وَلاٰ تَرُدَّنِي فِي ضَلاٰلَةٍ، أَللَّهُمَّ إِنِّي أَعُوذ بِكَ بِشِدَّةِ مُلْكِكَ وَعِزَّةِ قُدْرَتِكَ وَعَظَمَةِ سُلْطٰانِكَ مِنْ شَرِّ خَلْقِكَ أَجْمَعِينَ.

***

دعاء يوم الجمل

أَللَّهُمَّ إِنّي أَحمدُكَ وَأَنْتَ لِلْحَمْدِ أَهْلٌ عَلىٰ حُسْنِ صَنيعِكَ إِليَّ، وَتَعَطُّفِكَ عَلَيَّ، وَعَلىٰ ما وَصَلْتَني بِهِ مِنْ نورِكَ، وتَدارَكْتَني بِهِ مِنْ رَحْمَتِكَ، وأَسْبَغْتَ عَليَّ مِنْ نِعْمَتِكَ، فَقَد اصْطَنَعْتَ عِنْدي يا مَوْلايَ ما يَحِقُّ لَكَ بِهِ جُهْدِي وَشُكْري، لِحُسْنِ عَفْوِكَ، وَبَلائِكَ الْقَديم عِنْدي، وَتَظاهُرِ نَعْمائِكَ عَلَيَّ، وَتَتابُعِ أياديكَ لَدَيَّ[1] لَمْ يَبْلُغْ إِحْرٰازَ حَظّي وَلاٰ إِصْلاٰحَ نَفْسي وَلٰكِنَّكَ يٰا مَوْلاٰيَ قَدْ بَدَأْتَني أَوَّلاً بِإِحْسٰانِكَ فَهَدَيْتَني لِدينِكَ وَعَرَّفْتَني نَفْسَكَ وَثَبَّتَّني مٰا في أُمُوري بِالكِفٰايَةِ كُلِّهٰا

(١) أياديك : أفضالك.

وَالصُّنْعِ لِي فَصَرَفْتَ عَنِّي جَهْدَ الْبَلَاءِ وَمَنَعْتَ مِنِّي مَحْذُورَ الْقَضَاءِ فَلَسْتُ أَذْكُرُ مِنْكَ إِلَّا جَمِيلاً وَلَمْ أَرَ مِنْكَ إِلَّا تَفْضِيلاً. إِلَهِي كَمْ مِنْ بَلَاءٍ وَجَهْدٍ صَرَفْتَهُ عَنِّي، وَأَرَيْتَنِيهِ فِي غَيْرِي، وَكَمْ مِنْ نِعْمَةٍ أَقْرَرْتَ بِهَا عَيْنِي، وَكَمْ مِنْ صَنِيعَةٍ شَرِيفَةٍ لَكَ عِنْدِي. إِلَهِي أَنْتَ الَّذِي تُجِيبُ فِي الِاضْطِرَارِ دَعْوَتِي، وَأَنْتَ الَّذِي تُنَفِّسُ عِنْدَ الْغُمُومِ كُرْبَتِي، وَأَنْتَ الَّذِي تَأْخُذُ لِي مِنَ الْأَعْدَاءِ بِظُلَامَتِي[1]، فَمَا وَجَدْتُكَ وَلَا أَجِدُكَ بَعِيداً مِنِّي حِينَ أَدْعُوكَ، وَلَا مُنْقَبِضاً عَنِّي حِينَ أَسْأَلُكَ، وَلَا مُعْرِضاً عَنِّي حِينَ أَدْعُوكَ، فَأَنْتَ إِلَهِي أَجِدُ صَنِيعَكَ عِنْدِي مَحْمُوداً وَحُسْنَ بَلَائِكَ عِنْدِي مَوْجُوداً، وَجَمِيعَ أَفْعَالِكَ جَمِيلاً، يَحْمَدُكَ لِسَانِي وَعَقْلِي وَجَوَارِحِي وَجَمِيعَ مَا أَقَلَّتِ الْأَرْضُ مِنِّي يَا مَوْلَايَ. أَسْأَلُكَ بِنُورِكَ الَّذِي اشْتَقَقْتَهُ مِنْ عَظَمَتِكَ، وَعَظَمَتِكَ الَّتِي اشْتَقَقْتَهَا مِنْ مَشِيئَتِكَ،

---

(١) ظلامتي: شكايتي.

وأسْأَلُكَ باسْمِكَ الَّذِي عَلاَ، أنْ تَمُنَّ عَلَيَّ بِواجِبِ شُكْرِي نِعْمَتِكَ. رَبِّ ما أَحْرَصَني عَلىٰ ما زَهَّدْتَني وَحَثَثْتَني عَلَيْهِ، وَإِنْ لَمْ تُعِنّي عَلىٰ دُنْيايَ بِزُهْدٍ، وَعَلىٰ آخِرَتي بِتَقوىٰ، هَلَكْتُ. رَبِّ دَعَتْني دَواعِي الدُّنْيا مِنْ حَرْثِ النِّساءِ والبَنين، فَأَجَبْتُها سَريعاً، وَرَكَنْتُ إِلَيْها طائِعاً، وَدَعَتْني دَواعِي الآخِرَةِ مِنَ الزُّهْدِ والاجْتِهادِ، فَكَبَوْتُ لَها، وَلَمْ أُسارِعْ إِلَيْها مُسارَعَتي إِلىٰ الحُطامِ الهامِدِ وَالهَشيمِ البائِدِ، والسَّرابِ الذّاهِبِ عَنْ قليلٍ. رَبِّ خَوَّفْتَني وَشَوَّقْتَني واحْتَجَبْتَ عَلَيَّ، فَما خِفْتُكَ حَقَّ خَوْفِكَ، وأخافُ أنْ أَكونَ قَدْ تَثَبَّطْتُ عَنِ السَّعْيِ لَكَ(١)، وَتَهاوَنْتُ بِشَيْءٍ مِنْ إِحْتِجابِكَ. أَللَّهُمَّ فَاجْعَلْ في هٰذِهِ الدُّنْيا سَعْيي لَكَ وَفي طاعَتِكَ، وَامْلأْ قَلْبي خَوْفَكَ، وَحَوِّلْ تَثْبيطي وَتَهاوُني وَتَفْريطي وَكُلَّما أَخافُهُ مِنْ نَفْسِي فَرَقاً مِنْكَ(٢)، وَصَبْراً عَلىٰ طاعَتِكَ وَعَملاً بِهِ يا ذا الجَلالِ والإِكْرامِ. وَاجْعَلْ

(١) تثبطت: تقاعست، كلّت همتي.
(٢) فرقاً منك: خوفاً منك.

جُنَّتي مِنَ الْخطايا حَصِينَةً[1]، وَحَسَناتي مُضاعَفَةً، فانَّكَ تُضاعِفُ لِمَنْ تَشاءُ. اَللَّهُمَّ اجْعَلْ دَرَجاتي في الْجِنانِ رَفيعَةً، وأَعُوذُ بِكَ رَبِّ مِنْ رَفيعِ المَطْعَمِ والمَشْرَبِ، وأعُوذُ بِكَ مِنْ شَرِّ ما أَعْلَمُ وَمِنْ شَرِّ ما لا أَعْلَمُ، وَأَعُوذُ بِكَ مِنَ الْفَواحِشِ كُلِّها ما ظَهَرَ مِنْها وما بَطَنَ، وأَعُوذُ بِكَ يا رَبِّ أنْ أَشْتَرِيَ الجَهْلَ بالعِلْمِ كَمَا اشْتَرَى غَيْرِي، أو السَّفَهَ بالحِلْمِ[2]، أَوِ الجَزَعَ بِالصَّبْرِ، أو الضَّلاَلَةَ بالْهُدىٰ، أو الكُفْرَ بالإِيمانِ، يٰا رَبِّ مُنَّ عَلَيَّ بِذٰلِكَ فَإِنَّكَ تُوَلِّي الصَّالِحِينَ وَلاٰ تُضَيِّعُ أَجْرَ المُحْسِنِينَ، والحَمْدُ لِلَّهِ رَبِّ العَالَمينَ.

***

دعاؤه عليه السلام إذا لقي محارباً

أَللَّهُمَّ إِلَيْكَ أَفْضَتِ القُلُوبُ وَمُدَّتِ الأَعْنٰاقُ وَشَخَصَتِ الأَبْصٰارُ وَنُقِلَتِ الأَقْدٰامُ وَأُنْضِيَتِ الأَبْدٰانُ،

(١) جنتي: وقايتي، ستري.
(٢) السفه: الجهل، نقيض الحلم.

أَللّٰهُمَّ قَدْ صَرَّحَ مَكْنُونُ الشَّنَآنِ وَجٰاشَتْ مَراجِلُ الأَضْغانِ، أَللّٰهُمَّ إِنّا نَشْكُو إِلَيْكَ غَيْبَةَ نَبِيِّنا وَكَثْرَةَ عَدُوِّنا وَتَشَتُّتِ أَهْوائِنا، رَبَّنَا افْتَحْ بَيْنَنا وَبَيْنَ قَوْمِنا بِالحَقِّ وَأَنْتَ خَيْرُ الفاتِحِينَ.

* * *

دعاؤه عليه السلام إذا أحزنه أمر

بِسمِ اللهِ الرحْمٰنِ الرَّحِيمِ

أَللّٰهُمَّ احْرُسْني بِعَيْنِكَ الّتي لا تَنامُ، وأَكْنِفْني بِرُكْنِكَ الّذي لا يُضامُ[1]، واغْفِرْ لي بِقُدْرَتِكَ عَليَّ. رَبِّ لا أُهْلَكُ وأَنْتَ الرَّجاءُ. اللّٰهُمَّ أَنْتَ أَعَزُّ وأَكْبَرُ مِمّا أَخافُ وأَحْذَرُ، بِاللهِ أَسْتَفْتِحُ، وَبِاللهِ أَسْتَنْجِحُ، وَبِمُحَمَّدٍ رَسُولِ اللهِ صَلّىٰ اللهُ عَلَيْهِ وَآلِهِ أَتَوَجَّهُ. يا كافي إِبْراهِيمَ نَمْرودَ، وَمُوسىٰ فِرْعَوْنَ، اكْفِني ما أَنا فيهِ، اللّٰهُ اللّٰهُ رَبّي لا أُشْرِكُ بِهِ شَيْئاً. حَسْبِيَ الرَّبُّ مِنَ

(١) يضام: يذل، يهان.

المَرْبوبينَ، حَسْبِيَ الخالِقُ مِنَ المخلوقينَ، حَسْبِيَ المانعُ مِنَ المَمْنوعِينَ، حَسْبِيَ مَنْ لَمْ يَزَلْ حَسْبي مُذْ قَطُّ، حَسْبِيَ اللهُ لا إلٰهَ إلا هُوَ، عَلَيْهِ تَوَكَّلْتُ وَهُوَ رَبُّ الْعَرْشِ الْعَظيمِ.

***

في طلب الشهادة

أَللَّهُمَّ إِنَّكَ عَمِلْتَ سَبيلاً مِنْ سُبُلِكَ، فَجَعَلْتَ فيهِ رِضاكَ، وَنَدَبْتَ إِليهِ أوْلياءَكَ(١)، وَجَعَلْتَهُ أَشْرَفَ سَبيلِكَ عِنْدَنا ثَواباً، وأَكرَمَها لَدَيْكَ باباً، وأَحَبَّها إِلَيْكَ مَسْلَكاً، ثُمَّ اشْتَرَيْتَ فيهِ مِنَ المؤْمِنينَ أَنْفُسَهُمْ وأَمْوالَهُمْ بأَنَّ لَهُمُ الْجَنَّةَ، يُقاتِلونَ في سَبيلِ اللهِ فَيَقْتُلونَ وَيُقْتَلونَ، وَعْداً عَلَيْكَ حَقّاً في التَّوْراةِ والإِنْجيلِ والقُرْآنِ. فاجْعَلْني مِمَّنِ اشْتَرىٰ فيهِ مِنْكَ نَفْسَهُ، ثُمَّ وَفىٰ لَكَ بِبَيْعِهِ الّذي بايَعَكَ عَلَيْهِ، غَيْرَ ناكِبٍ(٢) ولا ناقِضٍ عَهْداً، ولا مُبَدِّلٍ تَبْديلاً

(١) ندبت: دعوت.

(٢) ناكب العهد: مائل عنه.

إلاّ اسْتَنْجازاً لِمَوْعِدِكَ، واسْتِحْباباً لِمَحَبَّتِكَ، وَتَقرُّباً إِلَيْكَ. فَصَلِّ اللَّهُمَّ عَلىٰ مُحَمَّدٍ وَآلِهِ، وَاجْعَلْ خاتِمَةَ عَمَلي ذٰلِكَ، وارْزُقْني لَكَ وَبِكَ مَشْهَداً تُوجِبُ لي بِهِ الرِّضىٰ، وَتَحُطُّ عَنّي بِهِ الْخطايا وَٱجْعَلْنِي فِي الأَحْياءِ ٱلْمَرْزُوقِينَ بِأَيْدِي العُدَاةِ العُصَاةِ تَحْتَ لِوٰاءِ ٱلْحَقِّ وَرٰايَةِ ٱلْهُدَى مٰاضِياً عَلَى نُصْرَتِهِمْ قِدْماً غَيْرَ مِوَلٍّ دُبُراً وَلاٰ مُحْدِثٍ شَكّاً وَأَعُوذُ بِكَ عِنْدَ ذٰلِكَ مِنَ الذَّنْبِ ٱلْمُحْبِطِ لِلأَعْمَالِ.

***

في إصلاح المخالفين

أَللَّهُمَّ احْقِنْ دِماءَنا وَدِماءَهُمْ، وَأَصْلِحْ ذاتَ بَيْنِنا وَبَيْنِهِمْ، واهْدِهِمْ مِنْ ضَلالَتِهِمْ حَتَّىٰ يَعْرِفَ الحَقَّ مَنْ جَهِلَهُ، وَيَرْعَوِي مِنْ البَغْيِ وَالعُدْوَانِ مَنْ لَهِجَ بِهِ.

***

في الدعوة للجهاد

أَللّهُمَّ أَيّما عَبْدٍ مِنْ عِبادِكَ سَمِعَ مَقالَتَنا العادِلَةَ غَيْرَ الجائِرَةِ، والمُصْلِحَة في الدّينِ والدُّنْيا غَيْرِ المُفْسِدَةِ، فَأبىٰ بَعْدَ سَماعِهِ لَهَا إلاّ النُّكوصَ[1] عَنْ نُصْرَتِكَ، والإبْطاء علىٰ إعْزازِ دِينِكَ، فإنّا نَسْتَشْهِدُكَ عَلَيْهِ يا أَكْبَرَ الشّاهِدينَ شَهادَةً، وَنَسْتَشْهِدُ عَلَيْهِ جَميعَ ما أَسْكَنْتَهُ أَرْضَكَ وَسَماواتِكَ، ثُمَّ أَنْتَ بَعْدُ الغَنِيُّ عَنْ نَصْرِهِ، والأَخْذِ لَهُ بِذَنْبِهِ.

***

دعاؤه لرد الآبق

أَوْ كَظُلُماتٍ فِي بَحْرٍ لُجِّيٍ يَغْشاهُ مَوْجٌ مِنْ فَوْقِهِ مَوْجٌ مِنْ فَوْقِهِ سَحابٌ ظُلُماتٌ بَعْضُها فَوْقَ بَعْضٍ إذا أَخْرَجَ يَدَهُ لَمْ يَكَدْ يَراها وَمَنْ لَمْ يَجْعَلِ اللّهُ لَهُ نوراً فَما لَهُ مِنْ نورٍ.

(١) النكوص: التراجع.

أيضا لرد الآبق

أَللَّهُمَّ إِنَّ السَّماءَ سَماؤُكَ وَالأَرْضَ أَرْضُكَ وَالْبَرَّ بَرُّكَ وَالبَحْرَ بَحْرُكَ وَما بَيْنَهُما فِي الدُّنْيا وَالآخِرَةِ لَكَ، أَللَّهُمَّ فَاجْعَلِ الأَرْضَ بِما رَحُبَتْ عَلى فُلانِ بْنِ فُلانٍ أَضْيَقَ مِنْ مَسْكِ جَمَلٍ وَخُذْ بِسَمْعِهِ وَبَصَرِهِ وَقَلْبِهِ أَوْ كَظُلُماتٍ فِي بَحْرٍ لُجِّي يَغْشاهُ مَوْجٌ مِنْ فَوْقِهِ مَوْجٌ مِنْ فَوْقِهِ سَحابٌ ظُلُماتٌ بَعْضُها فَوْقَ بَعْضٍ إِذا أَخْرَجَ يَدَهُ لَمْ يَكَدْ يَراها وَمَنْ لَمْ يَجْعَلِ اللَّهُ لَهُ نُوراً فَما لَهُ مِنْ نُورٍ. واكتب حوله آية الكرسيّ وعلّقه في الهواء ثلاثة أيام ثم ضعه حيث كان يأوي، يرجع.

***

أيضا لرد الضالة

بعد صلاة ركعتين يقرأ فيهما يٓس بعد الحمد، أَللَّهُمَّ يا رادَّ الضَّالَّةِ رُدَّ عَلَيَّ ضالَّتِي.

دعاؤه عند مدح الناس له في وجهه

أَللَّهُمَّ إِنَّكَ أَعْلَمُ بِي مِنْ نَفْسِي وَأَنا أَعْلَمُ بِنَفْسِي مِنْهُمْ، أَللَّهُمَّ اجْعَلْنِي خَيْراً مِمَّا يَظُنُّونَ وَاغْفِرْ لِي ما لا يَعْلَمُونَ.

***

في الاستعاذة من الرياء

أَللَّهُمَّ إِنِّي أَعُوذُ بِكَ أَنْ تَحْسُنَ فِي لامِعَةِ العُيُونِ عَلانِيَتِي أَوْ تَقْبُحَ فِيما أُبْطِنُ لَكَ سَرِيرَتِي مُحافِظاً عَلى رِياءِ النَّاسِ مِنْ نَفْسِي بِجَمِيعِ ما أَنْتَ مُطَّلِعٌ عَلَيْهِ مِنِّي فَأُبْدِي لِلنَّاسِ حُسْنَ ظاهِرِي وَأُفْضِي إِلَيْكَ بِسُوءِ عَمَلِي تَقَرُّباً إِلى عِبادِكَ وَتَباعُداً مِنْ مَرْضاتِكَ.

***

في الاستخارة

ما شاءَ اللهُ كانَ، اللَّهُمَّ إِنِّي أَسْتَخِيرُكَ خِيارَ مَنْ فَوَّضَ إِلَيْكَ أَمْرَهُ، وَأَسْلَمَ إِلَيْكَ نَفْسَهُ وَاسْتَسْلَمَ إِلَيْكَ فِي أَمْرِهِ،

وَخَلا لَكَ وَجْهُهُ، وَتَوَكَّلَ عَلَيْكَ فيما نَزَلَ بِهِ، أَللَّهُمَّ خِرْ لِي وَلاَ تَخِرْ عَلَيَّ، وَكُنْ لي وَلا تَكُنْ عَلَيَّ، وانْصُرْني وَلا تَنْصُرْ عَلَيَّ، وَأَعِنّي وَلا تُعِنْ عَلَيَّ، وأَمْكِنّي ولا تُمَكِّنْ عَلَيَّ، وَاهْدِني إلىٰ الخَيْرِ وَلا تُضِلَّني، وأَرْضِني بِقَضائِكَ، وَبارِكْ فِي قَدَرِكَ، إنَّكَ تَفْعَلُ ما تَشاءُ، وتَحْكُمُ ما تُريدُ، وأَنْتَ عَلىٰ كُلِّ شَيْءٍ قَديرٌ. أَللَّهُمَّ إنْ كانَ لِيَ الخيرةُ في أَمْري هٰذا في دِيني وَدُنْيايَ وَعاقِبَةِ أَمْري، فَسَهِّلْهُ لي، وإِنْ كانَ غَيْرَ ذٰلِكَ فاصْرِفْهُ عَنّي، يا أَرْحَمَ الرّاحِمينَ، إنَّكَ عَلىٰ كُلِّ شَيْءٍ قَديرٌ، وَحَسْبُنا اللهُ وَنِعْمَ الوَكِيلُ.

***

في الخروج إلى السفر

أَللَّهُمَّ إني أَعُوذُ بِكَ مِنْ وَعْثاءِ السَّفَرِ (١)، وَكآبَةِ المُنْقَلَبِ (٢)، وَسُوءِ المنْظَرِ في النَّفْسِ والأَهْلِ والمالِ

(١) وعثاء السفر: مشقة السفر.
(٢) المنقلب: الموت والآخرة.

والوَلَدِ. أَللَّهُمَّ أنْتَ الصّاحِبُ في السَّفَرِ، وأنْتَ الخليفةُ في الأَهْلِ، وَلا يَجْمَعُهُما غَيْرُكَ، لِأَنَّ المُسْتَخْلَفَ لاٰ يَكُونُ مُسْتَصْحَباً وَالمُسْتَصْحَبَ لاَ يَكُونُ مُسْتَخْلَفاً.

***

دعاؤه عليه السلام حين توجه إلى اليمن

أَللَّهُمَّ إنّي أَتَوَجَّهُ إليْكَ بِلا ثِقَةٍ مِنّي بِغَيْرِكَ، وَلاَ رَجاءٍ يَأْوِي بِي إلَيْكَ، وَلا قُوَّة أَتَّكِلُ عَلَيْها، وَلا حِيلة أَلْجَأُ إلَيْها إلاّ طَلَبُ فَضْلِكَ، والسُّكُونُ إلىٰ أَحْسَنِ عادَتِكَ، وأنْتَ أَعْلَمُ بما سَبَقَ لي في وَجْهي هٰذا[١] مِمّا أُحِبُّ وَأَكْرَهُ، فَأَيَّما أَوْقَعْتَ عَلَيَّ فيه قُدْرَتُك فَمَحْمودٌ فيه بَلاؤُكَ، مُنْتَصِحٌ فِيهِ قَضاؤُكَ، فَأَنْتَ تَمْحو ما تَشاءُ وَتُثْبِتُ وَعِنْدَكَ أُمُّ الكِتابِ. أَللَّهُمَّ فاصْرِفْ عَنّي مَقادِيرَ كُلِّ بَلاءٍ، وَمَقاصِرَ كُلِّ لأْواءٍ، وابْسُطْ عَلَيَّ كَنَفاً مِنْ رَحْمَتِكَ وَسَعَةً مِنْ فَضْلِكَ، وَلُطْفاً مِنْ

---

(١) وجهي: جهتي.

عَفْوِكَ، حَتَّىٰ لا أُحِبَّ تَعْجيلَ ما أَخَّرْتَ، ولا تَأْخيرَ ما عَجَّلْتَ، وَذٰلِكَ مَعَ ما أَسْأَلُكَ أَنْ تَخْلِفَنِي في أَهْلي وَوَلدي، وَصُرُوفِ حُزانَتِي بِأَفْضَلِ ما خَلَفْتَ بِهِ غائِباً مِنَ المُؤْمِنينَ فِي تَحْصِينِ كُلِّ عَوْرَةٍ وَسَتْرِ كُلِّ سَيِّئَةٍ وَحَطِّ كُلِّ مَعْصِيَةٍ وَكِفايَةِ كُلِّ مَكْرُوهٍ، وارْزُقْني شُكْرَكَ وَذِكْرَكَ عَلىٰ ذٰلِكَ، وَحُسْنَ عِبادَتِكَ، والرِّضا بِقَضائِكَ يا وَلِيَّ المُؤْمِنينَ، واجْعَلْني وَوَلِدي وَما خَوَّلْتَني وَرَزَقْتَني مِنَ المُؤْمِنينَ وَالمُؤْمِناتِ في حِماكَ الّذي لا يُسْتَباحُ، وَذِمَّتِكَ الّتي لا تُخْفَرُ[1]، وَجِوارِكَ الّذي لا يُرامُ[2]، وأَمانِكَ الذي لا يُنْقَضُ، وَسِتْرِكَ الّذي لا يُهْتَكُ، فإِنَّهُ مَنْ كانَ في حِماكَ وَذِمَّتِكَ وَجِوارِكَ وأَمانِكَ وَسِتْرِكَ، كانَ آمِناً مَحْفوظاً وَلا حَوْلَ وَلا قُوَّةَ إلاّ باللهِ الْعَلِيِّ الْعَظيمِ.

***

(١) لا تخفر: لا تنقض، لا تخلف.

(٢) لا يرام: لا يقصد، بمعنى أن جوارك منيع لا يقصده معتد.

دعاؤه عليه السلام عند ركوبه الدابة إذا سار الى القتال

سُبْحَانَ الَّذِي سَخَّرَ لَنَا هٰذَا وَمَا كُنَّا لَهُ مُقْرِنِينَ، وَإِنَّا إِلَىٰ رَبِّنَا لَمُنْقَلِبُونَ، ٱلحَمْدُ لِلَّهِ عَلَىٰ نِعَمِهِ عَلَيْنَا وَفَضْلِهِ العَظِيمِ عِنْدَنَا.

* * *

دعاؤه في الاستسقاء

الحمدُ لله سَابِغِ ٱلنِّعَمِ وَمُفَرِّجِ ٱلهَمِّ وَبَارِىءِ ٱلنَّسَمِ ٱلَّذِي جَعَلَ ٱلسَّمٰوَاتِ لِكُرْسِيِّهِ عِمَاداً وَجَعَلَ ٱلأَرْضَ لِلعِبَادِ مِهَاداً وَالجِبَالَ أَوْتَاداً وَمَلائِكَتِهِ عَلَى أَرْجَائِهَا، وَحَمَلَةَ عَرْشِهِ عَلَى أَمْطَائِهَا، وَقَامَ بِعِزَّتِهِ أَرْكَانَ العَرْشِ وَأَشْرَقَ بِضَوْئِهِ شُعَاعَ الشَّمْسِ وَأَطْفَأَ بِشُعَاعِهِ ظُلْمَةَ العَطَشِ وَفَجَّرَ ٱلأَرضَ عُيُوناً وَٱلقَمَرَ نُوراً وَالنُّجُومَ بُهُوراً ثُمَّ تَجَلاَّ فَتَمَكَّنَ وَخَلَقَ فَأَتْقَنَ، وَأَقَامَ

فتهيمن وخضعت له نخوة المُتكبّر وطليت إليه خلة المُتمكّن، اَللّهُمّ فبدرجتك ٱلرّفيعة ومحلّتك ٱلمنيعة وفضلك ٱلسّابغ وسبيلك ٱلواسع أسألك أنْ تُصلّي على محمدٍ وآل محمدٍ كما دان لك ودعا إلى عبادتك ووفىٰ بعهدك، وأنفذ أحكامك وٱتّبع أعلامك، عبدك ونبيّك وأمينك على عهدك إلى عبادك ٱلقائم بأحكامك ومؤيّد من أطاعك وقاطع عُذر من عصاك، اللّهُمّ فٱجعل محمّداً صلّى اللّهُ عليه وآله أجزل من جعلت له نصيباً من رحمتك وأنضر من أشرق وجههُ بسجال عطيّتك وأقرب ٱلأنبياء زُلفةً يوم ٱلقيامة عندك وأوفرهُم حظّاً من رضوانك وأكثرهُم صُفوف أُمّةٍ في جنانك، كما لم يسجُدْ للأحجار ولم يعتكف للأشجار ولم يستحلّ السّباء ولم يشرب الدّماء، اللّهُمّ خرجنا إليك حين فاجأتْنا المضائقُ الوعرةُ وألجأتْنا المحابسُ العسرةُ وعضّتْنا علائقُ الشّين وتأثّلت علينا لواحقُ الميْن واعتكرت علينا حدابيرُ السّنين

وَأَخلَفَتْنا مَخائِلُ الجَوْدِ وَاسْتَظْمَأْنا لِصَوارِخِ القَوْدِ فَكُنْتَ رَجاءَ المُبْتَئِسِ وَالثِّقَةَ لِلمُلْتَمِسِ نَدعُوكَ حِينَ قَنطَ ٱلأَنامُ وَمُنعَ ٱلغَمامُ وَهَلَكَ ٱلسَّوامُ يا حَيُّ يا قَيُّومُ عَدَدَ ٱلشَّجَرِ وَٱلنُّجُومِ وَٱلمَلائِكَةِ ٱلصُّفُوفِ وَالعَنانِ المَكْفُوفِ أَنْ لا تَرُدَّنا خائِبِينَ وَلا تُؤاخِذْنا بِأَعْمالِنا وَلا تُخاصِمْنا بِذُنُوبِنا وَٱنْشُرْ عَلَيْنا رَحْمَتَكَ بالسَّحابِ ٱلمُتَّاقِ وَٱلنَّباتِ ٱلمُونِقِ وَٱمْنُنْ على عِبادِكَ بِتَنْوِيعِ ٱلثَّمَرةِ وَأَحْيِ بِلادَكَ بِبُلوغِ الزَّهْرَةِ وَأَشْهِدْ مَلائِكَتَكَ ٱلكِرامَ السَّفَرَةَ سُقْياً مِنكَ نافِعَةً مُحْيِيَةً هَنِيئَةً مَرِيئَةً مَرْوِيَّةً تامَّةً عامَّةً طَيِّبَةً مُبارَكَةً مَرِيعَةً دائِمَةً غُزْرُها واسِعاً دَرُّها زاكِياً نَبْتُها نامِياً زَرْعُها ناضِراً عُودُها سامِراً فَرْعُها مُمْرِعَةً آثارُها غَيْرَ خُلَّبٍ بَرْقُها وَلا جَهامٍ عارِضُها وَلا قَضَعٍ رَبابُها وَلا شَفَّانٍ ذِهابُها جارِيَةً بالخِصْبِ وَالخَيْرِ على أَهْلِها تَنْعَشُ بِها الضَّعِيفَ مِنْ عِبادِكَ وَتُحْيِي بِها المَيِّتَ مِنْ بِلادِكَ وَتَضُمُّ بِها المَبْسُوطَ مِنْ رِزْقِكَ وَتُخْرِجُ بِها المَخْزُونَ مِنْ رَحْمَتِكَ وَتَعُمُّ بِها مَنْ نَأَى مِنْ خَلْقِكَ

حَتّى يَخْصِبَ لِأَمْرَاعِهَا المُجْدِبُونَ وَيَحْيىٰ بِبَرَكَتِهَا المُسْمِتُونَ وَتَتْرَعَ بِالقِيعٰانِ غُدْرٰانُهٰا وَتُورَقَ ذُرَ ٱلآكٰامِ رَجَوٰاتُهٰا وَيَدْهٰامَ بِذَرِي الأَكْمٰامِ شَجَرُهَا وَتُعْشِبَ بِهٰا أَنْجٰادُنٰا وَتَجْرِيَ بِهٰا وِهٰادُنٰا وَيُخَصِّبَ بِهٰا جَنٰابُنٰا وَتُقْبِلَ بِهَا ثِمٰارُنٰا وَتَعِيشَ بِهٰا مَوٰاشِينٰا وَتَنْدَى بِهَا أَقَاصِينٰا وَتَسْتَعِينَ بِهٰا ضَوٰاحِينَا مِنَّةً مِنْ مِنَنِكَ مُجَلِّلَةً وَنِعْمَةً مِنْ نِعَمِكَ مُفَصَّلَةً عَلىٰ بَرِيَّتِكَ المُرْمِلَةَ وَوَحْشِكَ المُهْمِلَةِ وَبَهٰائِكَ المُعْمِلَةِ، أَللَّهُمَّ أَنزِلْ عَلَيْنٰا سَمٰاءً مُخَضَّلَةً مِدْرٰاراً وَأَسْقِنَا الغَيْثَ وَاكِفاً مِغْزٰاراً غَيْثاً مُغِيثاً مُمْرِعاً مُجَلْجِلاً وٰاسِعاً وٰابِلاً نٰافِعاً سَرِيعاً عٰاجِلاً سَحٰاباً وٰابِلاً تُحْيِي بِهِ مَا قَدْ مَاتَ وَتَرُدُّ بِهِ مَا قَدْ فَاتَ وَتُخْرِجُ بِهِ مَا هُوَ آتٍ اللَّهُمَّ أَسْقِنَا رَحْمَةً مِنْكَ وٰاسِعَةً وَبَرَكَةً مِنَ الهٰاطِلِ نٰافِعَةً يُدٰافِعُ الوَدْقُ مِنْهَا الوَدْقَ وَيَتْلُو القَطْرُ مِنْهُ القَطْرَ مُنْبَجِسَةً بُرُوقُهُ مُتَتٰابِعَةً خُفُوقُهُ مُرْتَجِسَةً هُمُوعُهُ سَيْبُهُ مُسْتَدِرٌّ وَصَوْبُهُ مُسْتَبطَرٌّ وَلاَ تَجْعَلْ ظِلَّهُ عَلَيْنٰا سَمُوماً وَبَرْدَهُ عَلَيْنٰا حُسُوماً وَضَوْءَهُ

عَلَيْنا رُجُوماً وَمَاءَهُ رَماداً مِدداً، اللَّهُمَّ إِنَّنا نَعُوذُ بِكَ مِن الشِّرْكِ وَهَوادِيهِ وَٱلظُّلْمِ وَدَواهِيْهِ وَٱلفَقْرِ وَدَواعِيهِ يا مُعْطِيَ ٱلخَيراتِ مِنْ أَماكِنِها وَمُرْسِلَ البَرَكاتِ مِنْ مَعادِنِها مِنْكَ ٱلغَيْثُ ٱلمُغِيثُ وَأَنْتَ ٱلغِياثُ ٱلمُسْتَغاثُ وَنَحنُ ٱلخاطِئُونَ وَأَهْلُ ٱلذُّنُوبِ وَأَنْتَ ٱلمُسْتَغْفَرُ ٱلغَفَّارُ نَسْتَغْفِرُكَ لِلجَهالاتِ مِنْ ذُنُوبِنا وَنَتُوبُ إِلَيْكَ مِنْ عَوامِّ خَطَايانا يا أَرْحَمَ الرَّاحِمِينَ، أَللَّهُمَّ قَدِ ٱنْساحَتْ جِبالُنا وَاغْبَرَّتْ أَرْضُنا وَهامَتْ دَوابُّنا وَتَحَيَّرَتْ فِي مَرابِضِها وَعَجَّتْ عَجِيجَ الثَّكالَى عَلَى أَوْلادِها وَمَلَّتِ الدَّوَرانَ فِي مَراتِعِها وَالْحَنِينَ إِلىٰ مَوارِدِها حِينَ حَبَسْتَ عَنْها قَطْرَ السَّماءِ فَدَقَّ لِذٰلِكَ عَظْمُها وَذَهَبَ شَحْمُها وَانْقَطَعَ دَرُّها، أَللَّهُمَّ فَارْحَمْ أَنِينَ الأَنَّةِ وَحَنِينَ الحانَّةِ فَإِلَيْكَ ارْتِجاؤُنا وَإِلَيْكَ مَآبُنا فَلا تَحْبِسْهُ عَنَّا لِتَبَطُّنِكَ سَرائِرَنا وَلا تُؤاخِذْنا بِما فَعَلَ ٱلسُّفَهاءُ مِنَّا فَإِنَّكَ تُنَزِّلُ ٱلغَيْثَ مِنْ بَعْدِ ما قَنَطُوا وَتَنْشُرُ رَحْمَتَكَ وَأَنْتَ ٱلوَلِيُّ ٱلحَمِيدُ.

دعاؤه عليه السلام في التسبيح

بعد صلاة أربع ركعات بتسليمين يقرأ في كل ركعة بعد الحمد والتوحيد خمسين مرة:

سُبْحٰانَ مَنْ لاٰ تَبِيدُ مَعٰالِمُهُ، سُبْحٰانَ مَنْ لاٰ تَنْقُصُ خَزٰائِنُهُ، سُبْحٰانَ مَنْ لاٰ اضْمِحْلاٰلَ لِفَخْرِهِ، سُبْحٰانَ مَنْ لاٰ يَنْفَدُ مٰا عِنْدَهُ، سُبْحٰانَ مَنْ لاٰ انْقِطٰاعَ لِمُدَّتِهِ سُبْحٰانَ مَنْ لاٰ يُشٰارِكُ أَحَداً فِي أَمْرِهِ سُبْحٰانَ مَنْ لاٰ إِلٰهَ غَيْرُهُ.

* * *

أدعيته عليه السلام عند الوضوء

عند إلقائه الماء بيده اليمنى:

بِسْمِ اللَّهِ وَالْحَمْدُ لِلَّهِ الَّذِي جَعَلَ الْمٰاءَ طَهُوراً وَلَمْ يَجْعَلْهُ نَجِساً.

عند الإستنجاء:

أَللَّهُمَّ حَصِّنْ فَرْجِي وَأَعِفَّهُ وَاسْتُرْ عَوْرَتِي وَحَرِّمْنِي عَلَى النَّارِ.

المَضْمَضَةُ:

أَللَّهُمَّ لَقِّنِي حُجَّتي يَوْمَ أَلْقاكَ، وَأَطْلِقْ لِساني بِذِكْرِكَ.

الاِسْتِنْشاقُ:

أَللَّهُمَّ لاَ تُحَرِّمْ عَلَيَّ رِيْحَ الْجَنَّةِ، واجْعَلْني مِمَّنْ يَشُمُّ رِيحَهَا وَرَوْحَها وَطِيبَها.

غَسْلُ الوَجْهِ:

أَللَّهُمَّ بَيِّضْ وَجْهي يَوْمَ تَسْوَدُّ فيهِ الْوُجوهُ، وَلا تُسَوِّدْ وَجْهي يَوْمَ تَبْيَضُّ فيهِ الْوُجوهُ.

غَسْلُ الْيَدِ الْيُمْنىٰ:

أَللَّهُمَّ اعْطِني كِتابي بِيَميني، والْخُلْدَ في الجِنانِ بِيَساري، وحاسِبْني حِساباً يَسيراً.

غَسْلُ الْيَدِ الْيُسْرىٰ:

أَللَّهُمَّ لا تُعْطِني كِتابي بِشِمالي، وَلا مِنْ وَراءِ ظَهْري، وَلا تَجْعَلْها مَغْلولَةً إِلىٰ عُنُقي، وَأَعوذُ بِكَ مِنْ مُقَطَّعاتِ النّيرانِ.

مَسْحُ الرّأْسِ:

أَللَّهُمَّ غَشِّني بِرَحْمَتِكَ وَبَرَكاتِكَ وَعَفْوِكَ.

مَسْحُ الرِّجْلَيْنِ:

أَللَّهُمَّ ثَبِّتْ قَدَمي عَلىٰ الصِّراطِ يَوْمَ تَزِلُ فيهِ الأَقْدامُ، واجْعَلْ سَعْيِي فِيما يُرْضِيكَ عَنّي يا ذا الْجَلالِ والاكْرامِ.

***

دُعاؤه عليه السلام عند الوضوء لنافلة الجمعة

بِسْمِ اللهِ، بِسْمِ اللهِ، بِسْمِ اللهِ خَيْرِ الأَسْماءِ، وَأَكْرَمِ الأَسْماءِ، وأَشْرَفِ الاسْماءِ. بِسْمِ اللهِ لِمَنْ في

الأَرْضِ والسَّماءِ. اَلْحَمْدُ لِلَّهِ الّذي جَعَلَ مِنَ الماءِ كُلَّ شَيْءٍ حَيّاً. الْحَمْدُ لِلَّهِ الّذي أَحْيا قَلْبي بالإِيمانِ وَرَزَقَني الاسْلامَ. أَللَّهُمَّ تُبْ عَلَيَّ وَطَهِّرْ قَلْبي، واقْضِ لي بالحُسْنى في عَافِيَةٍ، وفي عَاقِبَةِ أَمْري وَجَميعِهِ، وَأَرِني كُلَّ الّذي أُحِبُّ في العَاجِلَةِ والآجِلَةِ، وافْتَحْ لي أبْوابَ الخَيْراتِ مِنْ عِنْدِكَ يا سامِعَ الدُّعاءِ.

***

دُعاؤه عليه السلام عند مضيه الى المسجد وقبل أن يستفتح الصلاة

يَا مَنْ يَسْأَلُهُ مَنْ في السَّماواتِ والأَرْضِ، كُلَّ يَوْمٍ هُوَ في شَأنٍ. اللَّهُمَّ فاجْعَلْ مِنْ شأنِكَ شَأْنَ حاجَتي، واقْضِ لي في شَأنِكَ حَاجَتِي. وحَاجَتي إِلَيْكَ اللَّهُمَّ الْعِتْقُ مِنَ النّارِ، وَأَنْ تُقْبِلَ عَلَيَّ بِوَجْهِكَ الْكَرِيمِ. (ثمَّ يجعل راحتيه مما يلي السماء ويقول): اللهُ أَكْبَرُ اللهُ أكبرُ اللهُ أكبرُ مُقَدَّساً مُعَظَّماً مُوَقَّراً. اَلْحَمْدُ

لِلَّهِ الّذي لَمْ يَتَّخِذْ وَلَداً، وَلَمْ يَكُنْ لَهُ شَريكٌ في المُلْكِ وَلَمْ يَكُنْ لَهُ وَليٌّ مِنَ الذلِّ وَكَبِّرْهُ تَكبيراً. اللهُ أكبرُ أَهْلُ التَّكْبيرِ والْحَمْدِ والثَّناءِ والتَّقْديسِ والمَجْدِ، ولا إلٰهَ إلا اللهُ، واللهُ أكبرُ، وَلَمْ يَلِدْ وَلَمْ يُولَدْ ولَمْ يَكُنْ لَهُ كُفُواً أَحَد. اللهُ أكبرُ لا شَريكَ لَهُ في تَكْبيري، بَلْ مُخْلِصاً أَقولُ، وَباللهِ الْعَلِيِّ الْعَظيمِ أعوذُ بِاللهِ مِنَ الشَّيْطانِ الرَّجيمِ.

ثمّ أمكن قدميك من الأرض والصق احداهما بالأخرى وإيّاك والإلتفات وحديث النّفس اقرأ في الركعة الأولى الحمد وقل هو الله والٓمٓ تنزيل وحمٓ السّجدة وان أحببت بغير ذلك من القرآن فما تيسّر منه وفي الثانية سورة يٓس وفي الثالثة حٓم الدّخان في الرابعة تبارك وإن أحببت بغير ذلك من القرآن فما تيسّر منه فإذا قضيت الركعة فقل قبل أن تركع وأنت قائم خمس عشر مرّة:

لاٰ إِلٰهَ إِلاَّ اللَّهُ وَاللَّهُ أَكْبَرُ وَالحَمْدُ لِلَّهِ وسُبْحٰانَ اللَّهِ وَبِحَمْدِهِ وَتَبٰارَكَ اللَّهُ وَتَعٰالَى مٰا شٰاءَ اللَّهُ لاٰ حَوْلَ وَلاٰ قُوَّةَ إِلاَّ بِاللَّهِ وَلاٰ مَلْجَأً وَلاٰ مَنْجا مِنَ اللَّهِ إِلاَّ إِلَيْهِ

سُبْحانَ اللّهِ وَاللّهُ أَكْبَرُ وَلاٰ إِلٰهَ إِلاّ اللّهُ وَاللّهُ أَكْبَرُ وَلاٰ إِلٰهَ إِلاّ اللّهُ عَدَدَ الشَّفْعِ وَالْوَتْرِ وَالرَّمْلِ وَالقَطْرِ وَعَدَدَ كَلِمٰاتِ رَبِّي التّامّاتِ الطَّيِّباتِ المُبٰارَكٰاتِ.

ثم ارفع حذٰا منكبيك، ثم كبّر واركع وقله وأنت راكع عشراً، ثم ارفع رأسك من ركوعك وقله وأنت قائم عشراً، ثم كبّر واسجد وقل هذا الكلام وأنت ساجد عشراً، ثم ارفع رأسك من سجودك وقله وأنت جالس عشراً، ثم اسجد ثانية وقل في سجودك عشراً، ثم انهض الى الثانية وقله قبل أن تقرأ عشراً، ثم تفعل كما فعلت في الأولى تقول: **اللهُ أكبرُ اللهُ أكبرُ اللهُ أكبرُ** مثل الكلام الأول وليكن تشهّدك في الركعتين الأولين والأخرين وتقول:

بِسْمِ اللّهِ أَللّهُمَّ إِنِّي أَتَوَجَّهُ إِلَيْكَ بِصَلاٰتِي مُخْلِصاً لَكَ لاٰ شَرِيكَ لَكَ سُبْحٰانَكَ وَبِحَمْدِكَ كَذِبَ العٰادِلُونَ بِكَ التَّحِيّاتُ وَالصَّلَوٰاتُ لِلّهِ، أَللّهُمَّ اجْعَلْهٰا صَلاٰةً طٰاهِرَةً مِنَ الرِّيٰاءِ وَاجْعَلْهٰا زٰاكِيَةً لِي عِنْدَكَ وَتَقَبَّلْهٰا مِنِّي يٰا وَلِيَّ المُؤْمِنِينَ، أَللّهُمَّ صَلِّ عَلىٰ مُحَمَّدٍ وَآلِ مُحَمَّدٍ

وَعلىٰ جَميعِ أَنْبيائِكَ وَاخْصُصْ مُحَمَّداً وَآلَ مُحَمَّدٍ بِأَفْضَلِها وَسَلِّمْ علىٰ مَلائِكَتِكَ المُقَرَّبينَ وَاخْصُصْ جَبْرائِيلَ وَميكائِيلَ وَإِسْرافِيلَ مِنْ سَلامَتِكَ بِأَنْماها ثُمَّ سَلِّمْ عَلىٰ عِبادِكَ الصَّالِحينَ وَاخْصُصْ أَوْلِيائِكَ المُخْلِصينَ مِنْ سَلامِكَ بِأَدْوَمِهِ وَبارِكْ عَلَيْهِمْ وَعَلَيَّ وَعَلى والِدَيَّ مَعَهُمْ وَعَلى المُؤْمِنينَ. ثم سلِّم وقل بعد التسليم: أَللَّهُمَّ إِنّي أُشْهِدُكَ وَكَفى بِكَ شَهيداً إِنّي أَشْهَدُ أَنَّكَ أَنتَ رَبِّي وَأَنَّ رَسُولَكَ مُحَمَّداً صَلَّى اللَّهُ عَلَيْهِ وَآلِهِ نَبِيِّي، وَأَنَّ الدِّينَ الَّذي شَرَعْتَ لَهُ دِيني وَأَنَّ الكِتابَ الَّذي أُنْزِلَ إِلَيْهِ إِمامِي وَأَشْهَدُ أَنَّ قَوْلَكَ حَقٌّ وَأَنَّ قَضاءَكَ حَقٌّ وَأَنَّ عَطاءَكَ حَقٌّ عَدْلٌ وَأَنَّ جَنَّتَكَ حَقٌّ وَأَنَّ نارَكَ حَقٌّ وَأَنَّكَ تُميتُ الأَحْياءَ وَتُحْيِي المَوْتَى وَأَنَّكَ تَبْعَثُ مَنْ فِي القُبُورِ وَأَنَّكَ جامِعُ النَّاسِ لِيَوْمٍ لا رَيْبَ فِيهِ لا تُغادِرُ فِيهِمْ أَحَداً وَأَنَّكَ لا تُخْلِفُ المِيعادَ، أَللَّهُمَّ إِنِّي أُشْهِدُكَ وَكَفىٰ بِكَ شَهيداً فَاشْهَدْ لِي يا رَبِّ بِأَنَّكَ أَنْتَ

المُنْعِمُ عَلَيَّ لاٰ غَيْرُكَ وَأَنْتَ مَوْلاٰيَ الَّذِي بِأَنْعُمِكَ نَتِمُّ الصَّالِحٰاتِ، أَللَّهُمَّ اغْفِرْ لِي مَغْفِرَةً عَزْماً لاٰ تُغٰادِرُ لِي ذَنْباً وَلاٰ أَرْتَكِبُ بِعَوْنِكَ لِي بَعْدَهٰا مُحَرَّماً وَعٰافِنِي مُعٰافٰاةً لاٰ بَلْوىٰ بَعْدَهٰا أَبَداً، أَللَّهُمَّ اهْدِنِي هُدىً لاٰ أَضِلُّ بَعْدَهُ أَبَداً وَأَنفِعْنِي مِمَّا عَلَّمْتَنِي وَاجْعَلْهُ حُجَّةً لِي وَلاٰ تَجْعَلْهُ حُجَّةً عَلَيَّ وَارْزُقْنِي رِزْقاً حَلاٰلاً مُبَلِّغاً وَرَضِّنِي بِهِ وَتُبْ عَلَيَّ يٰا أَللَّهُ يٰا أَللَّهُ يٰا أَللَّهُ يٰا رَحْمٰنُ يٰا رَحِيمُ اهْدِنِي وَارْحَمْنِي مِنَ النَّارِ وَاهْدِنِي لِمَا اخْتُلِفَ فِيهِ مِنَ الحَقِّ بِإِذْنِكَ إِنَّكَ تَهْدِي مَنْ تَشٰاءُ إِلَى صِرٰاطٍ مُسْتَقِيمٍ وَاعْصِمْنِي مِنَ الشَّيْطَانِ الرَّجِيمِ وَأَبْلِغْ مُحَمَّداً صَلَّى اللَّهُ عَلَيْهِ وَآلِهِ عَنِّي تَحِيَّةً مُبٰارَكَةً وَسَلاٰماً آمِينَ رَبَّ العٰالَمِينَ.

* * *

دعاؤه في دبر الصلوات الخمسة

بعد قراءة التوحيد إثني عشر مرة يبسط يديه ويقول:

أَللَّهُمَّ إِنِّي أَسْأَلُكَ بِاسْمِكَ المَكْنُونِ المَخْزُونِ الطُّهْرِ الطَّاهِرِ المُبَارَكِ وَأَسْأَلُكَ بِاسْمِكَ العَظِيمِ وَسُلْطَانِكَ العَزِيزِ القَدِيمِ يَا وَاهِبَ العَطَايَا يَا مُطْلِقَ الأُسَارَىٰ يَا فَكَّاكَ الرِّقَابِ مِنَ النَّارِ أَسْأَلُكَ أَنْ تُصَلِّيَ عَلَى مُحَمَّدٍ وَآلِ مُحَمَّدٍ وَأَنْ تُعْتِقَ رَقَبَتِي مِنَ النَّارِ وَأَنْ تُخْرِجَنِي مِنَ الدُّنْيَا آمِناً وَتُدْخِلَنِي الجَنَّةَ سَالِماً وَأَنْ تَجْعَلَ دُعَائِي أَوَّلَهُ فَلَاحاً وَأَوْسَطَهُ نَجَاحاً وَآخِرَهُ صَلَاحاً إِنَّكَ أَنْتَ عَلَّامُ الغُيُوبِ.

***

في تعقيب كل فريضة

يا مَنْ لاَ يَشْغَلُهُ سَمْعٌ عَنْ سَمْعٍ. يا مَنْ لا يغلطُهُ السّائِلونَ. ويا مَنْ لا يُبْرِمُهُ إِلْحاحُ الملحّينَ، أَذِقْني بَرْدَ عَفْوِكَ وَحلاَوَةَ رَحْمَتِكَ وَمَغْفِرَتِكَ.

***

في تعقيب الصلاة أيضاً

إِلٰهي هٰذِهِ صَلاتي صَلَّيْتُهَا لا لِحَاجَةٍ مِنْكَ إِلَيْها، وَلاَ رَغْبَة مِنْكَ فيها إلاّ تَعْظيماً وَطاعَةً وإِجابةً لَكَ إلىٰ ما أَمَرْتَني بِهِ. إِلٰهي إنْ كانَ فيها خَلَلٌ أَوْ نَقْصٌ مِنْ رُكوعِها أَوْ سُجودِها، لا تُؤاخِذْني وَتَفَضَّلْ عَلَيَّ بالقَبُولِ والغُفْرانِ.

* * *

دعاؤه في دبر كل صلاة

سُبْحانَ مَنْ لاٰ يَعْتَدِي عَلَى أَهْلِ مَمْلَكَتِهِ، سُبْحانَ مَنْ لاٰ يَأْخُذُ أَهْلَ الأَرْضِ بِأَلْوانِ العَذابِ، سُبْحانَ الرَّؤُوفِ الرَّحيم. أَللَّهُمَّ اجْعَلْ في قَلْبي نُوراً وَبَصَراً وَفَهْماً وَعِلْماً، إِنَّكَ عَلىٰ كُلِّ شَيْءٍ قَديرٌ.

* * *

في حفظ القرآن وعدم نسيانه

أَللَّهُمَّ ارْحَمْني بِتَرْكِ مَعاصِيكَ أَبَداً ما أَبْقَيْتَني،

وارْحَمْني مِنْ تَكَلُّفِ ما لا يَعْنيني، وارْزُقْني حُسْنَ النَّظَرِ فيما يُرْضيكَ عَنّي، أنْ يُلْزِم قَلْبي حِفْظَ كِتابِكَ كَمَا عَلَّمْتَني، وارْزُقْني أَنْ أَتْلوَهُ عَلىٰ النَّحْوِ الّذي يُرْضيكَ عَنّي. أَسْأَلُكَ اللّهُمَّ أَنْ تُنَوِّرَ بكتابِكَ بَصَري، وَتَشْرَحَ به صَدْري، وَتُفَرِّجَ بِه قَلْبي، وَتُطْلِقَ بِه لِساني، وَقَوِّني عَلىٰ ذٰلِكَ وَتُعينَني عَليْهِ، إنَّهُ لا مُعِينَ لي إلاّ أنْتَ، لا إلٰهَ إلا أنْتَ.

***

في جوف الليل

إلٰهي كَمْ مِنْ مُوبقَةٍ[1] حَلُمتَ[2] عَن مُقابَلَتِها بنِقْمَتِكَ، وَكَمْ مِنْ جَريرَةٍ[3] تَكَرَّمْتَ عَنْ كَشْفِها بِكَرَمِكَ. إلٰهي إنْ طالَ في عِصْيانِكَ عُمْري، وَعَظُمَ في الصُّحُفِ ذَنْبي، فَمَا أنا مُؤَمِّلٌ غَيْرَ غُفْرانِكَ، وَلا أَنا

(١) موبقة: معصية.

(٢) حلمت: صفحت وعفوت.

(٣) جريرة: ذنب. اثم.

بِراجٍ غَيْرَ رِضْوانِكَ. إِلٰهي أُفَكِّرُ في عَفْوِكَ فَتَهُوْنُ عَلَيَّ خَطيئَتي، ثُمَّ أَذْكُرُ الْعَظيمَ مِنْ أَخْذِكَ فَتَعْظُمُ عَلَيَّ بَلِيَّتي. آه.. ! إِنْ أنا قَرَأْتُ في الصُّحُفِ سَيِّئَةً أَنا ناسيها وَأَنْتَ مُحْصيها، فَتَقُولُ خُذوهُ.. فَيَا لَهُ مِنْ مَأْخوذٍ لا تُنْجيهِ عَشيرَتُهُ، وَلا تَنْفَعُهُ قَبيلَتُهُ. آه.. ! مِنْ نارٍ تُنْضِجُ الأَكْبادَ وَالْكِلىٰ. آه.. ! مِنْ نارٍ نَزّاعَةٍ لِلشَّوىٰ. آهٍ مِنْ غَمْرَةٍ مِنْ لَهَباتِ لَظَى.

***

بعد الركعة الثامنة من صلاة الليل

أَللّٰهُمَّ إِنّي أَسْأَلُكَ بِحُرْمَةِ مَنْ عاذَ بِكَ مِنْكَ، وَلَجَأَ إِلىٰ عِزِّكَ، واسْتَظَلَّ بِفَيْئِكَ، واعْتَصَمَ بِحَبْلِكَ، وَلَمْ يَثِقْ إِلاَّ بِكَ يا جَزيلَ الْعَطاءِ، يا مُطْلِقَ الأَسارىٰ، يا مَنْ سَمّىٰ نَفْسَهُ مِنْ جُودِهِ وَهّاباً. ها أَنا أَدْعُوكَ رَغَباً وَرَهَباً وَخَوْفاً وَطَمَعاً وَإِلْحافاً(١) وَإِلْحاحاً وَتَضَرُّعاً

---

(١) إلحافاً: الحف بمعنى الحّ في الطلب.

وَتَملُّقاً، وقَائِماً وقاعِداً، ورَاكعاً وَساجِداً، وراكِباً وماشِياً، وذاهِباً وآتِياً، وفي كُلِّ حالاتي أَسْأَلُكَ أَنْ تُصَلِّيَ عَلىٰ مُحَمَّدٍ وَآلِ مُحَمَّدٍ وَأَنْ تَفْعَلْ بِي (كذا وكذا) وتذكر حاجتك.

* * *

دعاؤه عليه السلام في وتره

رَبِّ أَسَأْتُ وَظَلَمْتُ نَفْسِي وَبِئْسَ مٰا صَنَعْتُ فَهٰذِهِ يَدٰايَ يٰا رَبِّ جَزٰاءً بِمٰا كَسَبْتُ وَهٰذِهِ رَقَبَتِي خٰاضِعَةً لِمٰا أَتَيْتُ وَهٰا أَنٰاذٰا بَيْنَ يَدَيْكَ فَخُذْ لِنَفْسِكَ مِنْ نَفْسِي الرِّضٰا حَتَّى تَرْضىٰ لَكَ العُتْبَى لاٰ أَعُودُ ثم قل: العَفْوَ ثلاثمائة مرّة ثم قل رَبِّ اغْفِرْ لِي وَارْحَمْنِي وَتُبْ عَلَيَّ إِنَّكَ أَنْتَ التَوّابُ الرَّحِيمُ.

* * *

دعاؤه ليلة السبت

يٰا مَنْ عَفٰا عَنِ ٱلسَّيِّئٰاتِ وَلَمْ يُجٰازِ بِهٰا إِرْحَمْ

عَبْدَكَ يـا أَللّٰهُ يـا أَللّٰهُ نَفْسِي إِرْحَمْ عَبْدَكَ أَيْ سَيِّدَاهُ أَنا عَبْدُكَ بَيْنَ يَدَيْكَ أَيا رَبّاهُ بِكَ إِلٰهي بِكَيْنُونِيَّتِكَ أَيْ أَمَلاهُ أَيْ رَجاياهُ أَيْ غِياثاهُ أَيْ مُنْتَهى رَغْبَتاهُ أَيْ مُجْرِيَ الدَّمِ في عُرُوقي عَبْدُكَ عَبْدُكَ بَيْنَ يَدَيْكَ أَيْ سَيِّدي أَيْ مالِكَ عَبْدِهِ هٰذا عَبْدُكَ أَيْ سَيِّداهُ يا سَيِّداهُ يا أَمَلاهُ يا مالِكاهُ أَيا هُوَ أَيا هُوَ أَيا هُوَ يا رَبّاهُ يا رَبّاهُ يا رَبّاهُ عَبْدُكَ لاَ حِيلَةَ لِي وَلاَ غِنىً بِي عَنْ نَفْسِي لاَ أَسْتَطِيعُ لَها ضُرّاً وَلاَ نَفْعاً وَلاَ أَجِدُ مَنْ أُصانِعُهُ إِنْقَطَعَتْ أَسْبابُ الخَدائِعِ عَنِّي وَاضْمَحَلَ عَنِّي كُلُّ باطِلٍ أَفْرَدَنِي الدَّهْرُ إِلَيْكَ فَقُمْتُ هٰذا المَقامَ إِلٰهِي تَعْلَمُ هٰذا كُلَّهُ فَكَيْفَ أَنْتَ صانِعٌ بِي لَيْتَ شِعْرِي وَلاَ أَشْعُرُ كَيْفَ تَقُولُ لِدُعائِي أَتَقُولُ نَعَمْ أَو تَقُولُ لا فَإِنْ قُلْتَ لا فَيا وَيْلِي يا وَيْلِي يا وَيْلِي وَيا عَوْلِي يا عَوْلِي يا عَوْلِي يا شِقْوَتِي يا شِقْوَتِي يا شِقْوَتِي يا ذُلِّي يا ذُلِّي يا ذُلِّي إِلىٰ مَنْ وَمِمَّنْ أَوْ عِنْدَ مَنْ أَوْ كَيْفَ أَوْ لِماذا أَوْ إِلىٰ أَيِّ شَيْءٍ أَلْجَأُ وَمَنْ أَرْجُو وَمَنْ يَجُودُ عَلَيَّ بِفَضْلِهِ

حَيْثُ تَرْفُضُنِي يـا واسِعَ ٱلْمَغْفِرَةِ وَإِنْ قُلْتَ نَعَمْ كَما أَظُنُّ فَطُوبىٰ لِي أَنَا ٱلسَّعِيدُ طُوبىٰ لِي أَنَا الغَنِيُّ طُوبىٰ لي أَنا ٱلْمَرْحُومُ أَيْ مُتَرَحِّمُ أَيْ مُتَرَئِّفُ أَيْ مُتَعَطِّفُ أَيْ مُتَمَلِّكُ أَيْ مُتَجَبِّرُ أَيْ مُتَسَلِّطُ لاٰ عَمَلَ لِي أَبْلُغُ بِهِ نَجاحَ حـاجَتِي فَأَنَا أَسْأَلُكَ بِٱسْمِكَ ٱلَّذِي أَنْشَأْتَهُ مِنْ ظِلِّكَ فَٱسْتَقَرَّ فِي غَيْبِكَ فَلاٰ يَخْرُجُ مِنْكَ إِلىٰ شَيْءٍ سِواكَ أَسْأَلُكَ بِهِ وَبِكَ هُوَ لَمْ يُلْفَظْ بِهِ وَلاَ يُلْفَظُ بِهِ أَبداً أَبداً وَبِهِ وَبِكَ لاٰ شَيْءَ لِي غَيْرَ هٰذا وَلاٰ أَجِدُ أَحَداً أَنْفَعَ لِي مِنْكَ أَيْ كَبِيرُ أَيْ عَلِيُّ أَيْ مَنْ عَرَّفَنِي نَفْسَهُ أَيْ مَنْ أَمَرَنِي بِطـاعَتِهِ أَيْ مَنْ نَهـانِي عَنْ مَعْصِيَتِهِ أَيْ أَعْطَانِي مَسْأَلَتِي أَيْ مَدْعُوُّ أَيْ مَسْؤُولُ أَيْ مَطْلُوباً إِلَيْهِ إِلٰهِي رَفَضْتُ وَصِيَّتَكَ الَّتِي أَوْعَيْتَنِي بِهَا وَلَمْ أُطِعْكَ وَلَوْ أَطَعْتُكَ لَكَفَيْتَنِي مـا قُمْتُ إِلَيْكَ فِيهِ قَبْلَ أَنْ أَقُومَ وَأَنَا مَعَ مَعْصِيَتِي لَكَ راجٍ فَلاٰ تَحُلْ بَيْنِي وَبَيْنَ مـا رَجَوْتُ وَٱرْدُدْ يَدَيَّ عَلَيَّ مَلأَى مِنْ خَيْرِكَ وَفَضْلِكَ وَبِرِّكَ وَعَافِيَتِكَ وَمَغْفِرَتِكَ وَرِضْوَانِكَ بِحَقِّكَ يَا سَيِّدِي.

ويتبعه بهذا الدعاء: يا عُدَّتي عِنْدَ كُرْبَتي وَيا غياثِي عِنْدَ شِدَّتي ويا وَليَّ نِعْمَتي يا مُنْجِحي فِي حَاجَتي يا مَفْزَعِي فِي وَرْطَتِي يا مُنْقِذِي مِنْ هَلَكَتِي يا كَالِئي فِي وَحْدَتي صَلِّ عَلىٰ مُحَمَّدٍ وَآلِهِ واغْفِرْ لي خَطِيئَتي وَيَسِّرْ لِي أَمْري واجْمَعْ لي شَمْلي وَأَنْجِحْ لي طِلْبَتي وَأَصْلِحْ لِي شَأْني وَاكْفِني مَا أَهَمَّني وَٱجْعَلْ لي مِنْ أَمْري فَرَجاً وَمَخْرَجاً ولا تُفَرِّقْ بَيْني وَبَيْنَ العَافِيَةِ أَبَداً ما أَبْقَيْتَني وَعِنْدَ وَفَاتِي إِذا تَوَفَّيْتَني يا أَرْحَمَ الراحِمينَ.

***

بعد الفراغ من الزوال

أَللَّهُمَّ إِنّي أَتَقَرَّبُ إِلَيْكَ بِجُودِكَ وَكَرَمِكَ، وَأَتَقَرَّبُ إِلَيْكَ بِمُحَمَّدٍ عَبْدِكَ وَرَسُولِكَ، وَأَتَقَرَّبُ إِلَيْكَ بِملائِكَتِكَ المُقَرَّبينَ، وَأَنْبيائِكَ المُرْسَلينَ، وَبِكَ اللَّهُمَّ لَكَ الغِنىٰ عَنّي، وَبِيَ الفَاقَةُ إِلَيْكَ (١)، أَنْتَ الغَنِيُّ، وَأَنا

(١) الفاقة: الفقر.

الْفَقِيرُ إِلَيْكَ. أَقِلْني عَثْرَتي، وَاسْتُرْ عَلَيَّ ذُنوبي، وَٱقْضِ ٱلْيَوْمَ حاجَتي، وَلا تُعَذِّبْني بِقَبيحِ ما تَعْلَمُ مِنّي، بَلْ عَفْوُكَ يَسَعُني. يا أَهْلَ التَّقْوىٰ، وَيا أَهْلَ المَغْفِرَةِ، يا بَرُّ، يا رَحيمُ، أَنْتَ أَبَرُّ بي مِنْ أَبي وَأُمّي وَمِنْ جَميعِ الْخلائِقِ. إِقْلِبْني بِقَضاءِ حاجَتي مُجاباً دُعائي، مَرْحوماً صَوْتي، قَدْ كَشَفْتَ أَنْواعَ البَلاءِ عَنّي.

***

في سجدة الشكر

يا رَبِّ وَعَظْتَني فَلَمْ أَتَّعِظْ، وَزَجَرْتَني عَنْ مَحارِمِكَ فَلَمْ أَنْزَجِرْ[1]، وَغَمَرْتَني أَياديكَ فَما شكَرْتُ. عَفْوكَ عَفْوكَ يا كَريمُ أَسْأَلُكَ الرّاحَةَ عِنْدَ الْمَوْتِ، وَأَسْأَلُكَ الْعَفْوَ عِنْدَ الْحِسابِ.

***

(١) زجرتني عن محارمك: ابعدتني عن المحرمات، أنزجر: ابتعد.

في سجدة الشكر أيضا

يا مَنْ لا يَزيدُهُ إِلْحاحُ المُلِحينَ إلاَّ جُوداً وَكَرَماً، يا مَنْ لَهُ خَزائِنُ السَّماواتِ وَالأَرْضِ، أَسْأَلُكَ أَنْ تَفْعَلَ بي ما أَنْتَ أَهْلُهُ، فَأَنْتَ أَهْلُ الْجودِ والْكَرَمِ والْعَفْوِ. أَللَّهُمَّ اغْفِرْ وَارْحَمْ وَتَجاوَزْ عَمَّا تَعْلَمُ، إِنَّكَ أَنْتَ الأعَزُّ الأَكْرَمُ.

***

في السجود

أَللَّهُمَّ ارْحَمْ ذُلّي بَيْنَ يَدَيْكَ، وَتَضَرُّعي إِلَيْكَ، وَوَحْشَتي مِنَ النّاسِ (١)، وَأُنْسي بِكَ يا كَريمُ.

***

عند النوم

بِسْمِ اللهِ، وَضَعْتُ جَنْبي لِلَّهِ، عَلىٰ مِلَّةِ إِبْراهِيمَ وَدينِ مُحَمَّدٍ صَلّىٰ اللهُ عَلَيْهِ وَآلِهِ، وَوِلايَةِ مَنِ افْتَرَضَ

(١) وحشتي: انقطاعي، خوفي.

اللهُ عَلىٰ طاعَتِهِ، ما شاءَ اللهُ كانَ، وما لَمْ يَشَأْ لَمْ يَكُنْ.

* * *

للتقلب على الفراش عند النوم

لا إِلٰـهَ إِلاَّ هُـوَ الحَـيُّ القَيُّـومُ سُبْحـانَ اللَّـهِ رَبِّ النَّبِيِّينَ المُرْسَلِينَ، وَسُبْحانَ اللَّهِ رَبِّ السَّمٰواتِ وَمٰا فِيهِـنَّ وَرَبِّ العَـرْشِ العَظِيـمِ وَسَـلاٰمٌ عَلـى المُـرْسَلِيـنَ وَالحَمْدُ لِلَّهِ رَبِّ العٰالَمِينَ

* * *

للجلوس بعد النوم

حَسْبِيَ الرَّبُّ مِنَ العِبٰادِ حَسْبِيَ الَّذِي هُوَ حَسْبه مُذْ كُنْتُ حَسْبِي، حَسْبِيَ اللَّهُ وَنِعْمَ الوَكِيلُ.

* * *

دعاؤه مما علمه الحسن عليه السلام

يا عُدَّتي عِنْدَ كُرْبَتي، يا غياثِي عِنْدَ شِدَّتي، ويا

وليِّي فِي نِعْمَتي، ويا مُنْجِحِي في حاجَتي، يا مَفْزَعِي في وَرْطَتي[1]، يا مُنْقِذي مِنْ هَلَكَتي، يا كالِئي في وَحْدَتي[2]، اغْفِرْ لي خَطِيئَتي، وَيَسِّرْ لي في أَمْري، واجْمَعْ لي شَمْلي، وَأَنْجِحْ لي طِلْبَتي، وَأَصْلِحْ لي شَأْني، وَاكْفِني ما أَهَمَّني[3]، وَاْجْعَلْ لي مِنْ أَمْري فَرَجاً وَمَخْرَجاً، ولا تُفَرِّقْ بَيْني وَبَيْنَ العافِيَةِ ما أَبْقَيْتَني، وَفي الآخِرَةِ إِذا تَوَفَّيْتَني بِرَحْمَتِكَ يا أَرْحَمَ الراحِمينَ.

***

دعاء الجامع

أَللَّهُمَّ إِنّي أَحْمَدُكَ عَلىٰ كُلِّ نِعْمَةٍ، وَأَشْكُرُكَ عَلىٰ كُلِّ حَسَنَةٍ، وأَسْتَغْفِرُكَ مِنْ كُلِّ ذَنْبٍ، وأَسأَلكَ مِنْ كُلِّ خَيْرٍ، وأَسْتَعيذُ بِكَ مِنْ كُلِّ بَلاءٍ، وَلا حَوْلَ ولا قُوَّةَ إِلاَّ بِاللهِ الْعَلِيِّ الْعَظيمِ.

---

(١) مفزعي: ملاذي، ملجئي. الورطة المشكلة.
(٢) كالئي: تحفظني.
(٣) أهمني: اقلقني، أحزنني.

في تلقين المحتضر

لا إِلٰهَ إِلاّ اللهُ الْحَكيمُ الْكَريمُ، لا إِلٰهَ إِلاّ اللهُ الْعَلِيُّ الْعَظِيمُ، سُبْحانَ اللهِ رَبِّ السَّماواتِ السَّبْعِ، وَرَبِّ الأَرَضين السَّبْعِ، وما فيهِنَّ وما بَيْنَهُنَّ وما تَحْتَهُنَّ، وَرَبِّ الْعَرْشِ الْعَظيمِ، وَسَلامٌ عَلىٰ المرْسَلِينَ، وَالْحَمْدُ لِلَّهِ رَبِّ الْعالَمينَ.

* * *

تحت أديم السماء كل ليلة ثلاث مرات

أَللَّهُمَّ إِنّي قَدِ اكْتَفَيْتُ بِعِلْمِكَ عَنِ المقالِ، وَبِكَرَمِكَ عَنِ السُّؤَالِ، أنتَ ثِقَتي وَرَجائي، وَعَلَيْكَ مُعَوَّلي، إِفْعَلْ بي ما تَشاءُ، أَللَّهُمَّ أَتَيْتُكَ زائراً مُتَعَرِّضاً لِمَعْرُوفِكَ، فَأْتِني مِنْ مَعْروفِكَ مَعْروفاً تُغْنيني بِهِ عَنْ مَعْروفِ مَنْ سِواكَ، يا مَعْروفاً بِالْمَعْروفِ. أَللَّهُمَّ عافِني أَبَداً ما أَبْقَيْتَني، وَاغْفِرْ لي إِذا تَوَفَّيْتَني بِمَنِّكَ يا أَرْحَمَ الرّاحِمينَ.

عند ختم القرآن

أَللَّهُمَّ اشْرَحْ بِالقُرْآنِ صَدْري، وَنَوِّرْ بِالقُرْآنِ بَصَري، وَأَطْلِقْ بِالْقُرْآنِ لِساني، وَاعِنّي عَلَيْهِ ما أَبْقَيْتَني، فَإِنَّهُ لا حَوْلَ وَلا قُوَّةَ إِلاَّ بِكَ.

***

في اليوم الأول من كل شهر

أَلْحَمْدُ لِلَّهِ ٱلَّذِي خَلَقَ ٱلسَّماوَاتِ وَٱلْأَرْضَ، وَجَعَلَ ٱلظُّلُماتِ وَٱلنُّورَ، ثُمَّ ٱلَّذِينَ كَفَرُوا بِرَبِّهِمْ يَعْدِلُونَ. هُوَ ٱلَّذِي خَلَقَكُمْ مِنْ طِينٍ ثُمَّ قَضَىٰ أَجَلاً وَأَجَلٌ مُسَمًّىٰ عِنْدَهُ، ثُمَّ أَنْتُمْ تَمْتَرُونَ. وَهُوَ فِي ٱلسَّماوَاتِ وَٱلْأَرْضِ يَعْلَمُ سِرَّكُمْ وَجَهْرَكُمْ وَيَعْلَمُ ما تَكْسِبُونَ. وَٱلْحَمْدُ لِلَّهِ ٱلَّذِي نَجّانا مِنَ ٱلْقَوْمِ ٱلظّالِمِينَ وَٱلْحَمْدُ لِلَّهِ ٱلَّذِي فَضَّلَنا عَلَىٰ كَثِيرٍ مِنْ عِبادِهِ ٱلْمُؤْمِنِينَ وَٱلْحَمْدُ لِلَّهِ ٱلَّذِي وَهَبَ لِي عَلَى ٱلْكِبَرِ إِسْماعِيلَ وَإِسْحٰقَ إِنَّ رَبِّي

لَسَمِيعُ ٱلدُّعَآءِ . رَبِّ ٱجْعَلْنِي مُقِيمَ ٱلصَّلاةِ وَمِنْ ذُرِّيَّتِي رَبَّنَا وَتَقَبَّلْ دُعَآءِ . رَبَّنَا ٱغْفِرْ لِي وَلِوَالِدَيَّ وَلِلْمُؤْمِنِينَ يَوْمَ يَقُومُ ٱلْحِسَابُ . فَلِلَّهِ ٱلْحَمْدُ رَبِّ ٱلسَّمَاوَاتِ وَرَبِّ ٱلْأَرْضِ رَبِّ ٱلْعَالَمِينَ . وَلَهُ ٱلْكِبْرِيَآءُ فِي ٱلسَّمَاوَاتِ وَٱلْأَرْضِ وَهُوَ ٱلعَزِيزُ ٱلْحَكِيمُ . ٱلْحَمْدُ لِلَّهِ ٱلَّذِي لَهُ مَا فِي ٱلسَّمَاوَاتِ وَمَا فِي ٱلْأَرْضِ وَلَهُ ٱلْحَمْدُ فِي ٱلآخِرَةِ وَهُوَ ٱلْحَكِيمُ ٱلْخَبِيرُ . يَعْلَمُ مَا يَلِجُ فِي ٱلْأَرْضِ وَمَا يَخْرُجُ مِنْهَا وَمَا يَنْزِلُ مِنَ ٱلسَّمَآءِ وَمَا يَعْرُجُ فِيهَا وَهُوَ ٱلرَّحِيمُ ٱلْغَفُورُ . ٱلْحَمْدُ لِلَّهِ فَاطِرِ ٱلسَّمَاوَاتِ وَٱلْأَرْضِ جَاعِلِ ٱلْمَلآئِكَةِ رُسُلاً أُوْلِي أَجْنِحَةٍ مَثْنَىٰ وَثُلاثَ وَرُبَاعَ يَزِيدُ فِي ٱلْخَلْقِ مَا يَشَآءُ إِنَّ ٱللَّهَ عَلَىٰ كُلِّ شَيْءٍ قَدِيرٌ . مَا يَفْتَحِ ٱللَّهُ لِلنَّاسِ مِنْ رَحْمَةٍ فَلاَ مُمْسِكَ لَهَا وَمَا يُمْسِكْ فَلاَ مُرْسِلَ لَهُ مِنْ بَعْدِهِ وَهُوَ ٱلْعَزِيزُ ٱلْحَكِيمُ . يَا أَيُّهَا ٱلنَّاسُ ٱذْكُرُوا نِعْمَةَ ٱللَّهِ عَلَيْكُمْ هَلْ مِنْ خَالِقٍ غَيْرُ ٱللَّهِ يَرْزُقُكُمْ مِنَ ٱلسَّمَآءِ وَٱلْأَرْضِ ، لا إِلَهَ إِلاَّ هُوَ فَأَنَّىٰ يُؤْفَكُونَ . ٱلْحَمْدُ

لِلَّهِ رَبِّ ٱلْعَالَمِيْنَ ٱلْحَيِّ ٱلَّذِي لا يَمُوتُ، وَٱلْقَائِمِ ٱلَّذِي لا يَتَغَيَّرُ وَٱلدَّآئِمِ ٱلَّذِي لا يَفْنَىٰ، وَٱلْمَلِكِ ٱلَّذِي لا يَزُولُ وَٱلْعَدْلِ ٱلَّذِي لا يَغْفَلُ، وَٱلْحَكَمِ ٱلَّذِي لا يَحِيْفُ(١) وَٱللَّطِيْفِ ٱلَّذِي لا يَخْفَىٰ عَلَيْهِ شَيْءٌ، وَٱلْوَاسِعِ ٱلَّذِي لا يُعْجِزُهُ شَيْءٌ وَٱلْمُعْطِي مَا يَشَآءُ لِمَنْ يَشَآءُ، أَلأَوَّلِ ٱلَّذِي لا يُسْبَقُ وَٱلآخِرِ ٱلَّذِي لا يُدْرَكُ وَٱلظَّاهِرِ ٱلَّذِي لَيْسَ فَوْقَهُ شَيْءٌ، وَٱلْبَاطِنِ ٱلَّذِي لَيْسَ دُوْنَهُ شَيْءٌ وَأَحَاطَ بِكُلِّ شَيْءٍ عِلْماً وَأَحْصَىٰ كُلَّ شَيْءٍ عَدَداً. أَللَّهُمَّ صَلِّ عَلَىٰ مُحَمَّدٍ وَآلِهِ وَأَنْطِقْ بِدُعَآئِكَ لِسَانِي، وَأَنْجِحْ بِهِ طَلِبَتِي وَأَعْطِنِي بِهِ حَاجَتِي، وَبَلِّغْنِي فِيْهِ أَمَلِي وَقِنِي بِهِ رَهْبَتِي وَأَسْبِغْ بِهِ نَعْمَايَ وَٱسْتَجِبْ بِهِ دُعَايَ وَزَكِّ بِهِ عَمَلِي تَزْكِيَةً تَرْحَمُ بِهَا تَضَرُّعِي وَشَكْوَايَ وَأَسْأَلُكَ أَنْ تَرْحَمَنِي وَأَنْ تَرْضَىٰ عَنِّي وَتَسْتَجِيْبَ لِي آمِيْنَ رَبَّ ٱلْعَالَمِيْنَ. أَلْحَمْدُ لِلَّهِ ٱلَّذِي يُنْشِىءُ ٱلسَّحَابَ ٱلثِّقَالَ وَيُسَبِّحُ ٱلرَّعْدُ بِحَمْدِهِ وَٱلْمَلاَئِكَةُ

---

(١) يحيف: يجور.

مِنْ خِيفَتِهِ وَيُرْسِلُ ٱلصَّوَاعِقَ فَيُصِيبُ بِهَا مَنْ يَشَآءُ وَهُمْ يُجَادِلُونَ فِي ٱللَّهِ وَهُوَ شَدِيْدُ ٱلْمِحَالِ. أَلْحَمْدُ لِلَّهِ ٱلَّذِي لَهُ دَعْوَةُ ٱلْحَقِّ وَهُوَ ٱلْحَقُّ ٱلْمُبِيْنُ وَمَا يُدْعَىٰ مِنْ دُوْنِهِ فَهُوَ ٱلْبَاطِلُ وَهُوَ ٱلْعَلِيُّ ٱلْكَبِيْرُ. أَلْحَمْدُ لِلَّهِ ٱلَّذِي يَتَوَفَّىٰ ٱلْأَنْفُسَ حِيْنَ مَوْتِهَا وَٱلَّتِي لَمْ تَمُتْ فِي مَنَامِهَا فَيُمْسِكُ الَّتِي قَضَىٰ عَلَيْهَا ٱلْمَوْتَ، وَيُرْسِلُ ٱلْأُخْرَىٰ إِلَىٰ أَجَلٍ مُسَمّىً إِنَّ فِي ذٰلِكَ لَآيَاتٍ لِقَوْمٍ يَتَفَكَّرُونَ. أَلْحَمْدُ لِلَّهِ ٱلَّذِي وَسِعَ كُرْسِيُّهُ ٱلسَّمَاوَاتِ وَٱلْأَرْضَ وَلا يَؤُدُهُ حِفْظُهُمَا[1]، وَهُوَ ٱلْعَلِيُّ ٱلْعَظِيْمُ. أَلْحَمْدُ لِلَّهِ عَالِمِ ٱلْغَيْبِ وَٱلشَّهَادَةِ هُوَ ٱلرَّحْمٰنُ ٱلرَّحِيْمُ. هُوَ ٱللَّهُ ٱلَّذِي لا إِلَٰهَ إِلاَّ هُوَ ٱلْمَلِكُ ٱلْقُدُّوسُ ٱلسَّلامُ ٱلْمُؤْمِنُ المُهَيْمِنُ ٱلْعَزِيْزُ ٱلْجَبَّارُ ٱلْمُتَكَبِّرُ، سُبْحَانَ ٱللَّهِ عَمَّا يُشْرِكُونَ. أَلْحَمْدُ لِلَّهِ ٱلَّذِي لا إِلَٰهَ إِلاَّ هُوَ ٱلْخَالِقُ ٱلْبَارِىءُ ٱلْمُصَوِّرُ لَهُ ٱلْأَسْمَآءُ ٱلْحُسْنَىٰ يُسَبِّحُ لَهُ مَا فِي ٱلسَّمَاوَاتِ وَٱلْأَرْضِ وَهُوَ ٱلْعَزِيْزُ ٱلْحَكِيْمُ. أَلْحَمْدُ لِلَّهِ

(١) يؤوده: يثقله، يعجزه.

ٱلَّذِي لَمْ يَتَّخِذْ صَاحِبَةً وَلا وَلَداً وَلَمْ يَكُنْ لَهُ شَرِيْكٌ فِي ٱلْمُلْكِ وَلَمْ يَكُنْ لَهُ وَلِيٌّ مِنَ ٱلذُّلِّ وَكَبِّرْهُ تَكْبِيراً.

* * *

في اليوم الثاني

أَلْحَمْدُ لِلَّهِ ٱلَّذِي أَنْزَلَ عَلَىٰ عَبْدِهِ ٱلْكِتَابَ وَلَمْ يَجْعَلْ لَهُ عِوَجاً قَيِّماً لِيُنْذِرَ بَأْساً شَدِيْداً مِنْ لَدُنْهُ وَيُبَشِّرَ ٱلْمُؤْمِنِينَ ٱلَّذِينَ يَعْمَلُونَ ٱلصَّالِحَاتِ أَنَّ لَهُمْ أَجْراً حَسَناً مَاكِثِيْنَ فِيهِ أَبَداً وَيُنْذِرَ ٱلَّذِينَ قَالُوا ٱتَّخَذَ ٱللَّهُ وَلَداً، مَا لَهُمْ بِهِ مِنْ عِلْمٍ وَلا لآبَائِهِمْ كَبُرَتْ كَلِمَةً تَخْرُجُ مِنْ أَفْوَاهِهِمْ إِنْ يَقُولُونَ إِلاَّ كَذِباً. أَلْحَمْدُ لِلَّهِ ٱلَّذِي أَذْهَبَ عَنَّا ٱلْحَزَنَ إِنَّ رَبَّنَا لَغَفُورٌ شَكُورٌ، ٱلَّذِي أَحَلَّنَا دَارَ ٱلْمُقَامَةِ مِنْ فَضْلِهِ لا يَمَسُّنَا فِيهَا نَصَبٌ وَلا يَمَسُّنَا فِيهَا لُغُوبٌ[1]. أَلْحَمْدُ لِلَّهِ وَسَلامٌ عَلَىٰ عِبَادِهِ ٱلَّذِينَ ٱصْطَفَىٰ، ءَاللَّهُ خَيْرٌ أَمَّا يُشْرِكُونَ. أَمَّنْ خَلَقَ ٱلسَّمَاوَاتِ وَٱلأَرْضَ وَأَنْزَلَ مِنَ ٱلسَّمَآءِ مَآءً فَأَنْبَتْنَا بِهِ

(1) لغوب: إرهاق.

حَدَآئِقَ ذَاتَ بَهْجَةٍ مَا كَانَ لَكُمْ أَنْ تُنْبِتُوا شَجَرَهَا ، أَإِلَهٌ مَعَ
ٱللَّهِ بَلْ هُمْ قَوْمٌ يَعْدِلُونَ . أَمَّنْ جَعَلَ ٱلْأَرْضَ قَرَاراً وَجَعَلَ
خِلاٰلَهَا أَنْهَاراً وَجَعَلَ لَهَا رَوَاسِيَ وَجَعَلَ بَيْنَ ٱلْبَحْرَيْنِ
حَاجِزاً ، أَإِلَهٌ مَعَ ٱللَّهِ بَلْ أَكْثَرُهُمْ لا يَعْلَمُونَ . أَمَّنْ يُجِيبُ
ٱلْمُضْطَرَّ إِذَا دَعَاهُ وَيَكْشِفُ ٱلسُّوءَ وَيَجْعَلُكُمْ خُلَفَآءَ
ٱلْأَرْضِ ، أَإِلَهٌ مَعَ ٱللَّهِ قَلِيلاً مَا تَذَكَّرُونَ . أَمَّنْ يَهْدِيكُمْ فِي
ظُلُمَاتِ ٱلْبَرِّ وَٱلْبَحْرِ وَمَنْ يُرْسِلُ ٱلرِّيَاحَ بُشْرَىً بَيْنَ يَدَيْ
رَحْمَتِهِ ، أَإِلَهٌ مَعَ ٱللَّهِ تَعَالَىٰ ٱللَّهُ عَمَّا يُشْرِكُون . أَمَّنْ يَبْدَأُ
ٱلْخَلْقَ ثُمَّ يُعِيْدُهُ وَمَنْ يَرْزُقُكُمْ مِنَ ٱلسَّمَآءِ وَالأَرْضِ ، أَإِلَهٌ
مَعَ ٱللَّهِ قُلْ هَاتُوا بُرْهَانَكُمْ إِنْ كُنْتُمْ صَادِقِيْنَ ، قُلْ لاَ يَعْلَمُ
مَنْ فِي ٱلسَّمٰوَاتِ وَٱلْأَرْضِ ٱلْغَيْبَ إِلاَّ ٱللَّهُ وَمَا يَشْعُرُونَ
أَيَّانَ يُبْعَثُونَ . ٱلْحَمْدُ لِلَّهِ ٱلَّذِي لَهُ مَا فِي ٱلسَّمٰوَاتِ وَمَا فِي
ٱلْأَرْضِ وَلَهُ ٱلْحَمْدُ فِي ٱلآخِرَةِ وَهُوَ ٱلْحَكِيمُ ٱلْخَبِيرُ .
ٱلْحَمْدُ لِلَّهِ فَاطِرِ ٱلسَّمٰوَاتِ وَٱلْأَرْضِ جَاعِلِ ٱلْمَلاَئِكَةِ رُسُلاً
أُوْلِي أَجْنِحَةٍ مَثْنَىٰ وَثُلاَثَ وَرُبَاعَ يَزِيدُ فِي ٱلْخَلْقِ مَا يَشَآءُ

إِنَّ ٱللَّهَ عَلَىٰ كُلِّ شَيْءٍ قَدِيرٌ. ٱلْحَمْدُ لِلَّهِ ٱلْغَفُورِ ٱلْغَفَّارِ ٱلْوَدُودِ ٱلتَّوَّابِ ٱلْوَهَّابِ ٱلْكَرِيْمِ ٱلْعَظِيْمِ ٱلْكَبِيْرِ ٱلسَّمِيْعِ ٱلْبَصِيْرِ ٱلْعَلِيْمِ، ٱلصَّمَدِ ٱلْحَيِّ ٱلْقَيُّومِ ٱلْعَزِيْزِ ٱلْجَبَّارِ ٱلْمُتَكَبِّرِ، سُبْحَانَ ٱللَّهِ ٱلْمَلِكِ ٱلْمُقْتَدِرِ ٱلْقَادِرِ ٱلْمَلِيْكِ ٱلْحَقِّ ٱلْمُبِيْنِ ٱلْعَلِيِّ ٱلْأَعْلَىٰ ٱلْمُتَعَالِ، ٱلْأَوَّلِ ٱلْآخِرِ ٱلْبَاطِنِ ٱلظَّاهِرِ ٱلْوَلِيِّ ٱلْحَمِيْدِ ٱلنَّصِيْرِ ٱلْخَلَّاقِ ٱلْخَالِقِ ٱلْبَارِىءِ ٱلْمُصَوِّرِ ٱلْقَاهِرِ ٱلْبَرِّ ٱلشَّكُورِ ٱلْقَهَّارِ ٱلشَّاكِرِ، ٱلْوَكِيْلِ ٱلشَّهِيْدِ ٱلرَّؤُوفِ ٱلرَّقِيْبِ ٱلْفَتَّاحِ ٱلْعَلِيْمِ ٱلْكَرِيْمِ ٱلْمَحْمُودِ ٱلْجَلِيْلِ غَافِرِ ٱلذَّنْبِ وَقَابِلِ ٱلتَّوْبِ، مَلِكِ ٱلْمُلُوكِ، عَالِمِ ٱلْغَيْبِ وَٱلشَّهَادَةِ ٱلْقَائِمِ ٱلْكَرِيْمِ رَبِّ ٱلْعَالَمِيْنَ. ٱلْحَمْدُ لِلَّهِ عَظِيْمِ ٱلْحَمْدِ، عَظِيْمِ ٱلْعَرْشِ عَظِيْمِ ٱلْمُلْكِ، عَظِيْمِ ٱلسُّلْطَانِ، عَظِيْمِ ٱلْعِلْمِ، عَظِيْمِ ٱلْحِلْمِ، عَظِيْمِ ٱلْكَرَامَةِ، عَظِيْمِ ٱلرَّحْمَةِ، عَظِيْمِ ٱلْبَلَاءِ، عَظِيْمِ ٱلنُّورِ، عَظِيْمِ ٱلْفَضْلِ، عَظِيْمِ ٱلْعِزَّةِ، عَظِيْمِ ٱلْكِبْرِيَاءِ، عَظِيْمِ ٱلْعَظَمَةِ، عَظِيْمِ ٱلنَّعْمَاءِ، عَظِيْمِ ٱلرَّأْفَةِ، عَظِيْمِ ٱلْآلَاءِ ، عَظِيْمِ

ٱلْجَبَرُوتِ، عَظِيْمِ ٱلشَّأْنِ، عَظِيمِ ٱلْأَمْرِ، تَبَارَكَ ٱللَّهُ رَبُّ ٱلْعَالَمِيْنَ. تَبَارَكَ ٱللَّهُ ٱلَّذِي هُوَ أَعْظَمُ مِنْ كُلِّ شَيْءٍ وَأَعَزُّ مِنْ كُلِّ شَيْءٍ وَأَرْحَمُ مِنْ كُلِّ شَيْءٍ وَأَمْلَكُ مِنْ كُلِّ شَيْءٍ وَخَيْرٌ مِنْ كُلِّ شَيْءٍ. وَأَعْلَىٰ مِنْ كُلِّ شَيْءٍ وَأَقْدَرُ مِنْ كُلِّ شَيْءٍ. ٱلْحَمْدُ لِلَّهِ رَبِّ ٱلْعَالَمِيْنَ ٱلْحَمْدُ لِلَّهِ ٱلْعَلِيِّ ٱلْعَظِيْمِ ٱلرَّؤُوفِ ٱلرَّحِيْمِ، ٱلْعَزِيْزِ ٱلْحَكِيْمِ، ٱلْخَلَّاقِ ٱلْعَلِيْمِ، ٱلْمَلِكِ ٱلْقُدُّوسِ ٱلْجَلِيْلِ ٱلْكَبِيْرِ ٱلْمُتَعَالِ، ٱلْمُتَعَظِّمِ ٱلْمُتَكَبِّرِ ٱلْمُتَجَبِّرِ ٱلْجَبَّارِ ٱلْقَهَّارِ، مَالِكِ ٱلْجَنَّةِ وَٱلنَّارِ، لَهُ ٱلْكِبْرِيَاءُ وَٱلْجَبَرُوتُ، وَلَهُ ٱلْحُكْمُ وَإِلَيْهِ يَصْعَدُ ٱلْكَلِمُ ٱلطَّيِّبُ وَٱلْعَمَلُ ٱلصَّالِحُ يَرْفَعُهُ. ٱللَّهُمَّ صَلِّ عَلَىٰ مُحَمَّدٍ وَآلِ مُحَمَّدٍ وَٱجْعَلْ أَعْمَالَنَا مَرْفُوعَةً إِلَيْكَ مَوْصُولَةً بِقَبُولِكَ لَهَا، وَأَعِنَّا عَلَىٰ تَأْدِيَتِهَا لَكَ إِنَّهُ لا يَأْتِي بِٱلْخَيْرِ إِلاَّ أَنْتَ وَلا يَصْرِفُ ٱلسُّوءَ إِلاَّ أَنْتَ، إِصْرِفْ عَنَّا ٱلسُّوءَ وَٱلْمَحْذُورَ وَبَارِكْ لَنَا فِي جَمِيعِ ٱلْأُمُورِ، إِنَّكَ غَفُورٌ شَكُورٌ. ٱللَّهُمَّ لا تُخَيِّبْ دُعَاءَنَا وَلا تُشْمِتْ بِنَا أَعْدَاءَنَا وَلا تَجْعَلْنَا لِلْبَلَاءِ

غَرَضاً[1] وَلا لِلْمَكْرُوه نَصَباً، وَٱعْفُ عَنَّا وَعَافِنَا فِي كُلِّ ٱلْأَحْوَالِ إِنَّكَ عَلَىٰ كُلِّ شَيْءٍ قَدِيْرٌ.

***

في اليوم الثالث

أَلْحَمْدُ لِلَّهِ ٱلْقَآئِمِ، ٱلدَّآئِمِ، ٱلْحَلِيْمِ، ٱلْكَرِيْمِ ٱلأَوَّلِ، ٱلآخِرِ، ٱلظَّاهِرِ، ٱلْبَاطِنِ، ٱلْوَاحِدِ، ٱلْأَحَدِ، ٱلصَّمَدِ، ٱلَّذِي لَمْ يَلِدْ وَلَمْ يُوْلَدْ وَلَمْ يَكُنْ لَهُ كُفُواً أَحَدٌ. أَلْحَمْدُ لِلَّهِ ٱلْهَادِي، ٱلْعَدْلِ، ٱلْحَقِّ، ٱلْمُبِيْنِ، ذِي ٱلْفَضْلِ ٱلْكَرِيْمِ، ٱلْعَظِيْمِ، ٱلْمُنْعِمِ، ٱلْمُكْرِمِ، ٱلْقَابِضِ، ٱلْبَاسِطِ، ذِي ٱلْقُوَّةِ ٱلْمَتِيْنِ. أَلْحَمْدُ لِلَّهِ ٱلْوَارِثِ، ٱلْوَكِيْلِ، ٱلشَّهِيْدِ، ٱلرَّقِيْبِ، ٱلْمُجِيْبِ، ٱلْمُحِيطِ، ٱلْحَفِيْظِ، ٱلرَّقِيْبِ، ٱلْمَانِعِ، ٱلْفَاتِحِ، ٱلْمُعْطِي، ٱلْمُبْتَلِي، ٱلْمُحْيِي، ٱلْمُمِيْتِ، ذِي ٱلْجَلَالِ وَٱلْإِكْرَامِ أَهْلِ ٱلتَّقْوَىٰ وَأَهْلِ ٱلْمَغْفِرَةِ ذِي ٱلْمَعَارِجِ، تَعْرُجُ ٱلْمَلَآئِكَةُ وَٱلرُّوحُ إِلَيْهِ.

---

(١) غرضاً: وأصل الغرض الهدف الذي يرميه الرماة.

أَلْحَمْدُ لِلَّهِ ٱلرَّازِقِ، ٱلْبَارِىءِ، ٱلرَّحِيْمِ، ذِي ٱلرَّحْمَةِ ٱلْوَاسِعَةِ، وَٱلنِّعَمِ ٱلسَّابِغَةِ، وَٱلْحُجَّةِ ٱلْبَالِغَةِ، وَٱلْأَمْثَالِ ٱلْعُلْيَا، وَٱلْأَسْمَآءِ ٱلْحُسْنَىٰ، شَدِيْدِ ٱلْقُوَىٰ، فَالِقِ ٱلْإِصْبَاحِ، فَالِقِ ٱلْحَبِّ وَٱلنَّوَىٰ، يُخْرِجُ ٱلْحَيَّ مِنَ ٱلْمَيِّتِ وَيُخْرِجُ ٱلْمَيِّتَ مِنَ ٱلْحَيِّ، وَيُدَبِّرُ ٱلْأَمْرَ. أَلْحَمْدُ لِلَّهِ رَفِيْعِ ٱلدَّرَجَاتِ ذِي ٱلْعَرْشِ يُلْقِي ٱلرُّوحَ مِنْ أَمْرِهِ عَلَىٰ مَنْ يَشَآءُ مِنْ عِبَادِهِ رَبِّ ٱلْعِبَادِ وَإِلَيْهِ ٱلْمَعَادُ، وَهُوَ بِٱلْمَنْظَرِ ٱلْأَعْلَىٰ يَعْلَمُ مَا تَكْسِبُ كُلُّ نَفْسٍ غَافِرِ ٱلذَّنْبِ وَقَابِلِ ٱلتَّوْبِ شَدِيْدِ ٱلْعِقَابِ، ذِي ٱلطَّوْلِ لا إِلٰهَ إِلاَّ هُوَ إِلَيْهِ ٱلْمَصِيْرُ شَدِيْدِ ٱلْمِحَالِ، سَرِيعِ الحِسَابِ، القَائِمِ بِالقِسْطِ، إِذَا قَضَىٰ أَمْراً فَإِنَّمَا يَقُولُ لَهُ كُنْ فَيَكُونُ. بَاسِطُ ٱلْيَدَيْنِ بِٱلْخَيْرِ وَهَّابُ ٱلْخَيْرِ كَيْفَ يَشَآءُ لا يَخِيْبُ سَآئِلُهُ وَلا يَنْدَمُ آمِلُهُ، وَلا تَضِيْقُ رَحْمَتُهُ وَلا تُحْصَىٰ نِعْمَتُهُ، وَعْدُهُ حَقٌّ وَهُوَ أَحْكَمُ ٱلْحَاكِمِيْنَ، وَأَسْرَعُ ٱلْحَاسِبِينَ وَأَوْسَعُ ٱلْمُفْضِلِيْنَ، وَاسِعُ ٱلْفَضْلِ، شَدِيْدُ ٱلْبَطْشِ، حُكْمُهُ عَدْلٌ وَهُوَ لِلْحَمدِ أَهْلٌ،

صَادِقُ ٱلْوَعْدِ يُعْطِي ٱلْخَيْرَ وَيَقْضِي بِٱلْحَقِّ، وَيَهْدِي ٱلسَّبِيلَ وَيَهْدِي مَنْ يَشَآءُ إِلَىٰ صِرَاطٍ مُسْتَقِيمٍ. وَاسِعُ ٱلْمَغْفِرَةِ وَلَيْسَ كَمِثْلِهِ شَيْءٌ خَلَقَ ٱلسَّمَاوَاتِ وَٱلْأَرْضَ وَٱلْمَوْتَ وَٱلْحَيَاةَ لِيَبْلُوَكُمْ أَيُّكُمْ أَحْسَنُ عَمَلاً، وَهُوَ ٱلْعَزِيزُ ٱلْغَفُورُ. جَمِيلُ ٱلثَّنَآءِ وَحَسَنُ ٱلْبَلَآءِ سَمِيعُ ٱلدُّعَآءِ عَدْلُ ٱلْقَضَآءِ يَفْعَلُ مَا يَشَآءُ وَلَهُ ٱلْعِزَّةُ وَٱلْحَمْدُ، وَلَهُ ٱلْكِبْرِيَآءُ وَلَهُ ٱلْجَبَرُوتُ وَلَهُ ٱلْعَظَمَةُ، يُنَزِّلُ ٱلْغَيْثَ وَيَعْلَمُ ٱلْغَيْبَ، وَيَبْسُطُ ٱلرِّزْقَ لِمَنْ يَشَآءُ. وَيُرْسِلُ ٱلرِّيَاحَ وَيُنْشِىءُ ٱلسَّحَابَ ٱلثِّقَالَ، وَيُدَبِّرُ ٱلْأَمْرَ وَيُجِيبُ ٱلْمُضْطَرَّ إِذَا دَعَاهُ وَيَكْشِفُ ٱلسُّوٓءَ وَيُعْطِي ٱلسَّآئِلَ، لا مَانِعَ لِمَا أَعْطَىٰ وَلا مُعْطِيَ لِمَا مَنَعَ وَلَيْسَ كَمِثْلِهِ شَيْءٌ وَهُوَ ٱلسَّمِيعُ ٱلْبَصِيرُ. يَا مَنْ تَقَدَّسَتْ أَسْمَآؤُهُ لَهُ ٱلْخَلْقُ وَٱلْأَمْرُ تَبَارَكَ ٱللَّهُ رَبُّ ٱلْعَالَمِينَ وَجَلَّ ثَنَآؤُهُ وَوَسِعَتْ رَحْمَتُهُ كُلَّ شَيْءٍ وَهِيَ ظَاهِرَةٌ وَبَاطِنَةٌ بِجُودِهِ، وَهُوَ أَرْحَمُ ٱلرَّاحِمِينَ. أَللَّهُمَّ صَلِّ عَلَىٰ مُحَمَّدٍ وَآلِ مُحَمَّدٍ وَأَنْ تَغْفِرَ لَنَا مَا مَضَىٰ مِنْ ذُنُوبِنَا

وَتَعْصِمَنَا فِيمَا بَقِيَ مِنْ عُمْرِنَا. ٱللَّهُمَّ ٱجْعَلْ خَيْرَ أَعْمَالِنَا خَوَاتِمَهَا وَخَيْرَ أَيَّامِنَا يَوْمَ لِقَآئِكَ. ٱللَّهُمَّ مُنَّ عَلَيْنَا فِي هٰذِهِ ٱلسَّاعَةِ فِي جَمِيعِ مَا نَسْتَقْبِلُ مِنْ نَهَارِنَا بِٱلتَّوْبَةِ وَٱلسَّعَادَةِ وَٱلْمَغْفِرَةِ وَٱلتَّوْفِيقِ وَٱلنَّجَاةِ مِنَ ٱلنَّارِ. ٱللَّهُمَّ ٱبْسُطْ لَنَا فِي أَرْزَاقِنَا وَبَارِكْ لَنَا فِي أَعْمَالِنَا وَٱحْرُسْنَا مِنَ ٱلْأَسْوَآءِ(١) وَٱلضَّرَّاءِ، وَآتِنَا بِٱلْفَرَجِ وَٱلرَّخَآءِ إِنَّكَ سَمِيعُ ٱلدُّعَآءِ لَطِيفٌ لِمَا تَشَآءُ.

***

في اليوم الرابع

ٱللَّهُمَّ لَكَ ٱلْحَمْدُ ظَهَرَ دِينُكَ وَبَلَغَتْ حُجَّتُكَ، وَٱشْتَدَّ مُلْكُكَ وَعَظُمَ سُلْطَانُكَ، وَصَدَقَ وَعْدُكَ وَٱرْتَفَعَ عَرْشُكَ، وَأَرْسَلْتَ رَسُولَكَ بِٱلْهُدَىٰ وَدِينِ ٱلْحَقِّ لِيُظْهِرَهُ عَلَىٰ ٱلدِّينِ كُلِّهِ وَلَوْ كَرِهَ ٱلْمُشْرِكُونَ. ٱللَّهُمَّ فَأَكْمَلْتَ دِينَكَ وَأَتْمَمْتَ نُورَكَ وَتَقَدَّسْتَ بِٱلْوَعِيدِ

---

(١) الأسواء: السوء والفساد.

وَأَخَذْتَ ٱلْحُجَّةَ عَلَىٰ ٱلْعِبَادِ وَتَمَّتْ كَلِمَاتُكَ صِدْقاً وَعَدْلاً. أَللَّهُمَّ لَكَ ٱلْحَمْدُ وَلَكَ ٱلنِّعْمَةُ وَلَكَ ٱلْمَنُّ تَكْشِفُ ٱلْعُسْرَ وَتُعْطِي ٱلْيُسْرَ وَتَقْضِي بِٱلْحَقِّ وَتَعْدِلُ بِٱلْقِسْطِ وَتَهْدِي ٱلسَّبِيلَ تَبَارَكَ وَجْهُكَ سُبْحَانَكَ وَبِحَمْدِكَ لا إِلَهَ إِلاَّ أَنْتَ رَبُّ ٱلسَّمَاوَاتِ وَرَبُّ ٱلْأَرَضِينَ وَمَنْ فِيهِنَّ وَرَبُّ ٱلْعَرْشِ ٱلْعَظِيمِ. أَللَّهُمَّ لَكَ ٱلْحَمْدُ فِي ٱلتَّوْرَاةِ وَلَكَ ٱلْحَمْدُ فِي ٱلْإِنْجِيلِ وَلَكَ ٱلْحَمْدُ فِي زُبُرِ ٱلأَوَّلِينَ، وَلَكَ ٱلْحَمْدُ فِي ٱلسَّبْعِ ٱلْمَثَانِي وَٱلْقُرْآنِ ٱلْعَظِيمِ وَلَكَ ٱلْحَمْدُ فِي ٱلْمَلآئِكَةِ ٱلْمُقَرَّبِينَ وَلَكَ ٱلْحَمْدُ فِي ٱلْأَنْبِيَاءِ وَٱلْمُرْسَلِينَ وَلَكَ ٱلْحَمْدُ فِي الكِرَامِ ٱلْكَاتِبِينَ، وَلَكَ ٱلْحَمْدُ وَٱلْحَمْدُ ثَنَآؤُكَ، وَٱلْحَسَنُ بَلاَؤُكَ وَٱلْعَدْلُ قَضَآؤُكَ وَٱلْأَرْضُ فِي قَبْضَتِكَ وَٱلسَّمَاوَاتُ مَطْوِيَّاتٌ بِيَمِينِكَ. أَللَّهُمَّ لَكَ ٱلْحَمْدُ مُقْسِطُ ٱلْمِيزَانِ رَفِيعُ ٱلْمَكَانِ قَاضِي ٱلْبُرْهَانِ صَادِقُ ٱلْكَلاَمِ ذُو ٱلْجَلاَلِ وَٱلْإِكْرَامِ. أَللَّهُمَّ لَكَ ٱلْحَمْدُ مُنْزِلُ ٱلآيَاتِ مُجِيبُ ٱلدَّعَوَاتِ كَاشِفُ ٱلْكُرُبَاتِ ٱلْفَتَّاحُ بِٱلْخَيْرَاتِ، مَالِكُ

ٱلْمَحْيَا وَٱلْمَمَاتِ. اَللَّهُمَّ لَكَ ٱلْحَمْدُ مَاجِداً، وَلَكَ ٱلْحَمْدُ دَائِماً، وَلَكَ ٱلْحَمْدُ كَمَا تُحِبُّ أَنْ تُحْمَدَ وَتُعْبَدَ، جَلَّ ثَنَاؤُكَ رَبَّنَا وَأَنْتَ أَرْحَمُ ٱلرَّاحِمِيْنَ. اَللَّهُمَّ لَكَ ٱلْحَمْدُ فِي ٱللَّيْلِ إِذَا يَغْشَىٰ، وَلَكَ ٱلْحَمْدُ فِي ٱلنَّهَارِ إِذَا تَجَلَّىٰ، وَلَكَ ٱلْحَمْدُ فِي ٱلآخِرَةِ وَٱلأُوْلَىٰ. اَللَّهُمَّ لَكَ ٱلْحَمْدُ مَا أَجْمَلَكَ وَأَجَلَّكَ، وَلَكَ ٱلْحَمْدُ مَا أَجْوَدَكَ وَأَمْجَدَكَ، وَلَكَ ٱلْحَمْدُ عَلَىٰ مَا أَحَبَّ ٱلْعِبَادُ وَكَرِهُوا مِنْ مَقَادِيْرِكَ وَحُكْمِكَ، وَلَكَ ٱلْحَمْدُ عَلَىٰ كُلِّ حَالٍ مِنْ أَمْرِ ٱلدُّنْيَا وَٱلآخِرَةِ يَا خَيْرَ مَنْ سُئِلَ، وَيَا أَكْرَمَ مَنْ جَادَ بِٱلْعَطَاءِ، صَلِّ عَلَىٰ مُحَمَّدٍ نَبِيِّكَ وَآلِهِ وَهَبْ لَنَا ٱلصَّبْرَ ٱلْجَمِيْلَ عِنْدَ حُلُولِ ٱلرَّزَايَا، وَلَقِّنَا اليُسْرَ وَالسُّرُورَ وَٱكْفِنَا ٱلشَّرَ وَٱلشُّرُورَ، وَعَافِنَا فِي جَمِيْعِ ٱلأُمُورِ، إِنَّكَ لَطِيْفٌ خَبِيرٌ، وَآتِنَا فِي ٱلدُّنْيَا حَسَنَةً وَفِي ٱلآخِرَةِ حَسَنَةً وَقِنَا[1] عَذَابَ ٱلنَّارِ يَا أَرْحَمَ ٱلرَّاحِمِيْنَ.

***

(١) قنا: احفظنا.

في اليوم الخامس

أَللّٰهُمَّ لَكَ ٱلْحَمْدُ فِي ٱللَّيْلِ إِذْ أَدْبَرَ، وَلَكَ ٱلْحَمْدُ فِي ٱلصُّبْحِ إِذَا أَسْفَرَ، وَلَكَ ٱلْحَمْدُ حَمْداً يَبْلُغُ أَوَّلُهُ شُكْرَكَ، وَآخِرُهُ رِضْوَانَكَ، وَلَكَ ٱلْحَمْدُ فِي ٱلسَّمَاوَاتِ مَحْمُوداً وَفِي عِبَادِكَ وَبِلَادِكَ مَعْبُوداً. أَللّٰهُمَّ لَكَ ٱلْحَمْدُ فِي ٱلْقَضَاءِ، وَلَكَ ٱلْحَمْدُ فِي ٱلرَّخَاءِ، وَلَكَ ٱلْحَمْدُ فِي ٱلشِّدَّةِ، وَلَكَ ٱلْحَمْدُ فِي ٱلنِّعَمِ ٱلظَّاهِرَةِ، وَلَكَ ٱلْحَمْدُ فِي ٱلنِّعَمِ ٱلْبَاطِنَةِ، مِنْكَ بَدَأَ ٱلْحَمْدُ وَإِلَيْكَ يَنْتَهِي ٱلْحَمْدُ. أَلْحَمْدُ لِلّٰهِ فِي ٱلأَوَّلِينَ وَٱلآخِرِينَ، وَٱلْحَمْدُ لِلّٰهِ مِلْءَ ٱلسَّمَاوَاتِ وَٱلأَرَضِيْنَ، وَمَا يَشَاءُ بَعْدَ ذٰلِكَ حَتَّىٰ يَرْضَىٰ. أَلْحَمْدُ لِلّٰهِ عَدَدَ خَلْقِهِ، وَأَفْضَلَ مِنْ ذٰلِكَ مَا يَشَاءُ، فَإِنَّهُ أَحْصَىٰ كُلَّ شَيْءٍ عَدَداً، وَوَسِعَ كُلَّ شَيْءٍ رَحْمَةً وَعِلْماً. أَلْحَمْدُ لِلّٰهِ ٱلَّذِي خَلَقَ ٱلسَّمَاوَاتِ وَٱلأَرْضَ وَمَا بَيْنَهُمَا فِي سِتَّةِ أَيَّامٍ، ثُمَّ ٱسْتَوَىٰ عَلَىٰ ٱلْعَرْشِ. أَلْحَمْدُ لِلّٰهِ ٱلَّذِي رَفَعَ ٱلسَّمَاوَاتِ بِغَيْرِ عَمَدٍ يُرَىٰ، أَلْحَمْدُ لِلّٰهِ ٱلَّذِي زَيَّنَ ٱلسَّمَاءَ

ٱلدُّنْيَا بِمَصَابِيْحَ وَجَعَلَهَا رُجُوماً لِلشَّيَاطِيْنِ، ٱلْحَمْدُ لِلَّهِ جَعَلَ ٱلْأَرْضَ بِسَاطاً وَأَنْبَتَ لَنَا فِيْهَا مِنَ ٱلشَّجَرِ وَٱلزَّرْعِ وَٱلْفَوَاكِهِ وَٱلنَّخْلِ أَلْوَاناً، ٱلْحَمْدُ لِلَّهِ ٱلَّذِي جَعَلَ فِي ٱلْأَرْضِ جَنَّاتٍ وَأَعْنَاباً وَفَجَّرَ فِيْهَا عُيُوناً وَجَعَلَ فِيْهَا أَنهاراً، ٱلْحَمْدُ لِلَّهِ ٱلَّذِي جَعَلَ فِي ٱلْأَرْضِ رَوَاسِيَ أَنْ تَمِيْدَ بِنَا فَجَعَلَهَا لِلأَرْضِ أَوْتَاداً. ٱلْحَمْدُ لِلَّهِ ٱلَّذِي سَخَّرَ لَنَا ٱلْبَحْرَ لِتَجْرِيَ ٱلْفُلْكُ فِيهِ بِأَمْرِهِ، وَلِنَبْتَغِيَ مِنْ فَضْلِهِ، وَجَعَلَ لَنَا مِنْهُ حِلْيَةً نَلْبَسُهَا وَلَحْماً طَرِيّاً. ٱلْحَمْدُ لِلَّهِ ٱلَّذِي سَخَّرَ لَنَا ٱلْأَنْعَامَ لِنَأْكُلَ مِنهَا، وَجَعَلَ لَنَا مِنْهَا رُكُوباً وَجَعَلَ لَنَا مِنْ جُلُودِ ٱلْأَنْعَامِ بُيُوتاً وَلِبَاساً وَفِرَاشاً وَمَتَاعاً إِلَىٰ حِيْنٍ. ٱلْحَمْدُ لِلَّهِ ٱلْكَرِيْمِ فِي مُلْكِهِ، ٱلْقَاهِرِ لِمَنْ فِيهِ، ٱلْقَادِرِ عَلَىٰ أَمْرِهِ، ٱلْمَحْمُودِ فِي صُنْعِهِ، ٱللَّطِيْفِ بِعِلْمِهِ، ٱلرَّؤُوفِ بِعِبَادِهِ، ٱلْمُسْتَأْثِرِ بِجَبَرُوتِهِ فِي عِزِّهِ وَجَلاَلِهِ وَهَيْبَتِهِ، ٱلْحَمْدُ لِلَّهِ ٱلْفَاشِي فِي ٱلْخَلْقِ حَمْدُهُ، ٱلظَّاهِرِ بِٱلْكِبْرِيَآءِ مَجْدُهُ، ٱلْبَاسِطِ بِٱلْخَيْرِ يَدَهُ. ٱلْحَمْدُ لِلَّهِ ٱلَّذِي تَرَدَّىٰ بِٱلْحَمْدِ

وَتَعطَّفَ بِٱلْفَخْرِ، وَتَكَبَّرَ بِٱلْمَهابَةِ وَٱسْتَشْعَرَ بِٱلْجَبَرُوتِ، وَٱحْتَجَبَ بِشُعَاعِ نُورِهِ عَنْ نَوَاظِرِ خَلْقِهِ. ٱلْحَمْدُ لِلَّهِ ٱلَّذِي لاَ مُضَادَّ لَهُ فِي مُلْكِهِ وَلاَ مُنَازِعَ لَهُ فِي أَمْرِهِ، وَلاَ شِبْهَ لَهُ فِي خَلْقِهِ. لاَ إِلَٰهَ إِلاَّ هُوَ لاَ رَآدَّ لأَمْرِهِ وَلاَ دَافِعَ لِقَضَآئِهِ، لَيْسَ لَهُ ضِدٌّ وَلاَ نِدٌّ وَلاَ عَدْلٌ وَلاَ شِبْهٌ وَلاَ مِثْلٌ، وَلاَ يُعْجِزُهُ مَنْ طَلَبَهُ وَلاَ يَسْبِقُهُ مَنْ هَرَبَ وَلاَ يَمْتَنِعُ مِنْهُ أَحَدٌ. خَلَقَ ٱلْخَلْقَ عَلَىٰ غَيْرِ أَصْلٍ وَٱبْتَدَأَهُمْ عَلَىٰ غَيْرِ مِثَالٍ، وَقَهَرَ ٱلْعِبَادَ بِغَيْرِ أَعْوَانٍ، وَرَفَعَ ٱلسَّمَآءَ بِغَيْرِ عَمَدٍ، وَبَسَطَ ٱلْأَرْضَ عَلَىٰ ٱلْهَوَآءِ بِغَيْرِ أَرْكَانٍ. ٱلْحَمْدُ لِلَّهِ عَلَىٰ مَا مَضَىٰ وَعَلَىٰ مَا بَقِيَ، وَلَهُ ٱلْحَمْدُ عَلَىٰ مَا يُبْدِىءُ وَعَلَىٰ مَا يُخْفِي وَعَلَىٰ مَا كَانَ وَعَلَىٰ مَا يَكُونُ. ٱللَّهُمَّ لَكَ ٱلْحَمْدُ عَلَىٰ حِلْمِكَ بَعْدَ عِلْمِكَ، وَلَكَ ٱلْحَمْدُ عَلَىٰ عَفْوِكَ بَعْدَ قُدْرَتِكَ، وَلَكَ ٱلْحَمْدُ عَلَىٰ صَفْحِكَ بَعْدَ إِعْذَارِكَ، وَلَكَ ٱلْحَمْدُ عَلَىٰ مَا تَأْخُذُ وَعَلَىٰ مَا تُعْطِي، وَلَكَ ٱلْحَمْدُ عَلَىٰ مَا تُبْلِي وَتَبْتَلِي، وَلَكَ ٱلْحَمْدُ عَلَىٰ أَمْرِكَ حَمْداً لاَ يُعْجِزُ عَنْكَ، وَلاَ

يَقْصُرُ دُونَ أَفْضَلِ رِضَاكَ. ٱللَّهُمَّ صَلِّ عَلَىٰ مُحَمَّدٍ وَآلِهِ وَلاَ تَذَرْ لَنَا فِي هٰذِهِ ٱلسَّاعَةِ ذَنْباً إِلاَّ غَفَرْتَهُ، وَلاَ هَمّاً إِلاَّ فَرَّجْتَهُ، وَلاَ عَيْباً إِلاَّ سَتَرْتَهُ، وَلاَ مَرِيضاً إِلاَّ شَفَيْتَهُ، وَلاَ دَيْناً إِلاَّ قَضَيْتَهُ، وَلاَ سُوءاً إِلاَّ صَرَفْتَهُ، وَلاَ خَيْراً إِلاَّ أَعْطَيْتَهُ، وَلاَ غَرِيباً إِلاَّ صَاحَبْتَهُ، وَلاَ غَائِباً إِلاَّ فَكَكْتَهُ، وَلاَ مَهْمُوماً إِلاَّ نَفَّسْتَ هَمَّهُ، وَلاَ خَائِفاً إِلاَّ أَمِنْتَهُ، وَلاَ عَدُوّاً إِلاَّ كَفَيْتَهُ، وَلاَ كَبِيراً إِلاَّ جَبَرْتَ، وَلاَ جَائِعاً إِلاَّ أَشْبَعْتَ، وَلاَ ظَمْآناً إِلاَّ أَنْهَلْتَ، وَلاَ عَارِياً إِلاَّ كَسَوْتَ، وَلاَ حَاجَةً مِنْ حَوَآئِجِ ٱلدُّنْيَا وَٱلآخِرَةِ لَكَ فِيهَا رِضىً وَلَنَا فِيهَا صَلاَحٌ إِلاَّ قَضَيْتَهَا فِي يُسْرٍ مِنْكَ وَعَافِيَةٍ يَا أَرْحَمَ ٱلرَّاحِمِينَ وَصَلَّىٰ ٱللَّهُ عَلَىٰ مُحَمَّدٍ وَآلِهِ ٱلطَّيِّبِينَ.

***

في اليوم السادس

ٱللَّهُمَّ لَكَ ٱلْحَمْدُ حَمْداً أَبْلُغُ بِهِ رِضَاكَ، وَأُؤَدِّي بِهِ شُكْرَكَ، وَأَسْتَوْجِبُ بِهِ ٱلْمَزِيْدَ مِنْ فَضْلِكَ. ٱللَّهُمَّ

لكَ ٱلْحَمْدُ عَلَىٰ حِلْمِكَ بَعْدَ عِلْمِكَ، وَلَكَ ٱلْحَمْدُ عَلَىٰ عَفْوِكَ بَعْدَ قُدْرَتِكَ، ٱللَّهُمَّ لَكَ ٱلْحَمْدُ كَمَا أَنْعَمْتَ عَلَيْنَا نِعَماً بَعْدَ نِعَمٍ. ٱللَّهُمَّ لَكَ ٱلْحَمْدُ بِٱلإِسْلاَمِ، وَلَكَ ٱلْحَمْدُ بِٱلْقُرْآنِ، وَلَكَ ٱلْحَمْدُ بِٱلأَهْلِ وَٱلْمَالِ، وَلَكَ ٱلْحَمْدُ بِٱلْمُعَافَاةِ، وَلَكَ ٱلْحَمْدُ فِي ٱلسَّرَّاءِ وَٱلضَّرَّاءِ، وَلَكَ ٱلْحَمْدُ فِي ٱلشِّدَّةِ وَٱلرَّخَاءِ، وَلَكَ ٱلْحَمْدُ عَلَىٰ كُلِّ حَالٍ. ٱللَّهُمَّ لَكَ ٱلْحَمْدُ كَمَا أَنْتَ أَهْلُهُ وَوَلِيُّهُ، وَكَمَا يَنْبَغِي لِوَجْهِكَ ٱلْكَرِيْمِ. ٱللَّهُمَّ لَكَ ٱلْحَمْدُ عَدَدَ ٱلشَّعْرِ وَٱلْوَبَرِ، وَلَكَ ٱلْحَمْدُ عَدَدَ ٱلْوَرَقِ وَٱلشَّجَرِ، وَلَكَ ٱلْحَمْدُ عَدَدَ ٱلْحَصَىٰ وَٱلْمَدَرِ، وَلَكَ ٱلْحَمْدُ عَدَدَ رَمْلِ عَالِجٍ. وَلَكَ ٱلْحَمْدُ عَدَدَ أَيَّامِ ٱلدُّنْيَا وَٱلآخِرَةِ، وَلَكَ ٱلْحَمْدُ عَدَدَ نُجُومِ ٱلسَّمَاءِ. ٱللَّهُمَّ فَإِنَّا نَشْكُرُكَ عَلَىٰ مَا ٱصْطَنَعْتَ عِنْدَنَا، وَنَحْمَدُكَ عَلَىٰ كُلِّ أَمْرٍ أَرَدْتَ أَنْ تَقُولَ لَهُ كُنْ فَيَكُونُ. ٱلْحَمْدُ لِلَّهِ ٱلَّذِي لاَ يَنْسَىٰ مَنْ ذَكَرَهُ. ٱلْحَمْدُ لِلَّهِ ٱلَّذِي لاَ يَخِيبُ مَنْ دَعَاهُ. ٱلْحَمْدُ لِلَّهِ ٱلَّذِي لاَ يَخْفِي عَلَيْهِ خَافِيَةٌ

فِي ٱلسَّمٰوَاتِ وَٱلْأَرْضِ وَهُوَ بِكُلِّ شَيْءٍ عَلِيمٌ. ٱلْحَمْدُ لِلَّهِ ٱلَّذِي مَنْ تَوَكَّلَ عَلَيْهِ كَفَاهُ. ٱلْحَمْدُ لِلَّهِ ٱلَّذِي مَنْ وَثِقَ بِهِ لَمْ يَكِلْهُ إِلَىٰ غَيْرِهِ. ٱلْحَمْدُ لِلَّهِ ٱلَّذِي يَجْزِي بِٱلْإِحْسَانِ إِحْسَاناً، وَبِٱلصَّبْرِ نَجَاةً. وَٱلْحَمْدُ لِلَّهِ ٱلَّذِي يَكْشِفُ عَنَّا ٱلضُّرَّ وَٱلْكَرْبَ. ٱلْحَمْدُ لِلَّهِ ٱلَّذِي هُوَ ثِقَتُنَا حِينَ يَنْقَطِعُ ٱلْحَبْلُ مِنَّا. ٱلْحَمْدُ لِلَّهِ ٱلَّذِي هُوَ رَجَاؤُنَا حِينَ تَسُوءُ ظُنُونُنَا بِأَعْمَالِنَا. ٱلْحَمْدُ لِلَّهِ ٱلَّذِي أَسْأَلُهُ ٱلْعَافِيَةَ فَيُعَافِيَنِي وَإِنْ كُنْتُ مُتَعَرِّضاً لِمَا يُؤْذِينِي. ٱلْحَمْدُ لِلَّهِ ٱلَّذِي أَسْتَعِينُهُ فَيُعِينُنِي، ٱلْحَمْدُ لِلَّهِ ٱلَّذِي أَدْعُوهُ فَيُجِيبُنِي، ٱلْحَمْدُ لِلَّهِ ٱلَّذِي أَسْتَنْصِرُهُ فَيَنْصُرُنِي. ٱلْحَمْدُ لِلَّهِ ٱلَّذِي أَسْأَلُهُ فَيُعْطِينِي وَإِنْ كُنْتُ بَخِيلاً حِينَ يَسْتَقْرِضُنِي. ٱلْحَمْدُ لِلَّهِ ٱلَّذِي أُنَادِيهِ كُلَّمَا شِئْتُ لِحَاجَتِي. ٱلْحَمْدُ لِلَّهِ ٱلَّذِي يَحْلَمُ عَنِّي حَتَّىٰ كَأَنِّي لَا ذَنْبَ لِي. ٱلْحَمْدُ لِلَّهِ ٱلَّذِي يَتَحَبَّبُ إِلَيَّ وَهُوَ غَنِيٌّ عَنِّي. ٱلْحَمْدُ لِلَّهِ ٱلَّذِي لَمْ يَكِلْنِي إِلَىٰ ٱلنَّاسِ فَيُهِينُونِي. ٱلْحَمْدُ لِلَّهِ ٱلَّذِي مَنَّ عَلَيْنَا بِنَبِيِّنَا مُحَمَّدٍ صَلَّىٰ ٱللَّهُ عَلَيْهِ

وَآلِهِ. ٱلْحَمْدُ لِلَّهِ ٱلَّذِي حَمَلَنَا فِي ٱلْبَرِّ وَٱلْبَحْرِ وَرَزَقَنَا مِنَ ٱلطَّيِّبَاتِ وَفَضَّلَنَا عَلَىٰ كَثِيرٍ مِمَّنْ خَلَقَ تَفْضِيلاً. ٱلْحَمْدُ لِلَّهِ ٱلَّذِي آمَنَ رَوْعَتَنَا. ٱلْحَمْدُ لِلَّهِ ٱلَّذِي سَتَرَ عَوْرَتَنَا. ٱلْحَمْدُ لِلَّهِ ٱلَّذِي أَشْبَعَ جَوْعَتَنَا. ٱلْحَمْدُ لِلَّهِ ٱلَّذِي أَقَالَنَا عَثْرَتَنَا. ٱلْحَمْدُ لِلَّهِ ٱلَّذِي رَزَقَنَا. ٱلْحَمْدُ لِلَّهِ ٱلَّذِي آمَنَنَا. ٱلْحَمْدُ لِلَّهِ ٱلَّذِي كَبَتَ عَدُوَّنَا. ٱلْحَمْدُ لِلَّهِ ٱلَّذِي أَلَّفَ بَيْنَ قُلُوبِنَا. ٱلْحَمْدُ لِلَّهِ مَالِكِ ٱلْمُلْكِ مُجْرِي ٱلْفُلْكِ. ٱلْحَمْدُ لِلَّهِ نَاشِرِ ٱلرِّيَاحِ فَالِقِ ٱلْإِصْبَاحِ. ٱلْحَمْدُ لِلَّهِ ٱلَّذِي عَلاَ فَقَهَرَ، ٱلْحَمْدُ لِلَّهِ ٱلَّذِي بَطَنَ فَخَبَرَ، ٱلْحَمْدُ لِلَّهِ ٱلَّذِي أَحَاطَ بِكُلِّ شَيْءٍ عِلْمَاً وَأَحْصَىٰ كُلَّ شَيْءٍ عَدَداً. ٱلْحَمْدُ لِلَّهِ ٱلَّذِي نَفَذَ فِي كُلِّ شَيْءٍ بَصَرُهُ. ٱلْحَمْدُ لِلَّهِ ٱلَّذِي لَهُ ٱلشَّرَفُ ٱلْأَعْلَىٰ وَٱلْأَسْمَاءُ ٱلْحُسْنَىٰ. ٱلْحَمْدُ لِلَّهِ ٱلَّذِي لَيْسَ مِنْ أَمْرِهِ مَنْجَىٰ. ٱلْحَمْدُ لِلَّهِ ٱلَّذِي لَيْسَ عَنْهُ مُجِيرٌ وَلاَ عَنْهُ مُنْصَرَفٌ بَلْ إِلَيْهِ ٱلْمَرْجِعُ وَٱلْمُزْدَلَفُ. ٱلْحَمْدُ لِلَّهِ ٱلَّذِي لاَ يَغْفَلُ عَنْ شَيْءٍ وَلاَ يُلْهِيهِ شَيْءٌ. ٱلْحَمْدُ لِلَّهِ ٱلَّذِي لاَ تَسْتُرُ مِنْهُ

ٱلْقُصُورَ، وَلاَ تكِنُّ مِنْهُ ٱلسُّتُورَ، وَلاَ تُوَارِي مِنْهُ ٱلْبُحُورَ، وَكُلُّ شَيْءٍ إِلَيْهِ يَصِيرُ. ٱلْحَمْدُ لِلَّهِ ٱلَّذِي صَدَقَ وَعْدَهُ، وَنَصَرَ عَبْدَهُ، وَهَزَمَ ٱلْأَحْزَابَ وَحْدَهُ. ٱلْحَمْدُ لِلَّهِ ٱلَّذِي يُحْيِي ٱلْمَوْتَىٰ وَيُمِيتُ ٱلْأَحْيَآءَ وَهُوَ عَلَىٰ كُلِّ شَيْءٍ قَدِيرٌ. ٱلْحَمْدُ لِلَّهِ جَزِيلِ ٱلْعَطَآءِ فَصْلِ ٱلْقَضَآءِ سَابِقِ ٱلنَّعْمَآءِ، إِلَهِ ٱلْأَرْضِ وَٱلسَّمَآءِ. ٱلْحَمْدُ لِلَّهِ ٱلَّذِي هُوَ أَوْلَىٰ ٱلْمَحْمُودِينَ بِٱلْحَمْدِ، وَأَوْلَىٰ ٱلْمَمْدُوحِينَ بِٱلثَّنَآءِ وَٱلْمَجْدِ. ٱلْحَمْدُ لِلَّهِ لاَ يَزُولُ مُلْكُهُ وَلاَ يَتَضَعْضَعُ رُكْنُهُ. ٱلْحَمْدُ لِلَّهِ ٱلَّذِي لاَ تُرَامُ قُوَّتُهُ. ٱللَّهُمَّ لَكَ ٱلْحَمْدُ فِي ٱللَّيْلِ إِذَا يَغْشَىٰ، وَلَكَ ٱلْحَمْدُ فِي ٱلنَّهَارِ إِذَا تَجَلَّىٰ، وَلَكَ ٱلْحَمْدُ فِي ٱلآخِرَةِ وَٱلْأُولَىٰ، وَلَكَ ٱلْحَمْدُ فِي ٱلسَّمٰوَاتِ ٱلْعُلَىٰ، وَلَكَ ٱلْحَمْدُ فِي ٱلْأَرَضِينَ وَمَا تَحْتَ ٱلثَّرَىٰ. ٱللَّهُمَّ لَكَ ٱلْحَمْدُ حَمْداً يَصْعَدُ وَلاَ يَنْفَدُ، وَلَكَ ٱلْحَمْدُ حَمْداً يَبْقَىٰ وَلاَ يَفْنَىٰ، وَلَكَ ٱلْحَمْدُ حَمْداً تَضَعُ لَكَ ٱلسَّمٰوَاتُ كَنَفَيْهَا، وَلَكَ ٱلْحَمْدُ حَمْداً دَآئِماً أَبَداً فَأَنْتَ ٱلَّذِي تُسَبِّحُ لَكَ ٱلْأَرْضُ وَمَنْ عَلَيْهَا يَا كَرِيمُ.

في اليوم السابع

ٱللَّهُمَّ لَكَ ٱلْحَمْدُ حَمْداً لاَ يَنْفَدُ أَوَّلُهُ، وَلاَ يَنْقَطِعُ آخِرُهُ، وَلاَ يَقْصُرُ دُوْنَ عَرْشِكَ مُنْتَهَاهُ، وَلَكَ ٱلْحَمْدُ حَمْداً لاَ يَحْجُبُ عَنْكَ، وَلاَ يَتَنَاهَىٰ دُونَكَ، وَلاَ يَقْصُرُ عَنْ أَفْضَلِ رِضَاكَ. ٱلْحَمْدُ لِلَّهِ ٱلَّذِي لاَ يُطَاعُ إِلاَّ بِإِذْنِهِ. وَٱلْحَمْدُ لِلَّهِ ٱلَّذِي لاَ يُعْصَىٰ إِلاَّ بِعِلْمِهِ. وَٱلْحَمْدُ لِلَّهِ ٱلَّذِي لاَ يُخَافُ إِلاَّ مِنْ عَدْلِهِ. وَٱلْحَمْدُ لِلَّهِ ٱلَّذِي لاَ يُرْجَىٰ إِلاَّ فَضْلُهُ. وَٱلْحَمْدُ لِلَّهِ ٱلَّذِي لَهُ ٱلْفَضْلُ عَلَىٰ مَنْ أَطَاعَهُ. وَٱلْحَمْدُ لِلَّهِ ٱلَّذِي لَهُ ٱلْحُجَّةُ عَلَىٰ مَنْ عَصَاهُ. وَٱلْحَمْدُ لِلَّهِ ٱلَّذِي مَنْ رَحِمَ مِنْ جَمِيْعِ خَلْقِهِ كَانَ فَضْلاً مِنْهُ، وَٱلْحَمْدُ لِلَّهِ مَنْ عَذَّبَ مِنْ جَمِيْعِ خَلْقِهِ كَانَ عَدْلاً مِنْهُ. وَٱلْحَمْدُ لِلَّهِ ٱلَّذِي لاَ يَفُوتُهُ ٱلْقَرِيْبُ وَلاَ يَبْعُدُ عَلَيْهِ ٱلْبَعِيْدُ. وَٱلْحَمْدُ لِلَّهِ ٱلَّذِي حَمِدَ نَفْسَهُ وَٱسْتَحْمَدَ إِلَىٰ خَلْقِهِ. وَٱلْحَمْدُ لِلَّهِ ٱلَّذِي ٱفْتَتَحَ بِٱلْحَمْدِ كِتَابَهُ وَجَعَلَهُ آخِرَ دَعْوَىٰ أَهْلِ جَنَّتِهِ، وَخَتَمَ بِهِ

قَضَاءَهُ. وَٱلْحَمْدُ لِلَّهِ ٱلَّذِي لاَ يَزَالُ وَلاَ يَزُولُ، وَٱلْحَمْدُ لِلَّهِ ٱلَّذِي كَانَ قَبْلَ كُلِّ كَآئِنٍ، فَلاَ يُوْجَدُ لِشَيْءٍ مَوْضِعٌ قَبْلَهُ، وَٱلْحَمْدُ لِلَّهِ ٱلأَوَّلِ فَلاَ يَكُونُ كَآئِنٌ قَبْلَهُ، وَٱلآخِرُ فَلاَ شَيْءَ بَعْدَهُ، وَهُوَ ٱلْبَاقِي ٱلدَّآئِمُ بِغَيْرِ غَايَةٍ وَلاَ فَنَآءٍ. وَٱلْحَمْدُ لِلَّهِ ٱلَّذِي لاَ تُدْرِكُ ٱلأَوْهَامُ صِفَتَهُ. وَٱلْحَمْدُ لِلَّهِ ٱلَّذِي ذَهَلَتِ ٱلْعُقُولُ عَنْ مَبْلَغِ عَظَمَتِهِ[1]، حَتَّىٰ يَرْجِعُوا إِلَىٰ مَا ٱمْتَدَحَ بِهِ نَفْسَهُ مِنْ عِزِّهِ وَجُودِهِ وَطَوْلِهِ. وَٱلْحَمْدُ لِلَّهِ ٱلَّذِي سَدَّ ٱلْهَوَآءَ بِٱلسَّمَآءِ، وَدَحَا ٱلأَرْضَ عَلَىٰ ٱلْمَآءِ، وَٱخْتَارَ لِنَفْسِهِ ٱلأَسْمَآءَ ٱلْحُسْنَىٰ. ٱلْحَمْدُ لِلَّهِ ٱلْوَاحِدِ بِغَيْرِ تَشْبِيهٍ، ٱلْعَالِمِ بِغَيْرِ تَكْوِينٍ، ٱلْبَاقِي بِغَيْرِ كُلْفَةٍ، ٱلْخَالِقِ بِغَيْرِ مَنْصَبَةٍ، ٱلْمَوْصُوفِ بِغَيْرِ غَايَةٍ، ٱلْمَعْرُوفِ بِغَيْرِ مُنْتَهَىٰ، ٱلْحَمْدُ لِلَّهِ رَبِّ ٱلسَّمٰوَاتِ ٱلسَّبْعِ وَرَبِّ ٱلْعَرْشِ ٱلْعَظِيمِ، وَرَبِّ ٱلأَنْبِيَآءِ وَٱلْمُرْسَلِينَ، وَرَبِّ ٱلأَوَّلِينَ وَٱلآخِرِينَ، أَحَداً صَمَداً لَمْ يَلِدْ وَلَمْ يُولَدْ وَلَمْ يَكُنْ لَهُ كُفُواً أَحَدٌ، مَلِكَ ٱلْمُلُوكِ

(١) مبلغ عظمته: حقيقة عظمته.

بِقُدْرَتِهِ، وَٱسْتَعْبَدَ ٱلْأَرْبَابَ بِعِزَّتِهِ، وَسَادَ ٱلْعُظَمَاءَ بِجَبَرُوتِهِ، وَٱصْطَنَعَ ٱلْفَخْرَ وَٱلْإِسْتِكْبَارَ لِنَفْسِهِ، وَجَعَلَ ٱلْفَضْلَ وَٱلْكَرَمَ وَٱلْجُودَ وَٱلْمَجْدَ لَهُ، جَارُ ٱلْمُسْتَجِيْرِيْنَ وَمَلْجَأُ ٱلْمُضْطَرِّينَ، وَمُعْتَمَدُ ٱلْمُؤْمِنِينَ وَسَبِيْلُ حَاجَةِ ٱلْعَابِدِيْنَ. ٱللَّهُمَّ لَكَ ٱلْحَمْدُ بِجَمِيْعِ مَحَامِدِكَ كُلِّهَا، مَا عَلِمْنَا مِنْهَا وَمَا لَمْ نَعْلَمْ، وَلَكَ ٱلْحَمْدُ حَمْداً يُوَافِي نِعَمَكَ وَيُكَافِي مَزِيْدَ كَرَمِكَ. ٱللَّهُمَّ لَكَ ٱلْحَمْدُ حَمْداً يَزِيْدُ عَلَىٰ حَمْدِ جَمِيْعِ خَلْقِكَ. ٱللَّهُمَّ لَكَ ٱلْحَمْدُ حَمْداً أَبْلُغُ بِهِ رِضَاكَ وَأُؤَدِّي بِهِ شُكْرَكَ، وَأَسْتَوْجِبُ بِهِ ٱلْمَزِيْدَ مِنْ عِنْدِكَ. ٱللَّهُمَّ لَكَ ٱلْحَمْدُ عَلَىٰ حِلْمِكَ بَعْدَ عِلْمِكَ، وَلَكَ ٱلْحَمْدُ عَلَىٰ عَفْوِكَ بَعْدَ قُدْرَتِكَ، يَا خَيْرَ ٱلْغَافِرِينَ يَا أَرْحَمَ ٱلرَّاحِمِينَ. ٱللَّهُمَّ يَا خَيْرَ مَنْ شَخَصَتْ إِلَيْهِ ٱلْأَبْصَارُ، وَمُدَّتْ إِلَيْهِ ٱلْأَعْنَاقُ، وَرَفَدَتْ إِلَيْهِ ٱلآمَالُ. صَلِّ عَلَىٰ مُحَمَّدٍ وَآلِ مُحَمَّدٍ وَٱغْفِرْ لَنَا مَا مَضَىٰ مِنْ ذُنُوبِنَا وَٱعْصِمْنَا فِيمَا بَقِيَ مِنْ أَعْمَارِنَا وَمُنَّ عَلَيْنَا فِي هٰذِهِ ٱلسَّاعَةِ بِٱلتَّوْبَةِ

وَٱلطَّهَارَةِ وَٱلْمَغْفِرَةِ وَدِفَاعِ ٱلْمَحْذُورِ، وَسَعَةِ ٱلرِّزْقِ وَحُسْنِ ٱلْمُسْتَعْتَبِ وَخَيْرِ ٱلْمُنْقَلَبِ(١) وَٱلنَّجَاةِ مِنَ ٱلنَّارِ.

***

في اليوم الثامن

ٱللَّهُمَّ لَكَ ٱلْحَمْدُ عَدَدَ ٱلشَّجَرِ وَٱلْوَرَقِ، وَلَكَ ٱلْحَمْدُ عَدَدَ ٱلْحَصَىٰ وَٱلْمَدَرِ(٢)، وَلَكَ ٱلْحَمْدُ عَدَدَ ٱلشَّعْرِ وَٱلْوَبَرِ، وَلَكَ ٱلْحَمْدُ عَدَدَ أَيَّامِ ٱلدُّنْيَا وَٱلآخِرَةِ، وَلَكَ ٱلْحَمْدُ عَدَدَ نُجُومِ ٱلسَّمَآءِ، وَلَكَ ٱلْحَمْدُ عَدَدَ قَطْرِ ٱلْمَطَرِ، وَلَكَ ٱلْحَمْدُ عَدَدَ قَطْرِ الْبَحْرِ، وَلَكَ ٱلْحَمْدُ عَدَدَ كُلِّ شَيْءٍ خَلَقْتَ، وَلَكَ ٱلْحَمْدُ مِلْءَ عَرْشِكَ، وَلَكَ ٱلْحَمْدُ عَدَدَ كَلِمَاتِكَ، وَلَكَ ٱلْحَمْدُ رِضَا نَفْسِكَ، وَلَكَ ٱلْحَمْدُ عَدَدَ مَا أَحَاطَ بِهِ عِلْمُكَ، وَلَكَ ٱلْحَمْدُ فِي كُلِّ شَيْءٍ أَحْصَيْتَهُ عَدَداً، وَلَكَ ٱلْحَمْدُ فِي كُلِّ شَيْءٍ نَفَذَ فِيهِ بَصَرُكَ، وَلَكَ

---

(١) خير المنقلب: خير الآخرة.
(٢) المدر: الطين.

ٱلْحَمْدُ فِي كُلِّ شَيْءٍ بَلَغَتْهُ عَظَمَتُكَ، وَلَكَ ٱلْحَمْدُ فِي كُلِّ شَيْءٍ وَسِعَتْهُ رَحْمَتُكَ، وَلَكَ ٱلْحَمْدُ فِي كُلِّ شَيْءٍ خَزَآئِنُهُ بِيَدِكَ، وَلَكَ ٱلْحَمْدُ عَلَىٰ مَا أَحَاطَ بِهِ كِتَابُكَ، وَلَكَ ٱلْحَمْدُ حَمْداً دَآئِماً سَرْمَداً لاَ يَنْقَضِي أَبَداً، وَلاَ تُحْصِي لَهُ ٱلْخَلاَئِقُ عَدَداً. ٱللَّهُمَّ لَكَ ٱلْحَمْدُ عَلَىٰ مَا تَسْتَجِيبُ بِهِ لِمَنْ دَعَاكَ، وَلَكَ ٱلْحَمْدُ بِمَحَامِدِكَ كُلِّهَا عَلَىٰ نِعَمِكَ كُلِّهَا سِرِّهَا وَعَلاَنِيَتِهَا، وَأَوَّلِهَا وَآخِرِهَا، وَظَاهِرِهَا وَبَاطِنِهَا. ٱللَّهُمَّ لَكَ ٱلْحَمْدُ عَلَىٰ مَا كَانَ وَعَلَىٰ مَا لَمْ يَكُنْ، وَلَكَ ٱلْحَمْدُ عَلَىٰ مَا هُوَ كَآئِنٌ. ٱللَّهُمَّ لَكَ ٱلْحَمْدُ حَمْداً كَثِيْراً كَمَا أَنْعَمْتَ عَلَيْنَا رَبَّنَا كَثِيْراً. ٱللَّهُمَّ رَبَّنَا لَكَ ٱلْحَمْدُ كُلُّهُ وَبِيَدِكَ ٱلْخَيْرُ كُلُّهُ وَإِلَيْكَ يَرْجِعُ ٱلْأَمْرُ كُلُّهُ عَلاَنِيَتُهُ وَسِرُّهُ. ٱللَّهُمَّ لَكَ ٱلْحَمْدُ عَلَىٰ بَلآئِكَ وَصُنْعِكَ عِنْدَنَا، قَدِيْماً وَحَدِيْثاً، وَعِنْدِي خَاصَّةً، خَلَقْتَنِي وَهَدَيْتَنِي فَأَحْسَنْتَ خَلْقِي وَأَحْسَنْتَ هِدَايَتِي، وَعَلَّمْتَنِي فَأَحْسَنْتَ تَعْلِيْمِي، فَلَكَ ٱلْحَمْدُ يَا إِلَهِي عَلَىٰ حُسْنِ بَلآئِكَ وَصُنْعِكَ عِنْدِي فَكَمْ

مِنْ كَرْبٍ قَدْ كَشَفْتَهُ عَنِّي وَكَمْ مِنْ هَمٍّ قَدْ فَرَّجْتَهُ عَنِّي ، وَكَمْ مِنْ شِدَّةٍ جَعَلْتَ بَعْدَهَا رَخَاءً . ٱللَّهُمَّ لَكَ ٱلْحَمْدُ عَلَىٰ نِعَمِكَ مَا نُسِيَ مِنْهَا وَمَا ذُكِرَ ، وَمَا شُكِرَ مِنْهَا وَمَا كُفِرَ ، وَمَا مَضَىٰ مِنْهَا وَمَا بَقِيَ . ٱللَّهُمَّ لَكَ ٱلْحَمْدُ عَدَدَ مَغْفِرَتِكَ ، وَلَكَ ٱلْحَمْدُ عَدَدَ عَفْوِكَ وَسِتْرِكَ ، وَلَكَ ٱلْحَمْدُ عَدَدَ تَفَضُّلِكَ وَنِعَمِكَ ، وَلَكَ ٱلْحَمْدُ بِإِصْلاَحِكَ أَمْرَنَا وَحُسْنِ بَلاَئِكَ عِنْدَنَا . ٱللَّهُمَّ لَكَ ٱلْحَمْدُ فَأَنْتَ أَهْلٌ أَنْ تُحْمَدَ وَتُعْبَدَ وَتُشْكَرَ ، يَا خَيْرَ ٱلْمَحْمُودِيْنَ يَا أَرْحَمَ ٱلرَّاحِمِيْنَ . ٱللَّهُمَّ صَلِّ عَلَىٰ مُحَمَّدٍ وَآلِ مُحَمَّدٍ ، وَٱغْفِرْ لَنَا مَغْفِرَةً عَزْماً جَزْماً لاَ تُغَادِرُ لَنَا ذَنْباً . ٱللَّهُمَّ ٱغْفِرْ لَنَا وَلآبَآئِنَا وَلأُمَّهَاتِنَا كَمَا رَبَّوْنَا صِغَاراً ، وَأَدَّبُونَا كِبَاراً . ٱللَّهُمَّ أَعْطِنَا وَإِيَّاهُمْ مِنْ رَحْمَتِكَ أَسْنَاهَا وَأَوْسَعَهَا ، وَمِنْ جَنَّاتِكَ أَعْلاَهَا وَأَرْفَعَهَا ، وَأَوْجِبْ لَنَا مِنْ رِضَاكَ عَنَّا مَا تُقِرُّ بِهِ عُيُونَنَا ، وَتُذْهِبُ لَنَا حُزْنَنَا ، وَأَذْهِبْ عَنَّا هُمُومَنَا فِي أَمْرِ دِيْنِنَا وَدُنْيَانَا ، وَقَنِّعْنَا بِمَا تُيَسِّرُهُ لَنَا مِنْ رِزْقِكَ ، وَٱعْفُ عَنَّا وَعَافِنَا أَبَداً مَا

أَبْقَيْتَنَا، وَآتِنَا فِي ٱلدُّنْيَا حَسَنَةً وَفِي ٱلآخِرَةِ حَسَنَةً وَقِنَا عَذَابَ ٱلنَّارِ [1] وَصَلَّىٰ ٱللَّهُ عَلَىٰ مُحَمَّدٍ وَآلِهِ.

* * *

في اليوم التاسع

ٱللَّهُمَّ لَكَ ٱلْحَمْدُ عَلَىٰ كُلِّ خَيْرٍ أَعْطَيْتَنَاهُ، وَلَكَ ٱلْحَمْدُ عَلَىٰ كُلِّ شَرٍّ صَرَفْتَهُ عَنَّا، وَلَكَ ٱلْحَمْدُ عَلَىٰ مَا خَلَقْتَ وَذَرَأْتَ وَبَرَأْتَ وَأَنْشَأْتَ. وَلَكَ ٱلْحَمْدُ عَدَدَ مَا أَبْلَيْتَ وَأَوْلَيْتَ وَأَفْقَرْتَ وَأَغْنَيْتَ وَأَخَذْتَ وَأَعْطَيْتَ وَأَمَتَّ وَأَحْيَيْتَ، وَكُلُّ ذٰلِكَ لَكَ وَإِلَيْكَ، تَبَارَكْتَ وَتَعَالَيْتَ، لاَ يَذِلُّ مَنْ وَالَيْتَ، وَلاَ يَعِزُّ مَنْ عَادَيْتَ، تُبْدِىءُ وَٱلْمَعَادُ إِلَيْكَ، وَتَقْضِي وَلاَ يُقْضَىٰ عَلَيْكَ، وَتَسْتَغْنِي وَيُفْتَقَرُ إِلَيْكَ، فَلَبَّيْكَ رَبَّنَا وَسَعْدَيْكَ، وَلَكَ ٱلْحَمْدُ عَدَدَ مَا وَرِثَ وَأَوْرَثَ وَأَنْتَ تَرِثُ ٱلْأَرْضَ وَمَنْ عَلَيْهَا وَإِلَيْكَ يُرْجَعُونَ. وَأَنْتَ كَمَا أَثْنَيْتَ عَلَىٰ نَفْسِكَ، لاَ يَبْلُغُ مِدْحَتَكَ قَوْلُ قَائِلٍ، وَلاَ

(١) قنا: احفظنا.

يَنْقُصكَ نَائِلٌ، وَلاَ يُحْفِيكَ سَائِلٌ. ٱللَّهُمَّ لَكَ ٱلْحَمْدُ وَلِيَّ ٱلحَمْدِ وَمُنْتَهى ٱلحَمْدِ وَحَقِيقَ ٱلحَمْدِ وَلَكَ ٱلحَمْدُ حَمْداً لاَ يَنبَغِي إلاَّ لَكَ. ٱللَّهُمَّ لَكَ ٱلْحَمْدُ فِي ٱللَّيْلِ إِذَا يَغْشَىٰ، وَلَكَ ٱلْحَمْدُ فِي ٱلنَّهارِ إِذَا تَجلَّىٰ، وَلَكَ ٱلْحَمْدُ فِي ٱلآخِرَةِ وَٱلْأُولَىٰ، وَلَكَ ٱلحَمْدُ فِي السَّمَاواتِ العُلَى وَلَكَ ٱلْحَمْدُ فِي ٱلْأَرَضِينَ ٱلسُّفْلَىٰ وَمَا تَحتَ ٱلثَّرَىٰ، وَكُلُّ شَيْءٍ هَالِكٌ إلاَّ وَجْهُكَ. ٱللَّهُمَّ لَكَ ٱلْحَمْدُ فِي ٱلسَّرَّآءِ وَٱلضَّرَّآءِ، وَلَكَ ٱلْحَمْـدُ فِـي ٱلْيُسْـرِ وَٱلْعُسْرِ، وَلَـكَ ٱلْحَمْـدُ فِـي ٱلْبَـلآءِ وَٱلرَّخَآءِ، وَلَكَ ٱلْحَمْدُ فِي ٱللَّأْوَاءِ[1] وَٱلنَّعْماءِ. ٱللَّهُمَّ لَكَ ٱلْحَمْدُ كَمَا حَمِدْتَ نَفْسَكَ فِي أُمِّ ٱلْكِتابِ وَٱلتَّوْرَاةِ وَٱلْإِنْجِيلِ وَٱلْفُرْقَانِ ٱلْعَظِيْمِ، وَلَكَ ٱلْحَمْدُ حَمْداً لاَ يَنفَدُ أَوَّلُهُ وَلاَ يَنْقَطِعُ آخِرُهُ. ٱللَّهُمَّ لَكَ ٱلْحَمْدُ بِٱلْإِسْلاَمِ وَلَكَ ٱلْحَمْدُ بِٱلْقُرْآنِ، وَلَكَ ٱلْحَمْدُ بِٱلْأَهْلِ وَٱلْمالِ، وَلَكَ ٱلْحَمْدُ بِٱلْمُعَافَاةِ وَٱلشُّكْرِ. ٱللَّهُمَّ لَكَ ٱلْحَمْدُ وَمِنْكَ بَدَأَ

(١) اللأواء: الشدة إليك.

ٱلْحَمْدُ وَإِلَيْكَ يَعُودُ ٱلْحَمْدُ، لاَ شَرِيْكَ لَكَ. ٱللَّهُمَّ لَكَ ٱلْحَمْدُ عَلَىٰ حِلْمِكَ بَعْدَ عِلْمِكَ، وَلَكَ ٱلْحَمْدُ عَلَىٰ عَفْوِكَ بَعْدَ قُدْرَتِكَ، وَلَكَ ٱلْحَمْدُ عَلَىٰ نِعْمَتِكَ عَلَيْنَا، وَلَكَ ٱلْحَمْدُ عَلَىٰ فَضْلِكَ عَلَيْنَا. ٱللَّهُمَّ لَكَ ٱلْحَمْدُ عَلَىٰ نِعَمِكَ ٱلَّتِي لاَ يُحْصِيهَا غَيْرُكَ، ٱللَّهُمَّ لَكَ ٱلْحَمْدُ كَمَا ظَهَرَتْ نِعْمَتُكَ فَلاَ تَخْفَىٰ، وَلَكَ ٱلْحَمْدُ كَمَا كَثُرَتْ أَيَادِيْكَ فَلاَ تُحْصَىٰ، وَلَكَ ٱلْحَمْدُ كَمَا أَحْصَيْتَ كُلَّ شَيْءٍ عَدَداً وَأَحَطْتَ بِكُلِّ شَيْءٍ عِلْماً. وَأَنفَذْتَ كُلَّ شَيْءٍ بَصَراً، وَأَحْصَيْتَ كُلَّ شَيْءٍ كِتَاباً. ٱللَّهُمَّ لَكَ ٱلْحَمْدُ كَمَا أَنْتَ أَهْلُهُ، لاَ إِلَهَ إِلاَّ أَنْتَ لاَ يُوَارِي مِنْكَ لَيْلٌ دَاجٍ، وَلاَ سَمَآءٌ ذَاتُ أَبْرَاجٍ، وَلاَ أَرْضٌ ذَاتُ فِجَاجٍ، وَلاَ بِحَارٌ ذَاتُ أَمْوَاجٍ، وَلاَ جِبَالٌ ذَاتُ أَثْبَاجٍ، وَلاَ ظُلُمَاتٌ بَعْضُهَا فَوْقَ بَعْضٍ، يَا رَبِّ أَنَا ٱلصَّغِيْرُ ٱلَّذِي رَبَّيْتَ، فَلَكَ ٱلْحَمْدُ، وَأَنَا ٱلْوَضِيْعُ ٱلَّذِي رَفَعْتَ، فَلَكَ ٱلْحَمْدُ، وَأَنَا ٱلْمُهَانُ ٱلَّذِي أَكْرَمْتَ، فَلَكَ ٱلْحَمْدُ، وَأَنَا ٱلذَّلِيْلُ ٱلَّذِي أَعْزَزْتَ، فَلَكَ

ٱلْحَمْدُ، وَأَنَا ٱلسَّائِلُ ٱلَّذِي أَعْطَيْتَ، فَلَكَ ٱلْحَمْدُ، وَأَنَا ٱلرَّاغِبُ ٱلَّذِي أَرْضَيْتَ، فَلَكَ ٱلْحَمْدُ، وَأَنَا ٱلْعَائِلُ(1) ٱلَّذِي أَغْنَيْتَ، فَلَكَ ٱلْحَمْدُ، وَأَنَا ٱلرَّاجِلُ ٱلَّذِي حَمَلْتَ، فَلَكَ ٱلْحَمْدُ، وَأَنَا ٱلْجَاهِلُ ٱلَّذِي عَلَّمْتَ، فَلَكَ ٱلْحَمْدُ، وَأَنَا ٱلْخَامِلُ ٱلَّذِي شَرَّفْتَ، فَلَكَ ٱلْحَمْدُ، وَأَنَا ٱلْخَاطِىءُ ٱلَّذِي عَفَوْتَ، فَلَكَ ٱلْحَمْدُ، وَأَنَا ٱلْمُذْنِبُ ٱلَّذِي رَحِمْتَ، فَلَكَ ٱلْحَمْدُ، وَأَنَا ٱلْمُسَافِرُ ٱلَّذِي صَحِبْتَ، فَلَكَ ٱلْحَمْدُ، وَأَنَا ٱلْغَآئِبُ ٱلَّذِي أَدْنَيْتَ، فَلَكَ ٱلْحَمْدُ، وَأَنَا ٱلشَّاهِدُ ٱلَّذِي حَفِظْتَ، فَلَكَ ٱلْحَمْدُ، وَأَنَا ٱلْمَرِيْضُ ٱلَّذِي شَفَيْتَ، فَلَكَ ٱلْحَمْدُ، وَأَنَا ٱلسَّقِيْمُ ٱلَّذِي أَبْرَيْتَ، فَلَكَ ٱلْحَمْدُ، وَأَنَا ٱلْجَائِعُ ٱلَّذِي أَشْبَعْتَ، فَلَكَ ٱلْحَمْدُ، وَأَنَا ٱلْعَارِي ٱلَّذِي كَسَوْتَ، فَلَكَ ٱلْحَمْدُ، وَأَنَا ٱلطَّرِيدُ ٱلَّذِي آوَيْتَ(2)، فَلَكَ ٱلْحَمْدُ، وَأَنَا ٱلْوَحِيْدُ ٱلَّذِي عَضَدْتَ(3)، فَلَكَ ٱلْحَمْدُ،

---

(١) العائل: الفقير.
(٢) آويت: أسكنت.
(٣) عضدت: أيدت.

وَأَنَا ٱلْمَخْذُولُ ٱلَّذِي نَصَرْتَ، فَلَكَ ٱلْحَمْدُ، وَأَنَا ٱلْمَهْمُومُ ٱلَّذِي فَرَّجْتَ، فَلَكَ ٱلْحَمْدُ، وَأَنَا ٱلْمَغْمُومُ ٱلَّذِي نَفَّسْتَ، فَلَكَ ٱلْحَمْدُ، يَا إِلٰهِي كَثِيْراً كَثِيْراً كَمَا أَنْعَمْتَ عَلَيَّ كَثِيْراً. ٱللَّهُمَّ وَهٰذِهِ نِعَمٌ خَصَصْتَنِي بِهَا مِنْ نِعَمِكَ عَلَىٰ بَنِي آدَمَ فِيْمَا سَخَّرْتَ لَهُمْ، وَدَفَعْتَ عَنْهُمْ، وَأَنْعَمْتَ عَلَيْهِمْ، فَلَكَ ٱلْحَمْدُ رَبَّ ٱلْعَالَمِينَ كَثِيْراً. ٱللَّهُمَّ وَلَمْ تُؤْتِنِي شَيْئاً مِمَّا آتَيْتَنِي لِعَمَلٍ خَلاَ مِنِّي وَلاَ لِحَقٍّ ٱسْتَوْجَبْتُهُ مِنْكَ وَلَمْ تَصْرِفْ عَنِّي شَيْئاً مِنْ هُمُومِ ٱلدُّنْيَا وَمَكْرُوهِهَا وَأَوْجَاعِهَا، وَأَنْوَاعِ بَلاَئِهَا، وَأَمْرَاضِهَا وَأَسْقَامِهَا لِشَيْءٍ أَكُونُ لَهُ أَهْلاً لِذٰلِكَ، وَلٰكِنْ صَرَفْتَهُ عَنِّي رَحْمَةً مِنْكَ وَحُجَّةً لَكَ عَلَيَّ يَا أَرْحَمَ ٱلرَّاحِمِينَ فَلَكَ ٱلْحَمْدُ كَثِيْراً كَمَا أَنْعَمْتَ عَلَيَّ كَثِيْراً، وَصَرَفْتَ عَنِّي مِنَ ٱلْبَلاَءِ كَثِيْراً. ٱللَّهُمَّ صَلِّ عَلَىٰ مُحَمَّدٍ وَآلِ مُحَمَّدٍ وَٱكْفِنَا فِي هٰذَا ٱلْوَقْتِ وَفِي كُلِّ وَقْتٍ، مَا ٱسْتَكْفَيْنَاكَ مِنْ طَوَارِقِ ٱللَّيْلِ وَٱلنَّهَارِ، فَلاَ كَافِيَ لَنَا سِوَاكَ وَلاَ رَبَّ لَنَا غَيْرُكَ فَٱقْضِ حَوَائِجَنَا فِي دِيْنِنَا وَدُنْيَانَا،

وَآخِـرَتِنَـا وَأُولاَنَـا ، أَنْـتَ إِلَهُنَـا وَمَـوْلاَنَـا ، حَسَـنٌ فِيْنَـا حُكْمُكَ ، وَعَدْلٌ قَضَاؤُكَ ، إِقْضِ لَنَا ٱلْخَيْرَ وَٱجْعَلْنَا مِنْ أَهْلِ ٱلْخَيْرِ ، وَمِمَّنْ هُمْ لِمَرْضَاتِكَ مُتَّبِعُونَ وَلِسَخْطِكَ مُفَارِقُونَ ، وَلِفَرَآئِضِكَ مُؤَدُّونَ ، وَمِنَ ٱلتَّفْرِيْطِ وَٱلْغَفْلَةِ مُعْرِضُونَ ، وَٱعْفُ عَنَّا وَعَافِنَا فِي كُلِّ ٱلْأُمُورِ مَا أَبْقَيْتَنَا ، وَإِذَا تَـوَفَّيْتَنَـا فَـٱغْفِـرْ لَنَـا وَٱرْحَمْنَـا وَٱجْعَلْنَـا مِـنَ ٱلنَّـارِ فَآئِزِيْنَ ، وَإِلَىٰ جَنَّتِكَ دَاخِلِيْنَ ، وَلِمُحَمَّدٍ صَلَّىٰ ٱللَّهُ عَلَيْهِ وَآلِهِ وَأَهْلِ بَيْتِهِ مُرَافِقِيْنَ يَا أَرْحَمَ ٱلرَّاحِمِيْنَ .

* * *

في اليوم العاشر

إِلَهِي كَمْ مِنْ شَيْءٍ غِبْتُ عَنْهُ فَشَهِدْتَهُ . فَيَسَّرْتَ لِي فِيهِ ٱلْمَنَافِعَ ، وَدَفَعْتَ فِيْهِ ٱلسُّوءَ وَحَفِظْتَ عَنِّي فِيهِ ٱلْغَيْبَةَ ، وَوَقَيْتَنِي فِيهِ بِلاَ عِلْمٍ مِنِّي ، وَلاَ حَوْلَ وَلاَ قُوَّةَ إِلاَّ بِكَ . فَلَكَ ٱلْحَمْدُ عَلَىٰ ذٰلِكَ ، وَلَكَ ٱلْمَنُّ وَٱلطَّوْلُ . ٱللَّهُمَّ وَكَمْ مِنْ شَيْءٍ غِبْتُ عَنْهُ فَتَوَلَّيْتَهُ وَسَدَّدْتَ لِي فِيهِ

ٱلرَّأْيَ(١) ، وَأَعْطَيْتَنِي فِيهِ ٱلْقَبُولَ ، وَأَنْجَحْتَ لِي فِيهِ ٱلطَّلِبَةَ وَقَوَّيْتَ فِيهِ ٱلْعَزِيْمَةَ ، وَقَرَنْتَ فِيهِ ٱلْمَعُونَةَ ، فَلَكَ ٱلْحَمْدُ يَا إِلَٰهِي كَثِيْراً وَلَكَ ٱلشُّكْرُ يَا رَبَّ ٱلْعَالَمِيْنَ . ٱللَّهُمَّ صَلِّ عَلَىٰ مُحَمَّدٍ ٱلنَّبِيِّ ٱلأُمِّيِّ ٱلرَّضِيِّ ٱلْمَرْضِيِّ ، ٱلطَّيِّبِ ٱلتَّقِيِّ ٱلْمُبَارَكِ ٱلنَّقِيِّ ٱلطَّاهِرِ ٱلزَّكِيِّ ٱلْمُطَهَّرِ ٱلْوَفِيِّ ، وَعَلَىٰ آلِ مُحَمَّدٍ ٱلطَّيِّبِينَ ٱلْأَخْيَارِ ، كَمَا صَلَّيْتَ عَلَىٰ إِبْرَاهِيمَ وَآلِ إِبْرَاهِيمَ إِنَّكَ حَمِيْدٌ مَجِيْدٌ . ٱللَّهُمَّ إِنِّي أَسْأَلُكَ عَلَىٰ أَثَرِ مَحَامِدِكَ ٱلصَّلاَةَ عَلَىٰ نَبِيِّكَ مُحَمَّدٍ وَآلِهِ وَأَنْ تَغْفِرَ لِي ذُنُوبِي كُلَّهَا قَدِيْمَهَا وَحَدِيْثَهَا ، صَغِيْرَهَا وَكَبِيْرَهَا ، سِرَّهَا وَعَلاَنِيَتَهَا ، مَا عَلِمْتُ مِنْهَا وَمَا لاَ أَعْلَمُ ، وَمَا أَحْصَيْتَهُ عَلَيَّ وَحَفِظْتَهُ وَنَسِيْتُهُ أَنَا مِنْ نَفْسِي . يَا ٱللَّهُ يَا ٱللَّهُ يَا رَحْمَنُ يَا رَحْمَنُ يَا رَحِيْمُ يَا رَحِيْمُ سُبْحَانَكَ ٱللَّهُمَّ وَبِحَمْدِكَ ، لاَ إِلَٰهَ إِلاَّ أَنْتَ أَسْتَغْفِرُكَ وَأَتُوبُ إِلَيْكَ أَنْتَ مَوْضِعُ كُلِّ شَكْوَىٰ وَمُنْتَهَىٰ ٱلْحَاجَاتِ وَأَنْتَ أَمَرْتَ خَلْقَكَ بِٱلدُّعَاءِ ،

(١) سددت الرأي : منحتني الصواب .

وَتَكَفَّلْتَ لَهُمْ بِٱلْإِجَابَةِ إِنَّكَ قَرِيبٌ مُجِيبٌ. سُبْحَانَكَ ٱللَّهُمَّ وَبِحَمْدِكَ مَا أَعْظَمَ ٱسْمَكَ فِي أَهْلِ ٱلسَّمَآءِ، وَأَحْمَدَ فِعْلَكَ فِي أَهْلِ ٱلْأَرْضِ، وَأَفْشَىٰ خَيْرَكَ فِي ٱلْبَرِّ وَٱلْبَحْرِ. سُبْحَانَكَ ٱللَّهُمَّ لَا إِلَهَ إِلَّا أَنْتَ أَسْتَغْفِرُكَ وَأَتُوبُ إِلَيْكَ أَنْتَ ٱلرَّؤُوفُ، إِلَيْكَ ٱلْمَرْغَبُ تُنَزِّلُ ٱلْغَيْثَ، وَتُقَدِّرُ ٱلْأَقْوَاتَ، وَأَنْتَ قَاسِمُ ٱلْمَعَاشِ قَاضِي ٱلآجَالِ رَازِق ٱلْعِبَادِ، مُرَوِّي ٱلْبِلَادِ مُخْرِجُ ٱلثَّمَرَاتِ عَظِيمُ ٱلْبَرَكَاتِ. سُبْحَانَكَ ٱللَّهُمَّ وَبِحَمْدِكَ لَا إِلَهَ إِلَّا أَنْتَ أَسْتَغْفِرُكَ وَأَتُوبُ إِلَيْكَ أَنْتَ ٱلْمُغِيثُ وَإِلَيْكَ ٱلْمَرْغَبُ، مُنَزِّلُ ٱلْغَيْثِ، يُسَبِّحُ ٱلرَّعْدُ بِحَمْدِكَ وَٱلْمَلَائِكَةُ مِنْ خِيفَتِكَ، وَٱلْعَرْشُ ٱلْأَعْلَىٰ وَٱلْعَمُودُ ٱلْأَسْفَلُ وَٱلْهَوَآءُ وَمَا بَيْنَهُمَا وَمَا تَحْتَ ٱلثَّرَىٰ، وَٱلشَّمْسُ وَٱلْقَمَرُ وَٱلنُّجُومُ وَٱلضِّيَآءُ وَٱلظُّلْمَةُ وَٱلنُّورُ وَٱلْفَيْءُ وَٱلظِّلُّ وَٱلْحَرُورُ. سُبْحَانَكَ أَنْتَ تُسَيِّرُ ٱلْجِبَالَ وَتُهِبُّ ٱلرِّيَاحَ. سُبْحَانَكَ ٱللَّهُمَّ وَبِحَمْدِكَ لَا إِلَهَ إِلَّا أَنْتَ أَسْتَغْفِرُكَ وَأَتُوبُ إِلَيْكَ. سُبْحَانَكَ أَسْأَلُكَ بِٱسْمِكَ

ٱلْمَرْهُوبِ حَامِلِ عَرْشِكَ وَمَنْ فِي سَمٰوَاتِكَ وَأَرْضِكَ، وَمَنْ فِي ٱلْبُحُورِ وَٱلْهَوَآءِ وَمَنْ فِي ٱلظُّلْمَةِ وَمَنْ فِي لُجَجِ ٱلْبُحُورِ، وَمَنْ تَحْتَ ٱلثَّرَىٰ وَمَنْ مَا بَيْنَ ٱلْخَافِقَيْنِ، سُبْحَانَكَ مَا أَعْظَمَكَ، سُبْحَانَكَ ٱللَّهُمَّ وَبِحَمْدِكَ لاَ إِلَهَ إِلاَّ أَنْتَ أَسْتَغْفِرُكَ وَأَتُوبُ إِلَيْكَ، سُبْحَانَكَ لاَ إِلٰهَ إِلاَّ أَنْتَ أَسْأَلُكَ إِجَابَةَ ٱلدُّعَاءِ وَٱلشُّكْرَ فِي ٱلشِّدَّةِ وَٱلرَّخَاءِ، سُبْحَانَكَ ٱللَّهُمَّ وَبِحَمْدِكَ لاَ إِلٰهَ إِلاَّ أَنْتَ نَظَرْتَ إِلَىٰ ٱلسَّمٰوَاتِ ٱلْعُلَىٰ فَأَوْثَقْتَ أَطْبَاقَهَا[(١)]، سُبْحَانَكَ وَنَظَرْتَ إِلَىٰ عِمَادِ ٱلْأَرَضِينَ ٱلسُّفْلَىٰ فَتَزَلْزَلَتْ أَقْطَارُهَا، سُبْحَانَكَ وَنَظَرْتَ إِلَىٰ مَا فِي ٱلْبُحُورِ وَلُجَجِهَا[(٢)] فَتَمَحَّصَ مَا فِيهَا، سُبْحَانَكَ فَرَقاً[(٣)] مِنْكَ وَهَيْبَةً لَكَ، سُبْحَانَكَ وَنَظَرْتَ إِلَىٰ مَا أَحَاطَ بِٱلْخَافِقَيْنِ وَمَا بَيْنَ ذٰلِكَ مِنَ ٱلْهَوَآءِ، فَخَضَعَ لَكَ خَاشِعاً وَلِجَلاَلِ وَجْهِكَ ٱلْكَرِيمِ أَكْرَمِ ٱلْوُجُوهِ

(١) فأوثقت أطباقها: قويت طبقاتها ودعمتها.
(٢) لجة البحر: ماؤه الكثير.
(٣) فرقاً: خوفاً، تمخض: تحرك.

خَاضِعاً، سُبْحَانَكَ مَنْ ذَا ٱلَّذِي أَعَانَكَ حِيْنَ سَمكْتَ ٱلسَّمٰوَاتِ وَٱسْتَوَيْتَ عَلَىٰ عَرْشِ عَظَمَتِكَ. سُبْحَانَكَ مَنْ ذَا ٱلَّـذِي حَضَـرَكَ حِيْـنَ بَسَطْـتَ ٱلْأَرْضَ فَمَـدَدْتَهَـا ثُـمَّ دَحَوْتَهَا، فَجَعَلْتَهَا فِرَاشاً فَمَنْ ذَا ٱلَّذِي يَقْدِرُ عَلَىٰ قُدْرَتِكَ. سُبْحَانَكَ مَنْ ذَا ٱلَّذِي رَآكَ حِيْنَ نَصَبْتَ ٱلْجِبَالَ فَأَثْبَتَّ أَسَاسَهَا بِأَهْلِهَا رَحْمَةً مِنْكَ لِخَلْقِكَ. سُبْحَانَكَ مَنْ ذَا ٱلَّذِي أَعَـانَـكَ حِيْـنَ فَجَّـرْتَ ٱلْبُحُـورَ وَأَحَطْـتَ بِهَـا ٱلْأَرْضَ، سُبْحَـانَـكَ لاَ إِلَـهَ إِلاَّ أَنْـتَ وَبِحَمْـدِكَ مَـنْ ذَا ٱلَّـذِي يُضَـادُّكَ وَيُغَالِبُكَ أَوْ يَمْتَنِعُ مِنْكَ أَوْ يَنْجُو مِنْ قَدَرِكَ، سُبْحَانَكَ ٱللَّهُمَّ لاَ إِلَهَ إِلاَّ أَنْتَ فَٱلْعُيُونُ تَبْكِي لِغَفْلَةِ ٱلْقُلُوبِ إِذَا ذُكِرَتْ مِنْ مَخَافَتِكَ. سُبْحَانَكَ مَا أَفْضَلَ حِلْمَكَ وَأَمْضَىٰ حُكْمَكَ وَأَحْسَنَ خَلْقَكَ. سُبْحَانَكَ لاَ إِلَهَ إِلاَّ أَنْتَ وَبِحَمْدِكَ مَنْ يَبْلُغُ مَدْحَكَ أَوْ يَسْتَطِيْعُ أَنْ يَصِفَ كُنْهَكَ أَوْ يَنَالُ مُلْكَكَ. سُبْحَانَكَ حَارَتِ ٱلْأَبْصَارُ دُوْنَكَ، وَٱمْتَلَأَتِ ٱلْقُلُوبُ فَرَقاً مِنْكَ وَوَجَلاً مِنْ مَخَافَتِكَ. سُبْحَانَكَ لاَ إِلَهَ إِلاَّ أَنْتَ

وَبِحَمْدِكَ مَا أَحْلَمَكَ وَأَعْدَلَكَ ، وَأَرْأَفَكَ وَأَرْحَمَكَ وَأَسْمَعَكَ وَأَبْصَرَكَ . سُبْحَانَكَ أَنتَ ٱلْحَيُّ لاَ إِلَهَ إِلاَّ أَنْتَ تَبَارَكْتَ وَتَعَالَيْتَ عَمَّا يَقُولُ ٱلظَّالِمُونَ عُلُوّاً كَبيراً . سُبْحَانَكَ لاَ إِلَهَ إِلاَّ أَنْتَ لاَ تَحْرِمْنِي رَحْمَتَكَ وَلاَ تُعَذِّبنِي وَأَنَا أَسْتَغْفِرُكَ آمِينَ آمِينَ رَبَّ ٱلْعَالَمِينَ .

***

في اليوم الحادي عشر

سُبْحَانَ ٱلَّذِي أَسْرَىٰ بِعَبْدِهِ لَيْلاً مِنَ ٱلْمَسْجِدِ ٱلْحَرَام إِلَىٰ ٱلْمَسْجِدِ ٱلْأَقْصَىٰ ٱلَّذِي بَارَكْنَا حَوْلَهُ ، لِنُرِيَهُ مِنْ آيَاتِنَا إِنَّهُ هُوَ ٱلسَّمِيعُ ٱلْبَصِير . سُبْحَانَهُ وَتَعَالَىٰ عَمَّا يَقُولُونَ عُلُوّاً كَبِيراً . يُسَبِّحُ لَهُ ٱلسَّمٰوَاتُ ٱلسَّبْعُ وَٱلْأَرْضُ وَمَنْ فِيهِنَّ ، وَإِنْ مِنْ شَيْءٍ إِلاَّ يُسَبِّحُ بِحَمْدِهِ ، وَلٰكِنْ لاَ تَفْقَهُونَ تَسْبِيحَهُمْ إِنَّهُ كَانَ حَلِيماً غَفُوراً . سُبْحَانَهُ إِذَا قَضَىٰ أَمْراً فَإِنَّمَا يَقُولُ لَهُ كُنْ فَيَكُونُ . فَٱصْبِرْ عَلَىٰ مَا يَقُولُونَ وَسَبِّحْ بِحَمْدِ رَبِّكَ قَبْلَ طُلُوعِ ٱلشَّمْسِ وَقَبْلَ غُرُوبِهَا وَمِنْ آنَاءِ

ٱللَّيْلِ [1] فَسَبِّحْ وَأَطْرَافَ ٱلنَّهَارِ لَعَلَّكَ تَرْضَىٰ، سُبْحَانَ رَبِّكَ رَبِّ ٱلْعِزَّةِ عَمَّا يَصِفُونَ، وَسَلَامٌ عَلَىٰ ٱلْمُرْسَلِيْنَ، وَٱلْحَمْدُ لِلَّهِ رَبِّ ٱلْعَالَمِيْنَ، سُبْحَانَ ٱللَّهِ رَبِّ ٱلْعَرْشِ ٱلْعَظِيْمِ. سُبْحَانَكَ إِنِّي كُنْتُ مِنَ ٱلظَّالِمِيْنَ. سُبْحَانَ ٱللَّهِ وَتَعَالَىٰ عَمَّا يُشْرِكُونَ. سُبْحَانَهُ هُوَ ٱللَّهُ ٱلْوَاحِدُ ٱلْقَهَّارُ. سُبْحَانَ ٱلَّذِي بِيَدِهِ مَلَكُوتُ كُلِّ شَيْءٍ وَإِلَيْهِ تُرْجَعُونَ. سُبْحَانَ رَبِّ ٱلسَّمٰوَاتِ ٱلسَّبْعِ وَرَبِّ ٱلْعَرْشِ ٱلْعَظِيْمِ. سَبَّحَ لِلَّهِ مَا فِي ٱلسَّمٰوَاتِ وَٱلْأَرْضِ وَهُوَ ٱلْعَزِيْزُ ٱلْحَكِيْمُ، لَهُ مُلْكُ ٱلسَّمٰوَاتِ وَٱلْأَرْضِ يُحْيِي وَيُمِيْتُ، وَهُوَ عَلَىٰ كُلِّ شَيْءٍ قَدِيْرٌ هُوَ ٱلْأَوَّلُ وَٱلْآخِرُ وَٱلظَّاهِرُ وَٱلْبَاطِنُ وَهُوَ بِكُلِّ شَيْءٍ عَلِيْمٌ. هُوَ ٱلَّذِي خَلَقَ ٱلسَّمٰوَاتِ وَٱلْأَرْضَ فِي سِتَّةِ أَيَّامٍ ثُمَّ ٱسْتَوَىٰ عَلَىٰ ٱلْعَرْشِ يَعْلَمُ مَا يَلِجُ فِي ٱلْأَرْضِ وَمَا يَخْرُجُ مِنْهَا وَمَا يَنْزِلُ مِنَ ٱلسَّمَآءِ وَمَا يَعْرُجُ فِيْهَا وَهُوَ مَعَكُمْ أَيْنَمَا كُنْتُمْ، وَٱللَّهُ بِمَا تَعْمَلُونَ بَصِيْرٌ لَهُ مُلْكُ ٱلسَّمٰوَاتِ

(١) آناء: أي الليل كله.

وَٱلْأَرْضِ وَإِلَىٰ ٱللَّهِ تُرْجَعُ ٱلْأُمُورِ. يُولِجُ ٱللَّيْلَ فِي ٱلنَّهَارِ وَيُولِجُ ٱلنَّهَارَ فِي ٱللَّيْلِ وَهُوَ عَلِيمٌ بِذَاتِ ٱلصُّدُورِ. سَبَّحَ لِلَّهِ مَا فِي ٱلسَّمٰوَاتِ وَمَا فِي ٱلْأَرْضِ وَهُوَ ٱلْعَزِيزُ ٱلْحَكِيمُ. هُوَ ٱللَّهُ ٱلْخَالِقُ ٱلْبَارِئُ ٱلْمُصَوِّرُ لَهُ ٱلْأَسْمَآءُ ٱلْحُسْنَىٰ يُسَبِّحُ لَهُ مَا فِي السَّمَاوَاتِ وَالأَرْضِ وَهُوَ العَزِيزُ الحَكِيمُ يُسَبِّحُ لَهُ مَا فِي ٱلسَّماوَاتِ وَمَا فِي ٱلْأَرْضِ لَهُ ٱلْمُلْكُ وَلَهُ ٱلْحَمْدُ وَهُوَ عَلَىٰ كُلِّ شَيْءٍ قَدِيرٌ. وَمِنَ ٱللَّيْلِ فَٱسْجُدْ لَهُ وَسَبِّحْهُ لَيْلاً طَوِيلاً. فَسَبِّحْ بِحَمْدِ رَبِّكَ وَٱسْتَغْفِرْهُ إِنَّهُ كَانَ تَوَّاباً. سُبْحَانَكَ أَنْتَ ٱلَّذِي تُسَبِّحُ لَكَ بِٱلْغُدُوِّ وَٱلآصَالِ، رِجَالٌ لاَ تُلْهِيهِمْ تِجَارَةٌ وَلاَ بَيْعٌ عَنْ ذِكْرِ ٱللَّهِ، وَإِقَامِ ٱلصَّلاَةِ وَإِيتَآءِ ٱلزَّكَاةِ يَخَافُونَ يَوْماً تَتَقَلَّبُ فِيهِ ٱلْقُلُوبُ وَٱلْأَبْصَارُ. سُبْحَانَ ٱلَّذِي يُسَبِّحُ لَهُ ٱلسَّمٰوَات وَجَلاً وَٱلْمَلاَئِكَةُ شَفَقاً وَٱلْأَرْضُ خَوْفاً وَطَمَعاً، وَكُلٌّ يُسَبِّحُونَهُ دَاخِرِينَ. سُبْحَانَهُ بِٱلْجَلاَلِ مُنْفَرِداً، وَبِٱلتَّوْحِيدِ مَعْرُوفاً، وَبِٱلْمَعْرُوفِ مَوْصُوفاً وَبِٱلرُّبُوبِيَّةِ عَلَىٰ ٱلْعَالَمِينَ قَاهِراً، وَلَهُ ٱلْبَهْجَةُ

وَٱلْجَمالُ أَبداً. ٱللَّهُمَّ لكَ ٱلْحَمْدُ كُلُّهُ أَسْأَلُكَ لِدِيْنِي وَدُنْيَايَ وَآخِرَتِي مِنَ ٱلْخَيْرِ كُلِّهِ، وَأَعُوذُ بِكَ مِنَ ٱلشَّرِّ كُلِهِ إِنَّكَ تَفْعَلُ مَا تَشَآءُ وَتَحْكُمُ مَا تُرِيْدُ. صَلِّ عَلَىٰ مُحَمَّدٍ وَآلِهِ ٱلْأَبْرَارِ ٱلطَّيِّبِينَ ٱلْأَخْيَارِ وَسَلِّمْ تَسْلِيْماً.

* * *

في اليوم الثاني عشر

سُبْحَانَ ٱلَّذِي فِي ٱلسَّمَآءِ عَرْشُهُ. سُبْحَانَ ٱلَّذِي فِي ٱلْأَرْضِ بَطْشُهُ. سُبْحَانَ ٱلَّذِي فِي ٱلْبَرِّ وَٱلْبَحْرِ سَبِيْلُهُ. سُبْحَانَ ٱلَّذِي فِي ٱلسَّمَآءِ عَظَمَتُهُ. سُبْحَانَ ٱلَّذِي فِي ٱلْأَرْضِ آيَاتُهُ. سُبْحَانَ ٱلَّذِي فِي ٱلْقُبُورِ قَضَآؤُهُ. سُبْحَانَ ٱلَّذِي فِي ٱلنَّارِ نِقْمَتُهُ وَعَذَابُهُ. سُبْحَانَ ٱلَّذِي فِي ٱلْجَنَّةِ رَحْمَتُهُ وَثَوَابُهُ. سُبْحَانَ ٱلَّذِي لاَ يَفُوتُهُ هَارِبٌ. سُبْحَانَ ٱلَّذِي لاَ مَلْجَأَ مِنْهُ إِلاَّ إِلَيْهِ. سُبْحَانَ ٱلْحَيِّ ٱلَّذِي لاَ يَمُوتُ. سُبْحَانَ ٱللَّهِ حِيْنَ تُمْسُونَ وَحِيْنَ تُصْبِحُونَ، وَلَهُ ٱلْحَمْدُ فِي ٱلسَّمٰوَاتِ وَٱلْأَرْضِ وَعَشِيّاً وَحِيْنَ تُظْهِرُونَ، يُخْرِجُ

ٱلْحَيَّ مِنَ ٱلْمَيِّتِ وَيُخْرِجُ ٱلْمَيِّتَ مِنَ ٱلْحَيِّ، وَيُحْيِي ٱلْأَرْضَ بَعْدَ مَوْتِهَا، وَكَذٰلِكَ تُخْرَجُونَ. ٱلْحَمْدُ لِلَّهِ ٱلَّذِي لَمْ يَتَّخِذْ وَلَداً وَلَمْ يَكُنْ لَهُ شَرِيْكٌ فِي ٱلْمُلْكِ، وَلَمْ يَكُنْ لَهُ وَلِيٌّ مِنَ ٱلذُّلِّ وَكَبِّرْهُ تَكْبِيراً. سُبْحَانَهُ عَدَدَ كُلِّ شَيْءٍ أَضْعَافاً مُضَاعَفَةً، سَرْمَداً أَبَداً كَمَا يَنْبَغِي لِعَظَمَتِهِ وَمَنِّهِ. سُبْحَانَكَ لاَ إِلَهَ إِلاَّ أَنْتَ وَبِحَمْدِكَ. سُبْحَانَ ٱللَّهِ ٱلْعَظِيْمِ وَبِحَمْدِهِ، سُبْحَانَ ٱللَّهِ ٱلْحَلِيْمِ ٱلْكَرِيْمِ. سُبْحَانَ ٱللَّهِ ٱلْعَلِيِّ ٱلْعَظِيْمِ. سُبْحَانَ مَنْ هُوَ ٱلْحَقُّ، سُبْحَانَ ٱلْقَابِضِ ٱلْبَاسِطِ. سُبْحَانَ ٱللَّهِ ٱلضَّارِّ ٱلنَّافِعِ. سُبْحَانَ ٱللَّهِ ٱلْعَظِيْمِ ٱلْأَعْظَمِ. سُبْحَانَ ٱللَّهِ ٱلْقَاضِي بِٱلْحَقِّ. سُبْحَانَ ٱلرَّفِيْعِ ٱلْأَعْلَىٰ. سُبْحَانَ ٱللَّهِ ٱلْعَظِيْمِ ٱلْأَوَّلِ ٱلآخِرِ ٱلظَّاهِرِ ٱلْبَاطِنِ، ٱلَّذِي هُوَ عَلَىٰ كُلِّ شَيْءٍ قَدِيْرٌ وَبِكُلِّ شَيْءٍ عَلِيْمٌ. سُبْحَانَ ٱلَّذِي هُوَ هَكَذَا وَلاَ هٰكَذَا غَيْرُهُ، سُبْحَانَ مَنْ هُوَ دَآئِمٌ لاَ يَسْهُو. سُبْحَانَ مَنْ هُوَ قَآئِمٌ لاَ يَلْهُو. سُبْحَانَ مَنْ هُوَ غَنِيٌّ لاَ يَفْتَقِرُ، سُبْحَانَ مَنْ هُوَ جَوَادٌ لاَ يَبْخَلُ. سُبْحَانَ مَنْ هُوَ

شَدِيْدٌ لاَ يَضْعُفُ. سُبْحَانَ مَنْ هُوَ رَقِيْبٌ لاَ يَغْفَلُ. سُبْحَانَ مَنْ هُوَ حَيٌّ لاَ يَمُوتُ. سُبْحَانَ ٱلدَّآئِمِ ٱلْقَآئِمِ. سُبْحَانَ ٱلَّذِي لاَ يَزُولُ، سُبْحَانَ ٱلْحَيِّ ٱلْقَيُّوم، لاَ تَأْخُذُهُ سِنَةٌ وَلاَ نَوْمٌ. سُبْحَانَكَ لاَ إِلَهَ إِلاَّ أَنْتَ وَحْدَكَ لاَ شَرِيْكَ لَكَ.

سُبْحَانَ مَنْ تُسَبِّحُ لَهُ ٱلْجِبَالُ ٱلرَّوَاسِي بِأَصْوَاتِهَا تَقُولُ سُبْحَانَ رَبِّيَ ٱلْعَظِيْمِ وَبِحَمْدِهِ. سُبْحَانَ مَنْ تُسَبِّحُ لَهُ ٱلْأَشْجَارُ بِأَصْوَاتِهَا تَقُولُ سُبْحَانَ ٱللَّهِ ٱلْمَلِكِ ٱلْحَقِّ ٱلْمُبِيْنِ. سُبْحَانَ مَنْ تُسَبِّحُ لَهُ ٱلسَّمٰوَاتُ ٱلسَّبْعُ وَٱلْأَرْضُ وَمَنْ فِيْهِنَّ يَقُولُونَ سُبْحَانَ ٱللَّهِ ٱلْعَظِيْمِ ٱلْحَلِيْمِ ٱلْكَرِيْمِ وَبِحَمْدِهِ. سُبْحَانَ مَنِ ٱعْتَزَّ بِٱلْعَظَمَةِ وَٱحْتَجَبَ بِٱلْقُدْرَةِ، وَٱمْتَنَّ بِٱلرَّحْمَةِ وَعَلاَ فِي ٱلرِّفْعَةِ وَدَنَا فِي ٱللُّطْفِ، وَلَمْ تَخْفَ عَلَيْهِ خَافِيَاتُ ٱلسَّرَآئِرِ وَلاَ يُوَارِي عَلَيْهِ لَيْلٌ دَاجٍ، وَلاَ بَحْرٌ عَجَّاجٌ، وَلاَ حُجُبٌ وَلاَ أَزْوَاجٌ، أَحَاطَ بِكُلِّ شَيْءٍ عِلْماً وَوَسِعَ ٱلْمُذْنِبِيْنَ رَحْمَةً وَحِلْماً، وَأَبْدَعَ مَا بَرَأَ إِتْقَاناً وَصُنْعاً، نَطَقَتِ ٱلْأَشْيَآءُ ٱلْمُبْهَمَةُ عَنْ قُدْرَتِهِ وَشَهِدَتْ

مُبْتَدِعَةً بِوَحْدَانِيَّتِهِ. ٱللَّهُمَّ صَلِّ عَلَىٰ مُحَمَّدٍ وَآلِهِ نَبِيِّ ٱلرَّحْمَةِ وَأَهْلِ بَيْتِهِ ٱلْمَيَامِيْنَ ٱلطَّاهِرِينَ، وَلاَ تَرُدَّنَا يَا إِلٰهِي مِنْ رَحْمَتِكَ خَائِبِينَ، وَلاَ مِنْ فَضْلِكَ آيِسِينَ، وَأَعِذْنَا أَنْ نَرْجِعَ بَعْدَ إِذْ هَدَيْتَنَا ضَالِّيْنَ مُضِلِّيْنَ، وَأَجِرْنَا مِنَ ٱلْحَيْرَةِ فِي ٱلدَّارَيْنِ، وَتَوَفَّنَا مُسْلِمِيْنَ وَأَلْحِقْنَا بِٱلصَّالِحِيْنَ، بِمُحَمَّدٍ وَآلِهِ ٱلطَّيِّبِينَ آمِيْنَ رَبَّ ٱلْعَالَمِيْنَ.

***

في اليوم الثالث عشر

سُبْحَانَ ٱلرَّفِيْعِ ٱلأَعْلَىٰ، سُبْحَانَ مَنْ قَضَىٰ بِٱلْمَوْتِ عَلَىٰ ٱلْعِبَادِ، سُبْحَانَ ٱلْقَاضِي بِٱلْحَقِّ، سُبْحَانَ ٱلْمَلِكِ ٱلْمُقْتَدِرِ، سُبْحَانَ ٱللَّهِ وَبِحَمْدِهِ، حَمْداً يَبْقَىٰ بَعْدَ ٱلْفَنَآءِ، وَيُنْمَي فِي كَفَّةِ ٱلْمِيْزَانِ لِلْجَزَآءِ، تَسْبِيْحاً كَمَا يَنْبَغِي لِكَرَمِ وَجْهِهِ وَعِزِّ جَلاَلِهِ وَعَظِيْمِ ثَوَابِهِ. سُبْحَانَ مَنْ تَوَاضَعَ كُلُّ شَيْءٍ لِعَظَمَتِهِ. سُبْحَانَ مَنْ ٱسْتَسْلَمَ كُلُّ شَيْءٍ لِقُدْرَتِهِ. سُبْحَانَ مَنْ خَضَعَ كُلُّ شَيْءٍ لِمُلْكِهِ. سُبْحَانَ مَنِ ٱنْقَادَتْ

لَهُ ٱلأُمُورُ بِأَزِمَّتِهَا . سُبْحَانَ مَنْ مَلأَ ٱلأَرْضَ قُدْسُهُ . سُبْحَانَ مَنْ أَشْرَقَ كُلُّ ظُلْمَةٍ بِنُورِهِ . سُبْحَانَ مَنْ لاَ يُدَانُ بِغَيْرِ دِيْنِهِ . سُبْحَانَ مَنْ قَدَّرَ بِقُدْرَتِهِ كُلَّ قَدَرٍ ، وَقُدْرَتُهُ فَوْقَ كُلِّ ذِي قُدْرَةٍ ، وَلاَ يَقْدِرُ أَحَدٌ قُدْرَتَهُ . سُبْحَانَ مَنْ أَوَّلُهُ حُكْمٌ لاَ يُوصَفُ ، وَآخِرُهُ عِلْمٌ لاَ يَبِيْدُ . سُبْحَانَ مَنْ هُوَ عَالِمٌ مُطَّلِعٌ بِغَيْرِ جَوَارِحَ . سُبْحَانَ مَنْ لاَ تَخْفَىٰ عَلَيْهِ خَافِيَةٌ فِي ٱلأَرْضِ وَلاَ فِي ٱلسَّمَآءِ ، سُبْحَانَ ٱلرَّبِّ ٱلْوَدُودِ . سُبْحَانَ ٱلْفَرْدِ ٱلْوِتْرِ . سُبْحَانَ ٱلْعَظِيْمِ ٱلأَعْظَمِ . سُبْحَانَ مَنْ هُوَ رَحِيْمٌ لاَ يَعْجَلُ . سُبْحَانَ مَنْ هُوَ قَآئِمٌ لاَ يَغْفَلُ . سُبْحَانَ مَنْ هُوَ جَوَادٌ لاَ يَبْخَلُ . أَنْتَ ٱلَّذِي فِي ٱلسَّمَآءِ عَظَمَتُكَ ، وَفِي ٱلأَرْضِ قُدْرَتُكَ ، وَفِي ٱلْبَحْرِ عَجَآئِبُكَ ، وَفِي ٱلظُّلُمَاتِ نُورُكَ . سُبْحَانَكَ لاَ إِلَهَ إِلاَّ أَنْتَ إِنِّي كُنْتُ مِنَ ٱلظَّالِمِيْنَ . سُبْحَانَ ذِي ٱلْعِزِّ ٱلشَّامِخِ . سُبْحَانَ ذِي ٱلْجَلاَلِ وَٱلإِكْرَامِ . سُبْحَانَكَ يَا قُدُّوسُ ، أَسْأَلُكَ بِمَنِّكَ يَا مَنَّانُ ، وَبِقُدْرَتِكَ يَا قَدِيْرُ ، وَبِحِلْمِكَ يَا حَلِيْمُ ، وَبِعِلْمِكَ يَا عَلِيْمُ ،

وَبِعظَمَتِكَ يَا عَظِيْمُ. يَا حَقُّ (ثلاثاً) يَا بَاعِثُ (ثلاثاً) يَا وَارِثُ (ثلاثاً) يَا حَيُّ (ثلاثاً) يَا قَيُّومُ (ثلاثاً) يَا أَللَّهُ (ثلاثاً) يَا رَحْمٰنُ (ثلاثاً) يَا رَحِيْمُ (ثلاثاً) يَا ذَا ٱلْجَلاَلِ وَٱلْإِكْرَام (ثلاثاً) يَا رَبَّنَا (ثلاثاً) وَأَسْأَلُكَ بِوَجْهِكَ ٱلْكَرِيْمِ يَا كَرِيْمُ (ثلاثاً) يَا سَيِّدَنَا (ثلاثاً) يَا فَخْرَنَا (ثلاثاً) يَا ذُخْرَنَا (ثلاثاً) يَا كَنْزَنَا (ثلاثاً) يَا قُوَّتَنَا (ثلاثاً) يَا عِزَّنَا (ثلاثاً) يَا كَهْفَنَا (ثلاثاً) يَا إِلٰهَنَا (ثلاثاً) يَا مَوْلاَنَا (ثلاثاً) يَا خَالِقَنَا(ثلاثاً) يَا رَازِقَنَا(ثلاثاً) يَا مُمِيْتَنَا (ثلاثاً) يَا مُحْيِينَا (ثلاثاً) يَا بَاعِثَنَا (ثلاثاً) يَا وَارِثَنَا (ثلاثاً) يَا عُدَّتَنَا (ثلاثاً) يَا أَمَلَنَا (ثلاثاً) يَا رَجَاءَنَا لِدِيْنِنَا وَدُنْيَانَا وَآخِرَتِنَا (ثلاثاً) وَأَسْأَلُكَ بِوَجْهِكَ ٱلْكَرِيْمِ يَا حَيُّ (ثلاثاً) وَأَسْأَلُكَ بِوَجْهِكَ ٱلْكَرِيْمِ يَا قَيُّومُ (ثلاثاً) وَأَسْأَلُكَ بِوَجْهِكَ ٱلْكَرِيْمِ يَا ٱللَّهُ يَا ٱللَّهُ يَا لاَ إِلٰهَ إِلاَّ أَنْتَ سُبْحَانَكَ يَا لاَ إِلٰهَ إِلاَّ أَنْتَ (ثلاثاً) وَأَسْأَلُكَ بِوَجْهِكَ ٱلْكَرِيْمِ يَا رَحِيْمُ (ثلاثاً) وَأَسْأَلُكَ بِوَجْهِكَ ٱلْكَرِيْمِ يَا

رَحْمٰنُ (ثلاثاً) وَأَسْأَلُكَ بِوَجْهِكَ ٱلْكَرِيْمِ يَا عَزِيْزُ (ثلاثاً) وَأَسْأَلُكَ بِوَجْهِكَ ٱلْكَرِيْمِ يَا كَبِيْرُ (ثلاثاً) وَأَسْأَلُكَ بِوَجْهِكَ ٱلْكَرِيْمِ يَا مَنَّانُ (ثلاثاً) وَأَسْأَلُكَ بِوَجْهِكَ ٱلْكَرِيْمِ يَا تَوَّابُ (ثلاثاً) وَأَسْأَلُكَ بِوَجْهِكَ ٱلْكَرِيْمِ يَا وَهَّابُ (ثلاثاً) وَأَسْأَلُكَ بِوَجْهِكَ ٱلْكَرِيْمِ يَا غَفَّار (ثلاثاً) وَأَسْأَلُكَ بِوَجْهِكَ ٱلْكَرِيْمِ يَا قَادِرُ (ثلاثاً) وَأَسْأَلُكَ بِوَجْهِكَ ٱلْكَرِيْمِ يَا ذَا ٱلْجَلَالِ وَٱلْإِكْرَام، أَنْ تُصَلِّيَ عَلَىٰ مُحَمَّدٍ عَبْدِكَ وَرَسُولِكَ، وَنَبِيِّكَ وَعَلَىٰ آلِهِ ٱلطَّاهِرِينَ ٱلْأَخْيَارِ أَفْضَلَ صَلَوَاتِكَ عَلَىٰ نَبِيٍّ مِنْ أَنْبِيَآئِكَ وَرُسُلِكَ. ٱللَّهُمَّ صَلِّ عَلَىٰ مُحَمَّدٍ وَآلِ مُحَمَّدٍ كَمَا صَلَّيْتَ عَلَىٰ إِبْرَاهِيْمَ وَآلِ إِبْرَاهِيْمَ، إِنَّكَ حَمِيْدٌ مَجِيْدٌ، ٱللَّهُمَّ صَلِّ عَلَىٰ أَبِيْنَا آدَمَ وَأُمِّنَا حَوَّآءَ. ٱللَّهُمَّ صَلِّ عَلَىٰ أَنْبِيَآئِكَ أَجْمَعِيْنَ. ٱللَّهُمَّ وَعَافِنِي فِي دِيْنِي وَدُنْيَايَ وَآخِرَتِي إِنَّكَ عَلَىٰ كُلِّ شَيْءٍ قَدِيْرٌ. ٱللَّهُمَّ وَأَسْأَلُكَ أَنْ تَتَقَبَّلَ مِنِّي فَإِنَّكَ غَفُورٌ شَكُورٌ. ٱللَّهُمَّ وَأَسْأَلُكَ أَنْ تَغْفِرَ لِي فَإِنَّكَ غَفُورٌ رَحِيْمٌ. ٱللَّهُمَّ

وَأَسْأَلُكَ أَنْ تَرْحَمَنِي فَإِنَّكَ أَنْتَ ٱلتَّوَّابُ ٱلرَّحِيْمُ.

***

في اليوم الرابع عشر

ٱللَّهُمَّ صَلِّ عَلَىٰ مُحَمَّدٍ ٱلنَّبِيِّ ٱلأُمِّيِ، وَعَلَىٰ آلِ مُحَمَّدٍ كَمَا صَلَّيْتَ عَلَىٰ إِبْرَاهِيْمَ وَآلِ إِبْرَاهِيْمَ إِنَّكَ حَمِيْدٌ مَجِيْدٌ. ٱللَّهُمَّ إِنِّي أَسْأَلُكَ عَلَىٰ أَثَرِ تَسْبِيْحِكَ وَٱلصَّلاَةِ عَلَىٰ نَبِيِّكَ، أَنْ تَغْفِرَ لِي ذُنُوبِي كُلَّهَا قَدِيْمَهَا وَحَدِيْثَهَا، كَبِيْرَهَا وَصَغِيْرَهَا، سِرَّهَا وَعَلاَنِيَتَهَا، مَا عَلِمْتُ مِنْهَا وَمَا لَمْ أَعْلَمْ وَمَا أَحْصَيْتَ عَلَيَّ مِنْهَا وَنَسِيْتُهُ أَنَا مِنْ نَفْسِي. يَا ٱللَّهُ يَا ٱللَّهُ يَا ٱللَّهُ، يَا رَحْمٰنُ يَا رَحْمٰنُ يَا رَحْمٰنُ، يَا رَحِيْمُ يَا رَحِيْمُ يَا رَحِيْمُ، لاَ إِلَٰهَ إِلاَّ أَنْتَ خَشَعَتْ لَكَ ٱلأَصْوَاتُ، وَضَلَّتْ فِيْكَ ٱلأَحْلاَمُ[١]، وَتَحَيَّرَتْ دُوْنَكَ ٱلأَبْصَارُ، وَأَفْضَتْ إِلَيْكَ ٱلْقُلُوبُ، لاَ إِلَٰهَ إِلاَّ أَنْتَ، كُلُّ شَيْءٍ خَاشِعٌ لَكَ، وَكُلُّ شَيْءٍ مُمْتَنِعٌ بِكَ، وَكُلُّ شَيْءٍ

(١) الأحلام: العقول.

ضَـارِعٌ[١] إِلَيْـكَ، لاَ إِلَـهَ إِلاَّ أَنْـتَ، ٱلْخَلْـقُ كُلُّهُـمْ فِـي قَبْضَتِكَ، وَٱلنَّوَاصِي كُلُّهَا بِيَدِكَ وَكُلُّ مَنْ أَشْرَكَ بِكَ عَبْدٌ دَاخِرٌ لَكَ، أَنْتَ ٱلرَّبُّ ٱلَّذِي لاَ نِدَّ[٢] لَكَ، وَٱلدَّآئِمُ ٱلَّذِي لاَ نَفَادَ لَكَ، وَٱلْقَيُّومُ ٱلَّذِي لاَ زَوَالَ لَكَ، وَٱلْمَلِكُ ٱلَّذِي لاَ شَرِيكَ لَكَ، ٱلْحَيُّ ٱلْمُحْيِي ٱلْمَوْتَىٰ، ٱلْقَائِمُ عَلَىٰ كُلِّ نَفْسٍ بِمَا كَسَبَتْ، لاَ إِلَهَ إِلاَّ أَنْتَ ٱلأَوَّلُ قَبْلَ خَلْقِكَ، وَٱلآخِرُ بَعْدَهُمْ، وَٱلظَّاهِرُ فَوْقَهُمْ، وَٱلْقَاهِرُ لَهُمْ وَٱلْقَادِرُ مِنْ وَرَآئِهِمْ، وَٱلْقَرِيْبُ مِنْهُمْ وَمَالِكُهُمْ، وَخَالِقُهُمْ وَقَابِضُ أَرْوَاحِهِمْ، وَرَازِقُهُمْ وَمُنْتَهَىٰ رَغْبَتِهِمْ، وَمَوْلاَهُمْ وَمَوْضِعُ شَكْوَاهُمْ وَٱلدَّافِعُ عَنْهُمْ وَٱلشَّافِعُ لَهُمْ. لَيْسَ أَحَدٌ فَوْقَكَ يَحُولُ دُوْنَهُمْ، وَفِي قَبْضَتِكَ مُنْقَلَبُهُمْ وَمَثْوَاهُمْ إِيَّاكَ نُؤَمِّلُ وَفَضْلَـكَ نَـرْجُـو، وَلاَ حَـوْلَ وَلاَ قُـوَّةَ إِلاَّ أَنْـتَ قُـوَّةَ كُـلِّ ضَعِيْفٍ، وَمَفْزَعَ كُلِّ مَلْهُوفٍ[٣]، وَأَمْنُ كُلِّ خَآئِفٍ،

(١) ضارع إليك: متوسل إليك.
(٢) الند: الشبيه.
(٣) مفزع: ملجأ.

وَمَوْضِعَ كُلِّ شَكْوَىٰ، وَكَاشِفَ كُلِّ بَلْوَىٰ، لاَ إِلَهَ إِلاَّ أَنْتَ حِصْنُ كُلِّ هَارِبٍ، وَعِزَّ كُلِّ ذَلِيلٍ، وَمَادَّةُ كُلِّ مَظْلُومٍ وَلاَ حَوْلَ وَلاَ قُوَّةَ إِلاَّ بِكَ، لاَ إِلَهَ إِلاَّ أَنْتَ وَلِيُّ كُلِّ نِعْمَةٍ، وَصَاحِبُ كُلِّ حَسَنَةٍ، وَدَافِعُ كُلِّ سَيِّئَةٍ، وَمُنْتَهَىٰ كُلِّ رَغْبَةٍ، وَقَاضِي كُلِّ حَاجَةٍ، وَلاَ حَوْلَ وَلاَ قُوَّةَ إِلاَّ بِكَ. لاَ إِلَهَ إِلاَّ أَنْتَ ٱلرَّحِيمُ بِخَلْقِهِ، ٱللَّطِيفُ بِعِبَادِهِ عَلَىٰ غِنَاهُ عَنْهُمْ وَفَقْرِهِمْ إِلَيْهِ. لاَ إِلَهَ إِلاَّ أَنْتَ ٱلْمُطَّلِعُ عَلَىٰ كُلِّ خَفِيَّةٍ، وَالحَاضِرُ لِكُلِّ سَرِيرَةٍ(١). وَاللَّطِيفُ لِمَا يَشَاءُ وَالفَعَّالُ لِمَا يُرِيدُ، يَا حَيُّ لاَ إِلَهَ إِلاَّ أَنْتَ وَلاَ حَوْلَ وَلاَ قُوَّةَ إِلاَّ بِكَ. ٱللَّهُمَّ أَنْتَ ٱللَّهُ لاَ إِلَهَ إِلاَّ أَنْتَ عَالِمُ ٱلْغَيْبِ وَٱلشَّهَادَةِ ٱلرَّحْمٰنُ ٱلرَّحِيمُ، فَاطِرُ ٱلسَّمٰوَاتِ وَٱلْأَرْضِ ذُو ٱلْجَلاَلِ وَٱلْإِكْرَامِ. أَنْتَ غَافِرُ ٱلذَّنْبِ وَقَابِلُ ٱلتَّوْبِ شَدِيْدُ ٱلْعِقَابِ، ذُو ٱلطَّوْلِ لاَ إِلَهَ إِلاَّ أَنْتَ وَإِلَيْكَ ٱلْمَصِيْرُ. ٱللَّهُمَّ وَأَسْأَلُكَ بِلاَ إِلَهَ إِلاَّ أَنْتَ أَنْ تُصَلِّيَ عَلَىٰ مُحَمَّدٍ وَآلِهِ، وَأَنْ تُعْطِيَنِي

(١) السريرة: السر الذي يكتم.

جَمِيعَ سُؤْلِي وَرَغْبَتِي وَأُمْنِيَتِي وَإِرَادَتِي ، فَإِنَّ ذٰلِكَ عَلَيْكَ يَسِيرٌ وَأَنْتَ عَلَىٰ كُلِّ شَيْءٍ قَدِيرٌ ، وَإِنَّمَا أَمْرُكَ إِذَا أَرَدْتَ شَيْئاً أَنْ تَقُولَ لَهُ كُنْ فَيَكُونَ .

***

في اليَوْمِ الْخَامِسِ عَشَرَ

ٱللّٰهُمَّ لَا إِلٰهَ إِلَّا أَنْتَ أَسْأَلُكَ بِٱسْمِكَ ٱلْوَاحِدِ ٱلْفَرْدِ ٱلْمُتَعَالِ ٱلَّذِي مَلَأَ كُلَّ شَيْءٍ ، وَأَسْأَلُكَ بِٱسْمِكَ ٱلْفَرْدِ لَا يَعْدِلُهُ شَيْءٌ وَأَسْأَلُكَ بِٱسْمِكَ ٱلْعَلِيِّ ٱلْأَعْلَىٰ ، وَأَسْأَلُكَ بِٱسْمِكَ ٱلْعَظِيمِ ٱلْأَعْظَمِ ، وَأَسْأَلُكَ بِٱسْمِكَ ٱلْجَلِيلِ ٱلْأَجَلِّ ، وَأَسْأَلُكَ بِٱسْمِكَ ٱلَّذِي لَا إِلٰهَ إِلَّا هُوَ ، ٱلْمَلِكُ ٱلْقُدُّوسُ ٱلسَّلَامُ ٱلْمُؤْمِنُ ٱلْمُهَيْمِنُ ٱلْعَزِيزُ ٱلْجَبَّارُ ٱلْمُتَكَبِّرُ . سُبْحَانَكَ ٱللّٰهُمَّ تَعَالَيْتَ عَمَّا يُشْرِكُونَ . وَأَسْأَلُكَ بِٱسْمِكَ ٱلْكَرِيمِ ٱلْعَزِيزِ ، وَبِأَنَّكَ ٱللّٰهُ لَا إِلٰهَ إِلَّا أَنْتَ ٱلْخَالِقُ ٱلْبَارِىءُ ٱلْمُصَوِّرُ لَكَ ٱلْأَسْمَاءُ ٱلْحُسْنَىٰ ، يُسَبِّحُ لَكَ مَا فِي ٱلسَّمٰوَاتِ وَٱلْأَرْضِ وَأَنْتَ ٱلْعَزِيزُ ٱلْحَكِيمُ . وَأَسْأَلُكَ

بِٱسْمِكَ ٱلْمَخْزُونِ ٱلْمَكْنُونِ، لاَ إِلَهَ إِلاَّ أَنتَ، وَأَسْأَلُكَ ٱللَّهُمَّ بِٱسْمِكَ ٱلَّذِي إِذَا دُعِيتَ بِهِ أَجَبْتَ، وَإِذَا سُئِلْتَ بِهِ أَعْطَيْتَ، وَأَسْأَلُكَ بِٱسْمِكَ ٱلَّذِي أَوْجَبْتَ لِمَنْ سَأَلَكَ بِهِ مَا سَأَلَكَ، وَأَسْأَلُكَ بِٱسْمِكَ ٱلَّذِي سَأَلَكَ بِهِ عَبْدُكَ ٱلَّذِي كَانَ عِنْدَهُ عِلْمٌ مِنَ ٱلْكِتَابِ فَأَتَيْتَهُ بِٱلْعَرْشِ قَبْلَ أَنْ يَرْتَدَّ إِلَيْهِ طَرْفُهُ، وَأَسْأَلُكَ بِهِ وَأَدْعُوكَ ٱللَّهُمَّ بِمَا دَعَاكَ بِهِ لَهُ، فَٱسْتَجِبْ لِي ٱللَّهُمَّ فِيمَا أَسْأَلُكَ قَبْلَ أَنْ يَرْتَدَّ إِلَيَّ طَرْفِي، وَأَسْأَلُكَ ٱللَّهُمَّ بِلاَ إِلَهَ إِلاَّ أَنْتَ فَإِنَّهُ لاَ إِلَهَ إِلاَّ أَنْتَ. يَا ٱللَّهُ يَا ٱللَّهُ، لاَ إِلَهَ إِلاَّ أَنْتَ ٱلْحَيُّ ٱلْقَيُّومُ لاَ تَأْخُذُهُ سِنَةٌ وَلاَ نَوْمٌ. وَأَسْأَلُكَ ٱللَّهُمَّ لاَ إِلَهَ إِلاَّ أَنْتَ بِزُبُرِ ٱلأَوَّلِينَ وَمَا فِيهَا مِنْ أَسْمَآئِكَ، وَٱلدُّعَآءِ ٱلَّذِي تُجِيبُ بِهِ مَنْ دَعَاكَ. وَأَسْأَلُكَ ٱللَّهُمَّ لاَ إِلَهَ إِلاَّ أَنْتَ بِٱلزَّبُورِ وَمَا فِيهِ مِنْ أَسْمَآئِكَ وَٱلدُّعَآءِ ٱلَّذِي تُجِيبُ بِهِ مَنْ دَعَاكَ، وَأَسْأَلُكَ ٱللَّهُمَّ لاَ إِلَهَ إِلاَّ أَنْتَ بِٱلْإِنْجِيلِ وَمَا فِيهِ مِنْ أَسْمَآئِكَ وَٱلدُّعَآءِ ٱلَّذِي تُجِيبُ بِهِ مَنْ دَعَاكَ. وَأَسْأَلُكَ ٱللَّهُمَّ لاَ إِلَهَ إِلاَّ أَنْتَ بِٱلتَّوْرَاةِ وَمَا فِيهَا

مِنْ أَسْمَآئِكَ، وَٱلدُّعَآءِ ٱلَّذِي تُجِيبُ بِهِ مَنْ دَعَاكَ. وَأَسْأَلُكَ ٱللَّهُمَّ لاَ إِلَهَ إِلاَّ أَنْتَ بِٱلْقُرْآنِ ٱلْعَظِيْمِ وَمَا فِيْهِ مِنْ أَسْمَآئِكَ، وَٱلدُّعَآءِ ٱلَّذِي تُجِيْبُ بِهِ مَنْ دَعَاكَ. وَأَسْأَلُكَ ٱللَّهُمَّ لاَ إِلَهَ إِلاَّ أَنْتَ بِكُلِّ كِتَابٍ أَنْزَلْتَهُ عَلَىٰ أَحَدٍ مِنْ خَلْقِكَ فِي ٱلسَّمٰوَاتِ ٱلسَّبْعِ وَٱلْأَرَضِيْنَ ٱلسَّبْعِ، وَمَا بَيْنَهُمَا مِنْ أَسْمَآئِكَ وَٱلدُّعَآءِ ٱلَّذِي تُجِيْبُ بِهِ مَنْ دَعَاكَ. وَأَسْأَلُكَ ٱللَّهُمَّ لاَ إِلَهَ إِلاَّ أَنْتَ بِكُلِّ ٱسْمٍ هُوَ لَكَ سَمَّاكَ بِهِ أَحَدٌ مِنْ خَلْقِكَ، فِي ٱلسَّمٰوَاتِ ٱلسَّبْعِ وَٱلْأَرَضِيْنَ ٱلسَّبْعِ وَمَا بَيْنَهُمَا. وَأَسْأَلُكَ ٱللَّهُمَّ لاَ إِلَهَ إِلاَّ أَنْتَ بِكُلِّ ٱسْمٍ هُوَ لَكَ ٱصْطَفَيْتَهُ لِنَفْسِكَ أَوِ أَطْلَعْتَ عَلَيْهِ أَحَداً مِنْ خَلْقِكَ، أَوْ لَمْ تَطْلِعْهُ عَلَيْهِ وَأَسْأَلُكَ ٱللَّهُمَّ لاَ إِلَهَ إِلاَّ أَنْتَ بِمَا دَعَاكَ بِهِ عِبَادُكَ ٱلصَّالِحُونَ. فَٱسْتَجَبْتَ لَهُمْ فَأَنَا أَسْأَلُكَ بِذٰلِكَ كُلِّهِ أَنْ تُصَلِّيَ عَلَىٰ مُحَمَّدٍ وَآلِهِ ٱلطَّيِّبِيْنَ ٱلطَّاهِرِيْنَ يَا رَبَّ ٱلْعَالَمِيْنَ وَأَنْ تَسْتَجِيْبَ لِي يَا سَيِّدِي مَا دَعَوْتُكَ بِهِ إِنَّكَ سَمِيْعُ ٱلدُّعَآءِ رَؤُوفٌ بِٱلْعِبَادِ يَا أَرْحَمَ ٱلرَّاحِمِيْنَ.

في اليوم السادس عشر

ٱللَّهُمَّ إِنِّي أَسْأَلُكَ لاَ إِلٰهَ إِلاَّ أَنْتَ بِٱسْمِكَ ٱلَّذِي عَزَمْتَ بِهِ عَلَىٰ ٱلسَّمٰوَاتِ ٱلسَّبْعِ وَٱلْأَرَضِينَ ٱلسَّبْعِ ، وَمَا خَلَقْتَ فِيهِمَا مِنْ شَيْءٍ ، وَأَسْتَجِيرُ بِذٰلِكَ ٱلإِسْمِ ٱللَّهُمَّ لاَ إِلٰهَ إِلاَّ أَنْتَ أَدْعُوكَ بِذٰلِكَ ٱلإِسْمِ ، ٱللَّهُمَّ لاَ إِلٰهَ إِلاَّ أَنْتَ وَأَلْجَأُ إِلَيْكَ بِذٰلِكَ ٱلإِسْمِ . ٱللَّهُمَّ لاَ إِلٰهَ إِلاَّ أَنْتَ وَأَتَوَكَّلُ عَلَيْكَ بِذٰلِكَ ٱلإِسْمِ . ٱللَّهُمَّ لاَ إِلٰهَ إِلاَّ أَنْتَ وَأَسْتَعِينُ بِكَ بِذٰلِكَ ٱلإِسْمِ . ٱللَّهُمَّ لاَ إِلٰهَ إِلاَّ أَنْتَ وَأُؤْمِنُ بِذٰلِكَ ٱلإِسْمِ . ٱللَّهُمَّ لاَ إِلٰهَ إِلاَّ أَنْتَ وَأَسْتَغِيثُ بِذٰلِكَ ٱلإِسْمِ . ٱللَّهُمَّ لاَ إِلٰهَ إِلاَّ أَنْتَ وَأَتَقَرَّبُ إِلَيْكَ بِذٰلِكَ ٱلإِسْمِ . ٱللَّهُمَّ لاَ إِلٰهَ إِلاَّ أَنْتَ وَأَتَقَوَّىٰ بِذٰلِكَ ٱلإِسْمِ . ٱللَّهُمَّ لاَ إِلٰهَ إِلاَّ أَنْتَ وَأَتَضَرَّعُ إِلَيْكَ بِذٰلِكَ ٱلإِسْمِ . ٱللَّهُمَّ لاَ إِلٰهَ إِلاَّ أَنْتَ ، يَا ٱللَّهُ يَا ٱللَّهُ يَا ٱللَّهُ لاَ شَرِيكَ لَكَ ، يَا كَرِيمُ يَا كَرِيمُ يَا كَرِيمُ ، أَسْأَلُكَ بِكَرَمِكَ وَمَجْدِكَ وَجُودِكَ وَفَضْلِكَ ، وَمَنِّكَ وَرَأْفَتِكَ وَمَغْفِرَتِكَ

وَرَحْمَتِكَ وَجَمَالِكَ وَجَلاَلِكَ وَعِزَّتِكَ وَعَظَمَتِكَ، لِمَا أَوْجَبْتَ عَلَىٰ نَفْسِكَ ٱلَّتِي كَتَبْتَ عَلَيْهَا ٱلرَّحْمَةَ أَنْ تَقُولَ قَدْ آتَيْتُكَ عَبْدِي مَا سَأَلْتَنِي فِي عَافِيَةٍ، وَأَدَمْتُهَا لَكَ مَا أَحْيَيْتُكَ حَتَّىٰ أَتَوَفَّاكَ فِي عَافِيَةٍ وَرِضْوَانٍ، وَأَنْتَ لِنِعْمَتِي مِنَ ٱلشَّاكِرِينَ. أَسْتَجِيرُ بِكَ ٱللَّهُمَّ لاَ إِلَهَ إِلاَّ أَنْتَ، وَأَلُوذُ بِكَ ٱللَّهُمَّ لاَ إِلَهَ إِلاَّ أَنْتَ، وَأَتَوَكَّلُ عَلَيْكَ ٱللَّهُمَّ لاَ إِلَهَ إِلاَّ أَنْتَ، وَأُؤْمِنُ بِكَ ٱللَّهُمَّ لاَ إِلَهَ إِلاَّ أَنْتَ وَأَتَقَرَّبُ إِلَيْكَ ٱللَّهُمَّ لاَ إِلَهَ إِلاَّ أَنْتَ، وَأَرْغَبُ إِلَيْكَ ٱللَّهُمَّ لاَ إِلَهَ إِلاَّ أَنْتَ، وَأَدْعُوكَ ٱللَّهُمَّ لاَ إِلَهَ إِلاَّ أَنْتَ، وَأَتَضَرَّعُ إِلَيْكَ ٱللَّهُمَّ لاَ إِلَهَ إِلاَّ أَنْتَ، وَأَسْأَلُكَ ٱللَّهُمَّ لاَ إِلَهَ إِلاَّ أَنْتَ، بِوَجْهِكَ ٱلْكَرِيمِ، يَا كَرِيمُ يَا كَرِيمُ يَا كَرِيمُ، يَا رَحْمٰنُ يَا رَحْمٰنُ يَا رَحْمٰنُ، وَأَسْأَلُكَ ٱللَّهُمَّ لاَ إِلَهَ إِلاَّ أَنْتَ فَإِنَّهُ لاَ إِلَهَ إِلاَّ أَنْتَ، يَا رَحِيمُ يَا رَحِيمُ يَا رَحِيمُ، وَأَسْأَلُكَ ٱللَّهُمَّ لاَ إِلَهَ إِلاَّ أَنْتَ فَإِنَّهُ لاَ إِلَهَ إِلاَّ أَنْتَ، بِكُلِّ قَسَمٍ أَقْسَمْتَهُ فِي أُمِّ ٱلْكِتَابِ ٱلْمَكْنُونِ(١)، أَوْ فِي

(١) المكنون: المحفوظ، المصون.

زُبُرِ(١) ٱلأَوَّلِينَ، أَوْ فِي ٱلزَّبُورِ، أَوْ فِي ٱلأَلْوَاحِ، أَوْ فِي ٱلتَّوْرَاةِ، أَوْ فِي ٱلإِنْجِيْلِ، أَوْ فِي ٱلْكِتَابِ ٱلْمُبِيْنِ، وَٱلْقُرْآنِ ٱلْعَظِيْمِ، يَا رَحْمٰنُ يَا رَحِيْمُ. وَأَتَوَجَّهُ إِلَيْكَ ٱللّٰهُمَّ لاَ إِلٰهَ إِلاَّ أَنْتَ فَإِنَّهُ لاَ إِلٰهَ إِلاَّ أَنْتَ، بِنَبِيِّكَ مُحَمَّدٍ نَبِيِّ ٱلرَّحْمَةِ عَلَيْهِ وَآلِهِ ٱلطَّيِّبِينَ ٱلطَّاهِرِينَ ٱلأَخْيَارِ ٱلصَّلَوَاتُ ٱلْمُبَارَكَاتُ، يَا مُحَمَّدُ بِأَبِي أَنْتَ وَأُمِّي إِنِّي أَتَوَجَّهُ بِكَ فِي حَاجَتِي هٰذِهِ إِلَىٰ ٱللّٰهِ رَبِّكَ وَرَبِّي، ٱلرَّحْمٰنِ ٱلرَّحِيْمِ لاَ إِلٰهَ إِلاَّ هُوَ، أَسْأَلُكَ بِذٰلِكَ ٱلإِسْمِ ٱللّٰهُمَّ لاَ إِلٰهَ إِلاَّ أَنْتَ، يَا بَدِيْءُ لاَ بَدْءَ لَكَ، يَا دَائِمُ لاَ نَفَادَ لَكَ، يَا حَيُّ يَا مُحْيِي ٱلْمَوْتَىٰ، أَنْتَ ٱلْقَائِمُ عَلَىٰ كُلِّ نَفْسٍ بِمَا كَسَبَتْ، يَا رَحْمٰنُ يَا رَحِيْمُ، وَأَسْأَلُكَ بِذٰلِكَ ٱلإِسْمِ ٱللّٰهُمَّ لاَ إِلٰهَ إِلاَّ أَنْتَ، فَإِنَّهُ لاَ إِلٰهَ إِلاَّ أَنْتَ ٱلْوَاحِدُ ٱلأَحَدُ ٱلصَّمَدُ، ٱلْوِتْرُ ٱلْمُتَعَالُ ٱلَّذِي يَمْلأُ ٱلسَّمٰوَاتِ وَٱلأَرْضَ، وَبِٱسْمِكَ ٱلْفَرْدِ ٱلَّذِي لاَ يَعْدِلُهُ شَيْءٌ يَا رَحْمٰنُ يَا رَحِيْمُ، وَأَسْأَلُكَ بِذٰلِكَ ٱلإِسْمِ ٱللّٰهُمَّ لاَ إِلٰهَ إِلاَّ أَنْتَ

---

(١) زبر الأولين: كتب الأولين.

فَإِنَّهُ لاَ إِلَهَ إِلاَّ أَنْتَ أَسْأَلُكَ ٱللَّهُمَّ رَبَّ ٱلْبَشَرِ وَرَبَّ إِبْرَاهِيمَ، وَرَبَّ مُحَمَّدِ بْنِ عَبْدِ ٱللَّهِ خَاتَمِ ٱلنَّبِيِّينَ، أَنْ تُصَلِّيَ عَلَىٰ مُحَمَّدٍ وَآلِهِ، وَأَنْ تَرْحَمَنِي وَوَالِدَيَّ وَأَهْلِي وَوَلَدِي وَإِخْوَانِي مِنَ ٱلْمُؤْمِنِينَ، يَا أَرْحَمَ ٱلرَّاحِمِيْنَ، فَإِنِّي أُؤْمِنُ بِكَ وَبِأَنْبِيَائِكَ وَرُسُلِكَ وَجَنَّتِكَ وَنَارِكَ وَبَعْثِكَ وَنُشُورِكَ، وَوَعْدِكَ وَوَعِيدِكَ وَكُتُبِكَ، وَأُقِرُّ بِمَا جَاءَ مِنْ عِنْدِكَ وَأَرْضَىٰ بِقَضَائِكَ، وَأَشْهَدُ أَنْ لاَ إِلَهَ إِلاَّ أَنْتَ وَحْدَكَ لاَ شَرِيْكَ لَكَ، وَلاَ ضِدَّ لَكَ، وَلاَ نِدَّ لَكَ، وَلاَ وَزِيْرَ لَكَ، وَلاَ صَاحِبَةَ لَكَ، وَلاَ وَلَدَ لَكَ، وَلاَ مِثْلَ لَكَ وَلاَ شِبْهَ لَكَ، وَلاَ سَمِيَّ لَكَ، وَلاَ تُدْرِكُكَ ٱلْأَبْصَارُ، وَأَنْتَ تُدْرِكُ الأَبْصَارَ، وَأَنْتَ ٱللَّطِيفُ ٱلْخَبِيْرُ، وَأَشْهَدُ أَنَّ مُحَمَّداً عَبْدُكَ وَرَسُولُكَ، صَلَّىٰ ٱللَّهُ عَلَيْهِ وَآلِهِ ٱلطَّيِّبِينَ ٱلطَّاهِرِينَ، وَٱلسَّلاَمُ عَلَيْهِمْ وَرَحْمَةُ ٱللَّهِ وَبَرَكَاتُهُ، وَأَسْأَلُكَ ٱللَّهُمَّ لاَ إِلَهَ إِلاَّ أَنْتَ فَإِنَّهُ لاَ إِلَهَ إِلاَّ أَنْتَ يَا حَنَّانُ يَا مَنَّانُ يَا ذَا ٱلْجَلاَلِ وَٱلْإِكْرَامِ يَا إِلَهِي وَسَيِّدِي، يَا حَيّ يَا قَيُّومُ يَا كَرِيْمُ يَا غَنِيُّ يَا حَيُّ لاَ إِلَهَ إِلاَّ

أَنْتَ يَا رَحْمٰنُ يَا رَحِيْمُ، لاَ شَرِيْكَ لَكَ يَا إِلٰهِي وَسَيِّدِي لَكَ ٱلْحَمْدُ شُكْراً وَلَكَ ٱلْحَمْدُ شُكْراً، فَٱسْتَجِبْ لِي فِي جَمِيْعِ مَا أَدْعُوكَ بِهِ، وَٱرْحَمْنِي مِنَ ٱلنَّارِ، يَا أَرْحَمَ ٱلرَّاحِمِينَ، وَصَلَّىٰ ٱللَّهُ عَلَىٰ سَيِّدِنَا مُحَمَّدٍ وَآلِهِ، ٱللَّهُمَّ ٱجْعَلْنِي مِنْ أَفْضَلِ عِبَادِكَ نَصِيْباً فِي كُلِّ خَيْرٍ تَقْسِمُهُ فِي هٰذِهِ ٱلْغَدَاةِ مِنْ نُورٍ تَهْدِي بِهِ أَوْ رَحْمَةٍ تَنْشُرُهَا، أَوْ عَافِيَةٍ تُجَلِّلُهَا أَوْ رِزْقٍ تَبْسُطُهُ، أَوْ ذَنْبٍ تَغْفِرُهُ، أَوْ عَمَلٍ صَالِحٍ تُوَفِّقُ لَهُ، أَوْ عَدُوٍّ تَقْمَعُهُ، أَوْ بَلآءٍ تَصْرِفُهُ، أَوْ نَحْسٍ تُحَوِّلُهُ إِلَىٰ سَعَادَةٍ يَا أَرْحَمَ ٱلرَّاحِمِيْنَ.

* * *

في اليوم السابع عشر

لاَ إِلٰهَ إِلاَّ أَنْتَ ٱلْمُفَرِّجُ عَنْ كُلِّ مَكْرُوبٍ، لاَ إِلٰهَ إِلاَّ أَنْتَ عِزُّ كُلِّ ذَلِيْلٍ، لاَ إِلٰهَ إِلاَّ أَنْتَ غَنِيُّ كُلِّ فَقِيرٍ، لاَ إِلٰهَ إِلاَّ أَنْتَ كَاشِفُ كُلِّ كُرْبَةٍ، لاَ إِلٰهَ إِلاَّ أَنْتَ قَاضِي كُلِّ حَاجَةٍ، لاَ إِلٰهَ إِلاَّ أَنْتَ وَلِيُّ كُلِّ حَسَنَةٍ، لاَ إِلٰهَ إِلاَّ أَنْتَ

مُنتَهَىٰ كُلِّ رَغْبَةٍ، لاَ إِلَهَ إِلاَّ أَنْتَ دَافِعُ كُلِّ بَلِيَّةٍ[١]، لاَ إِلَهَ إِلاَّ أَنْتَ عَالِمُ كُلِّ خَفِيَّةٍ، لاَ إِلَهَ إِلاَّ أَنْتَ عَالِمُ كُلِّ سَرِيْرَةٍ[٢]، لاَ إِلَهَ إِلاَّ أَنْتَ شَاهِدُ كُلِّ نَجْوَىٰ[٣]، لاَ إِلَهَ إِلاَّ أَنْتَ كَاشِفُ كُلِّ بَلْوَى، لاَ إِلَهَ إِلاَّ أَنْتَ كُلُّ شَيْءٍ خَاضِعٌ لَكَ، لاَ إِلَهَ إِلاَّ أَنْتَ كُلُّ شَيْءٍ دَاخِرٌ لَكَ، لاَ إِلَهَ إِلاَّ أَنْتَ كُلُّ شَيْءٍ مُشْفِقٌ مِنْكَ، لاَ إِلَهَ إِلاَّ أَنْتَ كُلُّ شَيْءٍ رَاغِبٌ إِلَيْكَ، لاَ إِلَهَ إِلاَّ أَنْتَ كُلُّ شَيْءٍ رَاهِبٌ مِنْكَ، لاَ إِلَهَ إِلاَّ أَنْتَ كُلُّ شَيْءٍ قَائِمٌ بِكَ، لاَ إِلَهَ إِلاَّ أَنْتَ كُلُّ شَيْءٍ مَصِيْرُهُ إِلَيْكَ، لاَ إِلَهَ إِلاَّ أَنْتَ كُلُّ شَيْءٍ فَقِيْرٌ إِلَيْكَ، لاَ إِلَهَ إِلاَّ أَنْتَ وَحْدَكَ لاَ شَرِيْكَ لَكَ، إِلَهاً وَاحِداً أَحَداً لَكَ ٱلْمُلْكُ وَلَكَ ٱلْحَمْدُ، تُحْيِي وَتُمِيْتُ وَأَنْتَ حَيٌّ لاَ تَمُوتُ بِيَدِكَ ٱلْخَيْرُ إِنَّكَ عَلَىٰ كُلِّ شَيْءٍ قَدِيْرٌ. لاَ إِلَهَ إِلاَّ أَنْتَ وَحْدَكَ لاَ شَرِيْكَ لَكَ أَحَداً صَمَداً لَمْ تَلِدْ وَلَمْ تُوْلَدْ وَلَمْ يَكُنْ لَهُ كُفُواً أَحَدٌ، وَلَمْ يَتَّخِذْ صَاحِبَةً وَلاَ وَلَداً. لاَ

---

(١) بلية: مصيبة.
(٢) سريرة: السر الذي يكتم.
(٣) نجوى: سر.

إِلَهَ إِلاَّ أَنْتَ قَبْلَ كُلِّ شَيْءٍ، لاَ إِلَهَ إِلاَّ أَنْتَ بَعْدَ كُلِّ شَيْءٍ، لاَ إِلَهَ إِلاَّ أَنْتَ تَبْقَىٰ رَبَّنَا وَيَفْنَىٰ كُلُّ شَيْءٍ. ٱلدَّائِمُ ٱلَّذِي لاَ زَوَالَ لَكَ لاَ إِلَهَ إِلاَّ أَنْتَ ٱلْحَيُّ ٱلْقَيُّومُ لاَ تَأْخُذُكَ سِنَةٌ وَلاَ نَوْمٌ، قَآئِماً بِٱلْقِسْطِ، لاَ إِلَهَ إِلاَّ أَنْتَ ٱلْعَزِيْزُ ٱلْحَكِيْمُ ٱلْعَدْلُ.

لاَ إِلَهَ إِلاَّ أَنْتَ بَدِيْعُ ٱلسَّمٰوَاتِ وَٱلْأَرْضِ وَرَبُّ ٱلْعَرْشِ ٱلْعَظِيْمِ، ٱلْحَنَّانُ ٱلْمَنَّانُ ذُو ٱلْجَلاَلِ وَٱلْإِكْرَامِ، لاَ إِلَهَ إِلاَّ ٱللَّهُ ٱلْحَلِيْمُ ٱلْكَرِيْمُ، لاَ إِلَهَ إِلاَّ ٱللَّهُ ٱلْعَلِيُّ ٱلْعَظِيْمُ، سُبْحَانَ ٱللَّهِ رَبِّ ٱلسَّمٰوَاتِ ٱلسَّبْعِ وَرَبِّ ٱلْأَرَضِيْنَ ٱلسَّبْعِ، وَمَا فِيْهِنَّ وَمَا بَيْنَهُنَّ وَمَا تَحْتَهُنَّ وَرَبِّ ٱلْعَرْشِ ٱلْعَظِيْمِ، وَٱلْحَمْدُ لِلَّهِ رَبِّ ٱلْعَالَمِيْنَ. أَشْهَدُ أَنْ لاَ إِلَهَ إِلاَّ ٱللَّهُ وَحْدَهُ لاَ شَرِيْكَ لَهُ، لَهُ ٱلْمُلْكُ وَلَهُ ٱلْحَمْدُ يُحْيِي وَيُمِيْتُ، وَهُوَ حَيٌّ لاَ يَمُوتُ بِيَدِهِ ٱلْخَيْرُ وَهُوَ عَلَىٰ كُلِّ شَيْءٍ قَدِيْرٌ. أَشْهَدُ أَنْ لاَ إِلَهَ إِلاَّ ٱللَّهُ وَحْدَهُ لاَ شَرِيْكَ لَهُ إِلَهاً وَاحِداً أَحَداً صَمَداً لَمْ يَتَّخِذْ صَاحِبَةً وَلاَ وَلَداً وَلَمْ يَكُنْ لَهُ كُفُواً أَحَدٌ. أَشْهَدُ أَنْ لاَ إِلَهَ إِلاَّ ٱللَّهُ وَحْدَهُ لاَ شَرِيْكَ لَهُ، شَهَادَةً أَرْجُو بِهَا ٱلنَّجَاةَ

مِنَ ٱلنَّارِ، أَشْهَدُ أَنْ لاَ إِلَهَ إِلاَّ ٱللَّهُ وَحْدَهُ لاَ شَرِيْكَ لَهُ شَهَادَةً أَرْجُو بِهَا ٱلدُّخُولَ إِلَىٰ ٱلْجَنَّةِ، أَشْهَدُ أَنْ لاَ إِلَهَ إِلاَّ ٱللَّهُ وَحْدَهُ لاَ شَرِيْكَ لَهُ، مَا دَامَتِ ٱلْجِبَالُ رَاسِيَةً وَبَعْدَ زَوَالِهَا أَبداً، أَشْهَدُ أَنْ لاَ إِلَهَ إِلاَّ ٱللَّهُ وَحْدَهُ لاَ شَرِيْكَ لَهُ مَا دَامَتِ ٱلرُّوحُ فِي جَسَدِي وَبَعْدَ خُرُوجِهَا أَبَداً أَشْهَدُ أَنْ لاَ إِلَهَ إِلاَّ ٱللَّهُ وَحْدَهُ لاَ شَرِيْكَ لَهُ، عَلَىٰ ٱلنَّشَاطِ قَبْلَ ٱلْكَسَلِ، وَعَلَىٰ ٱلْكَسَلِ بَعْدَ ٱلنَّشَاطِ، وَعَلَىٰ كُلِّ حَالٍ أَبَداً أَشْهَدُ أَنْ لاَ إِلَهَ إِلاَّ ٱللَّهُ وَحْدَهُ لاَ شَرِيْكَ لَهُ عَلَىٰ ٱلشَّبَابِ قَبْلَ ٱلْهَرَمِ، وَعَلَىٰ ٱلْهِرَمِ بَعْدَ ٱلشَّبَابِ، وَعَلَىٰ كُلِّ حَالٍ أَبداً، أَشْهَدُ أَنْ لاَ إِلَهَ إِلاَّ ٱللَّهُ وَحْدَهُ لاَ شَرِيْكَ لَهُ عَلَىٰ ٱلْفَرَاغِ قَبْلَ ٱلشُّغْلِ، وَعَلَىٰ ٱلشُّغْلِ بَعْدَ ٱلْفَرَاغِ، وَعَلَىٰ كُلِّ حَالٍ أَبَداً، أَشْهَدُ أَنْ لاَ إِلَهَ إِلاَّ ٱللَّهُ وَحْدَهُ لاَ شَرِيْكَ لَهُ مَا عَمِلَتِ ٱلْيَدَانِ وَمَا لَمْ تَعْمَلاَ، وَعَلَىٰ كُلِّ حَالٍ أَبداً، أَشْهَدُ أَنْ لاَ إِلَهَ إِلاَّ ٱللَّهُ وَحْدَهُ لاَ شَرِيْكَ لَهُ مَا سَمِعَتِ ٱلأُذُنَانِ وَمَا لَمْ تَسْمَعَا وَعَلَىٰ كُلِّ حَالٍ أَبَداً، أَشْهَدُ أَنْ لاَ إِلَهَ إِلاَّ ٱللَّهُ وَحْدَهُ لاَ شَرِيْكَ لَهُ مَا أَبْصَرَتِ ٱلْعَيْنَانُ

وَمَا لَمْ تُبْصِرا وَعَلَىٰ كُلِّ حَالٍ أَبداً، أَشْهَدُ أَنْ لاَ إِلَهَ إِلاَّ ٱللَّهُ وَحْدَهُ لاَ شَرِيْكَ لَهُ مَا تَحرَّكَ ٱللِّسَانُ وَمَا لَمْ يَتَحرَّكَ، وَعَلَىٰ كُلِّ حَالٍ أَبداً، أَشْهَدُ أَنْ لاَ إِلَهَ إِلاَّ ٱللَّهُ وَحْدَهُ لاَ شَرِيْكَ لَهُ قَبْلَ دُخُولِي قَبْرِي وَبَعْدَ دُخُولِي قَبْرِي وَعَلَىٰ كُلِّ حَالٍ أَبَداً، أَشْهَدُ أَنْ لاَ إِلَهَ إِلاَّ ٱللَّهُ وَحْدَهُ لاَ شَرِيْكَ لَهُ فِي ٱللَّيْلِ إِذَا يَغْشَىٰ وَفِي ٱلنَّهَارِ إِذَا تَجلَىٰ، أَشْهَدُ أَنْ لاَ إِلَهَ إِلاَّ اللَّهُ وَحْدَهُ لاَ شَرِيْكَ لَهُ فِي ٱلآخِرَةِ وَٱلْأُولَىٰ، أَشْهَدُ أَنْ لاَ إِلَهَ إِلاَّ ٱللَّهُ وَحْدَهُ لاَ شَرِيْكَ لَهُ شَهَادَةً أَدَّخِرُهَا لِهَوْلِ ٱلْمَطْلَعِ، أَشْهَدُ أَنْ لاَ إِلَهَ إِلاَّ ٱللَّهُ وَحْدَهُ لاَ شَرِيْكَ لَهُ، شَهَادَةَ ٱلْحَقِّ وَكَلِمَةَ ٱلْإِخْلاَصِ، أَشْهَدُ أَنْ لاَ إِلَهَ إِلاَّ ٱللَّهُ وَحْدَهُ لاَ شَرِيْكَ لَهُ، شَهَادَةً يَشْهَدُ بِهَا سَمْعِي وَبَصَرِي وَلَحْمِي وَدَمِي وَشَعْرِي وَبَشَرِي وَمُخِّي وَقَصَبِي وَعَصَبِي، وَمَا تَسْتَقِلُّ بِهِ قَدَمِي، وَأَشْهَدُ أَنْ لاَ إِلَهَ إِلاَّ ٱللَّهُ وَحْدَهُ لاَ شَرِيْكَ لَهُ، شَهَادَةً أَرْجُو أَنْ يُطْلِقَ ٱللَّهُ بِهَا لِسَانِي عِنْدَ خُرُوجِ نَفْسِي حَتَّىٰ تَتَوَفَّانِي وَقَدْ خُتِمَ بِخَيْرٍ عَمَلِي آمِيْنَ رَبَّ ٱلْعَالَمِيْنَ.

في اليوم الثامن عشر

لاَ إِلَهَ إِلاَّ ٱللَّهُ عَدَدَ رِضَاهُ، لاَ إِلَهَ إِلاَّ ٱللَّهُ عَدَدَ خَلْقِهِ، لاَ إِلَهَ إِلاَّ اللَّهُ عَدَدَ كَلِمَاتِهِ، لاَ إِلَهَ إِلاَّ ٱللَّهُ زِنَةَ عَرْشِهِ، لاَ إِلَهَ إِلاَّ ٱللَّهُ مِلْءَ سَمٰوَاتِهِ وَأَرْضِهِ، لاَ إِلَهَ إِلاَّ ٱللَّهُ ٱلْحَمِيْدُ ٱلْمَجِيْدُ ٱلْغَفُورُ ٱلرَّحِيْمُ ٱلْمُؤْمِنُ ٱلْمُهَيْمِنُ ٱلْعَزِيْزُ ٱلْجَبَّارُ ٱلْمُتَكَبِّرُ، لاَ إِلَهَ إِلاَّ ٱللَّهُ ٱلْقَابِضُ ٱلْبَاسِطُ ٱلْعَلِيُّ ٱلْوَفِيُّ ٱلْوَاحِدُ ٱلْأَحَدُ ٱلْفَرْدُ ٱلصَّمَدُ ٱلْقَاهِرُ لِعِبَادِهِ ٱلرَّؤُوفُ ٱلرَّحِيْمُ، لاَ إِلَهَ إِلاَّ ٱللَّهُ ٱلْأَوَّلُ ٱلآخِرُ ٱلظَّاهِرُ ٱلْبَاطِنُ ٱلْمُغِيْثُ ٱلْقَرِيْبُ ٱلْمُجِيْبُ، لاَ إِلَهَ إِلاَّ ٱللَّهُ ٱلْغَفُورُ ٱلشَّكُورُ ٱللَّطِيْفُ ٱلْخَبِيْرُ، لاَ إِلَهَ إِلاَّ ٱللَّهُ ٱلصَّادِقُ ٱلْأَوَّلُ ٱلْعَالِمُ ٱلْأَعْلَىٰ، لاَ إِلَهَ إِلاَّ ٱللَّهُ ٱلطَّالِبُ ٱلْغَالِبُ ٱلنُّورُ ٱلْجَلِيْلُ، لاَ إِلَهَ إِلاَّ ٱللَّهُ ٱلْجَمِيْلُ ٱلرَّزَّاقُ ٱلْبَدِيْعُ ٱلْمُبْتَدِعُ، لاَ إِلَهَ إِلاَّ ٱللَّهُ ٱلصَّمَدُ ٱلدَّيَّانُ ٱلْعَلِيُّ ٱلْأَعْلَىٰ، لاَ إِلَهَ إِلاَّ ٱللَّهُ ٱلْخَالِقُ ٱلْكَافِي ٱلْبَاقِي ٱلْمُعَافِي، لاَ إِلَهَ إِلاَّ ٱللَّهُ ٱلْمُعِزُّ ٱلْمُذِلُّ

ٱلْفَاضِلُ ٱلْجَوَادُ ٱلْكَرِيْمُ، لاَ إِلَهَ إِلاَّ ٱللَّهُ ٱلدَّافِعُ ٱلنَّافِعُ ٱلرَّافِعُ ٱلْوَاضِعُ، لاَ إِلَهَ إِلاَّ ٱللَّهُ ٱلْحَنَّانُ ٱلْمَنَّانُ ٱلْبَاعِثُ ٱلْوَارِثُ، لاَ إِلَهَ إِلاَّ ٱللَّهُ ٱلْقَائِمُ ٱلدَّآئِمُ ٱلرَّفِيْعُ ٱلْوَاسِعُ، لاَ إِلَهَ إِلاَّ ٱللَّهُ ٱلْغِيَاثُ ٱلْمُغِيْثُ ٱلْمُفْضِلُ ٱلْحَيُّ ٱلَّذِي لاَ يَمُوتُ، لاَ إِلَهَ إِلاَّ ٱللَّهُ ٱلْخَالِقُ ٱلْبَارِىءُ ٱلْمُصَوِّرُ لَهُ ٱلْأَسْمَآءُ ٱلْحُسْنَىٰ يُسَبِّحُ لَهُ مَا فِي ٱلسَّمٰوَاتِ وَٱلْأَرْضِ وَهُوَ ٱلْعَزِيْزُ ٱلْحَكِيْمُ. هُوَ ٱللَّهُ ٱلْجَبَّارُ فِي دَيْمُومِيَّتِهِ فَلاَ شَيْءَ يُعَادِلُهُ وَلاَ يَصِفُهُ وَلاَ يُوَازِيْهِ وَلاَ يُشْبِهُهُ لَيْسَ كَمِثْلِهِ شَيْءٌ وَهُوَ ٱلسَّمِيْعُ ٱلْبَصِيْرُ ٱللَّطِيْفُ ٱلْخَبِيْرُ هُوَ ٱللَّهُ أَسْرَعُ ٱلْحَاسِبِيْنَ وَأَجْوَدُ ٱلْمُفَضِّلِيْنَ، ٱلْمُجِيْبُ دَعْوَةَ ٱلْمُضْطَرِّيْنَ وَٱلطَّالِبِيْنَ إِلَىٰ وَجْهِهِ ٱلْكَرِيْمِ أَسْأَلُكَ بِمُنْتَهَىٰ كَلِمَتِكَ ٱلتَّامَّةِ وَبِعِزَّتِكَ وَقُدْرَتِكَ وَسُلْطَانِكَ وَجَبَرُوتِكَ أَنْ تُصَلِّيَ عَلَىٰ مُحَمَّدٍ وَآلِهِ وَأَنْ تَفْعَلَ بِي كَذَا وَكَذَا بِرَحْمَتِكَ يَا أَرْحَمَ ٱلرَّاحِمِيْنَ.

***

في اليوم التاسع عشر

ٱلْحَمْدُ لِلَّهِ بِمَا حَمِدَ ٱللَّهُ بِهِ نَفْسَهُ، وَلاَ إِلَهَ إِلاَّ ٱللَّهُ بِمَا هَلَّلَ ٱللَّهُ بِهِ نَفْسَهُ، وَسُبْحَانَ ٱللَّهِ بِمَا سَبَّحَ ٱللَّهُ بِهِ نَفْسَهُ، وَٱللَّهُ أَكْبَرُ بِمَا كَبَّرَ ٱللَّهُ بِهِ نَفْسَهُ، وَٱلْحَمْدُ لِلَّهِ بِمَا حَمِدَ ٱللَّهُ بِهِ عَرْشَهُ وَكُرْسِيَّهُ وَمَنْ تَحْتَهُ. وَلاَ إِلَهَ إِلاَّ ٱللَّهُ بِمَا هَلَّلَ بِهِ عَرْشُهُ وَكُرْسِيُّهُ وَمَنْ تَحْتَهُ. وَسُبْحَانَ ٱللَّهِ بِمَا سَبَّحَ ٱللَّهَ بِهِ عَرْشَهُ وَكُرْسِيُّهُ وَمَنْ تَحْتَهُ. وَٱللَّهُ أَكْبَرُ بِمَا كَبَّرَ ٱللَّهُ بِهِ عَرْشَهُ وَكُرْسِيُّهُ مِنْ تَحتِهِ. وَٱلْحَمْدُ لِلَّهِ بِمَا حَمِدَ ٱللَّهَ بِهِ خَلْقُهُ، وَلاَ إِلَهَ إِلاَّ ٱللَّهُ بِمَا هَلَّلَ ٱللَّهَ بِهِ خَلْقُهُ. وَسُبْحَانَ ٱللَّهِ بِمَا سَبَّحَ ٱللَّهَ بِهِ خَلْقُهُ، وَٱللَّهُ أَكْبَرُ بِمَا كَبَّرَ ٱللَّهَ بِهِ خَلْقُهُ. وَٱلْحَمْدُ لِلَّهِ بِمَا حَمِدَ ٱللَّهَ بِهِ مَلاَئِكَتُهُ. وَسُبْحَانَ ٱللَّهِ بِمَا سَبَّحَ ٱللَّهَ بِهِ مَلاَئِكَتُهُ. وَٱللَّهُ أَكْبَرُ بِمَا كَبَّرَ ٱللَّهَ بِهِ مَلاَئِكَتُهُ. وَٱلْحَمْدُ لِلَّهِ بِمَا حَمِدَ ٱللَّهَ بِهِ سَمٰوَاتُهُ وَأَرْضُهُ. وَلاَ إِلَهَ إِلاَّ ٱللَّهُ بِمَا هَلَّلَ ٱللَّهَ بِهِ سَمٰوَاتُهُ وَأَرْضُهُ وَسُبْحَانَ ٱللَّهِ بِمَا

سَبَّحَ ٱللَّهَ بِهِ سَمٰوَاتُهُ وَأَرْضُهُ. وَٱللَّهُ أَكْبَرُ بِمَا كَبَّرَ ٱللَّهَ بِهِ سَمٰوَاتُهُ وَأَرْضُهُ، وَٱلْحَمْدُ لِلَّهِ بِمَا حَمِدَ ٱللَّهَ بِهِ رَعْدُهُ وَبَرْقُهُ وَمَطَرُهُ. وَلاَ إِلَهَ إِلاَّ ٱللَّهُ بِمَا هَلَّلَ ٱللَّهَ بِهِ رَعْدُهُ وَبَرْقُهُ وَمَطَرُهُ وَسُبْحَانَ ٱللَّهِ بِمَا سَبَّحَ ٱللَّهَ بِهِ رَعْدُهُ وَبَرْقُهُ وَمَطَرُهُ وَٱللَّهُ أَكْبَرُ بِمَا كَبَّرَ ٱللَّهَ بِهِ رَعْدُهُ وَبَرْقُهُ وَمَطَرُهُ. وَٱلْحَمْدُ لِلَّهِ بِمَا حَمِدَ ٱللَّهَ بِهِ كُرْسِيُّهُ، وَكُلُّ شَيْءٍ أَحَاطَ بِهِ عِلْمُهُ. وَلاَ إِلَهَ إِلاَّ ٱللَّهُ بِمَا هَلَّلَ ٱللَّهَ بِهِ كُرْسِيُّهُ وَكُلُّ شَيْءٍ أَحَاطَ بِهِ عِلْمُهُ، وَسُبْحَانَ ٱللَّهِ بِمَا سَبَّحَ ٱللَّهَ بِهِ كُرْسِيُّهُ وَكُلُّ شَيْءٍ أَحَاطَ بِهِ عِلْمُهُ وَٱللَّهُ أَكْبَرُ بِمَا كَبَّرَ ٱللَّهَ بِهِ كُرْسِيُّهُ، وَكُلُّ شَيْءٍ أَحَاطَ بِهِ عِلْمُهُ. وَٱلْحَمْدُ لِلَّهِ بِمَا حَمِدَ ٱللَّهَ بِهِ بِحَارُهُ وَمَا فِيهَا، وَسُبْحَانَ ٱللَّهِ بِمَا سَبَّحَ ٱللَّهَ بِهِ بِحَارُهُ وَمَا فِيهَا، وَٱللَّهُ أَكْبَرُ بِمَا كَبَّرَ ٱللَّهَ بِهِ بِحَارُهُ وَمَا فِيهَا، وَٱلْحَمْدُ لِلَّهِ مُنْتَهَىٰ عِلْمِهِ وَمَبْلَغَ رِضَاهُ وَمَا لاَ نَفَادَ لَهُ، وَلاَ إِلَهَ إِلاَّ ٱللَّهُ مُنْتَهَىٰ عِلْمِهِ وَمَبْلَغَ رِضَاهُ، وَمَا لاَ نَفَادَ لَهُ، وَسُبْحَانَ ٱللَّهِ مُنْتَهَىٰ عِلْمِهِ وَمَبْلَغَ رِضَاهُ وَمَا لاَ نَفَادَ لَهُ، وَٱللَّهُ أَكْبَرُ مُنْتَهَىٰ عِلْمِهِ

وَمَبْلَغَ رِضَاهُ وَمَا لاَ نَفَادَ لَهُ. ٱللَّهُمَّ صَلِّ عَلَىٰ مُحَمَّدٍ وَآلِ مُحَمَّدٍ، وَٱرْحَمْ مُحَمَّداً وَآلَ مُحَمَّدٍ، وَبَارِكْ عَلَىٰ مُحَمَّدٍ وَآلِ مُحَمَّدٍ كَمَا صَلَّيْتَ وَبَارَكْتَ وَتَرَحَّمْتَ عَلَىٰ إِبْرَاهِيْمَ وَآلِ إِبْرَاهِيْمَ إِنَّكَ حَمِيْدٌ مَجِيْدٌ. ٱللَّهُمَّ إِنِّي أَسْأَلُكَ عَلَىٰ أَثَرِ تَحْمِيْدِكَ وَتَهْلِيْلِكَ وَتَسْبِيْحِكَ وَتَكْبِيْرِكَ، وَٱلصَّلاَةِ عَلَىٰ مُحَمَّدٍ نَبِيِّكَ صَلَّىٰ ٱللَّهُ عَلَيْهِ وَآلِهِ أَنْ تَغْفِرَ لِي ذُنُوبِي كُلَّهَا صَغِيْرَهَا وَكَبِيْرَهَا سِرَّهَا وَعَلاَنِيَتَهَا، مَا عَلِمْتُ مِنْهَا وَمَا لاَ أَعْلَمُ، وَمَا أَحْصَيْتَهُ وَحَفِظْتَهُ وَنَسِيْتُهُ أَنَا مِنْ نَفْسِي يَا ٱللَّهُ يَا ٱللَّهُ يَا ٱللَّهُ، يَا رَحْمٰنُ يَا رَحْمٰنُ يَا رَحْمٰنُ، يَا رَحِيْمُ يَا رَحِيْمُ يَا رَحِيْمُ، آمِيْنَ رَبَّ ٱلْعَالَمِيْنَ.

***

في اليوم العشرين

ٱللَّهُمَّ صَلِّ عَلَىٰ مُحَمَّدٍ وَآلِ مُحَمَّدٍ، وَٱرْحَمْ مُحَمَّداً وَآلَ مُحَمَّدٍ، وَبَارِكْ عَلَىٰ مُحَمَّدٍ وَآلِ مُحَمَّدٍ، كَمَا صَلَّيْتَ وَبَارَكْتَ وَتَرَحَّمْتَ عَلَىٰ إِبْرَاهِيْمَ وَآلِ

إِبْرَاهِيمَ إِنَّكَ حَمِيدٌ مَجِيدٌ، صَلاَةً تُبَلِّغُنَا بِهَا رِضْوَانَكَ وَجَنَّتَكَ، وَنَنْجُو بِهَا مِنْ سَخَطِكَ وَٱلنَّارِ، ٱللَّهُمَّ ٱبْعَثْ نَبِيَّنَا مُحَمَّداً صَلَّىٰ ٱللَّهُ عَلَيْهِ وَآلِهِ مَقَاماً مَحْمُوداً، يَغْبِطُهُ بِهِ ٱلأَوَّلُونَ وَٱلآخِرُونَ. ٱللَّهُمَّ صَلِّ وَسَلِّمْ عَلَيْهِ وَعَلَىٰ آلِهِ وَٱخْصُصْهُ بِأَفْضَلِ قِسَمِ ٱلْفَضَائِلِ وَبَلِّغْهُ أَفْضَلَ ٱلسُّؤْدَدِ وَمَحَلِّ ٱلْمُكَرَّمِينَ. ٱللَّهُمَّ وَٱخْصُصْ مُحَمَّداً صَلَّىٰ ٱللَّهُ عَلَيْهِ وَآلِهِ بِٱلذِّكْرِ ٱلْمَحْمُودِ وَٱلْحَوْضِ ٱلْمَوْرُودِ. ٱللَّهُمَّ شَرِّفْ بُنْيَانَهُ وَعَظِّمْ بُرْهَانَهُ وَٱسْقِنَا بِكَأْسِهِ، وَأَوْرِدْنَا حَوْضَهُ وَٱحْشُرْنَا فِي زُمْرَتِهِ غَيْرَ خَزَايَا وَلاَ نَادِمِينَ، وَلاَ شَاكِّينَ وَلاَ مُبَدِّلِينَ وَلاَ نَاكِثِينَ وَلاَ مُرْتَابِينَ وَلاَ جَاحِدِينَ، وَلاَ مَفْتُونِينَ وَلاَ ضَالِّينَ وَلاَ مُضِلِّينَ قَدْ رَضِينَا ٱلثَّوَابَ وَآمِنَّا ٱلْعِقَابَ، نُزُلاً مِنْ عِنْدِكَ إِنَّكَ أَنْتَ ٱلْعَزِيزُ ٱلْوَهَّابُ. ٱللَّهُمَّ صَلِّ عَلَىٰ مُحَمَّدٍ صَلَّىٰ ٱللَّهُ عَلَيْهِ وَآلِهِ إِمَامِ ٱلْخَيْرِ وَقَائِدِ ٱلْخَيْرِ، وَعَظِّمْ بَرَكَتَهُ عَلَىٰ جَمِيعِ ٱلْعِبَادِ وَٱلْبِلاَدِ، وَٱلدَّوَابِّ وَٱلشَّجَرِ يَا أَرْحَمَ ٱلرَّاحِمِينَ. ٱللَّهُمَّ أَعْطِ مُحَمَّداً صَلَّىٰ ٱللَّهُ عَلَيْهِ

وَآلِهِ مِنْ كُلِّ كَرَامَةٍ أَفْضَلَ تِلْكَ ٱلْكَرَامَةِ، وَمِنْ كُلِّ نِعمَةٍ أَفْضَلَ تِلْكَ ٱلنِّعْمَةِ، وَمِنْ كُلِّ يُسْرٍ أَفْضَلَ ذٰلِكَ ٱلْيُسْرِ وَمِنْ كُلِّ عَطَآءٍ أَفْضَلَ ذٰلِكَ ٱلْعَطَآءِ، وَمِنْ كُلِّ قِسْمٍ أَفْضَلَ ذٰلِكَ ٱلْقِسْمِ، حَتَّىٰ لاَ يَكُونَ أَحَدٌ مِنْ خَلْقِكَ أَقْرَبُ مِنْهُ مَحَلاً، وَلاَ أَحْظَىٰ عِنْدَكَ مَنْزِلَةً، وَلاَ أَقْرَبُ مِنْكَ وَسِيْلَةً، وَلاَ أَعْظَمَ لَدَيْكَ شَرَفاً، وَلاَ أَعْظَمُ عَلَيْكَ حَقّاً وَلاَ شَفَاعَةً مِنْ مُحَمَّدٍ صَلَّىٰ ٱللَّهُ عَلَيْهِ وَآلِهِ فِي بَرْدِ ٱلْعَيْشِ وَٱلرَّوْحِ وَقَرَارِ ٱلنِّعْمَةِ، وَمُنْتَهَىٰ ٱلْفَضِيلَةِ وَسُؤْدَدِ ٱلْكَرَامَةِ، وَرَجَآءِ ٱلطَّمَأْنِيْنَةِ، وَمُنَىٰ ٱلشَّهَوَاتِ وَلَهْوِ ٱللَّذَاتِ، وَبَهْجَتِهِ لاَ تُشْبِهُهَا بَهجَاتُ ٱلدُّنْيَا. ٱللَّهُمَّ آتِ مُحَمَّداً صَلَّىٰ ٱللَّهُ عَلَيْهِ وَآلِهِ ٱلْوَسِيْلَةَ، وَأَعْطِهِ ٱلرِّفْعَةَ وَٱلْفَضِيْلَةَ، وَٱجْعَلْ فِي ٱلأَعْلَيْنَ دَرَجَتَهُ، وَفِي ٱلْمُصْطَفَيْنَ مَحَبَّتَهُ، وَفِي ٱلْمُقَرَّبِيْنَ كَرَامَتَهُ، وَنَحْنُ نَشْهَدُ لَهُ أَنَّهُ قَدْ بَلَّغَ رِسَالَتَكَ، وَنَصَحَ لِعِبَادِكَ وَتَلاَ آيَاتِكَ، وَأَقَامَ حُدُودَكَ وَصَدَعَ بِأَمْرِكَ، وَأَنْفَذَ حُكْمَكَ وَوَفَىٰ بِعَهْدِكَ، وَجَاهَدَ فِي سَبِيْلِكَ، وَعَبَدَكَ مُخْلِصاً حَتَّىٰ أَتَاهُ

ٱلْيَقِيْنُ. وَأَنَّهُ صَلَّىٰ ٱللَّهُ عَلَيْهِ وَآلِهِ أَمَرَ بِطَاعَتِكَ وَٱئْتَمَرَ بِهَا وَنَهَىٰ عَنْ مَعْصِيَتِكَ، وَٱنْتَهَىٰ عَنْهَا وَوَالَىٰ وَلِيَّكَ بِٱلَّذِي تُحِبُّ أَنْ تُوَالِيْهِ، وَعَادَىٰ عَدُوَّكَ بِٱلَّذِي تُحِبُّ أَنْ تُعَادِيْهِ، فَصَلَوَاتُكَ عَلَىٰ مُحَمَّدٍ إِمَامِ ٱلْمُتَّقِيْنَ، وَسَيِّدِ ٱلْمُرْسَلِيْنَ وَخَاتَمِ ٱلنَّبِيِّيْنَ، وَرَسُولِكَ يَا رَبَّ ٱلْعَالَمِيْنَ. ٱللَّهُمَّ صَلِّ عَلَىٰ مُحَمَّدٍ وَآلِ مُحَمَّدٍ فِي ٱللَّيْلِ إِذَا يَغْشَىٰ، ٱللَّهُمَّ صَلِّ عَلَىٰ مُحَمَّدٍ وَآلِ مُحَمَّدٍ فِي ٱلنَّهَارِ إِذَا تَجَلَّىٰ، وَصَلِّ عَلَيْهِ فِي ٱلآخِرَةِ وَٱلأُوْلَىٰ، وَأَعْطِهِ ٱلرِّضَا وَزِدْهُ بَعْدَ ٱلرِّضَا. ٱللَّهُمَّ أَقِرَّ عَيْنَ نَبِيِّنَا مُحَمَّدٍ صَلَّىٰ ٱللَّهُ عَلَيْهِ وَآلِهِ بِمَنْ يَتْبَعُهُ مِنْ أُمَّتِهِ وَأَزْوَاجِهِ وَذُرِّيَّتِهِ وَأَصْحَابِهِ، وَٱجْعَلْنَا وَأَهْلَ بَيْتِهِ وَأُمَّتِهِ جَمِيْعاً وَأَهْلَ بُيُوتِنَا، وَمَنْ أَوْجَبْتَ حَقَّهُ عَلَيْنَا ٱلأَحْيَاءَ مِنْهُمْ وَٱلأَمْوَاتَ مِمَّنْ قَرَّتْ بِهِ عَيْنُهُ، ٱللَّهُمَّ وَأَقْرِرْ عُيُونَنَا جَمِيْعاً بِرُؤْيَتِهِ، ثُمَّ لاَ تُفَرِّقْ بَيْنَنَا وَبَيْنَهُ. ٱللَّهُمَّ وَأَوْرِدْنَا حَوْضَهُ وَٱسْقِنَا بِكَأْسِهِ وَٱحْشُرْنَا فِي زُمْرَتِهِ وَتَحْتَ لِوَآئِهِ وَلاَ تَحْرِمْنَا مُرَافَقَتَهُ إِنَّكَ عَلَىٰ كُلِّ شَيْءٍ قَدِيرٌ. وَٱلسَّلاَمُ

وَٱلصَّلاَةُ عَلَيْهِ وَعَلَىٰ آلِهِ ٱلطَّيِّبِينَ ٱلْأَخْيَارِ وَرَحْمَةُ ٱللَّهِ وَبَرَكَاتُهُ. ٱللَّهُمَّ رَبَّ ٱلْمَوْتِ وَٱلْحَيَاةِ وَرَبَّ ٱلسَّمٰوَاتِ وَٱلْأَرْضِ وَرَبَّ ٱلْعَالَمِينَ وَرَبَّنَا وَرَبَّ آبَائِنَا ٱلْأَوَّلِينَ، أَنْتَ ٱلْأَحَدُ ٱلصَّمَدُ لَمْ تَلِدْ وَلَمْ تُولَدْ وَلَمْ يَكُنْ لَهُ كُفُواً أَحَدُ، مَلَكْتَ ٱلْمُلُوكَ بِقُدْرَتِكَ، وَٱسْتَعْبَدْتَ ٱلْأَرْبَابَ بِعِزَّتِكَ وَسُدْتَ ٱلْعُظَمَآءَ بِجُودِكَ، وَبَدَّدْتَ ٱلْأَشْرَافَ بِتَجَبُّرِكَ، وَهَدَّدْتَ ٱلْجِبَالَ بِعَظَمَتِكَ، وَٱصْطَفَيْتَ ٱلْفَخْرَ وَٱلْكِبْرِيَآءَ لِنَفْسِكَ، وَأَقَامَ ٱلْحَمْدُ وَٱلثَّنَاءُ عِنْدَكَ، وَمَحَلُّ ٱلْمَجْدِ وَٱلْكَرَمِ لَكَ، فَلاَ يَبْلُغُ شَيْءٌ مَبْلَغَكَ، وَلاَ يَقْدِرُ أَحَدٌ قُدْرَتَكَ، أَنْتَ جَارُ ٱلْمُسْتَجِيرِينَ، وَلَجَأُ ٱللاَّجِيْنَ، وَمُعْتَمَدُ ٱلْمُؤْمِنِينَ، وَسَبِيلُ حَاجَةِ ٱلطَّالِبِينَ. ٱللَّهُمَّ إِنِّي أَسْأَلُكَ أَنْ تَصْرِفَ عَنِّي فِتْنَةَ ٱلشَّهَوَاتِ، وَأَسْأَلُكَ أَنْ تَرْحَمَنِي وَتُثَبِّتَنِي عِنْدَ كُلِّ فِتْنَةٍ مُضِلَّةٍ أَنْتَ مَوْضِعُ شَكْوَايَ وَمَسْأَلَتِي لَيْسَ مِثْلَكَ أَحَدٌ، وَلاَ يَقْدِرُ قُدْرَتَكَ أَحَدٌ، أَنْتَ أَكْبَرُ وَأَجَلُّ وَأَكْرَمُ وَأَعَزُّ وَأَعْلَىٰ وَأَعْظَمُ، وَأَشْرَفُ وَأَمْجَدُ

وَأَكْرَمُ مِنْ أَنْ يَقْدِرَ ٱلْخَلآئِقُ كُلُّهُمْ عَلَىٰ صِفَتِكَ، أَنْتَ كَمَا وَصَفْتَ نَفْسَكَ يَا مَالِكَ يَوْمِ ٱلدِّيْنِ. ٱللَّهُمَّ إِنِّي أَسْأَلُكَ بِكُلِّ ٱسْمٍ هُوَ لَكَ، تُحِبُّ أَنْ تُدْعَىٰ بِهِ وَبِكُلِّ دَعْوَةٍ دَعَاكَ بِهَا أَحَدٌ مِنْ خَلْقِكَ مِنَ ٱلأَوَّلِيْنَ وَٱلآخِرِينَ. فَٱسْتَجَبْتَ لَهُ بِهَا أَنْ تَغْفِرَ لِي ذُنُوبِي كُلَّهَا قَدِيْمَهَا وَحَدِيْثَهَا صَغِيْرَهَا وَكَبِيْرَهَا سِرَّهَا وَعَلاَنِيَتَهَا مَا عَلِمْتُ مِنْهَا وَمَا لاَ أَعْلَمُ وَمَا أَحْصَيْتَهُ عَلَيَّ مِنْهَا أَنْتَ وَحَفِظْتَهُ وَنَسِيْتُهُ أَنَا مِنْ نَفْسِي. ٱللَّهُمَّ ٱغْفِرْ لِي وَٱرْحَمْنِي وَتُبْ عَلَيَّ إِنَّكَ أَنْتَ ٱلتَّوابُ ٱلرَّحِيْمُ يَا أَرْحَمَ ٱلرَّاحِمِيْنَ.

***

في اليوم الحادي والعشرين

ٱللَّهُمَّ ٱجْعَلْنِي مِنَ ٱلَّذِينَ يُؤْمِنُونَ بِٱلْغَيْبِ وَيُقِيْمُونَ ٱلصَّلاَةَ، وَمِمَّا رَزَقْنَاهُمْ يُنْفِقُونَ. وَٱجْعَلْنِي عَلَىٰ هُدَىً وَٱجْعَلْنِي مِنَ ٱلْمُهْتَدِيْنَ وَلَقِّنِّي ٱلْكَلِمَاتِ ٱلَّتِي لَقَّنْتَهَا آدَمَ فَتُبْتَ عَلَيْهِ إِنَّكَ أَنْتَ ٱلتَّوَّابُ ٱلرَّحِيْمُ.

ٱللَّهُمَّ ٱجْعَلْنِي مِمَّنْ يُقِيْمُ ٱلصَّلاَةَ وَيُؤْتِي ٱلزَّكَاةَ وَٱجْعَلْنِي مِنَ ٱلْخَاشِعِيْنَ ٱلَّذِيْنَ يَسْتَعِيْنُونَ بِٱلصَّبْرِ وَٱلصَّلاَةِ، وَٱجْعَلْنِي مِنَ ٱلَّذِينَ لاَ خَوْفٌ عَلَيْهِمْ وَلاَ هُمْ يَحْزَنُونَ. ٱللَّهُمَّ ٱجْعَلْنِي مِنَ ٱلصَّابِرِيْنَ ﴿ٱلَّذِينَ إِذَا أَصَابَتْهُمْ مُصِيبَةٌ قَالُوا إِنَّا لِلَّهِ وَإِنَّا إِلَيْهِ رَاجِعُونَ﴾. ٱللَّهُمَّ ٱجْعَلْ عَلَيَّ مِنْكَ صَلاَةً وَرَحْمَةً وَٱجْعَلْنِي مِنَ ٱلْمُهْتَدِيْنَ. ٱللَّهُمَّ ثَبِّتْنِي بِٱلْقَوْلِ ٱلثَّابِتِ فِي ٱلْحَيَاةِ ٱلدُّنْيَا وَفِي ٱلآخِرَةِ، وَلاَ تَجْعَلْنِي مِنَ ٱلظَّالِمِيْنَ. ٱللَّهُمَّ ٱجْعَلْنِي مِنَ ٱلَّذِينَ تَتَوَفَّاهُمْ ٱلْمَلاَئِكَةُ طَيِّبِيْنَ، يَقُولُونَ سَلاَمٌ عَلَيْكُمْ طِبْتُمْ ٱدْخُلُوا ٱلْجَنَّةَ بِمَا كُنْتُمْ تَعْمَلُونَ. ٱللَّهُمَّ ٱجْعَلْنِي مِنَ ٱلَّذِينَ صَبَرُوا وَعَلَىٰ رَبِّهِمْ يَتَوَكَّلُونَ. ٱللَّهُمَّ آتِنِي فِي ٱلدُّنْيَا حَسَنَةً وَفِي ٱلآخِرَةِ حَسَنَةً وَقِنِي عَذَابَ ٱلنَّارِ. وَٱجْعَلْنِي مِنَ ٱلَّذِيْنَ ٱتَّقَوْا وَٱلَّذِينَ هُمْ مُحْسِنُونَ. سُبْحَانَكَ إِنِّي كُنْتُ مِنَ ٱلظَّالِمِيْنَ. فَٱسْتَجِبْ لِي وَنَجِّنِي مِنَ ٱلنَّارِ يَا أَرْحَمَ ٱلرَّاحِمِينَ. ٱللَّهُمَّ وَٱجْعَلْنِي مِنَ ٱلْمُحْسِنِيْنَ ٱلَّذِيْنَ إِذَا ذُكِرَ ٱللَّهُ وَجِلَتْ قُلُوبُهُمْ

وَٱلصَّابِرِيْنَ عَلَىٰ مَا أَصَابَهُمْ، وَٱلْمُقِيْمِي ٱلصَّلاَةِ وَمِمَّا رَزَقْنَاهُمْ يُنْفِقُونَ. ٱللَّهُمَّ ٱجْعَلْنِي مِنَ ٱلَّذِينَ هُمْ فِي صَلاَتِهِمْ خَاشِعُونَ، وَٱلَّذِينَ هُمْ عَنِ ٱللَّغْوِ مُعْرِضُونَ، وَٱلَّذِينَ هُمْ لِلزَّكَاةِ فَاعِلُونَ وَٱلَّذِيْنَ هُمْ لِفُرُوْجِهِمْ حَافِظُونَ إِلاَّ عَلَىٰ أَزْوَاجِهِمْ أَوْ مَا مَلَكَتْ أَيْمَانُهُمْ، فَإِنَّهُمْ غَيْرُ مَلُومِيْنَ. ٱللَّهُمَّ ٱجْعَلْنِي مِنَ ٱلَّذِينَ هُمْ لأَمَانَاتِهِمْ وَعَهْدِهِمْ رَاعُونَ، وَٱلَّذِيْنَ هُمْ بِشَهَادَاتِهِمْ قَائِمُونَ، وَٱلَّذِيْنَ هُمْ عَلَىٰ صَلاَتِهِمْ يُحَافِظُونَ. ٱللَّهُمَّ ٱجْعَلْنِي مِنَ ٱلْوَارِثِيْنَ ٱلَّذِيْنَ يَرِثُوْنَ ٱلْفِرْدَوْسَ هُمْ فِيْهَا خَالِدُونَ. وَٱلَّذِينَ هُمْ مِنْ خَشْيَتِكَ مُشْفِقُونَ[1]. ٱللَّهُمَّ إِنَّكَ جَعَلْتَنِي مِنَ ٱلَّذِيْنَ هُمْ بِآيَاتِكَ يُؤْمِنُونَ، وَٱلَّذِيْنَ هُمْ بِرَبِّهِمْ لاَ يُشْرِكُونَ. فَٱجْعَلْنِي مِنَ ٱلَّذِيْنَ يُؤْتُونَ مَا آتَوْا وَقُلُوبُهُمْ وَجِلَةٌ إِنَّهُمْ إِلَىٰ رَبِّهِمْ رَاجِعُونَ. ٱللَّهُمَّ ٱجْعَلْنِي مِنَ ٱلَّذِيْنَ يُسَارِعُونَ فِي ٱلْخَيْرَاتِ وَهُمْ لَهَا سَابِقُونَ. ٱللَّهُمَّ ٱجْعَلْنِي مِنْ حِزْبِكَ فَإِنَّ حِزْبَكَ

(١) مشفقون: خائفون.

هُمُ ٱلْمُفْلِحُونَ. ٱللَّهُمَّ ٱجْعَلْنِي مِنْ جُنْدِكَ فَإِنَّ جُنْدَكَ هُمُ ٱلْغَالِبُونَ. ٱللَّهُمَّ ٱسْقِنِي مِنَ ٱلرَّحِيقِ ٱلْمَخْتُومِ خِتَامُهُ مِسْكٌ وَفِي ذٰلِكَ فَلْيَتَنَافَسِ ٱلْمُتَنَافِسُونَ. ٱللَّهُمَّ ٱسْقِنِي مِنْ تَسْنِيمٍ عَيْناً يَشْرَبُ مِنْهَا ٱلْمُقَرَّبُونَ. ٱللَّهُمَّ إِنِّي ظَلَمْتُ نَفْسِي وَإِلاَّ تَغْفِرْ لِي وَتَرْحَمْنِي أَكُنْ مِنَ ٱلْخَاسِرِيْنَ. ٱللَّهُمَّ سُقْ إِلَيَّ ٱلتَّيْسِيْرَ بَعْدَ ٱلتَّعْسِيْرِ، وَأَنْ تَجْعَلَ لِي أَجْراً غَيْرَ مَمْنُونٍ. رَبَّنَا إِنَّنَا سَمِعْنَا مُنَادِياً يُنَادِي لِلإِيْمَانِ أَنْ آمِنُوا بِرَبِّكُمْ فَآمَنَّا، رَبَّنَا فَٱغْفِرْ لَنَا ذُنُوبَنَا وَكَفِّرْ عَنَّا سَيِّئَاتِنَا، وَتَوَفَّنَا مَعَ ٱلأَبْرَارِ. رَبَّنَا وَآتِنَا مَا وَعَدْتَنَا عَلَىٰ رُسُلِكَ وَلاَ تُخْزِنَا يَوْمَ ٱلْقِيَامَةِ إِنَّكَ لاَ تُخْلِفُ ٱلْمِيْعَادَ. ٱللَّهُمَّ ٱرْفَعْ لِي عِنْدَكَ دَرَجَةً وَرِزْقاً كَرِيْماً. ٱللَّهُمَّ ٱجْعَلْنِي مِنَ ٱلَّذِيْنَ يُوفُونَ بِعَهْدِكَ وَلاَ يَنْقُضُونَ ٱلْمِيْثَاقَ وَمِنَ ٱلَّذِيْنَ يَصِلُونَ مَا أَمَرَ ٱللَّهُ أَنْ بِهِ يُوْصَلَ وَيَخْشَوْنَ رَبَّهُمْ وَيَخَافُونَ سُوْءَ ٱلْحِسَابِ. ٱللَّهُمَّ ٱجْعَلْنِي مِنَ ٱلَّذِيْنَ صَبَرُوا ٱبْتِغَآءَ وَجْهِ رَبِّهِمْ وَأَقَامُوا ٱلصَّلاَةَ وَأَنْفَقُوا مِمَّا رَزَقْنَاهُمْ سِرّاً وَعَلاَنِيَةً، وَيَدْرَؤُنَ بِٱلْحَسَنَةِ

ٱلسَّيِّئَةَ وَمِمَّنْ جَعَلْتَ لَهُمْ عُقْبَىٰ ٱلدَّارِ. رَبَّنَا آتِنَا فِي ٱلدُّنْيَا حَسَنَةً وَفِي ٱلآخِرَةِ حَسَنَةً وَقِنَا عَذَابَ ٱلنَّارِ.

* * *

في اليوم الثاني والعشرين

ٱللَّهُمَّ ٱجْعَلْنِي مِمَّنْ يَلْقَاكَ مُؤْمِناً قَدْ عَمِلَ ٱلصَّالِحَاتِ، وَمَنْ أَسْكَنْتَهُ ٱلدَّرَجَاتِ ٱلْعُلَىٰ فِي جَنَّاتِ عَدْنٍ تَجْرِي مِنْ تَحْتِهَا ٱلْأَنْهَارُ. ٱللَّهُمَّ ٱجْعَلْنِي مِمَّنْ يَذْكُرُ وَيَقُولُ رَبَّنَا آمَنَّا فَٱغْفِرْ لَنَا وَٱرْحَمْنَا وَأَنْتَ خَيْرُ ٱلْغَافِرِيْنَ، وَأَرْحَمُ ٱلرَّاحِمِيْنَ. ٱللَّهُمَّ وَٱجْعَلْنِي مِنْ عِبَادِكَ ٱلَّذِيْنَ يَمْشُونَ عَلَىٰ ٱلْأَرْضِ هَوْناً وَإِذَا خَاطَبَهُمْ ٱلْجَاهِلُونَ قَالُوا سَلاَماً، وَٱلَّذِيْنَ يَبِيْتُونَ لِرَبِّهِمْ سُجَّداً وَقِيَاماً، وَٱلَّذِيْنَ يَقُولُونَ رَبَّنَا ٱصْرِفْ عَنَّا عَذَابَ جَهَنَّمَ إِنَّ عَذَابَهَا كَانَ غَرَاماً. إِنَّهَا سَاءَتْ مُسْتَقَرّاً وَمُقَاماً. وَٱلَّذِيْنَ إِذَا أَنْفَقُوا لَمْ يُسْرِفُوا وَلَمْ يُقْتِرُوا وَكَانَ بَيْنَ ذٰلِكَ قَوَاماً. وَٱلَّذِيْنَ لاَ يَدْعُونَ مَعَ ٱللهِ إِلٰهاً آخَرَ وَلاَ يَقْتُلُونَ

ٱلنَّفْسَ ٱلَّتِي حَرَّمَ ٱللَّهُ إِلاَّ بِٱلْحَقِّ وَلاَ يَزْنُونَ، وَمَنْ يَفْعَلْ ذٰلِكَ يَلْقَ أَثَاماً. يُضَاعَفْ لَهُ ٱلْعَذَابُ يَوْمَ ٱلْقِيَامَةِ وَيَخْلُدْ فِيهِ مُهَاناً. وَٱلَّذِينَ لاَ يَشْهَدُونَ ٱلزُّورَ وَإِذَا مَرُّوا بِٱللَّغْوِ مَرُّوا كِرَاماً. وَٱلَّذِينَ إِذَا ذُكِّرُوا بِآيَاتِ رَبِّهِمْ لَمْ يَخِرُّوا عَلَيْهَا صُمّاً وَعُمْيَاناً. ٱللَّهُمَّ ٱجْعَلْنِي مِنَ ٱلَّذِينَ يَقُولُونَ رَبَّنَا هَبْ لَنَا مِنْ أَزْوَاجِنَا وَذُرِّيَّاتِنَا قُرَّةَ أَعْيُنٍ، وَٱجْعَلْنَا لِلْمُتَّقِينَ إِمَاماً. ٱللَّهُمَّ ٱجْعَلْنِي مِنَ ٱلَّذِينَ يُجْزَوْنَ ٱلْغُرْفَةَ بِمَا صَبَرُوا وَيُلَقَّوْنَ فِيهَا تَحِيَّةً وَسَلاَماً. خَالِدِينَ فِيهَا حَسُنَتْ مُسْتَقَرّاً وَمُقَاماً. ٱللَّهُمَّ ٱجْعَلْنِي مِنَ ٱلَّذِينَ تُحِلُّهُمْ دَارَ ٱلْمُقَامَةِ مِنْ فَضْلِكَ، لاَ يَمَسُّهُمْ فِيهَا نَصَبٌ وَلاَ لُغُوبٌ. ٱللَّهُمَّ ٱجْعَلْنِي فِي جَنَّاتِ ٱلنَّعِيمِ فِي جَنَّاتٍ وَعُيُونٍ تَجْرِي مِنْ تَحْتِهَا ٱلْأَنْهَارُ. ٱللَّهُمَّ ٱجْعَلْنِي فِي جَنَّاتِ ٱلنَّعِيمِ فِي جَنَّاتٍ وَنَهَرٍ فِي مَقْعَدِ صِدْقٍ عِنْدَ مَلِيكٍ مُقْتَدِرٍ. ٱللَّهُمَّ وَقِنِي شَرَّ نَفْسِي وَٱغْفِرْ لِي وَلِوَالِدَيَّ وَلِمَنْ دَخَلَ بَيْتِي وَلِلْمُؤْمِنِينَ يَوْمَ يَقُومُ ٱلْحِسَابُ. ٱللَّهُمَّ ٱغْفِرْ لَنَا وَلِإِخْوَانِنَا ٱلَّذِينَ سَبَقُونَا بِٱلْإِيمَانِ. وَلاَ

تَجْعَلْ فِي قُلُوبِنَا غِلاًّ لِلَّذِيْنَ آمَنُوا رَبَّنَا إِنَّكَ رَؤُوفٌ رَحِيْمٌ. اَللَّهُمَّ وَٱجْعَلْنَا مِنَ ٱلَّذِيْنَ يُوْفُونَ بِٱلنَّذْرِ وَيَخَافُونَ يَوْماً كَانَ شَرُهُ مُسْتَطِيْراً. اَللَّهُمَّ ٱجْعَلْنَا مِمَّنْ يُطْعِمُ ٱلطَّعَامَ عَلَىٰ حُبِّهِ مِسْكِيْناً وَيَتِيْماً وَأَسِيْراً. إِنَّمَا نُطْعِمُكُمْ لِوَجْهِ ٱللَّهِ لاَ نُرِيْدُ مِنْكُمْ جَزَآءً وَلاَ شُكُوراً إِنَّا نَخَافُ مِنْ رَبِّنَا يَوْماً عَبُوساً قَمْطَرِيْراً. اَللَّهُمَّ فَوَقِّنِي شَرَّ ذٰلِكَ ٱلْيَوْمِ كَمَا وَقَيْتَهُمْ وَلَقِّنِي نَضْرَةً وَسُرُوراً وَٱجْزِنِي جَنَّةً وَحَرِيْراً. اَللَّهُمَّ وَٱجْعَلْنِي مِنَ ٱلْمُتَّكِئِيْنَ فِي ٱلْجَنَّةِ عَلَىٰ ٱلآرَآئِكَ لاَ يَرَوْنَ فِيْهَا شَمْساً وَلاَ زَمْهَرِيْراً. وَدَانِيَةً عَلَيْهِمْ ظِلاَلُهَا وَذُلِّلَتْ قُطُوفُهَا تَذْلِيلاً. وَيُطَافُ عَلَيْهِمْ بِآنِيَةٍ مِنْ فِضَّةٍ وَأَكْوَابٍ كَانَتْ قَوَارِيْرَ. قَوَارِيْرَ مِنْ فِضَّةٍ قَدَّرُوهَا تَقْدِيْراً. وَيُسْقَوْنَ فِيْهَا كَأْساً كَانَ مِزَاجُهَا زَنْجَبِيْلاً. اَللَّهُمَّ وَٱسْقِنِي كَمَا سَقَيْتَهُمْ شَرَاباً طَهُوراً، وَحَلِّنِي كَمَا حَلَّيْتَهُمْ أَسَاوِرَ مِنْ فِضَّةٍ، وَٱرْزُقْنِي كَمَا رَزَقْتَهُمْ سَعْياً مَشْكُوراً. رَبَّنَا لاَ تُزِغْ قُلُوبَنَا بَعْدَ إِذْ هَدَيْتَنَا وَهَبْ لَنَا مِنْ لَدُنْكَ رَحْمَةً إِنَّكَ أَنْتَ ٱلْوَهَّابُ،

وَٱجْعَلْنِي مِنَ ٱلصَّابِرِينَ وَٱلصَّادِقِيْنَ وَٱلْقَانِتِيْنَ وَٱلْمُنْفِقِيْنَ وَٱلْمُسْتَغْفِرِيْنَ بِٱلْأَسْحَارِ. رَبَّنَا لاَ تُؤَاخِذْنَا إِنْ نَسِيْنَا أَوْ أَخْطَأْنَا رَبَّنَا وَلاَ تَحْمِلْ عَلَيْنَا إِصْراً كَمَا حَمَلْتَهُ عَلَىٰ ٱلَّذِيْنَ مِنْ قَبْلِنَا رَبَّنَا وَلاَ تُحَمِّلْنَا مَا لاَ طَاقَةَ لَنَا بِهِ، وَٱعْفُ عَنَّا وَٱغْفِرْ لَنَا وَٱرْحَمْنَا أَنْتَ مَوْلاَنَا فَٱنْصُرْنَا عَلَىٰ ٱلْقَوْمِ ٱلْكَافِرِيْنَ. ٱللَّهُمَّ إِنِّي أَسْأَلُكَ أَنْ تَخْتِمَ لِي بِصَالِحِ ٱلْأَعْمَالِ، وَأَنْ تُعْطِيَنِي ٱلَّذِي سَأَلْتُكَ يَا كَرِيْمَ ٱلْفِعَالِ. سُبْحَانَ رَبِّ ٱلْعِزَّةِ لَهُ دَعْوَةُ ٱلْحَقِّ وَٱلَّذِيْنَ يَدْعُونَ مِنْ دُونِهِ لاَ يَسْتَجِيْبُونَ لَهُمْ بِشَيْءٍ إِلاَّ كَبَاسِطِ كَفَّيْهِ إِلَىٰ ٱلْمَآءِ لِيَبْلُغَ فَاهُ وَمَا هُوَ بِبَالِغِهِ وَمَا دُعَاءُ ٱلْكَافِرِيْنَ إِلاَّ فِي ضَلاَلٍ. وَلِلَّهِ يَسْجُدُ مَنْ فِي ٱلسَّمٰوَاتِ وَٱلْأَرْضِ طَوْعاً وَكَرْهاً وَظِلاَلُهُمْ بِٱلْغُدُوِّ وَٱلآصَالِ. ٱللَّهُمَّ إِنِّي أَسْأَلُكَ أَنْ تَرْأَفَ بِي وَتَرْحَمَنِي يَا رَؤُوفُ يَا رَحِيْمُ. أَلَمْ يَرَوْا إِلَىٰ مَا خَلَقَ ٱللَّهُ مِنْ شَيْءٍ يَتَفَيَّئُوا ظِلاَلُهُ عَنِ ٱلْيَمِيْنِ وَٱلشَّمَالِ سُجَّداً لِلَّهِ وَهُمْ دَاخِرُونَ. وَلِلَّهِ يَسْجُدُ مَا فِي ٱلسَّمٰوَاتِ وَمَا فِي ٱلْأَرْضِ

مِنْ دَابَّةٍ وَالْمَلاَئِكَةُ وَهُمْ لاَ يَسْتَكْبِرُونَ، يَخَافُونَ رَبَّهُمْ مِنْ فَوْقِهِمْ وَيَفْعَلُونَ مَا يُؤْمَرُونَ. ٱللَّهُمَّ ٱجْعَلْنِي مِنَ ٱلَّذِينَ يُؤْمِنُونَ بِٱلْغَيْبِ وَيُقِيمُونَ ٱلصَّلاَةَ وَيُؤْتُونَ ٱلزَّكَاةَ وَيُؤْمِنُونَ بِمَا أَنْزَلْتَ فَإِنَّكَ أَنْزَلْتَهُ قُرْآناً عَرَبِيّاً بِٱلْحَقِّ، قُلْ آمِنُوا بِهِ أَوْ لاَ تُؤْمِنُوا إِنَّ ٱلَّذِينَ أُوتُوا ٱلْعِلْمَ مِنْ قَبْلِهِ إِذَا يُتْلَىٰ عَلَيْهِمْ يَخِرُّونَ لِلأَذْقَانِ سُجَّداً، وَيَقُولُونَ سُبْحَانَ رَبِّنَا إِنْ كَانَ وَعْدُ رَبِّنَا لَمَفْعُولاً. وَيَخِرُّونَ لِلأَذْقَانِ يَبْكُونَ وَيَزِيدُهُمْ خُشُوعاً. ٱللَّهُمَّ ٱجْعَلْنِي مِنَ ٱلَّذِينَ أَنْعَمْتَ عَلَيْهِمْ مِنْ ذُرِّيَّةِ إِبْرَاهِيمَ وَإِسْرَآئِيلَ. ٱللَّهُمَّ ٱجْعَلْنِي مِنَ ٱلَّذِينَ أَنْعَمْتَ عَلَيْهِمْ مِنَ ٱلنَّبِيِّينَ وَٱلصِّدِّيقِينَ وَٱلشُّهَدَآءِ وَحَسُنَ أُوْلَٰئِكَ رَفِيقاً. ٱللَّهُمَّ ٱجْعَلْنِي مِمَّنْ هَدَيْتَ وَٱجْتَبَيْتَ وَمِنَ ٱلَّذِينَ إِذَا يُتْلَىٰ عَلَيْهِمْ آيَاتُ ٱلرَّحْمَٰنِ خَرُّوا سُجَّداً وَبُكِيّاً. ٱللَّهُمَّ ٱجْعَلْنِي مِنَ ٱلَّذِينَ يُسَبِّحُونَ لَكَ بِٱللَّيْلِ وَٱلنَّهَارِ، لاَ يَفْتَرُونَ مِنْ ذِكْرِكَ وَلاَ يَسْأَمُونَ مِنْ عِبَادَتِكَ، يُسَبِّحُونَ لَكَ وَلَكَ يَسْجُدُونَ. ٱللَّهُمَّ وَٱجْعَلْنِي مِنَ ٱلَّذِينَ

يَذْكُرُونَكَ قِيَاماً وَقُعُوداً وَعَلَىٰ جُنُوبِهِمْ وَيَتَفَكَّرُونَ فِي خَلْقِ
ٱلسَّمٰوَاتِ وَٱلْأَرْضِ، رَبَّنَا مَا خَلَقْتَ هٰذَا بَاطِلاً سُبْحَانَكَ
فَقِنَا عَذَابَ ٱلنَّارِ. رَبَّنَا إِنَّكَ مَنْ تُدْخِلِ ٱلنَّارَ فَقَدْ أَخْزَيْتَهُ وَمَا
لِلظَّالِمِيْنَ مِنْ أَنْصَارٍ. رَبَّنَا إِنَّنَا سَمِعْنَا مُنَادِياً يُنَادِي لِلْإِيْمَانِ
أَنْ آمِنُوا بِرَبِّكُمْ فَآمَنَّا رَبَّنَا فَٱغْفِرْ لَنَا ذُنُوبَنَا وَكَفِّرْ عَنَّا سَيِّآتِنَا
وَتَوَفَّنَا مَعَ ٱلْأَبْرَارِ. رَبَّنَا وَآتِنَا مَا وَعَدْتَنَا عَلَىٰ رُسُلِكَ وَلاَ
تُخْزِنَا يَوْمَ ٱلْقِيَامَةِ إِنَّكَ لاَ تُخْلِفُ ٱلْمِيْعَادَ. أَلَمْ تَرَ أَنَّ ٱللَّهَ
يَسْجُدُ لَهُ مَنْ فِي ٱلسَّمٰوَاتِ وَمَنْ فِي ٱلْأَرْضِ وَٱلشَّمْسُ
وَٱلْقَمَرُ وَٱلنُّجُومُ وَٱلْجِبَالُ، وَٱلشَّجَرُ وَٱلدَّوَابُّ وَكَثِيْرٌ مِنَ
ٱلنَّاسِ وَكَثِيْرٌ حَقَّ عَلَيْهِ ٱلْعَذَابُ، وَمَنْ يُهِنِ ٱللَّهُ فَمَا لَهُ مِنْ
مُكْرِمٍ إِنَّ ٱللَّهَ يَفْعَلُ مَا يَشَاءُ. ٱلَّذِي خَلَقَ ٱلسَّمٰوَاتِ
وَٱلْأَرْضَ فِي سِتَّةِ أَيَّامٍ ثُمَّ ٱسْتَوَىٰ عَلَىٰ ٱلْعَرْشِ ٱلرَّحْمٰنُ
فَٱسْأَلْ بِهِ خَبِيْراً. وَإِذَا قِيْلَ لَهُمُ ٱسْجُدُوا لِلرَّحْمٰنِ قَالُوا وَمَا
ٱلرَّحْمٰنُ أَنَسْجُدُ لِمَا تَأْمُرُنَا. وَزَادَهُمْ نُفُوراً. ٱللَّهُمَّ إِنِّي
أَسْأَلُكَ يَا وَلِيَّ ٱلصَّالِحِيْنَ أَنْ تَخْتِمَ لِي بِصَالِحِ

ٱلْأَعْمَالِ، وَأَنْ تَسْتَجِيْبَ دُعَآئِي وَتُعْطِيَنِي سُؤْلِي وَمَنْ يَعْنِيْنِي أَمْرُهُ يَا أَرْحَمَ ٱلرَّاحِمِيْنَ.

***

في اليوم الثالث والعشرين

إِنِّي وَجَدْتُ ٱمْرَأَةً تَمْلِكُهُمْ وَأُوْتِيَتْ مِنْ كُلِّ شَيْءٍ وَلَهَا عَرْشٌ عَظِيْمٌ، وَجَدْتُهَا وَقَوْمَهَا يَسْجُدُونَ لِلشَّمْسِ مِنْ دُونِ ٱللَّهِ وَزَيَّنَ لَهُمُ ٱلشَّيْطَانُ أَعْمَالَهُمْ، فَصَدَّهُمْ عَنِ ٱلسَّبِيلِ فَهُمْ لاَ يَهْتَدُونَ. أَلاَّ يَسْجُدُوا لِلَّهِ ٱلَّذِي يُخْرِجُ ٱلخَبَا فِي ٱلسَّمٰوَاتِ وَٱلْأَرْضِ وَيَعْلَمُ مَا يُخْفُونَ وَمَا يُعْلِنُونَ. ٱللَّهُ لاَ إِلَهَ إِلاَّ هُوَ رَبُّ ٱلْعَرْشِ ٱلْعَظِيْمِ فَذُوْقُوا بِمَا نَسِيتُمْ لِقَآءَ يَوْمِكُمْ هٰذَا، إِنَّا نَسِيْنَاكُمْ فَذُوقُوا عَذَابَ ٱلْخُلْدِ بِمَا كُنْتُمْ تَعْمَلُونَ، إِنَّما يُؤْمِنُ بِآيَاتِنَا ٱلَّذِيْنَ إِذَا ذُكِّرُوا بِهَا خَرُّوا سُجَّداً وَسَبَّحُوا بِحَمْدِ رَبِّهِمْ وَهُمْ لاَ يَسْتَكْبِرُونَ. تَتَجَافَىٰ جُنُوبُهُمْ عَنِ ٱلْمَضَاجِعِ يَدْعُونَ رَبَّهُمْ خَوْفاً وَطَمَعاً وَمِمَّا رَزَقْنَاهُمْ يُنْفِقُونَ. فَلاَ تَعْلَمُ نَفْس مَا أُخْفِيَ لَهُمْ مِنْ قُرَّةِ أَعْيُنٍ جَزَآءً

بِمَا كَانُوا يَعْمَلُونَ. ٱللَّهُمَّ ٱجْعَلْنِي مِنَ ٱلَّذِيْنَ جَعلْتَ لَهُمْ جَنَّاتِ ٱلْمَأْوَىٰ نُزُلاً بِمَا كَانُوا يَعْمَلُونَ. قَالَ لَقَدْ ظَلَمَكَ بِسُؤَالِ نَعْجَتِكَ إِلَىٰ نِعَاجِهِ وَإِنَّ كَثِيْراً مِنَ ٱلْخُلَطَآءِ لَيَبْغِي بَعْضُهُمْ إِلَىٰ بَعْضٍ، إِلاَّ ٱلَّذِيْنَ آمَنُوا وَعَمِلُوا ٱلصَّالِحَاتِ وَقَلِيْلٌ مَا هُمْ، وَظَنَّ دَاوُدُ أَنَّمَا فَتَنَّاهُ فَٱسْتَغْفَرَ رَبَّهُ وَخَرَّ رَاكِعاً وَأَنَابَ. وَمِنْ آيَاتِهِ ٱللَّيْلُ وَٱلنَّهَارُ وَٱلشَّمْسُ وَٱلْقَمَرُ، لاَ تَسْجُدُوا لِلشَّمْسِ وَلاَ لِلْقَمَرِ وَٱسْجُدُوا لِلَّهِ ٱلَّذِي خَلَقَهُنَّ إِنْ كُنْتُمْ إِيَّاهُ تَعْبُدُونَ. ٱللَّهُمَّ أَنْتَ ٱلْغَفُورُ ٱلرَّحِيْمُ، وَأَنَا ٱلْمُذْنِبُ ٱلْخَاطِئُ، ٱللَّهُمَّ أَنْتَ ٱلْمُعْطِي وَأَنَا ٱلسَّائِلُ، ٱللَّهُمَّ أَنْتَ ٱلْبَاقِي وَأَنَا ٱلْفَانِي، ٱللَّهُمَّ أَنْتَ ٱلْغَنِيُّ وَأَنَا ٱلْفَقِيْرُ، ٱللَّهُمَّ وَأَنْتَ ٱلْعَزِيْزُ وَأَنَا ٱلذَّلِيْلُ، ٱللَّهُمَّ وَأَنْتَ ٱلْخَالِقُ وَأَنَا ٱلْمَخْلُوقُ، ٱللَّهُمَّ وَأَنْتَ ٱلْمَالِكُ وَأَنَا ٱلْمَمْلُوكُ، ٱللَّهُمَّ ٱصْرِفْ عَنَّا عَذَابَ جَهَنَّمَ إِنَّ عَذَابَهَا كَانَ غَرَاماً. إِنَّهَا سَاءَتْ مُسْتَقَرّاً وَمُقَاماً، سَمِعْنَا وَأَطَعْنَا غُفْرَانَكَ رَبَّنَا وَإِلَيْكَ ٱلْمَصِيْرُ. رَبِّ زِدْنِي عِلْماً وَلاَ

تُخْزِنِي يَوْمَ يُبْعَثُونَ. رَبِّ أَدْخِلْنِي مُدْخَلَ صِدْقٍ وَأَخْرِجْنِي مُخْرَجَ صِدْقٍ وَٱجْعَلْ لِي مِنْ لَدُنْكَ سُلْطَاناً نَصِيراً. رَبِّ أَنْزِلْنِي مُنْزَلاً مُبَاركاً وَأَنْتَ خَيْرُ ٱلْمُنْزِلِينَ. رَبِّ ٱشْرَحْ لِي صَدْرِي وَيَسِّرْ لِي أَمْرِي. رَبَّنَا ٱغْفِرْ لَنَا وَلإِخْوَانِنَا ٱلَّذِينَ سَبَقُونَا بِٱلإِيْمَانِ وَلاَ تَجْعَلْ فِي قُلُوبِنَا غِلاًّ لِلَّذِيْنَ آمَنُوا رَبَّنَا إِنَّكَ رَؤُوفٌ رَحِيْمٌ. رَبَّنَا تُبْ عَلَيْنَا وَٱرْحَمْنَا وَٱهْدِنَا وَٱغْفِرْ لَنَا وَٱجْعَلْ خَيْرَ أَعْمارِنَا آخِرَهَا وَخَيْرَ أَعْمَالِنَا خَوَاتِيْمَهَا، وَخَيْرَ أَيَّامِنَا يَوْمَ لِقَائِكَ، وَٱخْتِمْ لَنَا بِٱلسَّعَادَةِ يَا حَيُّ يَا قَيُّومُ فَإِنِّي بِرَحْمَتِكَ أَسْتَغِيْثُ يَا فَارِجَ ٱلْهَمِّ، وَيَا كَاشِفَ ٱلْغَمِّ وَيَا مُجِيْبَ دَعْوَةِ ٱلْمُضْطَرِّيْنَ أَنْتَ رَحْمٰنُ ٱلدُّنْيَا وَٱلآخِرَةِ وَرَحِيْمُهُمَا، إِرْحَمْنِي فِي جَمِيْعِ حَوَائِجِي رَحْمَةً تُغْنِيْنِي بِهَا عَنْ رَحْمَةِ مَنْ سِوَاكَ، ٱللَّهُمَّ لاَ أَمْلِكُ مَا أَرْجُو وَلاَ أَسْتَطِيْعُ دَفْعَ مَا أَحْذَرُ إِلاَّ بِكَ، وَٱلأَمْرُ بِيَدِكَ وَأَنَا فَقِيْرٌ إِلَىٰ أَنْ تَغْفِرَ لِي وَكُلُّ خَلْقِكَ إِلَيْكَ فَقِيْرٌ وَلاَ أَحَدَ أَفْقَرُ مِنِّي إِلَيْكَ. ٱللَّهُمَّ بِنُورِكَ ٱهْتَدَيْتُ وَبِفَضْلِكَ ٱسْتَغْنَيْتُ وَفِي نِعْمَتِكَ

أَصْبَحْتُ وَأَمْسَيْتُ، ذُنُوبِي بَيْنَ يَدَيْكَ أَسْتَغْفِرُكَ مِنْهَا وَأَتُوبُ إِلَيْكَ ٱللَّهُمَّ إِنِّي أَدْرَأُ بِكَ فِي نَحْرِ كُلِّ مَنْ أَخَافُ مَكْرَهُ وَأَسْتَجِيرُكَ مِنْ شَرِّهِ وَأَسْتَعِينُكَ عَلَيْهِ، لاَ إِلَهَ إِلاَّ أَنْتَ سُبْحَانَكَ إِنِّي كُنْتُ مِنَ ٱلظَّالِمِينَ. ٱللَّهُمَّ إِنِّي أَسْأَلُكَ عِيشَةً هَنِيئَةً وَمِيتَةً سَوِيَّةً، وَمَرَدّاً غَيْرَ مُخْزٍ وَلاَ فَاضِحٍ، يَا أَرْحَمَ ٱلرَّاحِمِينَ. ٱللَّهُمَّ إِنِّي أَعُوذُ بِكَ أَنْ أَذِلَّ أَوْ أُذَلَّ، أَوْ أَضِلَّ أَوْ أُضَلَّ أَوْ أَظْلِمَ أَوْ أُظْلَمَ أَوْ أَجْهَلَ أَوْ يُجْهَلَ عَلَيَّ، يَا ذَا ٱلْعَرْشِ ٱلْعَظِيمِ وَٱلْمَنِّ ٱلْقَدِيمِ تَبَارَكْتَ وَتَعَالَيْتَ يَا أَرْحَمَ ٱلرَّاحِمِينَ وَصَلَّىٰ ٱللَّهُ عَلَىٰ سَيِّدِنَا مُحَمَّدٍ وَآلِهِ ٱلطَّاهِرِينَ.

***

في اليوم الرابع والعشرين

ٱللَّهُمَّ عَافِنِي فِي دِينِي، وَعَافِنِي فِي جَسَدِي، وَعَافِنِي فِي سَمْعِي، وَعَافِنِي فِي بَصَرِي، وَٱجْعَلْهُمَا ٱلْوَارِثَيْنِ مِنِّي يَا بَدِيءُ لاَ بَدْءَ لَكَ، يَا دَائِمُ لاَ نَفَادَ لَكَ،

يَا حَيُّ لاَ يَمُوتُ، يَا مُحْيِيَ ٱلْمَوْتَىٰ، أَنْتَ ٱلْقَائِمُ عَلَىٰ كُلِّ نَفْسٍ بِمَا كَسَبَتْ، صَلِّ عَلَىٰ مُحَمَّدٍ وَأَهْلِ بَيْتِهِ، وَٱفْعَلْ بِي مَا أَنْتَ أَهْلُهُ، ٱللَّهُمَّ فَالِقَ ٱلْإِصْبَاحِ وَجَاعِلَ ٱللَّيْلِ سَكَناً، وَٱلشَّمْسِ وَٱلْقَمَرِ حُسْبَاناً، إِقْضِ عَنِّي ٱلدَّيْنَ وَأَعِذْنِي مِنَ ٱلْفَقْرِ، وَمَتِّعْنِي بِسَمْعِي، وَبَصَرِي وَقَوِّنِي فِي سَبِيْلِكَ، يَا أَرْحَمَ ٱلرَّاحِمِيْنَ. ٱللَّهُمَّ أَنْتَ أَرْحَمُ ٱلرَّاحِمِيْنَ لاَ إِلَهَ غَيْرُكَ وَٱلْبَدِيْعُ لَيْسَ قَبْلَكَ شَيْءٌ، وَٱلدَّآئِمُ غَيْرُ ٱلْفَانِي، وَٱلْحَيُّ ٱلَّذِي لاَ يَمُوتُ، وَخَالِقُ مَا يُرَىٰ وَمَا لاَ يُرَىٰ، كُلَّ يَوْمٍ أَنْتَ فِي شَأْنٍ، صَلِّ عَلَىٰ مُحَمَّدٍ وَآلِهِ، وَلْيَكُنْ مِنْ شَأْنِكَ ٱلْمَغْفِرَةُ لِي وَلِوَالِدَيَّ وَلِوَلَدِي وَإِخْوَانِي يَا أَرْحَمَ ٱلرَّاحِمِيْنَ. ٱللَّهُمَّ أَنْتَ ٱلَّذِي تَعْلَمُ كُلَّ شَيْءٍ بِغَيْرِ تَعْلِيْمٍ، فَلَكَ ٱلْحَمْدُ ٱللَّهُ ٱللَّهُ ٱللَّهُ رَبِّي لاَ أُشْرِكُ بِهِ شَيْئاً لَيْسَ كَمِثْلِهِ شَيْءٌ، وَهُوَ ٱلسَّمِيْعُ ٱلْبَصِيْرُ. لاَ تُدْرِكُهُ ٱلْأَبْصَارُ وَهُوَ ٱللَّطِيْفُ ٱلْخَبِيْرُ، ٱللَّهُمَّ إِنِّي أَسْأَلُكَ وَأَنَّكَ مَا تَشَاءُ مِنْ أَمْرٍ يَكُنْ، وَأَتَوَجَّهُ إِلَيْكَ بِنَبِيِّكَ مُحَمَّدٍ نَبِيِّ ٱلرَّحْمَةِ صَلَّىٰ ٱللَّهُ عَلَيْهِ وَآلِهِ ٱلطَّيِّبِيْنَ ٱلْأَخْيَارِ، يَا

مُحَمَّدُ إِنِّي أَتوَجَّهُ بِكَ إِلَىٰ ٱللَّهِ رَبِّكَ وَرَبِّي فِي قَضَاءِ حَاجَتِي وَأَنْ يُصَلِّيَ عَلَيْكَ وَعَلَىٰ آلِكَ ٱلطَّيِّبِيْنَ ٱلطَّاهِرِينَ . وَأَنْ يَفْعَلَ بِي مَا أَنْتَ أَهْلُهُ، ٱللَّهُمَّ إِنِّي أَسْأَلُكَ بِٱسْمِكَ ٱلَّذِي يُمْشَىٰ بِهِ عَلَىٰ ظُلَلِ ٱلْمَاءِ كَمَا يُمْشَىٰ بِهِ عَلَىٰ جُدَدِ ٱلْأَرْضِ، وَأَسْأَلُكَ بِٱسْمِكَ ٱلَّذِي تَهْتَزُّ لَهُ أَقْدَامُ مَلاَئِكَتِكَ، وَأَسْأَلُكَ بِٱسْمِكَ ٱلَّذِي دَعَاكَ بِهِ مُوسَىٰ عَلَيْهِ ٱلسَّلاَمُ مِنْ جَانِبِ ٱلطُّورِ ٱلْأَيْمَنِ، فَٱسْتَجَبْتَ لَهُ وَأَلْقَيْتَ عَلَيْهِ مَحَبَّةً مِنْكَ، وَأَسْأَلُكَ بِٱسْمِكَ ٱلَّذِي دَعَاكَ بِهِ مُحَمَّدٌ صَلَّىٰ ٱللَّهُ عَلَيْهِ وَآلِهِ فَغَفَرْتَ لَهُ مَا تَقَدَّمَ مِنْ ذَنْبِهِ وَمَا تَأَخَّرَ، وَأَتْمَمْتَ عَلَيْهِ نِعْمَتَكَ، أَنْ تُصَلِّيَ عَلَىٰ مُحَمَّدٍ وَآلِهِ، وَأَنْ تَفْعَلَ بِي مَا أَنْتَ أَهْلُهُ. ٱللَّهُمَّ إِنِّي أَسْأَلُكَ بِمَعَاقِدِ ٱلْعِزِّ مِنْ عَرْشِكَ وَمُنْتَهَىٰ ٱلرَّحْمَةِ مِنْ كِتَابِكَ، وَأَسْأَلُكَ بِٱسْمِكَ ٱلْأَعْظَمِ وَجَلاَلِكَ ٱلْأَعْلَىٰ وَكَلِمَاتِكَ ٱلتَّامَّاتِ ٱلَّتِي لاَ يُجَاوِزُهُنَّ بَرٌّ وَلاَ فَاجِرٌ، وَأَسْأَلُكَ يَا ٱللَّهُ يَا رَحْمٰنُ يَا رَحِيمُ يَا ذَا ٱلْجَلاَلِ وَٱلْإِكْرَامِ، إِلَهاً وَاحِداً أَحَداً فَرْداً صَمَداً قَائِماً بِٱلْقِسْطِ لاَ إِلَهَ إِلاَّ أَنْتَ ٱلْعَزِيزُ ٱلْحَكِيمُ. أَنْتَ

ٱلْـوِتْـرُ ٱلْكَبِيـرُ ٱلْمُتَعَـالُ أَنْ تُصَلِّـيَ عَلَـىٰ مُحَمَّـدٍ وَآلِـهِ ، وَأَنْ تُدْخِلَنِي ٱلْجَنَّةَ عَفْواً بِغَيْرِ حِسَابٍ وَأَنْ تَفْعَلَ بِي مَا أَنْتَ أَهْلُهُ مِنَ ٱلْجُودِ وَٱلْكَرَمِ وَٱلرَّأْفَةِ وَٱلرَّحْمَةِ وَٱلتَّفَضُّلِ ، ٱللَّهُمَّ لاَ تُبَدِّلْ ٱسْمِي وَلاَ تُغَيِّرْ جِسْمِي وَلاَ تُجْهِدْ بَلاَئِي وَلاَ تُشْمِتْ بِي أَعْدَائِي يَا كَرِيمُ . ٱللَّهُمَّ إِنِّي أَعُوذُ بِكَ مِنْ غِنىً مُطْغٍ ، وَفَقْرٍ مُنْسٍ ، وَمِنْ هَوىً مُرْدٍ ، وَمِنْ عَمَلٍ مُخْزٍ ، أَصْبَحْتُ وَرَبِّي ٱلْوَاحِدُ ٱلْأَحَدُ لاَ أُشْرِكُ بِهِ شَيْئاً وَلاَ أَدْعُو مَعَهُ إِلَهاً آخَرَ ، وَلاَ أَتَّخِذُ مِنْ دُوْنِهِ وَلِيّاً ، ٱللَّهُمَّ صَلِّ عَلَىٰ مُحَمَّدٍ وَآلِ مُحَمَّدٍ وَهَوِّنْ عَلَيَّ مَا أَخَافُ مَشَقَّتَهُ وَيَسِّرْ لِي مَا أَخَافُ عُسْرَتَهُ وَسَهِّلْ لِي مَا أَخَافُ حُزُونَتَهُ ، وَوَسِّعْ عَلَيَّ مَا أَخَافُ ضِيقَهُ ، وَفَرِّجْ عَنِّي فِي دُنْيَايَ وَآخِرَتِي بِرِضَاكَ عَنِّي ، ٱللَّهُمَّ هَبْ لِي صِدْقَ ٱلنَّبِيِّينَ فِي ٱلتَّـوَكُّـلِ عَلَيْـكَ ، وَٱجْعَـلْ دُعَـائِـي فِـي ٱلْمُسْتَجَـابَـاتِ مِـنَ ٱلـدُّعَـآءِ وَٱجْعَـلْ عَمَلِـي فِـي ٱلْمَـرْفُـوعِ ٱلْمُتَقَبَّلِ ٱللَّهُمَّ طَوِّقْنِي مَا حَمَّلْتَنِي وَلاَ تُحَمِّلْنِي مَا لاَ طَاقَةَ لِي بِهِ حَسْبِيَ ٱللَّهُ وَنِعْمَ ٱلْوَكِيلُ . ٱللَّهُمَّ أَعِنِّي وَلاَ تُعِنْ عَلَيَّ ،

وَٱقْضِ لِي كُلَّ مَنْ بَغَىٰ عَلَيَّ وَٱمْكُرْ لِي وَلاَ تَمْكُرْ بِي، وَٱهْدِنِي وَيَسِّرِ ٱلْهُدَىٰ لِي. ٱللَّهُمَّ إِنِّي أَسْتَوْدِعُكَ دِينِي وَأَمَانَتِي وَخَوَاتِيمَ أَعْمَالِي وَجَمِيعَ مَا أَنْعَمْتَ عَلَيَّ بِهِ فِي ٱلدُّنْيَا وَٱلآخِرَةِ، فَأَنْتَ ٱلَّذِي لاَ تُضِيعُ وَدَايِعَكَ. ٱللَّهُمَّ إِنَّهُ لَنْ يُجِيرَنِي مِنْكَ أَحَدٌ وَلَنْ أَجِدَ مِنْ دُونِكَ مُلْتَحَداً. ٱللَّهُمَّ صَلِّ عَلَىٰ مُحَمَّدٍ وَآلِهِ وَلاَ تَكِلْنِي إِلَىٰ نَفْسِي طَرْفَةَ عَيْنٍ أَبَداً، وَلاَ تَنْزِعْ مِنِّي صَالِحاً أَعْطَيْتَهُ، فَإِنَّهُ لاَ مَانِعَ لِمَا أَعْطَيْتَ وَلاَ مُعْطِيَ لِمَا مَنَعْتَ، وَلاَ يَنْفَعُ ذَا ٱلْجِدِّ مِنْكَ ٱلْجَدُّ، رَبَّنَا آتِنَا فِي ٱلدُّنْيَا حَسَنَةً وَفِي ٱلآخِرَةِ حَسَنَةً وَقِنَا عَذَابَ ٱلنَّارِ. وَصَلَّىٰ ٱللَّهُ عَلَىٰ مُحَمَّدٍ وَآلِهِ ٱلأَخْيَارِ بِرَحْمَتِكَ يَا أَرْحَمَ ٱلرَّاحِمِينَ.

***

في اليوم الخامس والعشرين

أَعُوذُ بِكَلِمَاتِ ٱللَّهِ ٱلتَّامَّاتِ ٱلَّتِي لاَ يُجَاوِزُهُنَّ بَرٌّ وَلاَ فَاجِرٌ، مِنْ شَرِّ مَا ذَرَأَ[1] فِي ٱلأَرْضِ وَمَا يَخْرُجُ

(١) ذرأ: خلق.

مِنهَا وَمَا يَنْزِلُ مِنَ ٱلسَّمَآءِ وَمَا يَعْرُجُ فِيهَا، وَمِنْ شَرِّ طَوَارِقِ ٱللَّيْلِ وَٱلنَّهارِ (١)، وَمِنْ شَرِّ كُلِّ طَارِقٍ إلاَّ طَارِقاً يَطْرُقُ بِخَيْرٍ، يَا رَحْمٰنُ؛ ٱللَّهُمَّ إِنِّي أَسْأَلُكَ إِيْمَاناً لاَ يَرْتَدُّ، وَنَعِيْماً لاَ يَنْفَدُ، وَمُرَافَقَةَ ٱلنَّبِيِّ مُحَمَّدٍ وَآلِهِ ٱلأَخْيَارِ ٱلطَّيِّبِيْنَ فِي أَعْلَىٰ جَنَّةِ ٱلْخُلْدِ مَعَ ٱلنَّبِيِّينَ وَٱلصِّدِّيْقِيْنَ وَٱلشُّهَدَآءِ وَٱلصَّالِحِيْنَ وَحَسُنَ أُولَئِكَ رَفِيْقاً. ٱللَّهُمَّ آمِنْ رَوْعَتِي وَٱسْتُرْ عَوْرَتِي وَأَقِلْنِي عَثْرَتِي فَأَنْتَ ٱللَّهُ لاَ إِلَهَ إِلاَّ أَنْتَ وَحْدَكَ لاَ شَرِيْكَ لَكَ، لَكَ ٱلْمُلْكُ وَلَكَ ٱلْحَمْدُ وَأَنْتَ عَلَىٰ كُلِّ شَيْءٍ قَدِيْرٌ. ٱللَّهُمَّ إِنِّي أَسْأَلُكَ لأَنَّكَ أَنْتَ ٱلْمَسْؤُولُ ٱلْمَحْمُودُ ٱلْمُتَوَحِّدُ ٱلْمَعْبُودُ، وَأَنْتَ ٱلْمَنَّانُ ذُو ٱلإِحْسَانِ بَدِيْعُ ٱلسَّمٰوَاتِ وَٱلأَرْضِ ذُوْ ٱلْجَلاَلِ وَٱلإِكْرَامِ، أَنْ تَغْفِرَ لِي ذُنُوبِي كُلَّهَا صَغِيْرَهَا وَكَبِيْرَهَا عَمْدَهَا وَخَطَأَهَا، وَمَا نَسِيْتُهُ أَنَا مِنْ نَفْسِي وَحَفِظْتَهُ أَنْتَ عَلَيَّ إِنَّكَ أَنْتَ ٱلتَّوَّابُ ٱلرَّحِيْمُ. يَا ٱللَّهُ يَا بَدِيْعَ ٱلسَّمٰوَاتِ وَٱلأَرْضِ يَا ذَا

---

(١) طوارق: دواهي.

ٱلْجلاَلِ وَٱلإِكْرَام، يَا صَرِيخَ ٱلْمُسْتَصْرِخِيْنَ يَا غِيَاثَ ٱلْمُسْتَغِيثِيْنَ وَمُنْتَهَىٰ رَغْبَةِ ٱلرَّاغِبِيْنَ، أَنْتَ ٱلْمُفَرِّجُ عَنِ ٱلْمَكْرُوبِيْنَ وَأَنْتَ ٱلْمُرَوِّحُ عَنِ ٱلْمَغْمُومِيْنَ، وَأَنْتَ مُجِيْبُ دَعْوَةِ ٱلْمُضْطَرِّيْنَ، وَأَنْتَ إِلَهُ ٱلْعَالَمِيْنَ. وَأَنْتَ أَرْحَمُ ٱلرَّاحِمِيْنَ. وَأَنْتَ كَاشِفُ كُلِّ كُرْبَةٍ وَمُنْتَهَىٰ كُلِّ رَغْبَةٍ، وَقَاضِي كُلِّ حَاجَةٍ، صَلِّ عَلَىٰ مُحَمَّدٍ وَآلِهِ وَٱفْعَلْ بِي مَا أَنْتَ أَهْلُهُ لاَ إِلَهَ إِلاَّ أَنْتَ رَبِّي وَأَنْتَ سَيِّدِي وَأَنَا عَبْدُكَ وَٱبْنُ عَبْدِكَ وَٱبْنُ أَمَتِكَ نَاصِيَتِي بِيَدِكَ عَمِلْتُ سُوْءاً وَظَلَمْتُ نَفْسِي وَٱعْتَرَفْتُ بِذَنْبِي وَأَقْرَرْتُ بِخَطِيئَتِي أَسْأَلُكَ بِأَنَّ لَكَ ٱلْمَنَّ يَا مَنَّانُ يَا بَدِيْعَ ٱلسَّمٰوَاتِ وَٱلأَرْضِ، يَا ذَا ٱلْجَلاَلِ وَٱلإِكْرَام. صَلِّ عَلَىٰ مُحَمَّدٍ عَبْدِكَ وَرَسُولِكَ وَعَلَىٰ آلِهِ أَفْضَلَ صَلَوَاتِكَ عَلَىٰ أَحَدٍ مِنْ خَلْقِكَ وَأَسْأَلُكَ بِٱلْقُدْرَةِ ٱلَّتِي فَلَقْتَ بِهَا ٱلْبَحْرَ لِبَنِي إِسْرَآئِيْلَ لَمَّا كَفَيْتَنِي كُلَّ بَاغٍ وَحَاسِدٍ وَعَدُوٍّ وَمُخَالِفٍ، وَأَسْأَلُكَ بِٱلإِسْمِ ٱلَّذِي نَتَقْتَ بِهِ ٱلْجَبَلَ فَوْقَهُمْ كَأَنَّهُ ظُلَّةٌ لَمَّا كَفَيْتَنِي مَا أَخَافُهُ وَأَحْذَرُهُ، ٱللَّهُمَّ

إِنِّي أَدْرَأُ بِكَ فِي نُحُورِهِمْ وَأَعُوذُ بِكَ مِنْ شُرُورِهِمْ، وَأَسْتَجِيرُ بِكَ مِنْهُمْ وَأَسْتَعِينُ بِكَ عَلَيْهِمْ، ٱللَّهُ ٱللَّهُ رَبِّي لاَ أُشْرِكُ بِهِ شَيْئاً وَلاَ أَتَّخِذُ مِنْ دُوْنِهِ وَلِيّاً.

***

في اليوم السادس والعشرين

ٱللَّهُمَّ صَلِّ عَلَىٰ مُحَمَّدٍ وَآلِ مُحَمَّدٍ، وَأَسْأَلُكَ يَا رَبَّ ٱلسَّمٰوَاتِ ٱلسَّبْعِ وَٱلْأَرَضِيْنَ ٱلسَّبْعِ وَمَا فِيْهِنَّ وَمَا بَيْنَهُنَّ، وَرَبَّ ٱلسَّبْعِ ٱلْمَثَانِي وَٱلْقُرْآنِ ٱلْعَظِيْمِ، وَرَبَّ جَبْرَائِيْلَ وَمِيْكَائِيْلَ وَإِسْرَافِيْلَ، وَرَبَّ ٱلْمَلاَئِكَةِ أَجْمَعِيْنَ، وَرَبَّ مُحَمَّدٍ صَلَّىٰ ٱللَّهُ عَلَيْهِ وَآلِهِ خَاتَمِ ٱلنَّبِيِّيْنَ وَٱلْمُرْسَلِيْنَ، وَرَبَّ ٱلْخَلْقِ أَجْمَعِيْنَ. أَسْأَلُكَ ٱللَّهُمَّ بِٱسْمِكَ ٱلَّذِي تَقُومُ بِهِ ٱلسَّمٰوَاتُ وَتَقُومُ بِهِ ٱلْأَرَضُونَ وَبِهِ أَحْصَيْتَ كَيْلَ ٱلْبِحَارِ، وَزِنَةَ ٱلْجِبَالِ، وَبِهِ تُمِيْتُ ٱلْأَحْيَاءَ وَبِهِ تُحْيِي ٱلْمَوْتَىٰ وَبِهِ تُنْشِىءُ ٱلسَّحَابَ وَتُرْسِلُ ٱلرِّيْحَ وَبِهِ تَرْزُقُ ٱلْعِبَادَ وَبِهِ أَحْصَيْتَ عَدَدَ ٱلرِّمَالِ، وَبِهِ تَفْعَلُ مَا تَشَاءُ وَبِهِ

تَقولُ لِلشَيْءِ كُنْ فَيكُونُ، أَنْ تَسُدَّ فَقْرِي بِغِناكَ، وَأَنْ تَسْتَجِيبَ لِي دُعَائِي وَتُعْطِيَنِي سُؤْلِي وَمُنَايَ، وَأَنْ تجعَلَ فَرَجِي مِنْ عِنْدِكَ بِرَحْمَتِكَ فِي عَافِيَةٍ، وَأَنْ تُؤْمِنَ خَوْفِي، وَأَنْ تُحْيِيَنِي فِي أَتَمِّ ٱلنِّعَمِ، وَأَعْظَمِ ٱلْعَافِيَةِ، وَأَفْضَلِ ٱلرِّزْقِ وَٱلسَّعَةِ وَٱلدَّعَةِ وَتَرْزُقَنِي ٱلشُّكْرَ عَلَىٰ مَا آتَيْتَنِي، وَصِلْ ذٰلِكَ لِي تَامّاً أَبداً مَا أَبْقَيْتَنِي حَتَّىٰ تَصِلَ ذٰلِكَ بِنَعِيمِ ٱلآخِرَةِ. ٱللَّهُمَّ بِيَدِكَ مَقَادِيرُ ٱلدُّنْيَا وَٱلآخِرَةِ وَٱللَّيْلِ وَٱلنَّهَارِ وَٱلْمَوْتِ وَٱلْحَيَاةِ، وَبِيَدِكَ مَقَادِيرُ ٱلنَّصْرِ وَٱلْخِذْلاٰنِ وَٱلْخَيْرِ وَٱلشَّرِّ. ٱللَّهُمَّ بَارِكْ لِي فِي دِينِي ٱلَّذِي هُوَ مِلاَكُ أَمْرِي وَدُنْيَايَ ٱلَّتِي فِيهَا مَعِيشَتِي، وَآخِرَتِي ٱلَّتِي إِلَيْهَا مُنْقَلَبِي وَبَارِكْ لِي جَمِيعَ أُمُورِي. ٱللَّهُمَّ أَنتَ ٱللَّهُ لاَ إِلَهَ إِلاَّ أَنْتَ وَعْدُكَ حَقٌّ وَلِقَاؤُكَ حَقٌّ، أَعُوذُ بِكَ مِنْ شَرِّ ٱلْمَحْيَا وَٱلْمَمَاتِ وَأَعُوذُ بِكَ مِنْ فِتْنَةِ ٱلدَّجَّالِ، وَأَعُوذُ بِكَ مِنْ ٱلشَّكِّ وَٱلْفُجُورِ وَٱلْكَسَلِ وَٱلْعَجْزِ، وَأَعُوذُ بِكَ مِنَ ٱلْبُخْلِ وَٱلسَّرَفِ. ٱللَّهُمَّ قَدْ سَبَقَ مِنِّي مَا قَدْ سَبَقَ مِنْ قَدِيمِ مَا كَسَبْتُ وَجَنَيْتُ بِهِ عَلَىٰ

نَفْسِي ، وَأَنْتَ يَا رَبِّ تَمْلِكُ مِنِّي مَا لاَ أَمْلِكُ مِنْهَا ، خَلَقْتَنِي يَا رَبِّ وَتَفَرَّدْتَ بِخَلْقِي وَلَمْ أَكُ شَيْئاً إِلاَّ بِكَ ، وَلَيْسَ ٱلْخَيْرُ إِلاَّ مِنْ عِنْدِكَ ، وَلَمْ أَصْرِفْ عَنِّي سُوءاً قَطُّ إِلاَّ مَا صَرَفْتَهُ عَنِّي وَأَنْتَ عَلَّمْتَنِي يَا رَبِّ مَا لَمْ أَعْلَمْ ، وَرَزَقْتَنِي يَا رَبِّ مَا لاَ أَمْلِكُ وَلَمْ أَحْتَسِبْ وَبَلَّغْتَنِي يَا رَبِّ مَا لَمْ أَكُنْ أَرْجُو ، وَأَعْطَيْتَنِي يَا رَبِّ مَا قَصُرَ عَنْهُ أَمَلِي فَلَكَ ٱلْحَمْدُ كَثِيْراً يَا غَافِرَ ٱلذَّنْبِ إِغْفِرْ لِي وَأَعْطِنِي فِي قَلْبِي مِنَ ٱلرِّضَا مَا تُهَوِّنُ بِهِ عَلَيَّ بَوائِقَ ٱلدُّنْيَا وَٱلآخِرَةِ . ٱللَّهُمَّ ٱفْتَحْ لِي يَا رَبِّ ٱلْبَابَ ٱلَّذِي فِيهِ ٱلْفَرَجُ وَٱلْعَافِيَةُ وَٱلْخَيْرُ كُلُّهَا . ٱللَّهُمَّ ٱفْتَحْ لِي بَابَهُ وَٱهْدِنِي سَبِيْلَهُ وَأَبِنْ لِي مَخْرَجَهُ . ٱللَّهُمَّ وَكُلُّ مَنْ قَدَّرْتَ لَهُ عَلَيَّ مَقْدُرَةً مِنْ عِبَادِكَ وَمَلَّكْتَهُ شَيْئاً مِنْ أُمُورِي فَخُذْ عَنِّي بِقُلُوبِهِمْ وَأَلْسِنَتِهِمْ ، وَأَسْمَاعِهِمْ وَأَبْصَارِهِمْ ، وَمِنْ بَيْنِ أَيْدِيهِمْ وَمِنْ خَلْفِهِمْ وَمِنْ فَوْقِهِمْ ، وَمِنْ تَحْتِ أَرْجُلِهِمْ وَعَنْ أَيْمَانِهِمْ ، وَعَنْ شَمَائِلِهِمْ وَمِنْ حَيْثُ شِئْتَ وَكَيْفَ شِئْتَ وَأَنَّىٰ شِئْتَ ، حَتَّىٰ لاَ يَصِلَ إِلَيَّ أَحَدٌ مِنْهُمْ بِسُوءٍ .

ٱللَّهُمَّ ٱجْعَلْنِي فِي حِفْظِكَ وَجِوَارِكَ عَزَّ جَارُكَ وَجَلَّ ثَنَاؤُكَ لاَ إِلَهَ إِلاَّ أَنْتَ ٱلسَّلاَمُ وَمِنْكَ ٱلسَّلاَمُ، أَسْأَلُكَ يَا ذَا ٱلْجَلاَلِ وَٱلإِكْرَامِ، فَكَاكَ رَقَبَتِي مِنَ ٱلنَّارِ وَأَنْ تُسْكِنَنِي دَارَكَ دَارَ ٱلسَّلاَمِ. ٱللَّهُمَّ إِنِّي أَسْأَلُكَ مِنَ ٱلْخَيْرِ كُلِّهِ عَاجِلِهِ وَآجِلِهِ، وَأَعُوذُ بِكَ مِنَ ٱلشَّرِ كُلِّهِ عَاجِلِهِ وَآجِلِهِ، مَا عَلِمْتُ مِنْهُ وَمَا لَمْ أَعْلَمْ، وَأَسْأَلُكَ مِنَ ٱلْخَيْرِ كُلِّهِ مَا أَدْعُو وَمَا لَمْ أَدْعُ، وَأَعُوذُ بِكَ مِنَ ٱلشَّرِّ كُلِّهِ مَا أَحْذَرُ مِنْهُ وَمَا لَمْ أَحْذَرْ، وَأَسْأَلُكَ أَنْ تَرْزُقَنِي مِنْ حَيْثُ أَحْتَسِبُ وَمِنْ حَيْثُ لاَ أَحْتَسِبْ، ٱللَّهُمَّ إِنِّي عَبْدُكَ وَٱبْنُ عَبْدِكَ وَٱبْنُ أَمَتِكَ فِي قَبْضَتِكَ، نَاصِيَتِي بِيَدِكَ، مَاضٍ فِي حُكْمُكَ عَدْلٌ فِي قَضَاؤُكَ. أَسْأَلُكَ بِكُلِّ ٱسْمٍ هُوَ لَكَ سَمَّيْتَ بِهِ نَفْسَكَ أَوْ أَنْزَلْتَهُ فِي شَيْءٍ مِنْ كُتُبِكَ، أَوْ عَلَّمْتَهُ أَحَداً مِنْ خَلْقِكَ أَوْ ٱسْتَأْثَرْتَ بِهِ فِي عِلْمِ ٱلْغَيْبِ عِنْدَكَ، أَنْ تُصَلِّيَ عَلَىٰ مُحَمَّدٍ ٱلنَّبِيِّ ٱلأُمِّيِّ عَبْدِكَ وَرَسُولِكَ وَخِيَرَتِكَ مِنْ خَلْقِكَ، وَعَلَىٰ آلِ مُحَمَّدٍ ٱلطَّيِّبِينَ ٱلأَخْيَارِ. وَأَنْ تَرْحَمَ مُحَمَّداً وَآلَ

مُحمَّـدٍ وَتُبـارِكَ عَلَـىٰ مُحمَّـدٍ وَآلِ مُحمَّـدٍ كَمـا صَلَّيْـتَ وَبارَكْتَ وَتَرَحَّمْتَ عَلىٰ إبْراهِيْمَ وَآلِ إبْراهِيْمَ إِنَّكَ حَمِيْدٌ مَجِيْدٌ. وَأَنْ تَجْعَلَ ٱلْقُرْآنَ نُورَ صَدْرِي وَتُيَسِّرَ بِهِ أَمْرِي، وَتَشْرَحَ بِهِ صَدْرِي، وَتَجْعَلَهُ رَبِيْعَ قَلْبِي وَجَلآءَ حُزْنِي، وَذَهـابَ هَمِّـي وَغَمِّـي، وَنُـوراً فِـي مَطْعَمِـي، وَنُـوراً فِـي مَشْرَبِي، وَنُوراً فِي سَمْعِي وَنُوراً فِي بَصَرِي، وَنُوراً فِي مُخِّي وَعَظْمِي وَعَصَبي وَشَعْرِي وَبَشَرِي وَأَمامِي وَفَوْقِي وَتَحْتِي وَعَنْ يَمِيْنِي وَعَنْ شِمَالِي، وَنُوراً فِي مَمَاتِي وَنُوراً فِي حَيَاتِي وَنُوراً فِي قَبْرِي، وَنُوراً فِي حَشْرِي وَنُوراً فِي كُلِّ شَـيْءٍ مِنِّـي حَتَّـىٰ تُبَلِّغَنِـي بِـهِ ٱلْجَنَّـةَ. يـا نُـورَ ٱلسَّمٰـوَاتِ وَٱلْأَرْضِ أَنْتَ كَمَا وَصَفْتَ نَفْسَكَ بِقَوْلِكَ ٱلْحَقِّ، ٱللَّهُ نُورُ ٱلسَّمٰـوَاتِ وَٱلْأَرْضِ مَثَـلُ نُـورِهِ كَمِشْكَـاةٍ فِيْهَـا مِصْبَـاحٌ ٱلْمِصْبَاحُ فِي زُجَاجَةٍ ٱلزُّجَاجَةُ كَأَنَّهَا كَوْكَبٌ دُرِّيٌّ يُوْقَدُ مِنْ شَجَرَةٍ مُبَارَكَةٍ زَيْتُونَةٍ لاَ شَرْقِيَّةٍ وَلاَ غَرْبِيَّةٍ، يَكَادُ زَيْتُهَا يُضِيْءُ وَلَوْ لَمْ تَمْسَسْهُ نَارٌ، نُورٌ عَلَىٰ نُورٍ يَهْدِي ٱللَّهُ

لِنُورِهِ مَنْ يَشَآءُ وَيَضْرِبُ ٱللَّهُ ٱلْأَمْثَالَ لِلنَّاسِ وَٱللَّهُ بِكُلِّ شَيْءٍ عَلِيمٌ. ٱللَّهُمَّ ٱهْدِنِي بِنُورِكَ وَٱجْعَلْ لِي فِي ٱلْقِيَامَةِ نُوراً مِنْ بَيْنِ يَدَيَّ وَمِنْ خَلْفِي وَعَنْ يَمِينِي وَعَنْ شِمَالِي أَهْتَدِي بِهِ إِلَىٰ دَارِ ٱلسَّلَامِ يَا ذَا ٱلْجَلَالِ وَٱلْإِكْرَامِ. ٱللَّهُمَّ إِنِّي أَسْأَلُكَ ٱلْعَافِيَةَ فِي نَفْسِي وَأَهْلِي وَوَلَدِي وَمَالِي، وَأَنْ تُلْبِسَنِي فِي ذٰلِكَ ٱلْمَغْفِرَةَ وَٱلْعَافِيَةَ، ٱللَّهُمَّ إِنِّي أَسْأَلُكَ ٱلْعَفْوَ وَٱلْعَافِيَةَ فِي ٱلدُّنْيَا وَٱلْآخِرَةِ. ٱللَّهُمَّ صَلِّ عَلَىٰ مُحَمَّدٍ وَآلِ مُحَمَّدٍ، وَٱحْفَظْنِي مِنْ بَيْنِ يَدَيَّ وَمِنْ خَلْفِي وَعَنْ يَمِينِي وَعَنْ شِمَالِي وَمِنْ فَوْقِي وَمِنْ تَحْتِي، وَأَعُوذُ بِكَ ٱللَّهُمَّ مَالِكَ ٱلْمُلْكِ تُؤْتِي ٱلْمُلْكَ مَنْ تَشَآءُ وَتَنْزِعُ ٱلْمُلْكَ مِمَّنْ تَشَآءُ، وَتُعِزُّ مَنْ تَشَآءُ وَتُذِلُّ مَنْ تَشَآءُ، بِيَدِكَ ٱلْخَيْرُ إِنَّكَ عَلَىٰ كُلِّ شَيْءٍ قَدِيرٌ. تُولِجُ ٱللَّيْلَ فِي ٱلنَّهَارِ وَتُولِجُ ٱلنَّهَارَ فِي ٱللَّيْلِ وَتُخْرِجُ ٱلْحَيَّ مِنَ ٱلْمَيِّتِ وَتُخْرِجُ ٱلْمَيِّتَ مِنَ ٱلْحَيِّ وَتَرْزُقُ مَنْ تَشَآءُ بِغَيْرِ حِسَابٍ. يَا رَحْمٰنَ ٱلدُّنْيَا وَٱلْآخِرَةِ وَرَحِيمَهُمَا تُؤْتِي مِنْهُمَا مَنْ تَشَآءُ وَتَمْنَعُ مِنْهُمَا

مَنْ تَشَاءُ، صَلِّ عَلَىٰ مُحَمَّدٍ وَآلِ مُحَمَّدٍ وَٱرْحَمْنِي وَٱقْضِ دَيْنِي وَٱغْفِرْ لِي ذَنْبِي وَٱقْضِ حَوَائِجِي إِنَّكَ عَلَىٰ كُلِّ شَيْءٍ قَدِيرٌ. ٱللَّهُمَّ إِنِّي أَسْأَلُكَ بِأَنَّكَ مَلِكٌ وَأَنَّكَ مَا تَشَاءُ مِنْ أَمْرٍ يَكُنْ، ٱللَّهُمَّ إِنِّي أَسْأَلُكَ إِيمَاناً صَادِقاً وَيَقِيناً ثَابِتاً لَيْسَ مَعَهُ شَكٌّ، وَتَوَاضُعاً لَيْسَ مَعَهُ كِبْرٌ وَرَحْمَةً أَنَالُ بِهَا شَرَفَ كَرَامَتِكَ فِي ٱلدُّنْيَا وَٱلآخِرَةِ إِنَّكَ عَلَىٰ كُلِّ شَيْءٍ قَدِيرٌ، وَصَلَّىٰ ٱللَّهُ عَلَىٰ مُحَمَّدٍ وَآلِهِ ٱلطَّيِّبِينَ ٱلطَّاهِرِينَ بِرَحْمَتِكَ يَا أَرْحَمَ ٱلرَّاحِمِينَ.

***

في اليوم السابع والعشرين

ٱللَّهُمَّ إِنِّي أَسْأَلُكَ رَحْمَةً مِنْ عِنْدِكَ تَهْدِي بِهَا قَلْبِي وَتَجْمَعُ بِهَا أَمْرِي وَتَلُمُّ بِهَا شَعَثِي، وَتُصْلِحُ بِهَا دِينِي وَتَحْفَظُ بِهَا غَائِبِي، وَتُزَكِّي بِهَا شَاهِدِي وَتُكَثِّرُ بِهَا مَالِي، وَتُنْمِي بِهَا عُمْرِي وَتُيَسِّرُ بِهَا أَمْرِي، وَتَسْتُرُ بِهَا عَيْبِي، وَتُصْلِحُ بِهَا كُلَّ فَاسِدٍ مِنْ أَحْوَالِي، وَتَصْرِفُ بِهَا عَنِّي كُلَّ

مَا أَكْرَهُ، وَتُبَيِّضُ بِهَا وَجْهِي، وَتَعْصِمُنِي بِهَا مِنْ كُلِّ سُوءٍ بَقِيَّةَ عُمْرِي. اَللَّهُمَّ أَنْتَ ٱلأَوَّلُ فَلاَ شَيْءَ قَبْلَكَ وَأَنْتَ ٱلآخِرُ فَلاَ شَيْءَ بَعْدَكَ، وَأَنْتَ ٱلظَّاهِرُ فَلاَ شَيْءَ فَوْقَكَ، وَأَنْتَ ٱلْبَاطِنُ فَلاَ شَيْءَ دُوْنَكَ ظَهَرْتَ فَبَطَنْتَ وَبَطَنْتَ فَظَهَرْتَ، تَبَطَّنْتَ لِلظَّاهِرِينَ مِنْ خَلْقِكَ وَلَطُفْتَ لِلنَّاظِرِيْنَ مِنْ فَطَرَاتِ أَرْضِكَ، وَعَلَوْتَ فِي دُنُوِّكَ وَدَنَوْتَ فِي عُلُوِّكَ، فَلاَ إِلَهَ غَيْرُكَ أَسْأَلُكَ أَنْ تُصَلِّيَ عَلَىٰ مُحَمَّدٍ وَآلِ مُحَمَّدٍ، وَأَنْ تُصْلِحَ دِيْنِيَ ٱلَّذِي هُوَ عِصْمَةُ أَمْرِي وَدُنْيَايَ ٱلَّتِي فِيْهَا مَعِيْشَتِي وَآخِرَتِي ٱلَّتِي فِيْهَا مُنْقَلَبِي وَإِلَيْهَا مَآبِي، وَأَنْ تَجْعَلَ ٱلْحَيَاةَ زِيَادَةً لِي فِي كُلِّ خَيْرٍ وَٱلْمَوْتَ رَاحَةً مِنْ كُلِّ شَرٍّ. اَللَّهُمَّ لَكَ ٱلْحَمْدُ قَبْلَ كُلِّ شَيْءٍ، وَلَكَ ٱلْحَمْدُ بَعْدَ كُلِّ شَيْءٍ يَا صَرِيْخَ ٱلْمُسْتَصْرِخِيْنَ، يَا مُفَرِّجاً عَنِ ٱلْمَكْرُوبِيْنَ يَا مُجِيْبَ دَعْوَةِ ٱلْمُضْطَرِّيْنَ، وَيَا كَاشِفَ ٱلْكَرْبِ ٱلْعَظِيْمِ، يَا أَرْحَمَ ٱلرَّاحِمِيْنَ ٱكْشِفْ كَرْبِي وَغَمِّي فَإِنَّهُ لاَ يَكْشِفُهُمَا غَيْرُكَ، فَقَدْ تَعْلَمُ حَالِي وَصِدْقَ حَاجَتِي إِلَيْكَ، وَإِلَىٰ

بِرِّكَ وَإِحْسَانِكَ فَصَلِّ عَلَىٰ مُحَمَّدٍ وَآلِ مُحَمَّدٍ، وَٱقْضِهَا يَا أَرْحَمَ ٱلرَّاحِمِيْنَ. ٱللَّهُمَّ فَلَكَ ٱلْحَمْدُ كُلُّهُ وَلَكَ ٱلْعِزُّ كُلُّهُ، وَلَكَ ٱلسُّلْطَانُ كُلُّهُ، وَلَكَ ٱلْقُدْرَةُ وَٱلْفَخْرُ وَٱلْجَبَرُوتُ كُلُّهَا وَبِيَدِكَ ٱلْخَيْرُ كُلُّهُ، وَإِلَيْكَ يَرْجِعُ ٱلْأَمْرُ كُلُّهُ عَلَانِيَتُهُ وَسِرُّهُ. ٱللَّهُمَّ لَا هَادِيَ لِمَنْ أَضْلَلْتَ وَلَا مُضِلَّ لِمَنْ هَدَيْتَ وَلَا مَانِعَ لِمَا أَعْطَيْتَ وَلَا مُعْطِيَ لِمَا مَنَعْتَ، وَلَا مُؤَخِّرَ لِمَا قَدَّمْتَ وَلَا مُقَدِّمَ لِمَا أَخَّرْتَ، وَلَا بَاسِطَ لِمَا قَبَضْتَ، وَلَا قَابِضَ لِمَا بَسَطْتَ. ٱللَّهُمَّ صَلِّ عَلَىٰ مُحَمَّدٍ وَآلِ مُحَمَّدٍ وَٱبْسِطْ عَلَيَّ مِنْ بَرَكَاتِكَ وَفَضْلِكَ وَرَحْمَتِكَ وَرِزْقِكَ. ٱللَّهُمَّ إِنِّي أَسْأَلُكَ ٱلْغِنَىٰ يَوْمَ ٱلْفَاقَةِ وَٱلْأَمْنَ يَوْمَ ٱلْخَوْفِ، وَٱلنَّعِيمَ ٱلْمُقِيمَ ٱلَّذِي لَا يَزُولُ وَلَا يَحُولُ. ٱللَّهُمَّ رَبَّ ٱلسَّمٰوَاتِ ٱلسَّبْعِ وَرَبَّ ٱلْأَرَضِيْنَ ٱلسَّبْعِ، وَمَا فِيْهِنَّ وَمَا بَيْنَهُنَّ، وَرَبَّنَا وَرَبَّ كُلِّ شَيْءٍ، مُنَزِّلَ ٱلتَّوْرَاةِ وَٱلْإِنْجِيلِ وَٱلزَّبُورِ وَٱلْفُرْقَانِ ٱلْعَظِيْمِ. وَرَبَّ ٱلْعَرْشِ ٱلْعَظِيْمِ فَالِقَ ٱلْحَبِّ وَٱلنَّوَىٰ، أَعُوذُ بِكَ مِنْ شَرِّ كُلِّ ذِي شَرٍّ وَمِنْ شَرِّ

كُلِّ دَآبَّةٍ أَنْتَ آخِذٌ بِنَاصِيَتِهَا إِنَّ رَبِّي عَلَىٰ صِرَاطٍ مُسْتَقِيْمٍ، وَهُوَ عَلَىٰ كُلِّ شَيْءٍ قَدِيْرٌ، وَبِكُلِّ شَيْءٍ مُحِيْطٌ. ٱللَّهُمَّ أَنْتَ ٱلأَوَّلُ فَلَيْسَ قَبْلَكَ شَيْءٌ، وَأَنْتَ ٱلآخِرُ فَلَيْسَ بَعْدَكَ شَيْءٌ، وَأَنْتَ ٱلظَّاهِرُ فَلَيْسَ فَوْقَكَ شَيْءٌ، وَأَنْتَ ٱلْبَاطِنُ فَلَيْسَ دُونَكَ شَيْءٌ، صَلِّ عَلَىٰ مُحَمَّدٍ وَآلِ مُحَمَّدٍ وَٱفْعَلْ كَذَا وَكَذَا. بِسْمِ ٱللَّهِ وَبِٱللَّهِ أُؤْمِنُ وَبِٱللَّهِ أَعُوذُ، وَبِٱللَّهِ أَعْتَصِمُ وَأَلُوذُ، وَبِعِزَّةِ ٱللَّهِ وَمَنَعَتِهِ أَمْتَنِعُ مِنَ ٱلشَّيْطَانِ ٱلرَّجِيْمِ، وَمِنْ عَدِيْلَتِهِ وَحِيْلَتِهِ وَخَيْلِهِ وَرَجِلِهِ وَشَرَكِهِ وَمِنْ شَرِّ كُلِّ دَابَّةٍ تَرْجُفُ مَعَهُ، وَأَعُوذُ بِكَلِمَاتِ ٱللَّهِ ٱلتَّامَّاتِ ٱلْمُبَارَكَاتِ ٱلَّتِي لاَ يُجَاوِزُهُنَّ بَرٌّ وَلاَ فَاجِرٌ، وَبِأَسْمَآءِ ٱللَّهِ ٱلْحُسْنَىٰ كُلِّهَا مَا عَلِمْتُ مِنْهَا وَمَا لَمْ أَعْلَمْ، وَمِنْ شَرِّ مَا خَلَقَ وَذَرَأَ وَبَرَأَ وَمِنْ شَرِّ طَوَارِقِ ٱللَّيْلِ وَٱلنَّهَارِ إِلاَّ طَارِقاً يَطْرُقُ بِخَيْرٍ مِنْكَ وَعَافِيَةٍ. ٱللَّهُمَّ إِنِّي أَعُوذُ بِكَ مِنْ شَرِّ نَفْسِي، وَمِنْ شَرِّ كُلِّ عَيْنٍ نَاظِرَةٍ وَأُذُنٍ سَامِعَةٍ وَلِسَانٍ نَاطِقٍ وَيَدٍ بَاطِشَةٍ، وَقَدَمٍ مَاشِيَةٍ مِمَّا أَخَافُهُ عَلَىٰ نَفْسِي فِي لَيْلِي

وَنَهَارِي. ٱللَّهُمَّ وَمَنْ أَرَادَنِي بِبَغْيٍ[1] أَوْ عَنَتٍ[2] أَوْ مَسَاءَةٍ، أَوْ شَيْءٍ مَكْرُوهٍ مِنْ جِنِّيٍّ أَوْ إِنْسِيٍّ أَوْ قَرِيبٍ أَوْ بَعِيدٍ أَوْ صَغِيرٍ أَوْ كَبِيرٍ، فَأَسْأَلُكَ أَنْ تُحْرِجَ صَدْرَهُ وَأَنْ تُمْسِكَ يَدَهُ[3] وَأَنْ تُقَصِّرَ قَدَمَهُ، وَتَقْمَعَ[4] بَأْسَهُ وَدَغَلَهُ وَنَمِيمَتَهُ وَتَرُدَّهُ بِغَيْظِهِ وَتُشْرِقَهُ بِرِيقِهِ، وَتُقْحِمَ لِسَانَهُ وَتُعْمِيَ بَصَرَهُ وَتَجْعَلَ لَهُ شَاغِلاً مِنْ نَفْسِهِ وَأَنْ تَحُولَ بَيْنِي وَبَيْنَهُ وَتَكْفِيَنِيهِ بِحَوْلِكَ وَقُوَّتِكَ إِنَّكَ عَلَىٰ كُلِّ شَيْءٍ قَدِيرٌ.

❋ ❋ ❋

في اليوم الثامن والعشرين

ٱللَّهُمَّ إِنِّي أَعُوذُ بِكَ مِنْ كُلِّ شَيْءٍ مَا هُوَ دُونَكَ، ٱللَّهُمَّ أَنْتَ ٱلْكَبِيرُ ٱلْأَكْبَرُ مِنْ كُلِّ شَيْءٍ. ٱللَّهُمَّ لاَ تَحْرِمْنِي خَيْرَ مَا أَعْطَيْتَنِي وَلاَ تَفْتِنِّي بِمَا مَنَعْتَنِي، ٱللَّهُمَّ

---

(١) البغي: الظلم والتجبر.
(٢) العنت: الشدة أو المكروه.
(٣) تمسك يده: تمنعه، توقفه.
(٤) تقمع بأسه: تقهره.

إنِّي أَسْأَلُكَ خَيْرَ مَا تُعْطِي عِبَادَكَ مِنْ ٱلْأَهْلِ وَٱلْمَالِ وَٱلْوَلَدِ وَٱلْإِيْمَانِ وَٱلْأَمَانَةِ وَٱلْوَلَدِ ٱلنَّافِعِ غَيْرِ ٱلْمُضِرِّ وَلاَ ٱلضَّارِّ. ٱللَّهُمَّ إِنِّي إِلَيْكَ فَقِيرٌ وَمِنْكَ خَائِفٌ وَبِكَ مُسْتَجِيْرٌ. ٱللَّهُمَّ لاَ تُبَدِّلْ ٱسْمِي وَلاَ تُغَيِّرْ جِسْمِي وَلاَ تُجْهِدْ بَلاَئِي وَلاَ تُتْبِعْنِي بَلاَءً عَلَىٰ أَثَرِ بَلاَءٍ، ٱللَّهُمَّ إِنِّي أَعُوذُ بِكَ مِنْ غِنَىً مُطْغٍ، أَوْ هَوَىً مُرْدٍ أَوْ عَمَلٍ مُخْزٍ. ٱللَّهُمَّ ٱغْفِرْ لِي ذُنُوبِي وَٱقْبَلْ تَوْبَتِي وَأَظْهِرْ حُجَّتِي وَٱسْتُرْ عَوْرَتِي وَٱجْعَلْ مُحَمَّداً وَآلَ مُحَمَّدٍ ٱلْمُصْطَفَيْنَ أَوْلِيَائِي، وَيَسْتَغْفِرُونَ لِي. ٱللَّهُمَّ إِنِّي أَعُوذُ بِكَ أَنْ أَقُولَ قَوْلاً هُوَ مِنْ طَاعَتِكَ أُرِيْدُ بِهِ سِوَى وَجْهِكَ. ٱللَّهُمَّ إِنِّي أَعُوذُ بِكَ أَنْ يَكُونَ غَيْرِي أَسْعَدَ بِمَا آتَيْتَنِي مِنِّي، ٱللَّهُمَّ إِنِّي أَعُوذُ بِكَ مِنْ شَرِّ ٱلشَّيْطَانِ وَمِنْ شَرِّ ٱلسُّلْطَانِ وَمِنْ شَرِّ مَا تَجْرِي بِهِ ٱلْأَقْلاَمُ، وَأَسْأَلُكَ عَمَلاً بَارّاً وَعَيْشاً قَارّاً وَرِزْقاً دَارّاً[(١)]، ٱللَّهُمَّ كَتَبْتَ ٱلآثَامَ وَٱطَّلَعْتَ عَلَىٰ ٱلسَّرَائِرِ وَحُلْتَ بَيْنَ ٱلْقُلُوبِ وَٱلْقُلُوبُ إِلَيْكَ مُصْغِيَةٌ[(٢)]، وَٱلسِّرُّ عِنْدَكَ

---

(١) داراً: كثيراً وافراً.

(٢) مصغية: منصتة ومتجهة إليه.

عَلاَنِيَةً وَإِنَّمَا أَمْرُكَ لِشَيْءٍ إِذَا أَرَدْتَهُ أَنْ تَقُولَ لَهُ كُنْ فَيَكُونُ. ٱللَّهُمَّ إِنِّي أَسْأَلُكَ بِرَحْمَتِكَ أَنْ تُدْخِلَ طَاعَتَكَ فِي كُلِّ عُضْوٍ مِنِّي لأَعْمَلَ بِهَا ثُمَّ لاَ تُخْرِجْهَا مِنِّي أَبَداً. ٱللَّهُمَّ وَأَسْأَلُكَ أَنْ تُخْرِجَ مَعْصِيَتَكَ مِنْ كُلِّ أَعْضَائِي بِرَحْمَتِكَ لأَنْتَهِيَ عَنْهَا ثُمَّ لاَ تُعِيدُهَا إِلَيَّ أَبَداً. ٱللَّهُمَّ إِنَّكَ عَفُوٌّ تُحِبُّ ٱلْعَفْوَ فَاعْفُ عَنِّي. ٱللَّهُمَّ كُنْتُ وَلاَ شَيْءَ قَبْلَكَ بِمَحْسُوسٍ أَوْ يَكُونُ أَخِيراً وَأَنْتَ ٱلْحَيُّ ٱلْقَيُّومُ تَنَامُ ٱلْعُيُونُ وَتَغُورُ ٱلنُّجُومُ، وَلاَ تَأْخُذُكَ سِنَةٌ وَلاَ نَوْمٌ، صَلِّ عَلَىٰ مُحَمَّدٍ وَآلِ مُحَمَّدٍ، وَفَرِّجْ هَمِّي وَغَمِّي وَٱجْعَلْ لِي مِنْ كُلِّ أَمْرٍ يُهِمُّنِي فَرَجاً وَمَخْرَجاً وَثَبِّتْ رَجَاءَكَ فِي قَلْبِي لِتَصُدَّنِي عَنْ رَجَآءِ ٱلْمَخْلُوقِينَ وَرَجَآءِ مَنْ سِوَاكَ، حَتَّىٰ لاَ يَكُونَ ثِقَتِي إِلاَّ بِكَ. ٱللَّهُمَّ لاَ تَرُدَّنِي فِي غَمْرَةٍ سَاهِيَةٍ وَلاَ تَسْتَدْرِجَنِي وَلاَ تَكْتُبْنِي مِنَ ٱلْغَافِلِينَ، ٱللَّهُمَّ إِنِّي أَعُوذُ بِكَ أَنْ أُضِلَّ عِبَادَكَ وَأَنْ أَسْتَرِيبَ(1) إِجَابَتَكَ، ٱللَّهُمَّ إِنَّ لِي ذُنُوباً قَدْ أَحْصَاهَا

(١) أستريب: أشك، أرتاب.

كِتَابُكَ وَأَحَاطَ بِهَا عِلْمُكَ، وَلَطُفَ بِهَا خَيْرُكَ وَأَنَا ٱلْخَاطِىءُ ٱلْمُذْنِبُ، وَأَنْتَ ٱلرَّبُّ ٱلْغَفُورُ ٱلْمُحْسِنُ أَرْغَبُ إِلَيْكَ فِي ٱلتَّوْبَةِ وَٱلإِنَابَةِ، وَأَسْتَقِيلُكَ مِمَّا سَلَفَ مِنِّي فَٱعْفُ عَنِّي وَٱغْفِرْ لِي مَا سَلَفَ مِنْ ذُنُوبِي إِنَّكَ أَنْتَ ٱلتَّوَّابُ ٱلرَّحِيمُ. ٱللَّهُمَّ أَنْتَ أَوْلَىٰ بِرَحْمَتِي مِنْ كُلِّ أَحَدٍ وَٱرْحَمْنِي وَلاَ تُسَلِّطْ عَلَيَّ فِي ٱلدُّنْيَا وَٱلآخِرَةِ مَنْ لاَ يَرْحَمْنِي. ٱللَّهُمَّ وَلاَ تَجْعَلْ مَا سَتَرْتَ عَلَيَّ مِنْ أَفْعَالِ ٱلْغُيُوبِ بِكَرَامَتِكَ ٱسْتِدْرَاجاً لِتَأْخُذَنِي بِهِ يَوْمَ ٱلْقِيَامَةِ وَتَفْضَحَنِي بِذٰلِكَ عَلَىٰ رُؤُوسِ ٱلْخَلاَئِقِ، وَٱعْفُ عَنِّي فِي ٱلدَّارَيْنِ كِلَيْهِمَا، يَا رَبِّ فَإِنَّكَ غَفُورٌ رَحِيمٌ. ٱللَّهُمَّ إِنْ لَمْ أَكُنْ أَهْلاً أَنْ أَبْلُغَ رَحْمَتَكَ، فَإِنَّ رَحْمَتَكَ أَهْلٌ أَنْ تَبْلُغَنِي وَتَسَعَنِي، لأَنَّهَا وَسِعَتْ كُلَّ شَيْءٍ وَأَنَا شَيْءٌ فَلْتَسَعْنِي رَحْمَتُكَ يَا أَرْحَمَ ٱلرَّاحِمِينَ. ٱللَّهُمَّ وَإِنْ كُنْتَ خَصَصْتَ بِذٰلِكَ عِبَاداً أَطَاعُوكَ فَدَعَتْكَ زُمْرَتَهُمْ بِهِ وَعَمِلُوا لَكَ فِيمَا خَلَقْتَهُمْ لَهُ فَإِنَّهُمْ لاَ يَنَالُونَ ذٰلِكَ إِلاَّ بِكَ، وَلَمْ يُوَفِّقْهُمْ لَهُ إِلاَّ أَنْتَ

وَكَانَتْ رَحْمَتُكَ لَهُمْ قَبْلَ طَاعَتِهِمْ لَكَ يَا أَرْحَمَ ٱلرَّاحِمِيْنَ. ٱللَّهُمَّ فَخُصَّنِي يَا سَيِّدِي وَمَوْلاَيَ يَا إِلَهِي وَيَا كَهْفِي وَيَا حِرْزِي وَيَا قُوَّتِي وَيَا جَابِرِي وَيَا خَالِقِي وَيَا رَازِقِي بِمَا خَصَصْتَهُمْ بِهِ وَوَفِّقْنِي لِمَا وَفَّقْتَهُمْ لَهُ وَٱرْحَمْنِي كَمَا رَحِمْتَهُمْ رَحْمَةً لاَمَّةً تَامَّةً عَامَّةً، يَا أَرْحَمَ ٱلرَّاحِمِيْنَ. يَا مَنْ لاَ يَشْغَلُهُ سَمْعٌ عَنْ سَمْعٍ، يَا مَنْ لاَ يُغَلِّطُهُ ٱلسَّآئِلُونَ، يَا مَنْ لاَ يُبْرِمُهُ إِلْحَاحُ ٱلْمُلِحِّيْنَ، أَذِقْنِي بَرْدَ عَفْوِكَ وَحَلاَوَةَ ذِكْرِكَ وَرَحْمَتِكَ. ٱللَّهُمَّ إِنِّي أَسْتَغْفِرُكَ لِمَا تُبْتُ إِلَيْكَ مِنْهُ، ثُمَّ عُدْتُ فِيهِ، وَأَسْتَغْفِرُكَ لِلنِّعَمِ ٱلَّتِي أَنْعَمْتَ بِهَا عَلَيَّ فَقَوَيْتُ بِهَا عَلَىٰ مَعْصِيَتِكَ وَأَسْتَغْفِرُكَ لِكُلِّ أَمْرٍ أَرَدْتُ بِهِ وَجْهَكَ فَخَالَطَنِي فِيْهِ مَا لَيْسَ لَكَ وَأَسْتَغْفِرُكَ لِمَا وَعَدْتُكَ مِنْ نَفْسِي، ثُمَّ أَخْلَفْتُكَ وَأَسْتَغْفِرُكَ لِمَا دَعَانِي إِلَيْهِ ٱلْهَوَىٰ مِنْ قَبُولِ ٱلرُّخَصِ فِيْمَا أَتَيْتُهُ مِمَّا هُوَ عِنْدَكَ حَرَامٌ، وَأَسْتَغْفِرُكَ لِلذُّنُوبِ ٱلَّتِي لاَ يَعْلَمُهَا غَيْرُكَ، وَلاَ يَسَعُهَا إِلاَّ حِلْمُكَ وَعَفْوُكَ وَأَسْتَغْفِرُكَ لِكُلِّ يَمِينٍ حَنَثْتُ فِيمَا عِنْدَكَ يَا ذَا

ٱلْجَلاَلِ وَٱلإِكْرَامِ. يَا مَنْ عَرَّفَنِي نَفْسَهُ لاَ تَشْغَلْنِي بِغَيْرِكَ وَلاَ تَكِلْنِي إِلَىٰ سِوَاكَ وَأَغْنِنِي بِكَ عَنْ كُلِّ مَخْلُوقٍ غَيْرِكَ يَا أَرْحَمَ ٱلرَّاحِمِينَ وَصَلَّىٰ ٱللَّهُ عَلَىٰ مُحَمَّدٍ وَآلِهِ ٱلطَّاهِرِينَ.

***

في اليوم التاسع والعشرين

لاَ إِلَهَ إِلاَّ ٱللَّهُ ٱلْحَلِيمُ ٱلْكَرِيمُ، لاَ إِلَهَ إِلاَّ ٱللَّهُ ٱلْعَلِيُّ ٱلْعَظِيمُ، سُبْحَانَ ٱللَّهِ رَبِّ ٱلسَّمٰوَاتِ ٱلسَّبْعِ وَرَبِّ ٱلأَرَضِينَ وَمَا فِيهِنَّ وَمَا بَيْنَهُنَّ وَرَبُّ ٱلْعَرْشِ ٱلْعَظِيمِ، وَٱلْحَمْدُ لِلَّهِ رَبِّ ٱلْعَالَمِينَ وَتَبَارَكَ ٱللَّهُ أَحْسَنُ ٱلْخَالِقِينَ، وَلاَ حَوْلَ وَلاَ قُوَّةَ إِلاَّ بِٱللَّهِ ٱلْعَلِيِّ ٱلْعَظِيمِ، ٱللَّهُمَّ أَلْبِسْنِي ٱلْعَافِيَةَ حَتَّىٰ تُهَنِّئَنِي ٱلْمَعِيْشَةَ، وَٱخْتِمْ لِي بِٱلْمَغْفِرَةِ حَتَّىٰ لاَ تَضُرَّنِي ٱلذُّنُوبُ، وَٱكْفِنِي نَوَائِبَ ٱلدُّنْيَا وَهُمُومَ ٱلآخِرَةِ حَتَّىٰ تُدْخِلَنِي ٱلْجَنَّةَ بِرَحْمَتِكَ إِنَّكَ عَلَىٰ كُلِّ شَيْءٍ قَدِيرٌ. ٱللَّهُمَّ أَنْتَ تَعْلَمُ سَرِيْرَتِي فَٱقْبَلْ مَعْذِرَتِي وَتَعْلَمُ حَاجَتِي فَأَعْطِنِي مَسْأَلَتِي، وَتَعْلَمُ

مَا فِي نَفْسِي فَٱغْفِرْ لِي ذُنُوبِي. ٱللَّهُمَّ أَنْتَ تَعلَمُ حَاجَتِي وَتَعْلَمُ ذُنُوبِي فَٱقْضِ لِي جَمِيعَ حَوَآئِجِي وَٱغْفِرْ لِي جَمِيعَ ذُنُوبِي. ٱللَّهُمَّ أَنْتَ ٱلرَّبُّ وَأَنَا ٱلْمَرْبُوبُ وَأَنْتَ ٱلْمَالِكُ وَأَنَا ٱلْمَمْلُوكُ، وَأَنْتَ ٱلْعَزِيزُ وَأَنَا ٱلذَّلِيْلُ، وَأَنْتَ ٱلْحَيُّ وَأَنَا ٱلْمَيِّتُ، وَأَنْتَ ٱلْقَوِيُّ وَأَنَا ٱلضَّعِيفُ، وَأَنْتَ ٱلْغَنِيُّ وَأَنَا ٱلْفَقِيْرُ، وَأَنْتَ ٱلْبَاقِي وَأَنَا ٱلْفَانِي، وَأَنْتَ ٱلْمُعْطِي وَأَنَا ٱلسَّآئِلُ، وَأَنْتَ ٱلْغَفُورُ وَأَنَا ٱلْمُذْنِبُ، وَأَنْتَ ٱلسَّيِّدُ وَأَنَا ٱلْعَبْدُ، وَأَنْتَ ٱلْعَالِمُ وَأَنَا ٱلْجَاهِلُ، عَصَيْتُكَ بِجَهْلِي وَٱرْتَكَبْتُ ٱلذُّنُوبَ بِجَهْلِي وَسَهَوْتُ عَنْ ذِكْرِكَ بِجَهْلِي، وَرَكَنْتُ إِلَىٰ ٱلدُّنْيَا بِجَهْلِي وَٱغْتَرَرْتُ بِزِيْنَتِهَا بِجَهْلِي، وَأَنْتَ أَرْحَمُ مِنِّي بِنَفْسِي، وَأَنْتَ أَنْظَرُ مِنِّي لِنَفْسِي فَٱغْفِر وَٱرْحَمْ، وَتَجَاوَزْ عَمَّا تَعْلَمُ إِنَّكَ أَنْتَ ٱلْأَعَزُّ ٱلْأَكْرَمُ. ٱللَّهُمَّ ٱهْدِنِي لِأَرْشَدِ ٱلْأُمُورِ، وَقِنِي شَرَّ نَفْسِي. ٱللَّهُمَّ أَوْسِعْ لِي فِي رِزْقِي وَٱمْدُدْ لِي فِي عُمْرِي وَٱغْفِرْ لِي ذُنُوبِي وَٱجْعَلْنِي مِمَّنْ تَنْتَصِرُ بِهِ لِدِيْنِكَ، وَلاَ تَسْتَبْدِلْ بِي غَيْرِي يَا حَنَّانُ يَا

مَنَّانُ يَا حَيُّ يَا قَيُّومُ فَرِّغْ قَلْبِي لِذِكْرِكَ، ٱللَّهُمَّ رَبَّ ٱلسَّمٰوَاتِ ٱلسَّبْعِ وَرَبَّ ٱلْأَرَضِينَ ٱلسَّبْعِ وَمَا فِيهِنَّ وَمَا بَيْنَهُنَّ وَرَبَّ ٱلسَّبْعِ ٱلْمَثَانِي وَٱلْقُرْآنِ ٱلْعَظِيمِ، وَرَبَّ جَبْرَائِيلَ وَمِيكَائِيلَ وَإِسْرَافِيلَ وَرَبَّ ٱلْمَلَائِكَةِ أَجْمَعِينَ، وَرَبَّ مُحَمَّدٍ صَلَّىٰ ٱللَّهُ عَلَيْهِ وَآلِهِ خَاتَمِ ٱلنَّبِيِّينَ وَٱلْمُرْسَلِينَ أَجْمَعِينَ، صَلِّ عَلَىٰ مُحَمَّدٍ وَآلِ مُحَمَّدٍ وَأَغْنِنِي عَنْ خِدْمَةِ عِبَادِكَ وَوَفِّقْنِي لِعِبَادَتِكَ بِٱلْيَسَارِ وَٱلْكَفَايَةِ وَٱلْقُنُوعِ، وَصِدْقِ ٱلْيَقِينِ فِي ٱلتَّوَكُّلِ عَلَيْكَ. ٱللَّهُمَّ إِنِّي أَسْأَلُكَ بِٱسْمِكَ ٱلْأَعْظَمِ ٱلَّذِي تَقُومُ بِهِ ٱلسَّمَآءُ وَٱلْأَرْضُ وَمَا فِيهِنَّ وَمَا بَيْنَهُنَّ وَبِهِ تُحْيِي ٱلْمَوْتَىٰ وَتُمِيتُ ٱلْأَحْيَآءَ، وَبِهِ أَحْصَيْتَ عَدَدَ ٱلْآجَالِ وَوَزْنَ ٱلْجِبَالِ وَكَيْلَ ٱلْبِحَارِ وَبِهِ تُعِزُّ ٱلذَّلِيلَ وَبِهِ تُذِلُّ ٱلْعَزِيزَ، وَبِهِ تَفْعَلُ مَا تَشَاءُ وَبِهِ تَقُولُ لِلشَّيْءِ كُنْ فَيَكُونُ. وَإِذَا سَأَلَكَ بِهِ ٱلسَّائِلُونَ أَعْطَيْتَهُمْ سُؤْلَهُمْ، وَإِذَا دَعَاكَ بِهِ ٱلدَّاعُونَ أَجَبْتَهُمْ، وَإِذَا ٱسْتَجَارَكَ بِهِ ٱلْمُسْتَجِيرُونَ أَجَرْتَهُمْ، وَإِذَا دَعَاكَ بِهِ ٱلْمُضْطَرُّونَ أَنْقَذْتَهُمْ، وَإِذَا

تَشَفَّعَ إِلَيْكَ ٱلْمُتَشَفِّعُونَ شَفَّعْتَهُمْ، وَإِذَا ٱسْتَصْرَخَكَ ٱلْمُسْتَصْرِخُونَ ٱسْتَصْرَخْتَهُمْ، وَإِذَا نَاجَاكَ بِهِ ٱلْهَارِبُونَ إِلَيْكَ سَمِعْتَ نِدَاءَهُمْ، وَإِذَا أَقْبَلَ إِلَيْكَ ٱلتَّائِبُونَ قَبِلْتَ تَوْبَتَهُمْ، وَأَنَا أَسْأَلُكَ يَا سَيِّدِي وَمَوْلَايَ وَيَا إِلَٰهِي وَقُوَّتِي وَيَا رَجَايَ وَكَهْفِي وَفَخْرِي، وَيَا عُدَّتِي لِدِينِي وَدُنْيَايَ وَآخِرَتِي، وَأَسْأَلُكَ بِٱسْمِكَ ٱلْأَعْظَمِ ٱلْأَعْظَمِ وَأَدْعُوكَ بِهِ لِذَنْبٍ لَا يَغْفِرُهُ غَيْرُكَ وَلِكَرْبٍ لَا يَكْشِفُهُ سِوَاكَ، وَلِضُرٍّ لَا يَقْدِرُ عَلَىٰ إِزَالَتِهِ عَنِّي إِلَّا أَنْتَ، وَلِذُنُوبِيَ ٱلَّتِي بَارَزْتُكَ بِهَا وَقَلَّ مِنْكَ حَيَايَ عِنْدَ ٱرْتِكَابِي لَهَا فَهَا أَنَا ذَا قَدْ أَتَيْتُكَ مُذْنِباً خَاطِئاً قَدْ ضَاقَتْ عَلَيَّ ٱلْأَرْضُ بِمَا رَحُبَتْ وَضَلَّتْ عَنِّي ٱلْحِيَلُ وَعَلِمْتُ أَنْ لَا مَلْجَأَ وَلَا مَنْجَىٰ مِنْكَ إِلَّا إِلَيْكَ، وَهَا أَنَا ذَا بَيْنَ يَدَيْكَ قَدْ أَصْبَحْتُ وَأَمْسَيْتُ مُذْنِباً خَاطِئاً فَقِيراً مُخْتَلاً، لَا أَجِدُ لِذَنْبِي غَافِراً غَيْرَكَ وَلَا لِكَسْرِي جَابِراً سِوَاكَ، وَلَا لِضُرِّي كَاشِفاً إِلَّا أَنْتَ، وَأَنَا أَقُولُ كَمَا قَالَ عَبْدُكَ ذُو ٱلنُّونِ حِينَ تُبْتَ عَلَيْهِ وَنَجَّيْتَهُ مِنَ ٱلْغَمِّ رَجَاءَ أَنْ

تَتُوبَ عَلَيَّ وَتُنْقِذَنِي مِنَ ٱلذُّنُوبِ، يَا سَيِّدِي ﴿لاَ إِلَهَ إِلاَّ أَنْتَ سُبْحَانَكَ إِنِّي كُنْتُ مِنَ ٱلظَّالِمِينَ﴾ . وَأَنَا أَسْأَلُكَ يَا سَيِّدِي وَمَوْلاَيَ بِٱسْمِكَ ٱلْأَعْظَمِ أَنْ تَسْتَجِيبَ لِي دُعَايَ وَأَنْ تُعْطِيَنِي سُؤْلِي، وَأَنْ تُعَجِّلَ لِيَ ٱلْفَرَجَ مِنْ عِنْدِكَ بِرَحْمَتِكَ فِي عَافِيَةٍ وَأَنْ تُؤْمِنَ خَوْفِي فِي أَتَمِّ ٱلنِّعْمَةِ وَأَفْضَلِ ٱلرِّزْقِ وَٱلسَّعَةِ وَٱلدِّعَةِ وَمَا لَمْ تَزَلْ تُعَوِّدْنِيهِ يَا إِلَهِي وَتَرْزُقَنِي ٱلشُّكْرَ عَلَىٰ مَا آتَيْتَنِي وَتَجْعَلَ ذٰلِكَ تَامّاً مَا أَبْقَيْتَنِي، وَتَعْفُوَ عَنْ ذُنُوبِي وَخَطَايَايَ وَإِسْرَافِي وَإِجْرَامِي إِذَا تَوَفَّيْتَنِي حَتَّىٰ تَصِلَ إِلَيَّ سَعَادَةُ ٱلدُّنْيَا وَنَعِيمُ ٱلآخِرَةِ. ٱللَّهُمَّ بِيَدِكَ مَقَادِيرُ ٱللَّيْلِ وَٱلنَّهَارِ، وَبِيَدِكَ مَقَادِيرُ ٱلشَّمْسِ وَٱلْقَمَرِ، وَبِيَدِكَ مَقَادِيرُ ٱلْخَيْرِ وَٱلشَّرِّ. ٱللَّهُمَّ فَبَارِكْ لِي فِي دِينِي وَدُنْيَايَ وَآخِرَتِي وَفِي جَمِيعِ أُمُورِي. ٱللَّهُمَّ لاَ إِلَهَ إِلاَّ أَنْتَ وَعْدُكَ حَقٌّ وَلِقَاؤُكَ حَقٌّ فَصَلِّ عَلَىٰ مُحَمَّدٍ وَآلِهِ وَٱخْتِمْ لِي أَجَلِي بِأَفْضَلِ عَمَلِي حَتَّىٰ تَتَوَفَّانِي، وَقَدْ رَضِيتَ عَنِّي يَا حَيُّ يَا قَيُّومُ يَا كَاشِفَ ٱلْكَرْبِ ٱلْعَظِيمِ صَلِّ عَلَىٰ مُحَمَّدٍ وَآلِهِ،

وَسِّعْ عَلَيَّ مِنْ طَيِّبِ رِزْقِكَ حَسْبَ جُودِكَ وَكَرَمِكَ إِنَّكَ تَكَفَّلْتَ بِرِزْقِي وَرِزْقِ كُلِّ دَآبَّةٍ يَا خَيْرَ مَدْعُوٍّ وَيَا خَيْرَ مَسْؤُولٍ، وَيَا أَوْسَعَ مُعْطِي، وَأَفْضَلَ مَرْجُوٍّ، وَسِّعْ لِي فِي رِزْقِي وَرِزْقِ عِيَالِي. ٱللَّهُمَّ وَٱجْعَلْ فِيمَا تَقْضِي وَتُقَدِّرُ مِنَ ٱلْأَمْرِ ٱلْمَحْتُومِ وَفِيمَا تَفْرُقُ مِنَ ٱلْأَمْرِ ٱلْحَكِيمِ فِي لَيْلَةِ ٱلْقَدْرِ مِنَ ٱلْقَضَآءِ ٱلَّذِي لاَ يُرَدُّ وَلاَ يُبَدَّلُ، أَنْ تُصَلِّيَ عَلَىٰ مُحَمَّدٍ وَآلِ مُحَمَّدٍ وَأَنْ تُبَارِكَ عَلَىٰ مُحَمَّدٍ وَآلِ مُحَمَّدٍ كَمَا صَلَّيْتَ وَبَارَكْتَ وَتَرَحَّمْتَ عَلَىٰ إِبْرَاهِيْمَ وَآلِ إِبْرَاهِيْمَ إِنَّكَ حَمِيْدٌ مَجِيْدٌ، وَأَنْ تَكْتُبْنِي مِنْ حُجَّاجِ بَيْتِكَ ٱلْحَرَامِ ٱلْمَبْرُورِ حَجُّهُمُ ٱلْمَشْكُورِ سَعْيُهُمُ ٱلْمَغْفُورِ ذُنُوبُهُمُ ٱلْمُكَفَّرِ عَنْهُمْ سَيِّآتُهُمْ، ٱلْوَاسِعَةِ أَرْزَاقُهُمُ ٱلصَّحِيْحَةِ أَبْدَانُهُمْ، ٱلْمُؤْمَنِ خَوْفُهُمْ وَٱجْعَلْ لِي فِيمَا تَقْضِي وَتُقَدِّرُ أَنْ تُطِيلَ عُمْرِي وَأَنْ تَزِيْدَ فِي رِزْقِي. يَا كَآئِناً بَعْدَ كُلِّ شَيْءٍ وَيَا مُكَوِّنَ كُلِّ شَيْءٍ تَنَامُ ٱلْعُيُونُ وَتَنْكَدِرُ ٱلنُّجُومُ وَأَنْتَ حَيٌّ قَيُّومٌ، لاَ تَأْخُذُهُ سِنَةٌ وَلاَ نَوْمٌ. ٱللَّهُمَّ إِنِّي أَسْأَلُكَ بِجَلاَلِكَ وَحِلْمِكَ

وَمَجدِكَ وَكَرَمِكَ أَنْ تُصَلِّيَ عَلَىٰ مُحَمَّدٍ وَآلِ مُحَمَّدٍ وَأَنْ تَغْفِرَ لِي وَلِوَالِدَيَّ وَتَرْحَمَهُمَا كَمَا رَبَّيَانِي صَغِيْراً، رَحْمَةً وَاسِعَةً يَا أَرْحَمَ ٱلرَّاحِمِيْنَ. ٱللَّهُمَّ إِنِّي أَسْأَلُكَ بِأَنَّكَ مَلِكٌ وَأَنَّكَ عَلَىٰ كُلِّ شَيْءٍ قَدِيْرٌ. وَأَنَّكَ مَا تَشَاءُ مِنْ أَمْرٍ يَكُنْ أَنْ تَغْفِرَ لِي وَلِإِخْوَانِي ٱلْمُؤْمِنِينَ وَٱلْمُؤْمِنَاتِ، إِنَّكَ رَؤُوفٌ رَحِيْمٌ ٱلْحَمْدُ لِلَّهِ ٱلَّذِي أَشْبَعَنَا فِي ٱلْجَائِعِيْنَ، ٱلْحَمْدُ لِلَّهِ ٱلَّذِي أَكْسَانَا فِي ٱلْعَارِيْنَ، ٱلْحَمْدُ لِلَّهِ ٱلَّذِي أَكْرَمَنَا فِي ٱلْمُهَانِيْنَ، ٱلْحَمْدُ لِلَّهِ ٱلَّذِي آمَنَنَا فِي ٱلْخَائِفِيْنَ، وَٱلْحَمْدُ لِلَّهِ ٱلَّذِي هَدَانَا فِي ٱلضَّالِّيْنَ يَا رَجَاءَ ٱلْمُؤْمِنِينَ لَا تُخَيِّبْ رَجَائِي يَا مُعِيْنَ ٱلْمُؤْمِنِينَ أَعِنِّي، يَا غِيَاثَ ٱلْمُسْتَغِيْثِيْنَ أَغِثْنِي، يَا مُجِيْبَ ٱلتَّوَّابِيْنَ تُبْ عَلَيَّ إِنَّكَ أَنْتَ ٱلتَّوَّابُ ٱلرَّحِيْمُ. حَسْبِيَ ٱلرَّبُّ مِنَ ٱلْمَرْبُوبِيْنَ، حَسْبِيَ ٱلْمَالِكُ مِنَ ٱلْمَمْلُوكِيْنَ، حَسْبِيَ ٱلْخَالِقُ مِنَ ٱلْمَخْلُوقِيْنَ، حَسْبِيَ ٱلرَّازِقُ مِنَ ٱلْمَرْزُوقِيْنَ، حَسْبِيَ ٱللَّهُ رَبُّ ٱلْعَالَمِيْنَ، حَسْبِيَ مَنْ لَمْ يَزَلْ حَسْبِي، حَسْبِيَ مَنْ هُوَ حَسْبِي،

حَسْبِيَ ٱللَّهُ وَنِعْمَ ٱلْوَكِيْلُ. ﴿حَسْبِيَ ٱللَّهُ لاَ إِلَهَ إِلاَّ هُوَ عَلَيْهِ تَوَكَّلْتُ وَهُوَ رَبُّ ٱلْعَرْشِ ٱلْعَظِيْمِ﴾. لاَ إِلَهَ إِلاَّ ٱللَّهُ وَٱللَّهُ أَكْبَرُ تَكْبِيْراً مُبَارَكاً فِيْهِ مِنْ أَوَّلِ ٱلدَّهْرِ إِلَىٰ آخِرِهِ، لاَ إِلَهَ إِلاَّ ٱللَّهُ رَبُّ كُلِّ شَيْءٍ وَوَارِثُهُ، لاَ إِلَهَ إِلاَّ ٱللَّهُ إِلَهُ ٱلآلِهَةِ ٱلرَّفِيْعُ فِي جَلاَلِهِ، لاَ إِلَهَ إِلاَّ ٱللَّه ٱلْمَحْمُودُ فِي كُلِّ فِعَالِهِ، لاَ إِلَهَ إِلاَّ ٱللَّهُ رَحْمٰنُ كُلِّ شَيْءٍ وَرَاحِمُهُ. لاَ إِلَهَ إِلاَّ ٱللَّهُ ٱلْحَيُّ حِيْنَ لاَ حَيَّ فِي دَيْمُومَةِ مُلْكِهِ وَبَقَائِهِ. لاَ إِلَهَ إِلاَّ ٱللَّهُ ٱلْقَيُّومُ ٱلَّذِي لاَ يَفُوتُ شَيْئاً عِلْمُهُ وَلاَ يَؤُدُهُ. لاَ إِلَهَ إِلاَّ ٱللَّهُ ٱلْوَاحِدُ ٱلْبَاقِي أَوَّلُ كُلِّ شَيْءٍ وَآخِرُهُ. لاَ إِلَهَ إِلاَّ ٱللَّهُ ٱلدَّائِمُ بِغَيْرِ فَنَاءٍ وَلاَ زَوَالَ لِمُلْكِهِ. لاَ إِلَهَ إِلاَّ ٱللَّهُ هُوَ ٱلصَّمَدُ مِنْ غَيْرِ شَبِيْهٍ، وَلاَ شَيْءَ كَمِثْلِهِ، لاَ إِلَهَ إِلاَّ ٱللَّهُ ٱلْبَارِىءُ، وَلاَ شَيْءَ كُفْوُهُ وَلاَ مُدَانِيَ لِوَصْفِهِ. لاَ إِلَهَ إِلاَّ ٱللَّهُ ٱلْكَبِيْرُ ٱلَّذِي لاَ تَهْتَدِي ٱلْقُلُوبُ لِعَظَمَتِهِ، لاَ إِلَهَ إِلاَّ ٱللَّهُ ٱلْبَارِىءُ ٱلْمُنْشِىءُ بِلاَ مِثَالٍ، خَلاَ مِنْ غَيْرِهِ، لاَ إِلَهَ إِلاَّ ٱللَّهُ ٱلزَّاكِي ٱلطَّاهِرُ مِنْ كُلِّ آفَةٍ بِقُدْسِهِ. لاَ إِلَهَ إِلاَّ ٱللَّهُ ٱلْكَافِي ٱلْمُوَسِّعُ لِمَا خَلَقَ

مِنْ عَطَايَا فَضْلِهِ، لاَ إِلَهَ إِلاَّ ٱللَّهُ ٱلتَّقِيُّ مِنْ كُلِّ جَوْرٍ، فَلَمْ يَرْضَهُ وَلَمْ يُخَالِطْهُ فِعَالُهُ، لاَ إِلَهَ إِلاَّ ٱللَّهُ ٱلْحَنَّانُ ٱلَّذِي وَسِعَتْ كُلَّ شَيْءٍ رَحْمَتُهُ، لاَ إِلَهَ إِلاَّ ٱللَّهُ ٱلْمَنَّانُ ذُو ٱلْإِحْسَانِ، قَدْ عَمَّ ٱلْخَلاَئِقَ مَنُّهُ. لاَ إِلَهَ إِلاَّ ٱللَّهُ دَيَّانُ ٱلْعِبَادِ، فَكُلٌّ يَقُومُ خَاضِعاً لِرَهْبَتِهِ. لاَ إِلَهَ إِلاَّ ٱللَّهُ خَالِقُ مَنْ فِي ٱلسَّمٰوَاتِ وَٱلْأَرَضِينَ، فَكُلٌّ إِلَيْهِ مَعَادُهُ. لاَ إِلَهَ إِلاَّ ٱللَّهُ رَحْمٰنُ كُلِّ صَرِيخٍ وَمَكْرُوبٍ وَغِيَاثُهُ وَمَعَاذُهُ[1]. لاَ إِلَهَ إِلاَّ ٱللَّهُ ٱلْبَارُّ فَلاَ تَصِفُ ٱلأَلْسُنُ كُلَّ جَلاَلِ مُلْكِهِ وَعِزِّهِ. لاَ إِلَهَ إِلاَّ ٱللَّهُ المُبْدِىءُ ٱلْبَرَايَا ٱلَّذِي لَمْ يَبْغِ[2] فِي إِنْشَآئِهَا أَعْوَاناً مِنْ خَلْقِهِ. لاَ إِلَهَ إِلاَّ ٱللَّهُ عَالِمُ ٱلْغُيُوبِ فَلاَ يَؤُودُهُ شَيْءٌ مِنْ حِفْظِهِ. لاَ إِلَهَ إِلاَّ ٱللَّهُ ٱلْمُعِيدُ إِذَا أَفْنَىٰ، إِذَا بَرَزَ ٱلْخَلاَئِقُ لِدَعْوَتِهِ مِنْ مَخَافَتِهِ. لاَ إِلَهَ إِلاَّ ٱللَّهُ ٱلْحَلِيمُ ذُو ٱلْأَنَاةِ فَلاَ شَيْءَ يَعْدِلُهُ مِنْ خَلْقِهِ. لاَ إِلَهَ إِلاَّ ٱللَّهُ ٱلْمَحْمُودُ ٱلْفَعَالُ ذُو ٱلْمَنِّ عَلَىٰ جَمِيعِ خَلْقِهِ بِلُطْفِهِ. لاَ إِلَهَ إِلاَّ ٱللَّهُ ٱلْعَزِيزُ

---

(١) معاذ: ملجأ، ملاذ.

(٢) لم يبغِ: لم يطلب.

ٱلْمَنِيْعُ ٱلْغَالِبُ عَلَىٰ أَمْرِهِ، فَلاَ شَيْءَ يَعْدِلُهُ. لاَ إِلَهَ إِلاَّ ٱللَّهُ ٱلْقَاهِرُ ذُو ٱلْبَطْشِ ٱلشَّدِيْدِ لاَ يُطَاقُ ٱنْتِقَامُهُ. لاَ إِلَهَ إِلاَّ ٱللَّهُ ٱلْمُتَعَالِ ٱلْقَرِيْبُ فِي عُلُوِّ ٱرْتِفَاعِ دُنُوِّهِ. لاَ إِلَهَ إِلاَّ ٱللَّهُ ٱلْجَبَّارُ مُذَلِّلُ كُلِّ شَيْءٍ بِقَهْرِ عَزِيْزِ سُلْطَانِهِ. لاَ إِلَهَ إِلاَّ ٱللَّهُ نُورُ كُلِّ شَيْءٍ ٱلَّذِي فَلَقَ ٱلظُّلُمَاتِ نُورُهُ. لاَ إِلَهَ إِلاَّ ٱللَّهُ ٱلْقُدُّوسُ ٱلطَّاهِرُ مِنْ كُلِّ سُوءٍ وَلاَ شَيْءٌ يَعْدِلُهُ. لاَ إِلَهَ إِلاَّ ٱللَّهُ ٱلْقَرِيْبُ ٱلْمُجِيْبُ ٱلْمُتَدَانِي دُوْنَ كُلِّ شَيْءٍ قُرْبُهُ، لاَ إِلَهَ إِلاَّ ٱللَّهُ ٱلْعَالِي ٱلشَّامِخُ فِي ٱلسَّمَآءِ فَوْقَ كُلِّ شَيْءٍ عُلُوُّ ٱرْتِفَاعِهِ، لاَ إِلَهَ إِلاَّ ٱللَّهُ ٱلْبَدِيْعُ ٱلْبَدَآئِعَ وَمُبْدِعُهَا وَمُعِيْدُهَا بَعْدَ فَنَآئِهَا بِقُدْرَتِهِ، لاَ إِلَهَ إِلاَّ ٱللَّهُ ٱلْجَلِيْلُ ٱلْمُتَكَبِّرُ عَلَىٰ كُلِّ شَيْءٍ، فَٱلْعَدْلُ أَمْرُهُ وَٱلصِّدْقُ وَعْدُهُ. لاَ إِلَهَ إِلاَّ ٱللَّهُ ٱلْمَجِيْدُ فَلاَ تَبْلُغُ ٱلْأَوْهَامُ كُلَّ شَأْنِهِ وَمَجْدِهِ. لاَ إِلَهَ إِلاَّ ٱللَّهُ كَرِيْمُ ٱلْعَفْوِ وَٱلْعَدْلِ ٱلَّذِي مَلأَ كُلَّ شَيْءٍ عَدْلُهُ. لاَ إِلَهَ إِلاَّ ٱللَّهُ ٱلْعَظِيْمُ ذُو ٱلثَّنَآءِ ٱلْفَاخِرِ وَٱلْعِزِّ وَٱلْكِبْرِيَآءِ فَلاَ يَذُلُّ عِزُّهُ. لاَ إِلَهَ إِلاَّ ٱللَّهُ ٱلْعَجِيْبُ فَلاَ تَنْطُقُ ٱلْأَلْسُنُ بِكُلِّ آلآئِهِ وَثَنَآئِهِ،

وَهُوَ كَمَا أَثْنَىٰ عَلَىٰ نَفْسِهِ وَوَصَفَهَا بِهِ ٱللَّهُ ٱلرَّحْمٰنُ ٱلرَّحِيْمُ، ٱلْحَقُّ ٱلْمُبِيْنُ ٱلْبُرْهَانُ ٱلْعَظِيْمُ ٱلْعَلِيْمُ ٱلْحَكِيْمُ ٱلرَّبُّ ٱلْكَرِيْمُ ٱلسَّلاَمُ ٱلْمُؤْمِنُ ٱلْمُهَيْمِنُ ٱلْعَزِيْزُ ٱلْجَبَّارُ ٱلْمُتَكَبِّرُ ٱلْخَالِقُ ٱلْبَارِىءُ ٱلْمُصَوِّرُ ٱلنُّورُ ٱلْحَمِيْدُ ٱلْكَبِيْرُ لاَ إِلَهَ إِلاَّ هُوَ عَلَيْهِ تَوَكَّلْتُ وَهُوَ رَبُّ ٱلْعَرْشِ ٱلْعَظِيْمِ.

***

في اليوم الثلاثين

ٱللَّهُمَّ صَلِّ عَلَىٰ مُحَمَّدٍ وَآلِ مُحَمَّدٍ وَٱشْرَحْ صَدْرِي لِلْإِسْلاَمِ، وَكَرِّمْنِي بِٱلْإِيْمَانِ وَقِنِي عَذَابَ ٱلنَّارِ. تقول ذلك سبعاً وتسأل حاجتك وتقول: ٱللَّهُمَّ يَا رَبِّ يَا رَبِّ يَا رَبِّ، يَا قُدُّوسُ يَا قُدُّوسُ يَا قُدُّوسُ، أَسْأَلُكَ بِٱسْمِكَ ٱلْأَعْظَمِ، ٱللَّهُ لاَ إِلَهَ إِلاَّ هُوَ ٱلْحَقُّ ٱلْمُبِيْنُ ٱلْحَيُّ ٱلْقَيُّومُ ٱلَّذِي لاَ تَأْخُذُهُ سِنَةٌ وَلاَ نَوْمٌ لَهُ مَا فِي ٱلسَّمٰوَاتِ وَمَا فِي ٱلْأَرْضِ مَنْ ذَا ٱلَّذِي يَشْفَعُ عِنْدَهُ إِلاَّ بِإِذْنِهِ، يَعْلَمُ مَا بَيْنَ أَيْدِيْهِمْ وَمَا خَلْفَهُمْ وَلاَ يُحِيْطُونَ بِشَيْءٍ مِنْ عِلْمِهِ إِلاَّ بِمَا شَاءَ وَسِعَ كُرْسِيُّهُ

ٱلسَّمٰوَاتِ وَٱلْأَرْضَ وَلاَ يَؤُدُهُ حِفْظُهُمَا وَهُوَ ٱلْعَلِيُّ ٱلْعَظِيْمُ، أَنْ تُصَلِّيَ عَلَىٰ مُحَمَّدٍ وَآلِهِ فِي ٱلْأَوَّلِينَ وَأَنْ تُصَلِّيَ عَلَىٰ مُحَمَّدٍ وَآلِهِ فِي ٱلآخِرِينَ وَأَنْ تُصَلِّيَ عَلَىٰ مُحَمَّدٍ وَآلِهِ قَبْلَ كُلِّ شَيْءٍ وَأَنْ تُصَلِّيَ عَلَىٰ مُحَمَّدٍ وَآلِهِ بَعْدَ كُلِّ شَيْءٍ، وَأَنْ تُصَلِّيَ عَلَىٰ مُحَمَّدٍ وَآلِهِ فِي ٱلنَّهَارِ إِذَا تَجَلَّىٰ، وَأَنْ تُصَلِّيَ عَلَىٰ مُحَمَّدٍ وَآلِهِ فِي ٱلآخِرَةِ وَٱلْأُولَىٰ وَأَنْ تُعْطِيَنِي سُؤْلِي فِي ٱلآخِرَةِ وَٱلدُّنْيَا يَا حَيُّ حِيْنَ لاَ حَيَّ، يَا حَيُّ قَبْلَ كُلِّ حَيٍّ، يَا حَيُّ لاَ إِلَٰهَ إِلاَّ أَنْتَ، يَا حَيُّ يَا قَيُّومُ بِرَحْمَتِكَ أَسْتَغِيْثُ فَأَغِثْنِي، وَأَصْلِحْ لِي شَأْنِي كُلَّهُ وَلاَ تَكِلْنِي إِلَىٰ نَفْسِي طَرْفَةَ عَيْنٍ. ٱلْحَمْدُ لِلَّهِ رَبِّ ٱلْعَالَمِيْنَ ٱلرَّحْمٰنِ ٱلرَّحِيْمِ لاَ شَرِيْكَ لَكَ. تقول ذلك أربعاً. يَا رَبِّ أَنْتَ بِي رَحِيْمٌ وَأَسْأَلُكَ يَا رَبِّ بِمَا حَمَلَ عَرْشُكَ مِنْ عِزِّ جَلاَلِكَ، أَنْ تَفْعَلَ بِي مَا أَنْتَ أَهْلُهُ وَلاَ تَفْعَلَ بِي مَا أَنَا أَهْلُهُ فَإِنَّكَ أَهْلُ ٱلتَّقْوَىٰ وَأَهْلُ ٱلْمَغْفِرَةِ، ٱللَّهُمَّ إِنِّي أَحْمَدُكَ حَمْداً أَبَداً جَدِيْداً وَثَنَاءً طَارِقاً عَتِيْداً، وَأَتَوَكَّلُ عَلَيْكَ وَحِيداً،

وَأَسْتَغْفِرُكَ فَرِيداً، وَأَشْهَدُ أَنْ لاَ إِلَهَ إِلاَّ أَنْتَ شَهَادَةً، أُفْنِي بِهَا عُمْرِي وَأَلْقَىٰ بِهَا رَبِّي، وَأَدْخُلُ بِهَا قَبْرِي، وَأَخْلُو بِهَا فِي وَحْدَتِي. ٱللَّهُمَّ وَأَسْأَلُكَ فِعْلَ ٱلْخَيْرَاتِ وَتَرْكَ ٱلْمُنْكَرَاتِ وَحُبَّ ٱلْمَسَاكِينَ، وَأَنْ تَغْفِرَ لِي وَتَرْحَمَنِي وَإِذَا أَرَدْتَ بِقَوْمٍ سُوءاً وَفِتْنَةً أَنْ تَقِيَنِي ذٰلِكَ، وَتَرُدَّنِي عَنْ كُلِّ مَفْتُونٍ، وَأَسْأَلُكَ حُبَّكَ وَحُبَّ مَنْ أَحْبَبْتَ وَحُبَّ مَنْ يُقَرِّبُ حُبُّهُ إِلَىٰ حُبِّكَ. ٱللَّهُمَّ ٱجْعَلْ لِي مِنَ ٱلذُّنُوبِ فَرَجاً وَمَخْرَجاً، وَٱجْعَلْ لِي إِلَىٰ كُلِّ خَيْرٍ سَبِيْلاً. ٱللَّهُمَّ إِنِّي خَلْقٌ مِنْ خَلْقِكَ وَلِخَلْقِكَ عَلَيَّ حُقُوقٌ وَلَكَ فِيمَا بَيْنِي وَبَيْنَكَ ذُنُوبٌ. ٱللَّهُمَّ فَأَرْضِ عَنِّي خَلْقَكَ مِنْ حُقُوقِهِمْ عَلَيَّ وَهَبْ لِيَ ٱلذُّنُوبَ ٱلَّتِي بَيْنِي وَبَيْنَكَ. ٱللَّهُمَّ ٱجْعَلْ فِيَّ خَيْراً تَجِدْهُ فَإِنَّكَ إِنْ لاَ تَفْعَلْهُ لاَ تَجِدْهُ عِنْدِي، ٱللَّهُمَّ خَلَقْتَنِي كَمَا أَرَدْتَ فَٱجْعَلْنِي كَمَا تُحِبُّ، ٱللَّهُمَّ ٱغْفِرْ لَنَا وَٱرْحَمْنَا وَٱعْفُ عَنَّا، وَتَقَبَّلْ مِنَّا وَأَدْخِلْنَا ٱلْجَنَّةَ، وَنَجِّنَا مِنَ ٱلنَّارِ وَأَصْلِحْ لَنَا شَأْنَنَا كُلَّهُ. ٱللَّهُمَّ صَلِّ عَلَىٰ مُحَمَّدٍ ٱلنَّبِيِّ

ٱلأُمّي عَدَدَ مَنْ صَلَّىٰ عَلَيْهِ وَعَدَدَ مَنْ لَمْ يُصَلِّ عَلَيْهِ، وَٱغْفِرْ لَنَا وَٱرْحَمْنَا وَٱعْفُ عَنَّا وَتَقَبَّلْ مِنَّا إِنَّكَ أَنْتَ ٱلْغَفُورُ ٱلرَّحِيْمُ. ٱللَّهُمَّ رَبَّ ٱلْبَيْتِ ٱلْحَرَامِ وَرَبَّ ٱلرُّكْنِ وَٱلْمَقَامِ، وَرَبَّ ٱلْمَشْعَرِ ٱلْحَرَامِ، وَرَبَّ ٱلْحِلِّ وَٱلْحَرَامِ، بَلِّغْ رُوحَ نَبِيِّكَ مُحَمَّدٍ صَلَّىٰ ٱللَّهُ عَلَيْهِ وَآلِهِ عَنَّا ٱلسَّلَامَ. ٱللَّهُمَّ رَبَّ ٱلسَّبْعِ ٱلْمَثَانِي وَٱلْقُرْآنِ ٱلْعَظِيْمِ وَرَبَّ جَبْرَائِيْلَ وَمِيكَائِيْلَ وَإِسْرَافِيْلَ وَرَبَّ ٱلْمَلَآئِكَةِ وَٱلْخَلْقِ أَجْمَعِيْنَ، صَلِّ عَلَىٰ مُحَمَّدٍ وَآلِ مُحَمَّدٍ وَٱفْعَلْ بِي كَذَا وَكَذَا. ٱللَّهُمَّ إِنِّي أَسْأَلُكَ يَا رَبَّ ٱلسَّمٰوَاتِ ٱلسَّبْعِ وَرَبَّ ٱلأَرَضِيْنَ ٱلسَّبْعِ وَمَا فِيْهِنَّ وَمَا بَيْنَهُنَّ، وَبِٱسْمِكَ ٱلَّذِي بِهِ تَرْزُقُ ٱلْأَحْيَآءَ وَبِهِ أَحْصَيْتَ كَيْلَ ٱلْبِحَارِ، وَعَدَدَ ٱلرِّمَالِ، وَبِهِ تُمِيتُ ٱلْأَحْيَاءِ وَبِهِ تُحْيِي ٱلْمَوْتَىٰ، وَبِهِ تُعِزُّ ٱلذَّلِيْلَ وَبِهِ تُذِلُّ ٱلْعَزِيْزَ وَبِهِ تَفْعَلُ مَا تَشَآءُ، وَتَحْكُمُ مَا تُرِيْدُ وَبِهِ تَقُولُ لِلشَّيْءِ كُنْ فَيَكُونُ. ٱللَّهُمَّ وَأَسْأَلُكَ بِٱسْمِكَ ٱلْأَعْظَمِ ٱلَّذِي إِذَا سَأَلَكَ بِهِ ٱلسَّائِلُونَ أَعْطَيْتَهُمْ سُؤْلَهُمْ، وَإِذَا دَعَاكَ بِهِ ٱلدَّاعُونَ

أَجَبْتَهُمْ، وَإِذَا ٱسْتَجَارَكَ بِهِ ٱلْمُسْتَجِيْرُونَ أَجَرْتَهُمْ، وَإِذَا دَعَاكَ بِهِ ٱلْمُضْطَرُّونَ أَنْقَذْتَهُمْ، وَإِذَا تَشَفَّعَ بِهِ إِلَيْكَ ٱلْمُتَشَفِّعُونَ شَفَّعْتَهُمْ، وَإِذَا ٱسْتَصْرَخَكَ بِهِ ٱلْمُسْتَصْرِخُونَ ٱسْتَصْرَخْتَهُمْ، وَفَرَّجْتَ عَنْهُمْ، وَإِذَا نَادَاكَ بِهِ ٱلْهَارِبُونَ سَمِعْتَ نِدَاءَهُمْ وَأَعَنْتَهُمْ، وَإِذَا أَقْبَلَ بِهِ ٱلتَّائِبُونَ قَبِلْتَهُمْ، وَقَبِلْتَ تَوْبَتَهُمْ، فَإِنِّي أَسْأَلُكَ بِهِ يَا سَيِّدِي وَمَوْلاَيَ وَإِلَهِي يَا حَيُّ يَا قَيُّومُ يَا رَجَآئِي وَيَا كَهْفِي وَيَا كَنْزِي وَيَا ذُخْرِي وَيَا ذَخِيْرَتِي وَيَا عُدَّتِي لِدِيْنِي وَدُنْيَايَ وَمُنْقَلَبِي، بِذٰلِكَ ٱلْإِسْمِ ٱلْعَزِيْزِ ٱلْأَعْظَمِ أَدْعُوكَ لِذَنْبٍ لاَ يَغْفِرُهُ غَيْرُكَ، وَلِكَرْبٍ لاَ يَكْشِفُهُ غَيْرُكَ، وَلِهَمٍّ لاَ يَقْدِرُ عَلَىٰ إِزَالَتِهِ غَيْرُكَ، وَلِذُنُوبِي ٱلَّتِي بَارَزْتُكَ بِهَا وَقَلَّ مَعَهَا حَيَاتِي عِنْدَكَ بِفِعْلِهَا، وَهَا أَنَا ذَا قَدْ أَتَيْتُكَ خَاطِئاً مُذْنِباً قَدْ ضَاقَتْ عَلَيَّ ٱلْأَرْضُ بِمَا رَحُبَتْ وَضَاقَتْ عَلَيَّ ٱلْحِيَلُ، وَلاَ مَلْجَأَ وَلاَ مُلْتَجَأَ إِلاَّ إِلَيْكَ، فَهَا أَنَا ذَا بَيْنَ يَدَيْكَ قَدْ أَصْبَحْتُ وَأَمْسَيْتُ، مُذْنِباً فَقِيراً مُحْتَاجاً لاَ أَجِدُ لِذَنْبِي

غَافِراً غَيْرَكَ وَلاَ لِكَسْرِي جَابِراً سِوَاكَ، أَنَا أَقُولُ كَمَا قَالَ عَبْدُكَ ذُو ٱلنُّونِ حِيْنَ سَجَنْتَهُ فِي ٱلظُّلُمَاتِ رَجَآءَ أَنْ تَتُوبَ عَلَيَّ وَتُنْقِذَنِي مِنَ ٱلذُّنُوبِ لاَ إِلَهَ إِلاَّ أَنْتَ سُبْحَانَكَ إِنِّي كُنْتُ مِنَ ٱلظَّالِمِيْنَ. فَإِنِّي أَسْأَلُكَ يَا سَيِّدِي وَمَوْلاَيَ بِٱسْمِكَ ٱلْعَظِيْمِ ٱلْأَعْظَمِ أَنْ تَسْتَجِيبَ دُعَآئِي وَتُعْطِيَنِي سُؤْلِي وَمُنَايَ، وَأَنْ تُعَجِّلَ لِيَ ٱلْفَرَجَ مِنْ عِنْدِكَ فِي أَتَمِّ نِعْمَةٍ وَأَعْظَمِ عَافِيَةٍ وَأَوْسَعِ رِزْقٍ وَأَفْضَلِ دَعَةٍ، وَمَا لَمْ تَزَلْ تُعَوِّدُنِيهِ يَا إِلَهِي وَتَرْزُقُنِي ٱلشُّكْرَ عَلَىٰ مَا آتَيْتَنِي، وَتَجْعَلْ لِي ذٰلِكَ بَاقِياً مَا أَبْقَيْتَنِي وَتَعْفُوَ عَنْ ذُنُوبِي وَخَطَايَايَ فَإِسْرَافِي وَٱجْتِرَامِي إِذَا تَوَفَّيْتَنِي حَتَّىٰ تَصِلَ نَعِيْمَ ٱلدُّنْيَا بِنَعِيْمِ ٱلآخِرَةِ. ٱللَّهُمَّ بِيَدِكَ مَقَادِيْرُ ٱللَّيْلِ وَٱلنَّهَارِ وَٱلسَّمٰوَاتِ وَٱلْأَرْضِ، وَٱلشَّمْسِ وَٱلْقَمَرِ وَٱلْخَيْرِ وَٱلشَّرِّ، فَبَارِكْ لِي فِي دِيْنِي وَدُنْيَايَ وَآخِرَتِي وَبَارِكِ ٱللَّهُمَّ فِي جَمِيْعِ أُمُورِي. ٱللَّهُمَّ وَعْدُكَ حَقٌّ وَلِقَاؤُكَ حَقٌّ لاَزِمٌ لاَ بُدَّ مِنْهُ وَلاَ مَحِيْدَ[1] عَنْهُ. فَٱفْعَلْ بِي كَذَا

(١) لا محيد: لا مفر منه.

وَكَذَا. ٱللَّهُمَّ تَكَفَّلْتَ بِرِزْقِي وَرِزْقِ كُلِّ دَابَّةٍ، يَا خَيْرَ مَدْعُوٍّ وَأَكْرَمَ مَسْؤُولٍ وَأَوْسَعَ مُعْطٍ، وَأَفْضَلَ مَرْجُوٍّ، وَسِّعْ لِي فِي رِزْقِي وَرِزْقِ عِيَالِي. ٱللَّهُمَّ ٱجْعَلْ فِيْمَا تَقْضِي وَتُقَدِّرُ مِنَ ٱلْأَمْرِ ٱلْمَحْتُومِ وَفِيْمَا تَفْرُقُ مِنَ ٱلْحلاَلِ وَٱلْحَرَامِ مِنَ ٱلْأَمْرِ ٱلْحَكِيْمِ فِي لَيْلَةِ ٱلْقَدْرِ وَفِي ٱلْقَضَاءِ ٱلَّذِي لاَ يُرَدُّ وَلاَ يُبَدَّلُ، أَنْ تُصَلِّيَ عَلَىٰ مُحَمَّدٍ وَآلِ مُحَمَّدٍ وَأَنْ تَكْتُبَنِي مِنْ حُجَّاجِ بَيْتِكَ ٱلْحَرَامِ ٱلْمَبْرُورِ حَجُّهُمُ ٱلْمَشْكُوْرُ سَعْيُهُمُ ٱلْمَغْفُورُ ذَنْبُهُمُ ٱلْمُكَفَّرِ عَنْهُمْ سَيِّآتُهُمْ، ٱلْمُوَسَّعَةِ أَرْزَاقُهُمُ ٱلصَّحِيْحَةِ أَبْدَانُهُمْ، ٱلآمِنِينَ خَوْفُهُمْ، وَأَنْ تَجْعَلَ فِيْمَا تَقْضِي وَتُقَدِّرُ أَنْ تُصَلِّيَ عَلَىٰ مُحَمَّدٍ وَآلِ مُحَمَّدٍ، وَأَنْ تُطِيْلَ عُمْرِي وَتَمُدَّ فِي حَيَاتِي، وَتَزِيْدَنِي فِي رِزْقِي وَتُعَافِيَنِي فِي كُلِّ مَا يُهِمُّنِي مِنْ أَمْرِ دِيْنِي وَدُنْيَايَ فِي آخِرَتِي وَعَاجِلَتِي وَآجِلَتِي، لِي وَلِمَنْ يَعْنِيْنِي أَمْرُهُ وَيَلْزِمُنِي شَأْنُهُ مِنْ قَرِيْبٍ أَوْ بَعِيْدٍ إِنَّكَ جَوَادٌ كَرِيْمٌ رَؤُوفٌ رَحِيْمٌ، يَا كَآئِناً

قَبْلَ كُلِّ شَيْءٍ، تَنَامُ ٱلْعُيُونُ، وَتَنْكَدِرُ ٱلنُّجُومُ وَأَنْتَ حَيٌّ قَيُّومٌ لاَ تَأْخُذُكَ سِنَةٌ وَلاَ نَوْمٌ، وَأَنْتَ ٱللَّطِيْفُ ٱلْخَبِيْرُ وَلاَ حَوْلَ وَلاَ قُوَّةَ إِلاَّ بِٱللَّهِ ٱلْعَلِيِّ ٱلْعَظِيْمِ وَٱلْحَمْدُ لِلَّهِ رَبِّ ٱلْعَالَمِيْنَ وَصَلَّىٰ ٱللَّهُ عَلَىٰ مُحَمَّدٍ وَعَلَىٰ أَهْلِ بَيْتِهِ ٱلطَّيِّبِيْنَ ٱلطَّاهِرِينَ ٱلْمُصْطَفَيْنَ ٱلْأَخْيَارِ وَسَلَّمَ تَسْلِيْماً.

***

أدعيته عليه السلام لأيام الاسبوع

يوم الجمعة:

أَلْحَمْدُ لِلَّهِ الَّذي لا مِنْ شَيْءٍ كانَ، وَلا مِنْ شَيْءٍ كَوَّنَ ما قَدْ كانَ، مُسْتَشْهِدٌ بِحُدوثِ الأَشْياءِ عَلىٰ أَزَلِيَّتِهِ(١)، وَبِما وَسَمَها بِهِ مِنَ الْعَجْزِ عَلىٰ قُدْرَتِهِ، وَبِما اضْطَرَّها إِلَيْهِ مِنَ الفَناءِ عَلىٰ دَوامِهِ، لَمْ يَخْلُ مِنْهُ مَكانٌ فَيُدْرَكُ بِأَيْنِيَّتِهِ، وَلا لَهُ شِبْهٌ ولا مِثالٌ فَيُوصَفُ بِكَيْفِيَّتِهِ،

(١) أزليته: قدمه وديمومته.

وَلَمْ يَغِبْ عَنْ شَيْءٍ فَيُعْلَمُ بِحَيْثِيَّتِهِ مُبٰائِنٌ لِجَمِيعِ مٰا أَحْدَثَ فِي الصِّفٰاتِ، وَمُمْتَنِعٌ عَنِ الإِدْرٰاكِ بِمَا ابْتَدَعَ مِنْ تَصَرُّفِ الذَّوٰاتِ، وَخٰارِجٌ بِالكِبْرِيٰاءِ وَالْعَظَمَةِ مِنْ جَمِيعِ تَصَرُّفِ الحٰالاٰتِ، مُحَرَّمٌ عَلَى بَوٰارِعِ ثٰاقِبٰاتِ الفِطَنِ تَحْدِيدُهُ، وَعَلىٰ عَوٰامِقِ ثٰاقِبٰاتِ الفِكَرِ تَكْيِيفِهِ، وَعَلىٰ غَوٰامِضِ سٰابِقٰاتِ الفِطَرِ تَصْوِيرُهُ، ولا تَحْوِيهِ الأماكِنُ لِعَظَمَتِهِ، وَلا تَذْرَعُهُ المقادِيرُ لِجلاَلِهِ، وَلا تَقْطَعُهُ المقايِسُ لِكِبْرِيائِهِ، مُمْتَنِعٌ عَنِ الأَوْهٰام أَنْ تَكْتَنِهَهُ وَعَنِ الأَفْهٰام أَنْ تَسْتَغْرِقَهُ وَعَنِ الأَذْهٰانِ أَنْ تُمَثِّلَهُ. قَدْ يَئِسَتْ عَنِ اسْتِنْباطِ الإِحَاطَةِ بِهِ طَوٰامِحُ الْعُقُولِ، وَنَضَبَتْ عَنِ الاشَارَةِ إِلَيْهِ بِالإِكْتِنٰاهِ بِحَارُ الْعُلُوم. وَرَجَعَتْ عَنِ الأَهْوٰاءِ إِلىٰ وَصْفِ قُدْرَتِهِ لَطَائِفُ الْخُصُوم، وٰاحِدٌ لاٰ مِنْ عَدَدٍ، وَدٰائِمٌ لاٰ بِأَمَدٍ، وَقَائِمٌ لاٰ بِعَمَدٍ، لَيْسَ بِجِنْسٍ فَتُعٰادِلَهُ الأَجْنٰاسُ، وَلاٰ بِشَبَحٍ فَتُضٰارِعَهُ الأَشْبٰاحُ وَلاٰ كَالأَشْيٰاءِ فَتَقَعَ عَلَيْهِ الصِّفٰاتُ قَدْ ضَلَّتِ العُقُولُ فِي

أَمْواجِ تَيّارِ إدْراكِهِ وَتَحيَّرَتِ الأَوْهامُ عَنْ إحاطَةِ ذِكْرِ أَزَليَّتِهِ وَحصرَتِ الأَفْهامُ عَنِ اسْتِشْعارِ وَصْفِ قُدْرَتِهِ وَغَرَقَتِ الأَذْهانُ فِي لُجَجِ أَفْلاكِ مَلَكُوتِهِ مُقْتَدِرٌ بِالآلاءِ مُمْتَنِعٌ بِالكِبْرِياءِ وَمُتَمَلِّكٌ عَلَى الأَشْياءِ فَلاَ دَهْرٌ يُخْلِقُهُ وَلاَ وَصْفٌ يُحِيطُ بِهِ قَدْ خَضَعَتْ لَهُ رِقابُ الصِّعابِ فِي مَحَلِّ تُخُومِ قَرارِها وَأَضْعَنَتْ لَهُ رَواصِنُ الأَسْبابِ فِي مُنْتَهَى شَواهِقِ أَقْطارِها مُسْتَشْهَدٌ بِكُلِّيَّةِ الأَجْناسِ عَلَى رُبُوبِيَّتِهِ وَبِعَجْزِها عَلَى قُدْرَتِهِ وَبِفُطُورِها عَلَى قِدَمِتِهِ وَبِزَوالِها عَلىٰ بَقائِهِ فَلاَ لَها مَحِيصٌ عَنْ إدْراكِهِ وَلاَ خُرُوجَ عَنْ إحاطَتِهِ بِها وَلاَ احْتِجابٌ عَنْ إحْصائِهِ لَها وَلاَ امْتِناعٌ مِنْ قُدْرَتِهِ عَلَيْها كَفَى بِإِتْقانِ الصُّنْعِ آيَةً وَبِتَرْكِيبِ الطَّبْعِ عَلَيْهِ دَلالَةً وَبِحُدُوثِ الفِطَرِ عَلَيْهِ قِدْمَةً وَبِإِحْكامِ الصَّنْعَةِ عَلَيْهِ عِبْرَةً فَلاَ إلَيْهِ حَدٌّ مَنْسُوبٌ وَلاَ لَهُ مَثَلٌ مَضْرُوبٌ، تَعالَى عَنْ ضَرْبِ الأَمْثالِ لَهُ وَالصِّفاتِ المَخْلُوقَةِ عُلُوّاً كَبِيراً وَسُبْحانَ اللَّهِ الَّذِي خَلَقَ الدُّنْيا

لِلْفَنٰاءِ وَالبُيُودِ وَالآخِرَةَ لِلْبَقْاءِ وَالْخُلُودِ وَسُبْحَانَ اللّٰهِ الَّذِي لاٰ يَنْقُصُهُ مٰا أَعْطَىٰ فَأَسْنىٰ وَإِنْ جٰازَ المَدى فِي المُنَى وَبَلَغَ الغٰايَةَ القُصْوٰى وَلاٰ يَجُورُ فِي حُكْمِهِ إِذٰا قَضَى وَسُبْحٰانَ اللّٰهِ الَّذِي لاٰ يُرَدُّ مٰا قَضَى وَلا يُصْرَفُ مٰا أَمْضَى وَلاٰ يُمْنَعُ مٰا أَعطَى وَلاٰ يَهْفُو وَلاٰ يَنْسَى وَلاٰ يَعْجِلُ بَلْ يُمَهِّلُ وَيَعْفُو وَ يَغْفِرُ وَيَرْحَمُ وَيَصْبِرُ وَلاٰ يُسْأَلُ عَمَّا يَفْعَلُ وَهُمْ يُسْأَلُونَ وَلاٰ إِلٰهَ إِلاَّ اللّٰهُ الشّٰاكِرُ لِلمُطِيعِ لَهُ المُمْلِي لِلْمُشْرِكِ بِهِ القَرِيبُ مِمَّنْ دَعٰاهُ عَلَى حٰالِ بُعْدِهِ وَالبَرُّ الرَّحِيمُ بِمَنْ لَجٰأَ إِلَىٰ ظِلِّهِ وَاعْتَصَمَ بِحَبْلِهِ وَلاٰ إِلٰهَ إِلاَّ الله المجيبُ لِمَنْ نادٰاهُ بِأَخْفَضِ صَوْتِهِ، السّميعُ لِمَنْ نٰاجَاهُ لاِغْمَضِ سِرِّهِ، الرؤوفُ بِمَنْ رَجٰاهُ لِتَفْرِيجِ هَمِّهِ، القَرِيبُ مِمَّنْ دَعٰاهُ لِتَنْفِيسِ كَرْبِهِ وَغَمِّهِ. لا إِلٰهَ إِلاَّ الله الحَليمُ عَمَّنْ أَلْحَدَ فِي آيٰاتِهِ وانْحَرَفَ عَنْ بَيّنٰاتِهِ، وَدَانَ بِالجُحُودِ فِي كُلِّ حَالاَتِهِ. وَاللهُ اكْبَرُ القَاهِرُ للأَضْدادِ، المُتَعٰالي عَنِ الأَنْدادِ، المتَفَرِّدُ بِالْمِنَّةِ عَلىٰ جميعِ

العِبادِ. وَاللهُ أكْبَرُ المحْتَجِبُ بالمَلكوُتِ والعِزَّةِ، المتَوَحِّدُ بالجَبَروتِ والقُدْرَةِ المُتَرَدِّي بِالكِبْرِياءِ وَالعَظَمَةِ، وَاللّهُ أكْبَرُ المُتَقَدِّسُ بِدَوامِ السُّلْطانِ، والغالبُ بالحُجَّةِ والبُرْهانِ، ونَفاذِ المَشِيَّهِ في كُلِّ حينٍ وَأوانٍ. اللّهُمَّ صَلِّ علىٰ مُحمَّدٍ عَبْدِكَ وَرَسُولِكَ، وَأَعْطِهِ اليَوْمَ أفْضَلَ الوسَائِلِ، وأشْرَفَ العَطاءِ، وَأَعْظَمَ الحَباءِ، وأقْرَبَ المنازِلِ وَأَسْعَدَ الحُدُودِ، وأقَرَّ الأعْيُنِ. أللّهُمَّ صَلِّ علىٰ مُحمَّدٍ وآلِ مُحمَّدٍ، وَأعْطِهِ الوَسيلَةَ والفَضيلَةَ والمكانَ الرَّفيعَ، وَالغِبْطَةَ وشَرَفَ المُنْتَهىٰ، والنَصيبَ الأوْفىٰ، والغايَةَ القُصوىٰ وَالرَّفيعَ الأعْلَى، حَتَّى يَرْضىٰ، وَزِدْهُ بَعْدَ الرِّضا. أللّهُمَّ صَلِّ عَلىٰ مُحمَّدٍ وَآلِ مُحمَّدٍ، الَّذينَ أمَرْتَ بطاعَتِهِمْ، وَأذْهَبْتَ عَنْهُمُ الرِّجْسَ، وَطَهَّرْتَهُمْ تَطْهِيراً. أللّهُمَّ صَلِّ عَلىٰ مُحمَّدٍ وَآلِ مُحمَّدٍ، الَّذينَ ألْهَمْتَهُمْ عِلْمَكَ، واسْتَحْفَظْتَهُمْ كُتُبَكَ، واسْتَرْعَيْتَهُمْ عِبادَكَ. أللّهُمَّ صَلِّ

عَلىٰ مُحمَّدٍ عَبْدِكَ وَرَسُولِكَ، وَحَبيبِكَ، وَخليلِكَ، وَسَيِّدِ الأَوَّلينَ والآخِرينَ مِنَ ٱلانْبياءِ وَالمُرْسَلينَ، والخَلْقِ أجْمَعِينَ، وَعَلىٰ آلِهِ الطَّيِّبينَ الطَّاهِرينَ، الّذينَ أَمَرْتَ بِطاعَتِهِمْ، وَأَوْجَبْتَ عَلَيْنا حَقَّهُمْ وَمَوَدَّتَهُمْ. اللَّهُمَّ إني أَسْأَلُكَ سُؤالَ وَجِلٍ[1] مِنْ عِقابِكَ، حاذِرٍ مِنْ نَقْمَتِكَ، فَزِعٍ إِلَيْكَ مِنْكَ، لَمْ يَجِدْ لِفاقَتِهِ مُجيراً غَيْرَكَ، ولا أَمْناً غَيْرَ فِنائِكَ[2]. وَتَطَوُّلُكَ يا سَيِّدي وَمَوْلايَ عَلىٰ طُولِ مَعْصِيَتِي لَكَ أَقْصَدَنِي إِلَيْكَ وَإِنْ كانَتْ سَبَقَتْنِي الذُّنُوبُ وَحالَتْ بَيْنِي وَبَيْنَكَ لأَنَّكَ عِمادُ المُعْتَمِدِ وَرَصَدُ المُرْتَصِدِ لا تَنْقُصُكَ المَواهِبُ وَلا تَغِيظُكَ المَطالِبُ فَلَكَ الْمِنَنُ العِظامُ وَالنِّعَمُ الجِسامُ يا مَنْ لا تَنْقُصُ خزائِنُهُ ولا يَبيدُ مُلْكُهُ، ولا تَراهُ الْعُيونُ، وَلا تَعْزُبُ مِنْهُ حَرَكَةٌ وَلا سُكُونٌ لَمْ تَزَلْ سَيِّدي وَلا تَزالُ لا يَتَوارَى عَنْكَ مُتَوارٍ فِي كَنِينِ أَرْضٍ وَلا سَماءٍ

---

(١) وجل: خائف.
(٢) فنائك: ساحتك.

وَلا تُخُوم تَكَفَّلْتَ بالأَرْزاقِ يا رَزّاقُ، وَتَقَدَّسْتَ عَنْ أَنْ تَتَناوَلَكَ الصِّفاتُ، وَتَعَزَّزْتَ عَنْ أَنْ تُحيطَ بِكَ تَصارِيفُ اللُّغاتِ. وَلَمْ تَكُنْ مُسْتَحْدَثاً فَتُوجَدَ مُتَنَقِّلاً عَنْ حالَةٍ إلىٰ حالَةٍ بَلْ أَنْتَ الفَرْدُ الأَوَّلُ وَالآخِرُ ذُوا الْعِزِّ القاهِرِ جَزِيلُ العَطاءِ سابِغُ النَّعْماءِ أَحَقُّ مَنْ تَجاوَزَ وَعَفىٰ عَمَّنْ ظَلَمَ وَأَساءَ بِكُلِّ لِسانٍ. إلٰهي عَبْدُكَ يَحْمِدُ وَفِي الشَّدائِدِ عَلَيْكَ يَعْتَمِدُ، فَلَكَ الحَمْدُ والمَجْدُ، لأَنَّكَ المالِكُ الأَبَدُ، والرَّبُّ السَّرْمَدُ[١]، أَتْقَنْتَ إِنشاءَ البَرايا[٢]، فَأَحْكَمْتَها بِلُطْفِ التَّقْديرِ، وَتَعالَيْتَ في ارْتِفاعِ شَأْنِكَ عَنْ أَنْ يُنْفَذَ فيكَ حُكْمُ التَغْييرِ، أَوْ يُحْتالَ مِنْكَ بِحالٍ يَصِفُكَ بِهِ المُلْحِدُ إِلَى تَبْدِيلٍ أَوْ يُوجَدَ فِي الزِّيادَةِ وَالنُّقْصانِ مَساغٌ فِي اخْتِلافِ التَّحْوِيلِ أَوْ تَلْتَثِقَ سَحائِبُ الإِحاطَةِ بِكَ فِي بُحُورِ هِمَمِ الأَحْلامِ أَوْ تَمْتَثِلَ لَكَ مِنْها جِبِلَّةٌ تَضِلُّ فِيها رَوِيّاتُ الأَوْهامِ فَلَكَ الحَمْدُ

(١) السرمد: الدائم.
(٢) البرايا: المخلوقات.

مَولايَ إنْقادَ الخُلقُ مُستَخْذِئينَ بإقْرارِ الرُّبُوبيَّةِ وَمُعْتَرِفينَ خاضِعِينَ لَكَ بالعُبُوديَّةِ. سُبْحانَكَ ما أَعْظَمَ شَأْنُكَ، وَأَعْلىٰ مَكانُكَ، وَأَنْطَقَ بالصِّدْقِ بُرهانُكَ، وأَنْفَذَ أَمْرُكَ، وَأَحْسَنَ تَقديرُكَ. سَمَكْتَ[1] السَّماءَ فَرَفَعْتَها، وَمَهَدْتَ[2] الأَرْضَ فَفَرَشْتَها، وَأَخْرَجْتَ مِنْهَا ماءً ثجاجاً[3] وَنَباتاً رَجْراجاً، فَسَبَّحَكَ نَباتُها، وَجَرَتْ بِأَمْرِكَ مِياهُهَا، وَقاما عَلىٰ مُسْتَقَرِّ المَشيئَةِ كما أَمَرْتَهُما. فَيا مَنْ تَعَزَّزَ بالبَقاءِ، وَقَهَرَ عِبادَهُ بالفَناءِ، أَكْرِمْ مَثْوايَ فَإِنَّكَ خَيْرُ مُنْتَجَعٍ لِكَشْفِ الضُرِّ. يا مَنْ هُوَ مَأْمولٌ في كُلِّ عُسْرٍ، وَمُرْتَجىً لِكُلِّ يُسْرٍ، بِكَ أَنْزَلْتُ اليَوْمَ حاجَتي، وَإِلَيْكَ أَبْتَهِلُ فلا تَرُدَّني خائِباً مِمَّا رَجَوْتُ، وَلا تَحْجِبْ دُعائي عَنْكَ إِذْ فَتَحْتَهُ لي فَدَعَوْتُ. فَصَلِّ اللَّهُمَّ عَلىٰ مُحَمَّدٍ وَآلِ مُحَمَّدٍ، وَسَكِّنْ

(١) سمكت السماء: رفعتها.
(٢) مهدت الأرض: بسطتها وسويتها.
(٣) ماء ثجاجا: ماء منصباً بكثرة.

رَوْعَتي، وَاسْتُرْ عَوْرَتي، وارْزُقْني مِنْ فَضْلِكَ الواسِعِ رِزْقاً واسِعاً سائِغاً هَنيئاً مَريئاً لَذيذاً في عَافِيَةٍ. أَللّٰهُمَّ اجْعَلْ خَيْرَ أيامي يَوْمَ أَلْقاكَ، واغْفِرْ لي خَطايايَ فَقَدْ أَوْحَشَتْني، وَتَجاوَزْ عَن ذُنوبي فَقَدْ أَوْبَقَتْني، فإِنَّكَ مُجيبٌ مُنيبٌ قَريبٌ، قادرٌ غافِرٌ، قاهِرٌ، رَحيمٌ، كَـريـمٌ، قَيُّـومٌ، وذلـك عَلَيْـكَ يَسيـرٌ وَأَنْـتَ أَحْسَـنُ الخٰـالِقيـنَ. أَللّٰهُـمَّ افْتَـرَضْـتَ عَلَـيَّ لِـلآبٰـاءِ وَالأُمَّهٰـاتِ حُقُوقاً فَعَظَّمْتَهُنَّ وَأَنْتَ أَوْلَى مَنْ حَطَّ الأَوْزٰارَ وَخَفَّفَهٰا وَأَدَّى الحُقُوقَ عَنْ عَبيدِهِ فَاحْتَمِلْهُنَّ عَنّي إِلَيْهِمٰا وَاغْفِرْ لَهُمٰا كَمٰا رَجٰاكَ كُلُّ مُوَحِّدٍ مَعَ المُؤْمِنينَ وَالمُؤْمِنٰاتِ وَالأُخْوَةِ وَالأَخَوٰاتِ وَأَلْحِقْنٰا وَإِيّاهُمْ بِالأَبْرٰارِ وَأَبِحْ لَنٰا وَلَهُمْ جَنّاتِكَ مَعَ النُّجَبٰاءِ الأَخْيٰارِ إِنَّكَ سَميعُ الدُّعٰاءِ قَريبٌ مُجيبٌ لِمٰا تَشٰاءُ وَصَلَّىٰ اللهُ عَلىٰ مُحَمَّدٍ وَآلِهِ وَسَلَّمَ تَسْليماً.

***

وَلَكَ الشُّكْرُ عَلىٰ كُرُورِ[1] اللَّيالي والأيّام. إلٰهي بيَدِكَ الْخَيْرُ وَأَنْتَ وَلِيُّهُ مُتيحُ الرَّغائِبِ وَغايَةُ المَطالِبِ، أَتَقرَّبُ إِلَيْكَ بِسَعَةِ رَحْمَتِكَ الَّتي وَسِعَتْ كُلَّ شَيْءٍ، فَقَدْ تَرىٰ يا رَبِّ مَكاني، وَتَطَّلِعُ عَلىٰ ضَميري، وَتَعْلَمُ سِرّي، وَلا يَخْفىٰ عَلَيْكَ أَمْري، وَأَنْتَ أَقْرَبُ إِلَيَّ مِنْ حَبْلِ الْوَريدِ، فَتُبْ عَلَيَّ تَوْبَةً لا أَعُودُ بَعْدَها فيما يُسْخِطُكَ، واغْفِرْ لي مَغْفِرَةً لا أَرْجِعُ مَعَها إِلى مَعْصِيَتِكَ يا أَكْرَمَ الأَكْرَمينَ. إلٰهي أَنْتَ الَّذي أَصْلَحْتَ قُلوبَ المفْسِدينَ، فَصَلُحَتْ بِإِصْلاحِكَ إِيّاها فَأَصْلِحْني بِإِصْلاحِكَ، وَأَنْتَ الّذي مَنَنْتَ عَلىٰ الضّالّينَ فَهَدَيْتَهُمْ بِرُشْدِكَ عَنِ الضَّلالَةِ، وَعَلىٰ الجاحِدينَ قَصْدَكَ، فَسَدَّدْتَهُمْ وَقَوَّمْتَ مِنْهُمْ عَثَرَ الزَّلَلِ فَمَنَحْتَهُمْ مَحَبَّتَكَ، وَجَنَّبْتَهُمْ مَعْصِيَتَكَ، وَأَدْبَرْ حُجَّتَهُمْ دَرَجَ المَغْفُورِ لَهُمْ وَأَحْلَلْتَهُمْ مَحَلَّ الفائِزينَ. فَأَسْأَلُكَ يا مَوْلايَ أن تُلْحِقَني بِهِمْ يا أَرْحَمَ الرّاحِمينَ. أَللَّهُمَّ إِني

(١) كُرُور الليالي: تتابعها.

أَسْأَلُكَ أنْ تُصلِّيَ عَلىٰ مُحَمَّدٍ وَآلِ مُحَمَّدٍ، وأَنْ تَرْزُقَني رِزْقاً واسِعاً حَلالاً طَيِّباً في عافِيَةٍ، وَعَمَلاً يُقَرِّبُ إليْكَ يا خَيْرَ مَسْؤولٍ. اَللّٰهُمَّ وَأتَضَرَّعُ إِلَيْكَ ضَراعَةَ مُقِرٍّ عَلىٰ نَفْسِهِ بالهَفَواتِ، وأتوبُ إليْكَ يا تَوّابُ، فلا تَرُدَّني خائِباً مِنْ جَزيلِ عَطائِكَ يا وَهّابُ، فَقَديماً جُدْتَ عَلىٰ المذْنِبينَ بالمَغْفِرَةِ، وَسَتَرْتَ عَلىٰ عَبيدِكَ قَبيحاتِ الفِعٰالِ. يا جَليلُ يا مُتَعٰال أَتَوجَّهُ إليكَ بِمَنْ أَوْجَبْتَ حَقَّهُ عَلَيْكَ إذْ لَمْ يَكُنْ لي مِن الخَيْرِ ما أَتَوَجَّهُ بِهِ إليكَ، وحالَتِ الذنوبُ بَيْني وبَيْنَ المحسِنينَ، وَإِذْ لَمْ يُوجِبْ لِي عَمَلِي مُرٰافقَةَ النَّبِيِّينَ فَلا تَرُدَّ سَيِّدِي تَوَجُّهِي بِمَنْ تَوَجَّهْتُ، أَتَخْذُلُني رَبِّي وَأَنْتَ أَمَلِي، أَمْ تَرُدُّ يَدِي صِفْراً مِنَ الْعَفْوِ وَأَنْتَ مُنْتَهى رَغْبَتِي، يا مَنْ هُوَ مَوْجودٌ موصوفٌ معْرُوفٌ بالجَوادِ، والْخَلْقُ لَهُ عَبيدٌ، وإلَيْهِ مَرَدُّ الأمورِ، فَصَلِّ عَلىٰ مُحَمَّدٍ وآلِ مُحَمَّدٍ، وَجُدْ عَلَيَّ بِإِحْسانِكَ الَّذي فيهِ الغِنىٰ عَنِ القريبِ البَعيدِ، والأَعْداءِ والاخْوانِ والاخَواتِ، وأَلحِقْني بالّذين

غَمَرْتَهُم بِسِعَةِ تَطَوُّلِكَ[1] وَكَرَامَتِكَ لَهُمْ وَتَطَوُّلِكَ عَلَيْهِم، وَجَعَلْتَهُمْ أَطَائِبَ أَبْرَاراً أَتْقِيَاءَ أَخْيَاراً، وَلِنَبِيِّكَ مُحَمَّدٍ صَلَّىٰ اللهُ عَلَيهِ وآلِهِ وَسَلَّمَ في دارِكَ جيراناً. اللَّهُمَّ وَاغْفِرْ لي وللمؤمنينَ والمؤمناتِ، مَعَ الآباءِ والأُمَّهاتِ والأُخْوَةِ والأَخَواتِ يا أَرْحَمَ الرَّاحِمينَ.

***

يوم الأحد:

أَلْحَمْدُ للهِ عَلىٰ حِلْمِهِ وَأَناتِهِ. وَالحَمْدُ للهِ عَلىٰ عِلْمِي بأَنَّ ذَنْبي وإِنْ كَبُرَ، صغيرٌ في جَنْبِ عَفْوِهِ، وَجُرْمي وإِنْ عَظُمَ، فَهُوَ حَقيرٌ عِنْدَ رَحْمَتِهِ. وَسُبْحانَ الَّذي رَفَعَ السَّماواتِ بِغَيْرِ عَمَدٍ، وَأَنْشَأَ جَنَّاتِ المَأْوَى بِلاَ أَمَدٍ، وَخَلَقَ الْخَلائِقَ بِلا ظَهْرٍ وَلاَ سَنَدٍ. ولا إِلٰهَ إِلاّ اللهُ المُنْذِرُ مَنْ عَنَدَ عَن طاعَتِهِ، وَعَتَى عَنْ أَمْرِهِ، والمُحَذِّرُ مَنْ لَجَّ[2] في

(١) تطولك: انعامك.

(٢) لجَّ: استرسل.

مَعْصِيَتِهِ، واسْتكْبَرَ عَن عِبادَتِهِ، المُعْذِرُ إِلَىٰ مَنْ تَمادَى فِي غَيِّهِ وَضَلالَتِهِ لِتَثْبِيتِ حُجَّتِهِ عَلَيْهِ وَعِلْمِهِ بِسُوءِ عاقِبَتِه. وَاللَّهُ أكبرُ الجَوادُ الكريمُ الَّذي لَيْسَ لِقَديمِ إِحْسانِهِ وَعَظِيمِ امْتِنانِهِ عَلىٰ جَميعِ خَلْقِهِ نِهايَةً، ولا لِقُدْرَتِهِ وسُلْطانِهِ عَلىٰ بَرِيَّتِهِ غايةٌ[1]. أَللَّهُمَّ صَلِّ عَلىٰ مُحَمَّدٍ وَعَلى أَهْلِ بَيْتِهِ، وَبارِكْ عَلَى مُحَمَّدٍ وَعَلى أَهْلِ بَيْتِهِ، كَأَفْضَلِ ما سَلَّمْتَ وَبارَكْتَ عَلىٰ إبراهِيمَ وَآلِ إبراهِيمَ إِنَّكَ حَميدٌ مَجيدٌ. أَللَّهُمَّ إِني أَسْأَلُكَ سُؤالَ مُذْنِبٍ أَوْبَقَتْهُ مَعاصِيهِ فِي ضِيقِ المَسالِكِ لَيْسَ لَهُ مُجيرٌ سِواكَ، ولا لَهُ أَمَلٌ غَيْرُكَ، ولا مُغيثٌ أَرْأَف بِهِ مِنْكَ. وَلا مُعْتَمَدٌ يُعْتَمَدُ عَلَيْهِ غَيْرَكَ أَنْتَ مَوْلايَ الَّذي جُدْتَ بِالنِّعَمِ قَبْلَ اسْتِحْقاقِها وَأَهَّلْتَها بِتَطَوُّلِكَ غَيْرَ مُوَهِّلِيها وَلَمْ يَعزَّكَ مَنْعٌ وَلا أَكْداكَ إِعْطاءٌ وَلا أَنْفَدَ سَعَتَكَ سُؤالُ مُلِحٍّ بَلْ أَرَدْتَ أَرْزاقَ عِبادِكَ تَطَوُّلاً مِنْكَ عَلَيْهِمْ وَتَفَضُّلاً مِنْكَ لَدَيْهِمْ أَللَّهُمَّ

---

(١) بريته: مخلوقاته.

كَلَّتِ[١] العِبارَةُ عَن بُلوغِ مِدْحَتِكَ، وَهَفَتِ الأَلْسُنُ عَنْ نَشْرِ مَحامِدِكَ وَتَفَضُّلِكَ وَقَدْ تَعَمَّدْتُكَ بِقَصْدِي إِلَيْكَ وَإِنْ أَحاطَتْ بِيَ الذُّنُوبُ وَأَنْتَ أَرْحَمُ الرَّاحِمِينَ، وأَكْرَمُ الأَكْرَمِينَ، وَأَجْوَدُ الأَجْوَدِينَ وَأَنْعَمُ الرَّازِقِينَ وَأَحْسَنُ الخالِقِينَ الأَوَّلُ الآخِرُ الظَّاهِرُ الباطِنُ أَجَلُّ وَأَعَزُّ وَأَرْأَفُ وَأَكْرَمُ مِنْ أَنْ تَرُدَّ مَنْ أَمَّلَكَ وَرَجاكَ وَطَمِعَ فِيما عِنْدَكَ فَلَكَ الحَمْدُ يا أَهْلَ الحَمْدِ، إِلٰهِي إِنِّي جُرْتُ عَلى نَفْسِي فِي النَّظَرِ لَها وَسالَمْتُ الأَيَّامَ بِاقْتِرافِ الآثامِ وأَنْتَ وَلِيُّ الإِنْعامِ ذُو الْجَلالِ والإِكْرامِ، فَما بَقِيَ إِلاَّ نَظَرُكَ لَها فَاجْعَلْ مَرَدَّهُ مِنْكَ بِالنَّجاحِ وَأَجْمِلِ النَّظَرِ مِنْكَ لَها بِالْفَلاحِ، فَأَنْتَ الْمُعْطِي النَّفَّاحُ ذُو الآلاءِ وَالنِّعَمِ وَالسَّماحِ يا فالِقَ الإِصْباحِ امْنَحْها سُؤْلَها وَإِنْ لَمْ تَسْتَحِقَّ يا غَفَّارُ. أَللَّهُمَّ إِني أَسأَلُكَ بِإِسْمِكَ الَّذي تَمْضِي بِهِ المقاديرُ، وبِعِزَّتِكَ الَّتي تَتِمُّ بِها التَّدابيرُ، أَنْ تُصَلِّيَ عَلىٰ مُحَمَّدٍ وآلِ مُحَمَّدٍ، وَتَرْزُقَني

---

(١) كلت: تعبت.

رِزْقاً واسِعاً حَلالاً طَيِّباً مِنْ فَضْلِكَ ، وأنْ لا تَحولَ بَيْني وَبَيْنَ ما يُقَرِّبُني منكَ يا حَنّانُ يا مَنّانُ . أَللّهُمَّ وَأَدْرِجْني فِيمَنْ أَبَحْتَ لَهُمْ مِنْ غُفْرانِكَ وَعَفْوِكَ وَرِضاكَ وَأَسْكَنْتَهُ جِنانَكَ بِرَأْفَتِكَ وَطَوْلِكَ وَامْتِنانِكَ يا إِلٰهِي أَنْتَ أَكْرَمْتَ أَوْلِيائِكَ بِكَراماتِكَ فَأَوْجَبْتَ لَهُمْ حِياطَتَكَ وَأَظْلَلْتَهُمْ بِرِعايَتِكَ مِنَ التَّتابُعِ فِي المَهالِكِ وَأَنَا عَبْدُكَ فَأَنْقِذْني وَأَلْبِسْني العافِيَةِ وَإِلَى طاعَتِكَ فَمِلْ بي وَعَنْ طُغْيانِكَ وَمَعْصِيَتِكَ فَرُدَّني فَقَدْ عَجَّتْ إِلَيْكَ الأَصْواتُ بِضُرُوبِ اللُّغاتِ يَسْأَلُونَكَ الحاجاتِ تُرْتَجى لِمَحْقِ العُيُوبِ وَغُفْرانِ الذُّنُوبِ يا عَلاّمَ الغُيُوبِ . أَللّهُمَّ إِنِّي أَسْتَهْديكَ فاهْدِني وَأَعْتَصِمُ بِكَ فَاعْصِمْني وَأَدِّ عَنِّي حُقوقَكَ عَلَيَّ إِنَّكَ أَهْلُ التَّقْوى وَأَهْلُ المَغْفِرَةِ واصْرِفْ عَنّي شَرَّ كُلِّ ذي شَرٍّ إِلىٰ خَيْرِ ما يَمْلِكُهُ أَحَدٌ سِواكَ وَاحْتَمِلْ عَنّي مُفْتَرَضاتِ حُقُوقِ الآباءِ وَالأُمَّهاتِ وَاغْفِرْ لِي وَلَهُما وَلِلْمُؤْمِنينَ والمؤمناتِ ، والإِخْوَةِ والأَخواتِ وَالقَراباتِ يا وَلِيَّ البَرَكاتِ وَعالِمَ الخَفِيّاتِ .

يوم الإثنين:

أَلحَمْدُ للهِ الّذي هَداني لِلاسْلام، وَأكْرَمَني بالإيمانِ، وَبصَّرَني في الدِّينِ، وَشَرَّفَني باليَقينِ، وَعرَّفَني الحَقَّ الّذي عَنْهُ يُؤفَكُونَ(١)، والنَّبأ العَظيم الّذي هُمْ فِيهِ مُخْتَلِفُونَ(٢). وَسُبْحانَ اللهِ الّذي يَرْزُقُ القاسِطَ(٣) والعادِلَ، وَالعاقِلَ وَالجاهِلَ، وَيَرْحَمُ السّاهِيَ وَالغافِلَ فَكَيْفَ الدّاعِي السّائِلَ. ولا إلٰهَ إلاّ اللهُ اللطيفُ بِمَنْ شَرِدَ عَنْهُ مِنْ مُسْرِفِي عِبادِهِ. لِيَرْجِعَ عَنْ عُتُوِّهِ وَعِنادِهِ الرّاضِي مِنَ المُنِيبِ المُخْلِصِ بِدُونِ الوُسْعِ وَالطّاقَةِ، واللّهُ اكبرُ الحليمُ العَلِيمُ، الّذي لَهُ في كلِّ صِنْفٍ مِنْ غَرائِبِ فِطْرَتِهِ، وعَجائِبِ صَنْعَتِهِ آيةٌ بَيِّنَةٌ، تُوجِبُ لَهُ الرُّبوبيَّةَ، وَعلىٰ كلِّ نَوْعٍ من غوامِضِ تَقْديرِهِ وَحُسْنِ تَدْبيرِهِ، دَليلٌ واضِحٌ، وشاهِدٌ عَدْلٌ، يَقْضِيانِ لَهُ بالوَحْدانيّةِ. اللّهُمَّ إني أَسأَلُكَ يا

---

(١) يؤفكون: ينصرفون.
(٢) النبأ العظيم: يوم القيامة.
(٣) القاسط: الظالم.

مَنْ يَصْرِفُ الْبَلايا، وَيَعْلَمُ الْخَفايا، وَيُجْزِلُ الْعَطايا، سُؤالَ نادِمٍ عَلىٰ اقْتِرافِ[١] الآثامِ، وَسالِمٍ عَلَى المَعاصِي مِنَ اللَّيالِي وَالأَيّامِ إِذْ لَمْ يَجِدْ مُجيراً سِواكَ لِغُفْرانِهَا، ولا مَوْئلاً[٢] يَفْزَعُ[٣] إِلَيْهِ لارْتِجاءِ كَشْفِ فاقَتِهِ[٤] إِلاّ إِيّاكَ، يا جَليلُ أَنْتَ الَّذِي عَمَّ الخَلائِقَ مَنُّكَ وَغَمَرَتْهُمْ سَعَةُ رَحْمَتِكَ وَسَوَّغَتْهُمْ سَوابِغُ نِعْمَتِكَ يا كَريمَ المَآبِ وَالجَوادُ الوَهّابُ وَالمُنْتَقِمُ مِمَّنْ عَصاهُ بِأَلِيمِ العَذابِ دَعَوْتُكَ مُقِرّاً بِالإِساءَةِ عَلى نَفْسِي إِذْ لَمْ أَجِدْ مَلْجَأً أَلْجَأُ إِلَيْهِ فِي اغْتِفارِ ما اكْتَسَبْتُ مِنَ الآثامِ يا خَيْرَ مَنْ أُسْتُدْعِيَ لِبَذْلِ الرَّغائِبِ وَأَنْجَحَ مَأْمُولٍ لِكَشْفِ الْكَوارِبِ لَكَ عَنَتِ[٥] الوُجوهُ، فلا تَرُدَّني مِنْكَ بالحِرْمانِ، إِنَّكَ تَفعَلُ ما تَشاءُ، وَتَحْكُمُ ما تُريدُ. إِلٰهِي وَسَيِّدِي وَمَوْلايَ، أَيُّ رَبٍّ أَرْتَجيهِ، أَمْ أَيُّ إِلٰهٍ أَقْصِدُهُ، إِذا

---

(١) اقتراف: ارتكاب.
(٢) موئل: ملجأ.
(٣) يفزع: يلجأ.
(٤) فاقته: فقره.
(٥) عنت: خضعت.

أَلَمَّ بيَ النَّدَمُ، وأحاطَتْ بِيَ المعَاصِي، وَنَكائِبَ خَوْفِ النِّقَمِ وأنْتَ وَلِيُّ الصَّفْحِ، وَمَأْوىٰ الكَرَمِ. إلٰهي أتُقِيمُني مَقٰامَ الهَلَكَةِ وَأَنْتَ جَمِيلُ السِّتْرِ وَتَسْأَلُني عَنِ اقْتِرٰافِي عَلىٰ رُؤُوسِ الأَشْهٰادِ وَقَدْ عَلِمْتَ مَخَبّاتِ السِّرِّ فَإنْ كُنْتُ يٰا إلٰهي مُسْرِفاً عَلَى نَفْسِي مُخْطِئاً عَلَيْهٰا بِانْتِهٰاكِ الحُرُمٰاتِ نٰاسِياً لِمَا اجْتَرَمْتُ مِنَ الهَفَوٰاتِ فَأَنْتَ لَطِيفٌ تَجُودُ عَلَى المُسْرِفِينَ بِرَحْمَتِكَ وَتَتَفَضَّلُ عَلَى الخٰاطِئِينَ بِكَرَمِكَ فَارْحَمْنِي يٰا أَرْحَمَ الرّاحِمِينَ فَإنَّكَ تُسَكِّنُ يٰا إلٰهي بِتَحَنُّنِكَ رَوْعَاتِ قُلُوبِ الوَجِلينَ، وَتُحَقِّقُ بِتَطَوُّلِكَ أَمَلَ الآمِلينَ، وتفيضُ سِجَالَ عَطاياكَ عَلىٰ غَيْرِ المسْتَأهِلينَ، فَآمِنّي بِرَجاءٍ لا يَشُوبُهُ[1] قُنوطٌ[2]، وَأَمَلٍ لا يُكَدِّرُهُ يَأْسٌ، يا مُحيطاً بِكُلِّ شَيْءٍ عِلْماً. وَقَدْ أَصْبَحْتُ سَيِّدِي وأمْسَيْتُ عَلىٰ بابٍ من أبوابِ مِنَحِكَ[3] سائلاً، وَعَنْ التَّعَرُّضِ

(١) يشوبه: يختلط به.

(٢) قنوط: يأس.

(٣) منحك: عطاياك ونعمك.

لِسِواكَ بالمسْأَلَةِ عَادِلا[1] ، وَلَيْسَ مِنْ جَميلِ امْتِنانِكَ رَدُّ سائِلٍ مَأْسُورٍ مَلْهُوفٍ وَمُضْطَرٍّ لانْتِظارِ خَيْرِكَ المألُوفِ.
إلٰهي أَنْتَ الَّذي عَجِزَتِ الأَوْهامُ عَنِ الإِحاطَةِ بكَ ، وَكَلَّتِ الأَلْسُنُ عَنْ نَعْتِ[2] ذاتِكَ . صَلِّ عَلىٰ مُحَمَّدٍ وَآلِ مُحَمَّدٍ ، واغْفِرْ لي ذُنوبي ، وَأَوْسِعْ عَلَيَّ مِنْ فَضْلِكَ الواسِعِ رِزْقاً واسِعاً حَلالاً طَيِّبا ، في عافِيَةٍ ، وَأَقِلْني العَثْرَةَ يا غايَةَ الآمِلينَ وَجَبّارَ السَّماواتِ والأَرْضينَ وَالباقِي بَعْدَ فَناءِ الخَلْقِ أَجْمَعينَ ، وَدَيّانَ يَوْمِ الدِّينِ . وَأَنْتَ يا مَوْلايَ ثِقَةُ مَنْ لَمْ يَثِقْ بِنَفْسِهِ لإِفْراطِ خَلَلِهِ وَأَمَلُ مَنْ لَمْ يَكُنْ لَهُ تَأْميلٌ لِكَثْرَةِ زَلَلِهِ وَرَجاءُ مَنْ لَمْ يَرْتَجِ لِنَفْسِهِ بِوَسيلَةِ عَمَلِهِ ، إلٰهي فَأَنْقِذْني بِرَحْمَتِكَ من المَهالِكِ ، وَنَجِّني يا مَوْلايَ مِنْ ضِيقِ المَسالِكِ ، وأَحْلِلْني دارَ الأَخْيارِ ، واجْعَلْني مِنْ مُرافِقي الأَبْرارِ ، واغْفِرْ لي ذُنوبَ اللَّيْلِ والنَّهارِ ، يا مُطَّلِعاً عَلى الأَسْرارِ ، وَاحْتَمِلْ عَنّي مَوْلايَ أَداءَ ما

(١) عادلا : راجعاً.
(٢) نعت : وصف.

افْتَرَضْتَ عَلَيَّ لِلآباءِ وَالأُمَّهاتِ وَالإِخْوانِ وَالأَخَواتِ بِلُطْفِكَ وَكَرَمِكَ يا ذا الجَلالِ وَالإِكْرامِ وأَشْرِكْنا في دُعاءِ مَنِ اسْتَجَبْتَ لَهُ من المؤمنينَ والمؤمناتِ، إنَكَ عالِمٌ جوادٌ كريمٌ وَهّابٌ. وَصَلَّىٰ اللهُ عَلىٰ سَيِّدِنا مُحَمَّدٍ وآلِهِ وَسَلَّمَ تَسْليماً.

* * *

يوم الثلاثاء:

الحَمْدُ للهِ الَّذي مَنَّ عَلَيَّ باسْتِحْكامِ المَعرِفَةِ والاخْلاصِ بالتَّوْحيدِ لَهُ، وَلَمْ يَجْعَلْني مِنْ أَهْلِ الغِوايَةِ[1]، والغَباوَةِ[2] والشَّكِّ والشِّرْكِ، ولا مَنِ اسْتَحْوَذَ الشَّيْطانُ عَلَيْهِ، فَأَغْواهُ وأَضَلَّهُ، واتَّخَذَ إِلٰهَهُ هَواهُ. وَسُبْحانَ اللهِ الّذي يُجيبُ المضْطَرَّ، وَيَكْشِفُ الضُّرَّ، وَيَعْلَمُ السِّرَّ، وَيَمْلِكُ الخَيْرَ والشَّرَّ. وَلا إِلٰهَ إلا اللهُ الّذي يَحْلِمُ[3] عَنْ عِبْدِهِ إذا

(١) الغواية: الضلال.
(٢) الغباوة: الجهل.
(٣) يحلم: يعفو.

عَصاهُ، وَيَتَلَقّاهُ بالإسْعافِ والتَّلْبيَةِ[1] إذا دَعاهُ. واللهُ أَكْبرُ الواسِعُ مُلْكُهُ، المعْدُومُ شَريكُهُ، المَجيدُ عَرْشُهُ، الشَّديدُ بَطْشُهُ. أَللّهُمَّ إنّي أَسْأَلُكَ سُؤالَ مَنْ لَمْ يَجِدْ لِسُؤالِهِ مَسْؤُولاً سِواكَ، واعْتَمَدَ عَلَيْكَ اعْتِمادَ مَنْ لا يَجِدُ لإعْتِمادِهِ مُعْتَمَداً غَيْرَكَ، لأنَّكَ الأوَّلُ الّذي ابْتَدَأْتَ الابْتِداءَ فَكَوَّنْتَهُ بأيْدي تَلَطُّفِكَ، فَاسْتَكانَ عَلى مَشِيَّتِكَ مُنْشَأً كَما أَرَدْتَ بِإحْكامِ التَّقْدِيرِ، وأنْتَ أَعَزُّ وأَجَلُّ أَنْ تُحيطَ العُقُولُ بِمَبْلَغِ وَصْفِكَ، أَنْتَ العالِمُ الّذي لا يَعْزُبُ[2] عَنْكَ مِثْقالُ ذَرَّةٍ في الأرْضِ والسَّماءِ. والْجَوادُ الّذي لا يُغْضِبُكَ إلْحاحُ المُلِحّينَ، فإنَّما أمْرُكَ لِلشَّيْءِ إذا أَرَدْتَهُ أَنْ تَقُولَ لَهُ كُنْ فَيَكونُ. أَمْرُكَ ماضٍ، وَوَعْدُكَ حَتْمٌ، وَحُكْمُكَ عَدْلٌ، لا يَعْزُبُ عَنْكَ شَيْءٌ، وَإلَيْكَ مَرَدُّ كُلِّ شَيْءٍ. إحْتَجَبْتَ بِآلائِكَ[3] فلا تُرىٰ، وَشَهِدْتَ كُلَّ

(١) التلبية: الاستجابة.

(٢) يعزب: يخفى.

(٣) بآلائك: بنعمك.

نَجْوىٰ، وتَعالَيْتَ عَلىٰ العُلا، وَتَفَرَّدْتَ بالكِبْرِياءِ، وَتَعَزَّزْتَ بالقُدْرَةِ والبَقاءِ، فَلَكَ الْحَمْدُ في الآخِرَةِ والأُولىٰ، وَلَكَ الشُّكْرُ في الْبَدْوِ والعُقْبىٰ. أَنْتَ إِلٰهِي حَليمٌ، قادِرٌ، رَؤوفٌ، غافِرٌ، وَمَلِكٌ، قاهِرٌ، رازِقٌ، بَديعٌ، مُجيبٌ، سَميعٌ، بِيَدِكَ نَواصي الْعِبادِ، وَقَواصي[1] البِلادِ، حَيٌّ، قَيّومٌ، جَوادٌ، ماجِدٌ، كَريمٌ، رَحيمٌ. أَنْتَ إِلٰهِي المالِكُ الّذي مَلَكْتَ الملوكَ، فَتَواضَعَ لِهَيْبَتِكَ الأَعِزّاءُ، ودانَتْ لَكَ بالطاعَةِ الأَوْلِياءُ، فاحْتَوَيْتَ بِالٰهِيَّتِكَ عَلىٰ المَجْدِ والثَّناءِ، ولا يَؤُودُكَ[2] حِفْظُ خَلْقِكَ. وَلا تُهْلِكُ عَطاياكَ بِمَنْ مَنَحْتَهُ سَعَةَ رِزْقِكَ وَأَنْتَ عَلاّمُ الغُيوبِ سَتَرْتَ عَلَيَّ عُيوبي، وَأَحْصَيْتَ عَلَيَّ ذُنوبي، وَأَكْرَمْتَني بِمَعْرِفَةِ دِينِكَ، وَلَمْ تَهْتِكْ[3] عَنّي سِتْرَكَ يا حَنّانُ، وَلَمْ تَفْضَحْني يا مَنّانُ.

(١) قواصي البلاد: الأماكن البعيدة منها.
(٢) يؤودك: يعجزك.
(٣) تهتك: تكشف.

أَسْأَلُكَ أَنْ تُصَلِّيَ عَلىٰ مُحَمَّدٍ وَآلِ مُحَمَّدٍ، وَأَنْ تُوَسِّعَ عَلَيَّ مِنْ فَضْلِكَ الواسِعِ رِزْقاً حلالاً طَيِّباً، وَأَنْ تَغْفِرَ لي ذُنوباً حَالَتْ بَيْني وَبَيْنَكَ بِاقْتِرَافي لَهٰا. فَأَنْتَ أَهْلٌ أَنْ تَجودَ عَلَيَّ بِسِعَةِ رَحْمَتِكَ، وَتُنْقِذَني مِنْ أَليمِ عُقوبَتِكَ، وَتُدْرِجَني دَرَجَ المكرَمينَ، وَتُلْحِقَني مَولايَ بالصالحينَ مَعَ الّذين تَتَوَفّاهُمُ الملائِكَةُ طَيِّبينَ، يَقُولونَ سَلامٌ عَلَيْكُمْ ادْخُلوا الجَنَّةَ بِمَا كُنْتُمْ تَعْمَلونَ، بِصَفْحِكَ وَتَغَمُّدِكَ يا رؤوفُ يا رحيمُ. رَبِّ وَأَسأَلُكَ الصَّلاةَ عَلىٰ مُحَمَّدٍ وَآلِ مُحَمَّدٍ، وَأَنْ تَحْتَمِلَ عَنّي واجِبَ الآباءِ والأُمَّهاتِ، وَأَدِّ[١] حُقُوقَهُمْ عَنّي، وأَلْحِقْني مَعَهُمْ بالابْرارِ، والاخْوانِ والأَخَواتِ، والمؤمنينَ والمؤمناتِ، واغفِرْ لي ولَهُمْ جَميعاً، إِنَّكَ حَميدٌ مَجيدٌ. وَصَلّىٰ اللهُ عَلىٰ مُحَمَّدٍ وآلِهِ أَجْمَعِينَ.

***

(١) أد: أعط.

يوم الأربعاء:

أَلْحَمْدُ للهِ الّذي مَرْضاتُهُ في الطَّلَبِ إِلَيْهِ، والْتِماسِ[1] ما لَدَيْهِ، وَسَخَطُهُ في تَرْكِ الالْحاحِ في المسْأَلَةِ عَلَيْهِ. سُبْحانَ اللهِ شاهِدُ كُلِّ نَجْوىٰ[2] بِعِلْمِهِ، وَمُبايِنُ[3] كلِّ ذي جِسْمٍ بِنَفْسِهِ. وَلا إِلٰهَ إِلاّ اللهُ الّذي لا يُدْرَكُ بالعُيونِ والأَبْصارِ، وَلا يُجْهَلُ بالعُقولِ والأَلْبابِ، وَلاَ يَخْلُو مِنَ الضَّميرِ وَيَعْلَمُ خائِنَةَ الأَعْيُنِ وما تُخْفي الصُّدورُ. واللهُ اكبرُ المُتَجَلِّلُ عَنْ صِفاتِ المخْلوقينَ، المطَّلِعُ عَلىٰ ما في قُلوبِ الخَلائِقِ أجْمَعِين. اللَّهُمَّ إني أَسْأَلُكَ سُؤالَ مَنْ لا يَملُّ دُعٰاءَ رَبِّهِ، وَأَتضَرَّعُ إِلَيْكَ تَضَرُّعَ غَريقٍ يَرْجو كَشْفَ كَرْبِهِ، وأَبْتَهِلُ إِلَيْكَ ابْتِهٰالَ تائبٍ من ذُنوبِهِ وخَطاياهُ. وأَنْتَ

(١) التماس: طلب.

(٢) نجوى: سر.

(٣) مباين: مختلف عنه.

الرَّؤوفُ الّذي مَلَكْتَ الخَلائِقَ كُلَّهُمْ، وَفَطَرْتَهُم أجْناساً مُخْتَلِفاتِ الأَلْوانِ والاَقْدارِ عَلى مَشِيَّتِكَ، وَقَدَّرْتَ آجالَهُم وأَرْزاقَهُم، فَلَمْ يَتَعاظَمْكَ خَلْقُ خَلْقٍ كَوَّنْتَهُ كما شِئْتَ مُخْتَلِفاً مِمَّا شِئْتَ، فَتَعالَيْتَ وَتَجَبَّرْتَ عَنِ اتِّخاذِ وَزيرٍ، وَتَعَزَّزْتَ عَنْ مُوازَرَةِ شَريكٍ، وَتَنَزَّهْتَ عَن اتّخاذِ الأَبْناءِ، وَتَقَدَّسْتَ عَنْ مُلامَسَةِ النِّساءِ فَلَيْسَتِ الأَبْصارُ بِمُدْرِكَةٍ لَكَ، وَلا الأَوْهامُ بِواقِعَةٍ عَلَيْك، وَلَيْسَ لَكَ شَريكٌ ولا نِدٌّ ولا عَديلٌ[1]، ولا نَظيرٌ. أَنْتَ الفَرْدُ الواحِدُ الدّائِمُ الأَوَّلُ الآخِرُ والعالِمُ الأَبَدُ، الصَّمَدُ القائِم، الَّذي لَمْ تَلِدْ ولَمْ تُولَدَ وَلَمْ يَكُنْ لَكَ كُفُواً أَحَدٌ، لا تُنالُ بِوَصْفٍ، وَلا تُدْرَكُ بِوَهْمٍ، ولا تُغَيِّرُكَ فِي مَرِّ الدُّهُورِ صَرْفٌ، كُنْتَ أَزَلياً لَمْ تَزَلْ ولا تَزالُ، وَعِلْمُكَ بالأَشْياءِ في الخَفاءِ كَعِلْمِكَ بِهَا فِي الإِجْهارِ وَالإِعْلانِ. فيا مَنْ ذَلَّتْ لِعَظَمَتِهِ

(١) عديل: مثيل.

العُظَماءُ، وخَضَعَتْ لِعِزَّتِهِ الرُّؤساءُ، وَمَنْ كَلَّتْ[١] عَنْ بُلوغِ ذاتِهِ أَلْسُنُ البُلَغاءِ[٢]، وَمَنْ أَحْكَمَ تَدْبيرَ الأَشْياءِ، وَاسْتَعْجَمَتْ عَنْ إِدْراكِهِ عِبارَةُ عُلومِ العُلَماءِ. يا سَيّدي، تُعَذِّبُني بالنّارِ وَأَنْتَ أَمَلي، أَوْ تُسَلِّطُها عَلَيَّ بَعْدَ إِقراري لَكَ بالتَّوْحيدِ، وَخُضوعِي وَخُشوعِي لَكَ بالسُّجودِ، أو تُلَجْلِجُ[٣] لِساني في المَوْقِفِ[٤]، وَقَدْ مَهَّدْتَ لِي بِمَنِّكَ[٥] سُبُلَ الوُصولِ إِلى التَسْبيحِ والتَّحْميدِ والتَّمْجيدِ. فيا غايَةَ الطّالِبينَ، وأَمانَ الخائِفينَ، وعِمادَ الملْهُوفِينَ، وغِياثَ المسْتَغيثينَ، وجارَ المُسْتَجيرينَ، وكاشِفَ ضُرِّ المَكْروبينَ، وربَّ العالَمينَ، وأَرْحَمَ الرّاحِمينَ صَلِّ عَلىٰ مُحَمَّدٍ وَآلِ مُحَمَّدٍ. أَللَّهُمَّ تُبْ عَلَيَّ، وَأَلْبِسْني العافِيَةَ، وارْزُقْني

---

(١) كلت: تعبت.
(٢) البلغاء: الفصحاء.
(٣) تلجلج: تلعثم.
(٤) في الموقف: يوم القيامة.
(٥) بمنك: بعطائك.

مِنْ فَضْلِكَ رِزْقاً واسِعاً، واجْعَلْني مِنَ التَّوّابِينَ. أَللّٰهُمَّ وإنْ كُنْتَ كَتَبْتَني شَقِيّاً عِنْدَكَ، فَإِنِّي أَسْأَلُكَ بِمَعاقِدِ العِزِّ مِنْ رَحْمَتِكَ، وَبِالْكِبْرِياءِ والْعَظَمَةِ الّتي لا يُقاوِمُهٰا مُتَكَبِّرٌ ولا عَظيمٌ أَنْ تُصَلِّيَ عَلىٰ مُحَمَّدٍ وَآلِ مُحَمَّدٍ، وَأَنْ تُحَوِّلَني سَعِيداً، فَإِنَّكَ تُجْري الأَمورَ عَلىٰ إرادَتِكَ، وَتُجِيرُ وَلاَ يُجارُ عَلَيْكَ، وأَنْتَ عَلىٰ كُلِّ شَيْءٍ قَديرٌ، وَأَنْتَ الرَّؤوفُ الرَّحيمُ الْخَبيرُ، تَعْلَمُ ما في نَفْسي، وَلا أَعْلَمُ ما في نَفْسِكَ، إِنَّكَ أَنْتَ عَلاّمُ الْغُيوبِ، فَالْطُفْ بي، فَقَديماً لَطَفْتَ بِمُسْرِفٍ عَلىٰ نَفْسِهِ، فامْنُنْ عَلَيَّ فَقَدْ مَنَنْتَ عَلىٰ غَريقٍ في بُحورِ خَطيئَتِهِ هٰائِماً أَسْلَمَتْهُ لِلْحُتوفِ(١) كَثْرَةُ زَلَلِهِ(٢). وَتَطَوَّلْ(٣) عَلَيَّ، يا مُتَطَوِّلٌ عَلىٰ المذْنِبينَ بالصَّفحِ والْعَفْوِ فَإِنَّكَ لَمْ تَزَلْ آخِذاً بالفَضْلِ عَلىٰ الخاطِئينَ،

---

(١) الحتوف: مفردها حتف وهو الموت.
(٢) زلله: خطأه.
(٣) تطول: أنعم وأعطى.

والصَّفْحِ علىٰ العَاثِرينَ، وَمَنْ وَجَبَ لَهُ باجْتِرائِهِ علىٰ الآثام حُلولَ دَارِ الْبَوارِ. يا عَالِمَ الخَفِيَّاتِ والأَسْرارِ، يا جَبَّارُ، يا قَهّارُ، وَما أَلْزَمْتَنيهِ(١) مَوْلايَ مِنْ فَرْضِ الآبـاءِ والأُمَّهَـاتِ، وَوَاجِـبِ حُقـوقِهـم مَـعَ الاخْـوانِ والاخَـوَاتِ، فـاحْتَمِـلْ ذٰلِـكَ عَنّـي إِلَيْهِـم، وَأَدِّهِ يـا ذا الْجَلالِ والاكْرام، واغْفِرْ لِلْمُؤمِنينَ والمؤْمِناتِ إِنَّكَ عَلىٰ كُلِّ شَيْءٍ قَديرٌ.

* * *

يوم الخميس:

أَلْحَمْدُ لله الّذي لَهُ في كُلِّ نَفَسٍ مِنَ الأَنْفاسِ، وَخَطْرَةٍ مِنَ الْخَطَراتِ مِنّا مِنَنٌ(٢) لا تُحْصىٰ، وَفي كُلِّ لَحْظَةٍ مِنَ اللَّحَظَاتِ نِعَمٌ لا تُنْسىٰ، وفي كُلِّ حالٍ مِنَ الْحَـالاتِ عَـائِـدَةٌ لا تَخْفـىٰ. وَسُبْحَـانَ الله الّـذي يَقْهَـرُ

(١) الزمتنيه: أوجبته علي.

(٢) منن: عطايا ونعم.

الْقَوِيَّ، وَيَنْصُرُ الضَّعِيفَ، وَيَجْبُرُ الكَسيرَ، وَيُغْني الفَقيرَ، وَيَقْبَلُ اليَسيرَ، وَيُعْطي الكَثيرَ، وَهُوَ عَلىٰ كُلِّ شَيْءٍ قَديرٌ. وَلا إِلٰهَ إلاّ اللهُ السّابِغُ[1] النِّعْمَةِ، البالِغُ الحِكْمَةِ، الدّامِغُ الحُجَّةِ[2]، الواسِعُ الرَّحْمَةِ، المانحُ العِصْمَةِ. واللهُ أَكْبَرُ ذو السُّلْطانِ المنيعِ[3]، والبُنْيانِ الرَّفيعِ، والانْشاءِ الْبَديعِ، والْحِسابِ السَّريعِ. وَصَلَّىٰ اللهُ عَلىٰ مُحَمَّدٍ خَيْرِ النَّبِيّينَ، وَآلِهِ الطّاهِرينَ وَسَلَّمَ تَسْليماً. أَللّٰهُمَّ إني أَسْأَلُكَ سُؤالَ الْخائِفِ مِنْ وَقْفَةِ المَوْقِفِ، الْوَجِلِ مِنْ الْعَرْضِ[4]، المُشْفِقِ مِنَ الخَشْيَةِ[5]، لِبَوائِقِ القِيامَةِ، المَأْخُوذِ عَلَى العِزَّةِ، النّادِمِ عَلىٰ خَطِيئَتِهِ المَسْؤُولِ المُحاسَبِ، المُثابِ المُعاقَبِ الّذي لَمْ يُكِنَّهُ[6] مكانٌ عَنْكَ، وَلا وَجَدَ مَفَرّاً إلا

---

(١) السابغ: الكثير.
(٢) الدامغ للحجة: يثبت الرأي بالحجة.
(٣) المنيع: القوي.
(٤) الوجل: الخائف.
(٥) المشفق: الخائف.
(٦) يكنه: يخفيه ويستره.

إِلَيْكَ، مُتَنَصِّلاً مُلْتَجِئاً مِنْ سَيِّىءِ عَمَلِهِ مُقِرّاً بِعَظِمِ ذُنوبِهِ، قَدْ أَحاطَتْ بِهِ الهُمومُ، وضاقَتْ عَلَيْهِ رَحائِبُ التُّخُومِ، مُوقِنٌ بالْمَوْتِ، مُبَادِرٌ بالتَّوْبَةِ[1]، قَبْلَ الفَوْتِ[2]، إِنْ مَنَنْتَ بِهَا عَلَيْهِ وَعَفَوْتَ، فأَنْتَ إِلٰهي رَجائي إذا ضاقَ عَنّي الرَّجاءُ، وَمَلْجَإِي إِذْ لَمْ أَجِدْ فِناءً لِلإِلْتِجاءِ تَوَحَّدتْ سَيِّدي بالعِزِّ والْعَلاءِ، وَتَفَرَّدْتَ بالوَحْدانيَةِ والْبَقاءِ، وأَنْتَ المتَعَزِّزُ المُتَفَرِّدُ بالْمَجْدِ، فَلَكَ رَبّي الْحَمْدُ. لا يُوارِي مِنْكَ مَكانٌ وَلا يُغَيِّرُكَ دَهْرٌ وَلا زَمانٌ أَلَّفْتَ بِقُدْرَتِكَ الفِرَقَ، وفَلَقْتَ بِقُدْرَتِكَ الفَلَقَ[3]، وأَثْبَتَّ بِكَرَمِكَ دَياجِيَ الغَسَقِ[4] وأَجْرَيْتَ المياهَ مِنَ الصُّمِّ[5] الصَّياخِيدِ[6] عَذْباً وَأُجاجاً[7]، وَأَهْمَرْتَ مِنَ المُعْصِراتِ ماءً ثَجّاجاً

---

(١) مبادر: مُسارع.
(٢) الفوت: الموت.
(٣) الفلق: جميع المخلوقات.
(٤) الغسق: الليل، ودياجيه: ظلامه.
(٥) الصم: الصلب.
(٦) الصياخيد: الشديدة الحر.
(٧) اجاجاً: ملحاً.

وَجَعَلْتَ الشَّمْسَ لِلْبَرِيَّةِ سِراجاً وَهّاجاً وَالْقَمَرَ والنُّجُومَ أَبْراجاً مِنْ غَيْرِ أَنْ تُمارِسَ فيمَا ابْتَدَأْتَ لُغُوباً وَلا عِلاجاً. وَأَنْتَ إِلٰهُ كُلِّ شَيْءٍ وخالِقُهُ، وَجَبّارُ كُلِّ مَخْلوقٍ وَرازِقُهُ، فالْعَزِيزُ مَنْ أَعْزَزْتَ، وَالذَّلِيلُ مَنْ أَذْلَلْتَ، والسَّعِيدُ مَنْ أَسْعَدْتَ، والشَّقِيُّ مَنْ أَشْقَيْتَ، والْغَنِيُّ مَنْ أَغْنَيْتَ، والْفَقيرُ مَنْ أَفْقَرْتَ. أَنْتَ وَلِيِّي وَمَوْلايَ، وَعَلَيْكَ رِزْقي، وَبِيَدِكَ ناصِيَتي، فَصَلِّ عَلىٰ مُحَمَّدٍ وَآلِ مُحَمَّدٍ، وَافْعَلْ بي ما أَنْتَ أَهْلُهُ، وَعُدْ بِفَضْلِكَ عَلىٰ عَبْدٍ غَمَرَهُ جَهْلُهُ، واسْتَوْلىٰ عَلَيْهِ التَّسْويفُ حَتَّىٰ سالَمَ الأَيّامَ، فارْتَكَبَ المحارِمَ والآثامَ. فاجْعَلْني سَيِّدي عَبْداً يَفْزَعُ إِلىٰ التَّوْبَةِ، فَإِنَّها مَفْزَعُ المُذْنِبينَ، واغْنِني بِجُودِكَ الواسِعِ عَنِ المخْلوقينَ، ولا تُحْوِجْني إِلىٰ شِرارِ العَالَمينَ، وَهَبْ لي عَفْوَكَ في مَوْقِفِ يَوْمِ الدِّينِ(١) فَإِنَّكَ أَرْحَمُ

(١) موقف يوم الدين: يوم الحساب.

الرَّاحِمينَ، وأَجْوَدُ الأَجْوَدينَ، وَأَكْرَمُ الأَكْرَمينَ. يا مَنْ لَهُ الأَسْماءُ الحُسْنىٰ والأَمْثَالُ العُلْيا، وَجَبّارُ السَّمٰاواتِ والأَرْضِينَ، إِلَيْكَ قَصَدْتُ رَاجِياً فَلا تَرُدَّ يَدي عَنْ سَنِيِّ مَـوَاهِبِـكَ (١) صِفْـراً، إِنَّـكَ جَـوادٌ مِفْضَـالٌ. يـا رَؤوفـاً بالْعِبادِ وَمَنْ هُوَ لَهُمْ بِالمِرْصَادِ، أَسْأَلُكَ أَنْ تُصَلّي عَلىٰ مُحَمَّدٍ وَآلِ مُحَمَّدٍ، وَأَنْ تُجْزِلَ ثوابي، وَتُحْسِنَ ما بي، وَتَسْتُـرَ عُيـوبـي، وَتَغْفِـرَ ذُنـوبـي، وتُنْقِـذَنـي، مَـوْلاَيَ بِفَضْلِكَ مِنْ أَليمِ العِقابِ، إِنَّكَ جَوادٌ كريم وَهَّابٌ، فَقَدْ أَلْقَتْني السَّيِّئاتُ والْحَسَناتُ بَيْنَ ثَوابٍ وَعِقابٍ، وَقَـدْ رَجَـوْتُ أَنْ تَتَغَمَّـدَ بِلُطْفِـكَ عَبْـدَكَ المُقِـرَّ بِفَـوَادِحِ الْعُيوبِ بِجُودِكَ وَكَرَمِكَ، يا غافِرَ الذّنوبِ، وَتَصْفَحَ عَنْ زَلَلِهِ، فَلَيْسَ لي سَيِّدي رَبٌّ أَرْتَجيهِ غَيْرُكَ، ولا إِلٰهٌ أَسْأَلُهُ جَبْرَ فاقَتي وَمَسْكَنَتي سِواكَ. فَلا تَرُدَّني مِنْكَ بالْخَيْبَةِ يا مُقيلَ العَثَراتِ، وكاشِفَ الكُرُباتِ. إِلٰهي

(١) سني مواهبك: عطاياك الغالية.

فَسُرَّني، فَإِنّي لَسْتُ بِأَوَّلِ مَنْ سَرَرْتُهُ يا وَلِيَّ النِّعَمِ، وَشَديدَ النِّقَمِ، وَدائِمَ المَجْدِ والْكَرَمِ. وَٱخْصُصْني مِنْكَ بِمَغْفِرَةٍ لا يُقارِنُها[1] شَقاءٌ، وَسَعادَةٍ لا يُدانِيها[2] أَذىً. وَأَلْهِمْني تُقاكَ وَمَحَبَّتَكَ، وَجَنِّبْني مُوبقاتِ[3] مَعْصِيَتِكَ، وَلا تَجعَلْ لِلنَّارِ عَلَيَّ سُلْطاناً، إِنَّكَ أَهْلُ التَّقْوىٰ وَأَهْلُ المَغْفِرَةِ. وَقَدْ دَعَوْتُكَ وَتَكَفَّلْتَ بالاجابَةِ، فَلا تُخَيِّبْ سائِلَكَ، وَلا تَخْذُلْ طالِبَكَ، وَلا تَرُدَّ آمِلَكَ، يا خَيْرَ مَأمُولٍ. وَأَسْأَلُكَ بِرَأْفَتِكَ وَرَحْمَتِكَ وَفَرْدانِيَّتِكَ وَرُبُوبِيَّتِكَ، يا مَنْ هُوَ عَلىٰ كُلِّ شَيْءٍ قَديرٌ، وَبِكُلِّ شَيْءٍ مُحيطٌ، فاكْفِني ما أَهَمَّني مِنْ أَمْرِ دُنْيايَ وَآخِرَتي، فَإِنَّكَ سَميعُ الدُّعاءِ، لَطيفٌ لِما تَشاءُ. وَأَدْرِجْنِي دَرَجَ مَنْ أَوْجَبْتَ لَهُ حُلولَ دارِ كَرامَتِكَ مَعَ أَصْفيائِكَ، وَأَهْلِ اخْتِصاصِكَ بِجَزيلِ مَواهِبِكَ في

(١) لا يقارنها: لا يقترن معها.
(٢) لا يدانيها: لا يقترب منها.
(٣) موبقات: مهالك.

دَرَجاتِ جَنّاتِكَ، مَعَ الّذِينَ أَنْعَمْتَ عَلَيْهِم مِنَ النّبِيِّينَ
والصِّدِّيقِينَ والشُّهَدَاءِ والصّالِحِينَ، وَحَسُنَ أُولَئِكَ
رَفِيقاً. وَما افْتَرَضْتَ عَلَيَّ فاحْتَمِلْهُ عَنِّي، إِلَى مَنْ
أَوْجَبْتَ حُقُوقَهُ مِنَ الآباءِ والأُمّهاتِ، والأُخْوَةِ
والأَخَواتِ، واغْفِرْ لِي وَلَهُمْ مَعَ المؤمِنِينَ والمؤمِناتِ
إِنّكَ قَرِيبٌ مُجِيبٌ واسِعُ البَرَكاتِ، وَذلكَ عَلَيْكَ يَسِيرٌ
يا أَرْحَمَ الرّاحِمِينَ. وَصَلّى اللهُ عَلى سَيِّدِنا مُحَمّدٍ النّبِيِّ
وَآلِهِ وَسَلّمَ تَسْلِيماً.

* * *

الفهرس